Super E

Dello stesso autore nel catalogo Einaudi

Marcello Fois
I Chironi

Stirpe
Nel tempo di mezzo
Luce perfetta

Einaudi

I Chironi

Stirpe

a Paola che dà un senso...

Prologo

Luigi Ippolito si è messo disteso sul letto rifatto. È vestito di tutto punto, i bottoni della tonaca brillanti, le scarpe lucidate a specchio. Come sempre è stato e sempre sarà, si chiama per cognome e nome Chironi Luigi Ippolito e, senza muoversi, si mette in piedi per guardarsi composto, morto, pronto da piangere. L'Uno sta lí, preciso a se stesso, l'Altro lo fissa, inquieto, pietrificato, ma turbolento, dritto e secco come un insulto detto in faccia, tra il letto e la finestra. Che la fissità dell'Uno è parvenza e la fissità dell'Altro è controllo. Al primo sguardo si direbbero del tutto identici Luigi Ippolito e Luigi Ippolito, solo che il primo, quello disteso sul letto, ha l'apparenza imperturbabile del morto sereno, mentre il secondo, quello che osserva se stesso, in piedi, è rigido e accigliato come sono rigidi e accigliati gli sguardi perplessi. Cosí mentre il primo è immerso nella pace inenarrabile di una resa totale, il secondo battaglia contro quella invincibile mollezza. Per questo a un certo punto, rompendo ogni stasi, si avvicina fino quasi a rapirgli il soffio, quasi padre amorevole che voglia assicurarsi che il neonato ancora respiri. Ma non è per amore che Luigi Ippolito si piega su Luigi Ippolito, no: l'Altro si piega sull'Uno per leggergli la vita. E insultarlo anche, che non è quello il momento di morire e tanto meno di giocare alla morte; e non è quello il momento di arrendersi.

L'Uno ascolta e non si muove, ostinato nella sua farsa di defunto. Non si muove anche se vorrebbe riprendere se stesso.

Arreso all'evidente ostinazione di sé, l'Altro si siede sul

bordo della sedia impagliata davanti al comodino come una giovane vedova che ancora non ha capito l'onta che ha subito. Resta a guardare l'Uno che appena appena respira. Com'è esplorare questa terra di silenzio? si domanda. Com'è questo viaggio maledetto?

Poi la luce pare lasciare a precipizio la stanza, cosí le sopracciglia folte, ombreggiando le palpebre serrate dell'Uno, danno contezza di tutto il suo pallore. L'Altro dunque, come ha fatto la luce, abbassa il tono della voce e dei pensieri per dichiararsi definitivamente disposto a giocare quel gioco di compianto. Ricordava la solitudine del campo sfinito dalla canicola? E ricordava l'attesa davanti alla trappola? E la vita che si sputava dai polmoni dopo la corsa? Ricordava? Le battaglie all'oliveto, il frinire tremendo delle cicale, il sibilo marrano del maestrale. Ti ricordi? Volevo vivere nel vuoto, nella luminosità di un presente costante. Ostinato. Tu volevi il controluce. Volevi ombre. Io volevo spazio, ti ricordi? Ti ricordi? Era tutto un dirsi Ti ricordi? E i libri nei cesti come pane, che c'era da nutrire un corpo dentro al corpo e c'era l'impellenza di prepararsi all'esercizio quotidiano del tempo. E c'era il piano scabro della nostra vita insieme, come un tavolaccio rustico dove le malie del passato potessero trovare un ordine. Luigi Ippolito Chironi, di quei Chironi che erano stati De Quiròn, poi Kirone, che, prima della cattività barbaricina, avevano allevato i cavalli sui quali si era posato il deretano santo di due Papi e quello molto laico di un Viceré... Ti ricordi? Le biglie, la bottiglia col collo stretto, la vecchia rivista. Oh... La nostra vita messa in posa nel caos predestinato del ricordo. Come l'ordine segreto degli assetti. Ti ricordi? Ti ricordi la speranza trasparente dei vetri?

Ma a quelle domande l'Uno non risponde, lo sa cosa significa dare confidenza a se stesso e improvvisamente credersi l'Uno e l'Altro insieme. Silenzio. È lí che sempre si ritorna.

Nella stanzetta ormai c'è luce di camera ardente perché una macchia nera si è aperta al centro del bulbo solare. L'Uno e l'Altro si guardano. Il primo disteso pare assente ma osserva il secondo attraverso le palpebre serrate. Il secondo, la fronte corrugata, ricambia con tenace attendismo quello sguardo assente. Come sempre è stato e sempre sarà.

Poi si fa silenzio, contro il fragore costante del riflettere. Ora sembra non ci sia nulla, nulla da pensare, nulla da ricordare. È stato un sogno, oppure no: è stato trovarsi esattamente al punto in cui diventa impossibile qualunque rettifica.

La scrivania è sola nell'angolo in ombra della stanza. Il destino gli ha concesso carta e penna. E, là fuori, il cielo è di latte. Luigi Ippolito osserva se stesso con un misto di comprensione e pena. È un corpo alla deriva, piú molle di come lo ricordava, piú docile di quanto sia mai stato, arreso alla corrente.

Ma come si racconta questa storia di silenzi? Voi lo sapete, tutti lo sanno che le storie si raccontano solo perché da qualche parte sono accadute. Basta afferrare il tono giusto, dare alla voce quel calore interno di impasto che lievita, sereno in superficie, turbolento nella sostanza. Basta capire dove sia il chicco e dove sia la pula, pensando senza quasi pensare. Perché sapere di pensare è come svelare il meccanismo e svelare il meccanismo è come rendere mortale la storia.

Perciò, dicevo, dall'ombra che immerge la scrivania scaturisce l'ostinata luminosità di un foglio bianco. Che, forse, è un invito...

Cantica prima - Paradiso
(1889-1900)

Scire se nesciunt.

Prima vengono i bisnonni: Michele Angelo Chironi e Mercede Lai. Prima di loro nulla. E c'è da dire che se non si fossero incontrati in chiesa, lui fabbro e lei donna, è probabile, anzi sicuro, che questa stirpe si sarebbe polverizzata nell'anonimato che avvolge le storie di questa terra prima che qualcuno si decida a raccontarle.

Insomma, lei sta facendo la novena per la Madonna delle Grazie e lui sta sistemando il gancio metallico che tiene sospeso, a tre metri dal pavimento, il turibolo grande. Lei ha sedici anni, lui diciannove. Non è nemmeno fabbro, ma dischente di fabbro; lei invece è già di ferro, cesellata e magnifica, col viso perfetto. Lui, dall'alto, percepisce come uno sprofondo; lei, dal basso, una vertigine. Ed è tutto. C'è intorno una rarefazione come quando si rallenta nella corsa.

Michele Angelo è corpulento, solido, come una bestia ben pasciuta. Ha addosso una dominanza di castano, ma, controluce, l'anima è biondastra, quasi fosse l'espressione vivente di un passaggio straniero, come il frutto di un seme mieloso contro l'insistenza corvina che lo circonda. Infatti i capelli di Mercede, indigena, sono blu. Lucidi come una pennellata di smalto. Anch'essi hanno un'apparenza e una sostanza, perché sarebbero nerissimi, ma la luce, accumulandosi attorno al canale bianchissimo della scriminatura li fa blu.

Ecco, tutto quell'inconsapevole osservarsi si risolve in un secondo appena.

Poi passano i giorni e i mesi. La novena finisce, finisce la festa che ne consegue, finisce anche l'inverno.

Ad aprile Mercede, con le marie del vicinato, fa la questua, di casa in casa, per la festa di San Francesco di Lula. La terza casa è quella di Giuseppe Mundula, maestro del ferro, dove si trova Michele Angelo. Proprio lei che per timidezza non aveva mai bussato a una porta, a quella porta bussa; e proprio lui, che nemmeno doveva essere in casa, va ad aprire. C'è sempre una costante in questi incontri che sembrerebbero segnati dal Destino, ma il Destino è una cosa troppo seria. Mercede e Michele Angelo sanno che si trovano esattamente dove da sempre hanno cercato di trovarsi, ostinatamente, con la forza del piú sordo desiderio.

Eppure, ora che sono uno di fronte all'altra, nemmeno si guardano. Cosí in piedi si capisce che lui è di complessione robusta e non troppo slanciato. Lei, completando la crescita, rischia di diventare persino piú alta. Ma questo che importa? A Mercede piace che lui ha tutt'intorno a sé una luce ambrata, e intanto lo saggia con la pratica dell'incombenza genetica: quello sarà il seme dei suoi figli. A Michele Angelo piace che lei respira socchiudendo le labbra. Poi ci sarebbero gli occhi, e poi tutto il resto a cui penserebbe se non pensasse che quella è la donna della sua vita.

Lui quella mattina ha fatto tardi per una faccenda in casa; lei, anziché stare dietro alle tre marie, ha deciso di farsi avanti e di bussare. Lui dalla porta chiusa ha percepito familiare quel bussare e, contro ogni aspettativa, si è precipitato ad aprire superando con un balzo il fabbro in posizione vantaggiosa.

Ecco: in questa simultaneità non c'è Destino, c'è testardaggine. Gli amori durano esattamente un momento perfetto, il resto è solo rievocazione, ma quel momento può essere sufficiente a dare un senso a piú di una vita. Cosí fu dunque, lui allungò un'offerta congrua per il Santo, quasi l'intera giornata di lavoro, e lei la prese allargando il palmo della mano perché lui potesse sfiorargliela con comodo. Un gesto di cui mai si sarebbe vergognata nonostante, nell'abisso del suo ragionare, fosse piú licenzioso dell'ipotesi di concedere la verginità. Perché in quel gesto c'era un invito, e un invito è assai peggiore della semplice, stupefacente, fisiologia del desiderio. Lí non c'era stupore, c'era coscienza, intento preciso di disporsi a farsi toccare da quel maschio.

Michele Angelo si trattenne qualche istante in quel contatto, giusto il tempo per saggiare la consistenza impalpabile della pelle di lei e, magari, per vergognarsi della sua epidermide già coriacea, che un fabbro, anche se è appena un dischente, non può avere mai e poi mai mani delicate.

La differenza fra loro è chiara: Mercede sa tutto, Michele Angelo non sa niente.

La prima notte di nozze Michele Angelo è talmente estenuante nei tempi e nei modi che Mercede, al solito, costi quel che costi, decide di afferrargli una mano e portarsela al seno. Gesto da donnaccia può darsi, ma sente che deve farlo perché lui, tentando di toccarla, continua a fingere un tocco, come se ci fosse un cuscino d'aria tra la carne di lei e le sue mani. Mercede vorrebbe sentirsi ferocemente intrisa di un desiderio esplicito, perché questo è ciò che sa da sempre, e lui invece continua a tentare approcci come si fa col pane bollente: sfiora e poi scappa. Cosí lei lo guarda dritto negli occhi, che al baluginio della candela fanno guizzi di miele, e con la sua mano pressa sul seno la mano di lui. Finalmente Michele Angelo, in quel contatto senza mediazione, tra la consistenza del seno e il turgore del capezzolo, comincia a respirare col naso... Vorrebbe chiudere gli occhi ma lei glielo impedisce pressando ancora di piú la mano sulla mano di lui e addirittura inducendola a un movimento circolatorio. Quando sente che lui ha capito, lei abbandona la presa, lasciando che prosegua da solo.

La casa degli sposini è piccola, ma di proprietà.

Fuori, considerato che non c'è luce umana, lo sguardo può posarsi verso il buio perfetto, dove vibrano, febbricitanti, un numero incommensurabile di stelle a grappoli.

È una casa semplice. Un disegno elementare. Un piano aggiunto sopra alla bottega di fabbro.

Sull'acciottolato passano carri trainati da buoi, cavalli, pecore e pastori. Passa il curato e il dottore. Passano soldati: le divise grigie del reale esercito e quelle blu dei carabinieri. Passano fuggiaschi e inseguitori; inquirenti e delatori. In quel fazzoletto di terra passa una storia minuscola che è il frutto, quasi la conseguenza di una storia grandissima. Sono le briciole del banchetto quelle che si devono mangiare in questa fetta di mondo, ma, a ben guardare, e ben assaporare, da queste briciole si possono capire tante cose.

Nonostante il buio, le pareti della stanzetta sopra l'officina del maestro del ferro sono fosforescenti di calce viva.

Percepiscono qualcosa, oltre la finestra, Michele Angelo e Mercede, molto al di là della febbre languorosa che li divora, qualche passaggio di carri, di storie piccolissime o grandissime che siano. E senza nemmeno dirselo pensano che, per reciprocità, dal vicolo si possa percepire l'agire febbrile dell'officina della vita cosí come sta avvenendo. Per questo, al culmine, per questa cautela forse inutile, forse no, Michele Angelo affonda il viso nel cuscino per spegnervi un gemito di basso ostinato. E Mercede fa cenno di sí a lui che non la guarda, ma la sente aprirsi, come può aprirsi una madre.

Ripensandoci molti anni dopo Mercede racconta che la sorpresa piú grande fu scoprire gli attributi del maschio fatto in quel marito bambino: la leggera peluria riccia e bionda che gli copriva le spalle e il petto, e che rendeva la pelle ancora piú candida. Poi la barba che, alla distanza di un bacio si poteva vedere, addirittura sentire, mentre ricresceva. Lei racconta senza reticenze che fu un buon marito, attento e mai volgare. Che gli piacevano le carezze e le titte sopra ogni cosa.

Con meravigliosa, matematica, precisione Mercede quella notte restò incinta.

Ma il segreto della perfezione di questo concepimento fu accettarsi senza domande. Nel tempo comparvero anche i difetti, perché Michele Angelo era taciturno e permaloso e Mercede prepotente e troppo attenta all'opinione altrui.

Nove mesi dopo, come la dimostrazione esatta di una formula matematica, nacquero Pietro e Paolo, gemelli. E poi, nei dieci anni seguenti: Giovanni Maria, nato morto; Franceschina, nata morta; Gavino, partito in Australia; Luigi Ippolito, morto in guerra; Marianna...

Ne ha fatta di strada quest'amore. Sono andati come due pellegrini verso un santuario lontanissimo di cui si aspetta a ogni metro di vedere almeno l'apice del campanile, e invece nulla. Cosí è necessario amarsi e amarsi ancora a dispetto di tutto: della polvere che impasta i capelli; della tentazione di accettare un passaggio da un carro o di abbandonarsi alla disperazione zuppi di pioggia, le scarpe immerse nel fango, i passi incerti, il palato seccato dalla canicola, le dita illividite dal gelo, lo sguardo fisso verso una fine che sempre, sempre, si trasforma in un inizio. Sono andati dritti, senza mai voltarsi, come gli anonimi, piú anonimi che si possano pensare. Sul ciglio di quella strada che, dall'alto del calesse, sembra maestra, ma dal basso, con i piedi a smuovere ghiaia, pare terribile e infinita. Qualcuno l'hanno incrociato e mai, mai riconosciuto, perché il loro è un procedere esclusivo, sono due ma sono uno; non vedono e non sanno niente. Solo il loro amore: ostinato, irremovibile, banale, cieco.

In pochi anni Michele Angelo ha allargato l'officina edificandone un'altra sul retro di quella vecchia. I lavori costano il sacrificio di una parte del cortile, ma fruttano l'ampliamento della casa ora che i gemelli crescono e la famiglia continua ad aumentare con la forza di una primavera costante. E gli affari prosperano dal momento che Michele Angelo si è accreditato come migliore ferraio del paese quasi città.

Perché quello che l'anagrafe gli ha dato in sorte, sempre concesso che la sorte esista, è un agglomerato modestissimo che si trova in una specie di adolescenza inquieta, né carne, né pesce. Ma ha l'aspettativa presuntuosa di certe periferie di diventare presto o l'uno o l'altro, o tutt'e due. Al momento, dalla direzione Ugolio, Nuoro sembrerebbe un avamposto di confine, brullo, con la cattedrale monumento che lo fa assomigliare a un paese andino. E un carcere immenso, rotondo, come una grancassa posata su un piano erboso. Nuoro di fatto è stata la convivenza di due anime diverse: a monte, San Pietro, i pastori; a valle, Séuna, i contadini. Da questa dualità conclamata dipende il respiro del luogo. Ecco, Michele Angelo attraversa questa vita quando nell'organismo infantile e arcaico del paese comincia a ribollire l'ormone della modernità che ventila ipotesi di città, perlomeno di cittadina, sviluppando, in mezzo, via Majore, strada modernissima di borghesi esattamente a congiunzione fra le due anime antiche. Il Giano bifronte diventa Cerbero a tre teste. Questo stare in mezzo descrive e sintetizza tutto: il sentimento di casta, lo sguardo rivolto oltremare, verso la Storia. E descrive la permanenza di certe visioni ovunque esse avvengano: tutti credono di vedere qualcosa che altri non hanno visto; si illudono di pensare qualcosa che altri non hanno pensato, ma tutto dipende solo dal fatto che qualcuno si prenda la briga di raccontare straordinariamente questo ordinario.

La strada del passeggio dunque, strada Maggiore, fatta per l'esposizione, in una teoria di cose di città quali il locale alla moda, la farmacia, e anche il rustico municipio con mercato e pesa per il bestiame. Oltre, si intende, ai piccoli esercizi commerciali stabili, perlopiú gestiti da istranzos, in una civiltà che in letteratura ha appena fatto i conti con la scrittura e in economia ha appena abbandonato il baratto. Ecco, quella via centrale è il ponte continentale fra le due realtà autoctone, un territorio franco al cui fianco corre una sorta di letto di fiume muschioso e roccioso circondato da alberi che i nuoresi chiamano Giardinetti. Ma per Michele Angelo quella strada è soprattutto l'edilizia civile di palazzotti intonacati... e balconati.

Comunque in questa farsa di creature incatenate Michele
Angelo rappresentò quell'eccezione che rende inconsistente la
regola... Di lui si sa poco, se non che dovette trattarsi del frutto di un amplesso consumato in camuffa: lui, il padre chissachí,
carbonaio continentale; lei indigena figlia di nessuno, magari
teracca. Sta di fatto che lei capí di essere incinta quando par-
torí e lui non seppe mai di essere diventato padre. E sta di fatto
che in quell'angolo dimenticato da qualsiasi divinità si partori-
vano martiniche pelosette di poco peso, mentre lei scodellò un
fardello bianco e oro, bello come il Gesú Bambino del presepio.
Ma, evidentemente, frutto di un seme inadatto per quell'utero,
cosicché glielo tirarono fuori che era già morta. Da qui il nome
Michele: l'angelo con la spada... Alle suore gabbiane piacque
l'idea che fosse stato proprio il frutto del peccato a vendicare
quel peccato da cui era scaturito.

A Mercede invece volle chiamarla cosí suo padre anche se
sapeva che non l'avrebbe vista crescere: la bambina era contesa
per via di un contratto di matrimonio disatteso. Magari l'informazione è errata, ma la vulgata dice che Mercede nacque dal
nobile Severino Cumpostu e dalla perpetua di San Carlo, Igna-
zia Marras. Quindi genitori certi nonostante tutto. Ma, e qui
sta il «ma», Severino Cumpostu era legato a un contratto di
matrimonio con una Serusi di Gavoi, cosicché della perpetua
e della bambina si sono perse le tracce, finché sedici anni dopo
lei non appare in chiesa proprio mentre Michele Angelo sta sistemando il turibolo grande.

La stirpe Chironi è frutto di reietti, di due negazioni che affermano, ma, proprio per questo, temeraria. Michele Angelo e
Mercede si guardano: lei sollevando il capo come ad adorare una
statua alata – il giovane biondo infatti si sporge dalla scala verso il
perno che aggancia il turibolo e sembra che voli –, lui osservandola
dall'alto come se fosse un rubino incastonato alla sua roccia. Deve
squadrarla perfettamente per stabilire che la sensazione di bellezza
che ha provato, non è nient'altro che bellezza vera piena, assoluta.

Ecco, quando si guardano non hanno un patrimonio da custodire e nemmeno una storia da raccontare, sono all'inizio di tutto: lui dischente fabbro e lei è già di ferro.

Sanno da subito che potranno contare solo l'uno sull'altra, non hanno una genia di cui mantenere il buon nome e i loro stessi cognomi sono posticci, dati per burocrazia. Michele Angelo si chiama Chironi come l'ispettore generale dell'orfanotrofio di Cuglieri in cui è cresciuto, e Mercede si chiama Lai come la padrona che l'ha presa a servizio a sette anni.

Tutto qui, l'inizio del mondo si direbbe, perché a loro hanno dato un nome e un cognome da cui tutto può cominciare.

Cosí tra il loro primo contatto e il matrimonio passano sette mesi. Un matrimonio quasi clandestino, senza mezzi... Testimoni Mundula Giuseppe, fabbro, e Brotzu Nicolino, sacrestano. Nella cappella laterale della chiesa, quella di San Giovanni Grisostomo.

Ma abbiamo corso troppo e invece bisogna procedere con calma.

E ritornare alla notte in cui proprio Giuseppe Mundula, fabbro, salendo verso casa dall'officina trovò in cima alle scale il cadavere di sua moglie.

La donna era morta stringendosi il petto come se tentasse di trattenere il cuore dentro al costato. E aveva in volto l'aria corrucciata, schifata e triste, di chi, dopo averla assaggiata sulla punta del cucchiaio, ha appena capito di aver rovinato una salsa.

Giuseppe Mundula non pensò quasi a niente, o pensò troppo. Era sfinito, perché il suo lavoro sfinisce. Era sporco come un demonio. Sua moglie stava lí, morta, davanti a lui, ed è probabile che avesse gridato, chiesto aiuto mentre sentiva il cuore esplodere, ma, annichilito dal battito feroce del maglio sull'incudine – anche il ferro al calor bianco sibila e si lamenta – al fabbro era

parso di sentire l'anima del metallo e non capí che invece udiva
l'agonia di sua moglie.

Ecco, tutto questo pensare, o non pensare, l'aveva bloccato. E
infatti lo scalino, per il suo peso prolungato, cominciava a risuona-
re di lingua che schiocca sul palato. Cosí Giuseppe Mundula buttò
un ultimo sguardo verso la moglie e poi si mosse. Superò il cadavere con una falcata ampia, e attraversato il ballatoio raggiunse la
cucina. Lí vuotò un'intera brocca d'acqua nel catino e vi immerse
le mani, poi il viso, come aveva sempre fatto. Neppure la violenza
inaudita di quel colpo di teatro, quando la morte entra in scena lo
fa sempre da prima donna, neppure quel cadavere riverso in cima
alle scale gli impedí di sedersi e mangiare un pezzo di formaggio
col pane bagnato... Anzi forse fu proprio quell'ignorare lo sgarbo
della sua donna ghermita a tradimento a rendere quella cena pacifica, silenziosa come non era mai stata, che la moglie del fabbro
c'aveva il difetto che parlava troppo. Tutti questi pro: il silenzio,
la soddisfazione di fregarsene della morte, gli resero piú sopportabile il dolore sordo che gli cresceva dalla bocca dello stomaco. E
proprio quando si era illuso di averlo schivato con la stessa falcata con cui aveva scavalcato il cadavere, invece, improvvisamente,
capí alla perfezione che sarebbe rimasto solo. Vedovo e sterile.
Quella certezza gli fece rigurgitare sapore di ferro. Fu costretto a
sputare il formaggio e il pane bagnato.

Perciò, sollevandosi dalla sedia, guardò oltre l'uscio socchiuso,
e la vide per la prima volta. Mai, mai stata bella, anima, tutto si
poteva dire, ma bella no. Ora che poteva vederla, inerte, rischia-
rata dalla luna, non piú pallida di quanto fosse sempre stata, ora
che poteva vederla, dicevamo, gli sembrò intima come un arto reciso, ma anche distante come una sconosciuta che fosse andata a
morire proprio in cima alle sue scale. Sollevarla fu un niente tanto poco pesava, ora che la abbracciava poteva capire quanto poco
davvero avesse pesato quella donna su questa terra: in su mundu
ca b'at locu, diceva sempre di se stessa.

Eppure c'era stato un momento in cui anche lei aveva avuto
un significato e su quel costato legnoso era fiorito un seno final-

mente florido. Che fosse rimasta incinta si capiva dalla precisa svagatezza con cui prese a guardare le cose. Ogni spigolo del suo corpo andava smussandosi, come ogni spigolo del suo carattere. Sorrideva persino e, di tanto in tanto, rideva. E il solo vederla ridere faceva pensare al miracolo silenzioso della procreazione.

Allora la moglie del fabbro era stata quasi bella. Si ricordò di avere un nome, Rosangela, si ricordò di avere avuto qualche sogno, prima che la vita diventasse tanto prosaica da non concepire nemmeno il concetto di sogno. Giuseppe Mundula del resto diceva di non aver mai sognato in vita sua e lei gli spiegava che un sogno era esattamente come la sensazione di vita vera senza il peso della vita vera.

Ora con la moglie in braccio, mentre passava la soglia come uno sposo novello, il fabbro pensò a quella leggerezza che non aveva mai sperimentato.

Posata sul letto non increspava nemmeno le lenzuola ruvide. Giovane eppure vecchissima. Rosangela Líndiri, coniugata Mundula. Quel nome appena pronunciato, si perse nel momento esatto in cui il feto immaturo si era staccato con uno strappo dal suo utero.

Stava sognando che una misura di grano moltiplicava se stessa come nel miracolo dei pani e dei pesci. Si vedeva che con la misura di grano continuava a svuotare lo staio e lo staio che continuava a riempirsi. Stava sognando questa abbondanza infinita, circolare, perpetua, quando sentí il crampo. Da subito, sulla soglia tra il sonno e la veglia, capí che era successo qualcosa di terribile. Ma non è giusto dire che capí, perché fu l'altra a capire, l'altra Rosangela, quella col seno bello, quella che sorrideva e persino rideva. Come la vergine guardinga della parabola, nel buio del sonno profondo, nell'incerto del sogno, aveva tenuto acceso un lume. Cosí quando tutto avvenne, quando ci fu l'addio, l'una fu in grado di avvertire l'altra.

Mettendosi a sedere sul letto sentí che la vita a venire le fluiva tra le cosce come un fardello minuscolo, mucoso.

Di questo non ci fu modo di parlare mai. Sotto la casa il maglio continuava a sfiancare la barra incandescente, l'incudine continuava a scandire il ritmo, il mantice a sbuffare e l'acqua a reagire alle immersioni. La vita pesante ritornava esattamente al punto in cui ci si era illusi di abbandonarla.

La moglie del fabbro, sterile, sfortunata, senza nome, ritornò nel mondo perché c'è posto, come deve essere.

Cosí le capitò di pensare che se il marito cercava altrove quello che gli spettava, e cioè dare il suo contributo alla genìa, aveva tutte le sue buone ragioni.

Ma, badate, non fu solo un calcolo demografico il suo, no, fu ragionare da donna. La casa delle donne ha sempre l'uscio socchiuso, la casa dei maschi è sempre sprangata o spalancata.

Nella testa della moglie del fabbro un figlio non era semplice vanità, ma continuità, come quello staio di grano che continuava a riempirsi tanto piú lo si svuotava.

Nella sua testa lei e il marito non avevano bisogno di nulla, ma quello staio ormai andava svuotandosi inesorabilmente... E se lei fosse venuta a mancare? chiedeva, come se morire significasse uscire un attimo. Cosí cominciò a suggerire che lui, il marito, un figlio dovesse farselo con un'altra e assicurò persino che l'avrebbe allevato come suo. E il fabbro s'imbestialiva, battendo i palmi sul tavolo.

Della questione non si parlò piú fin quando in parrocchia qualcuna non le raccontò di una gran signora che era andata a scegliersi la figlia all'orfanotrofio di Cuglieri. La moglie del fabbro a Cuglieri non c'era stata mai, non aveva nemmeno mai pensato di andarci, ma adesso non parlava d'altro... E il marito scuotendo la testa sbarrava l'uscio: «Lasciami in pace!» gridava.

E lei tutt'altro che arresa giorno per giorno insisteva: «Giuseppe Mundula te ne vuoi andare senza nessuno a cui lasciare quello che hai fatto?»

E lui: «Sprofondi tutto, quando non ci sarò piú non sarà cosa che mi riguardi».

E lei: «Pensaci».

E lui: «Ci ho già pensato. Escimene dai piedi con queste storie!»

A quelle mattane lui non avrebbe nemmeno risposto, ma lo

faceva per dovere coniugale, anche se nelle risposte del fabbro la
moglie sentiva gli schiocchi di una serratura a dieci mandate.

Ora, mentre aspettava l'alba disteso affianco alla moglie morta, leggera come una sfoglia di pane, a Giuseppe venne in mente
quell'ossessione.

Cosí, quando ancora l'ultima manciata di terra non aveva ricoperto la bara, lui era già in viaggio per Cuglieri.

Pulito e con l'abito buono si presentò a pretendere una discen-
denza, perché di sposarsi un'altra volta non ne voleva sapere.

Innanzitutto chiese un bambino, e che non fosse troppo piccolo, che fosse in grado cioè di occuparsi autonomamente delle sue
funzioni primarie. Con sé portava la lettera di presentazione del
parroco della Madonna del Rosario di Nuoro, in cui si attestava
che era uomo timorato e abbiente, vedovo e incensurato. Lavoratore in proprio.

Nel corridoio nudo della sezione maschile dell'orfanotrofio si
presentarono in venti, ognuno con un numero sul petto: l'1 e il 2
li scartò immediatamente, al 3 ci pensò, poi vide il 7. E il 7 era Michele Angelo. Gli spiegarono che di adozione non si poteva parlare,
considerata la condizione di vedovanza, ma, viste le referenze, si
sarebbe potuto aggirare l'ostacolo attraverso una forma di affidamento temporaneo che temporaneo poi non sarebbe stato. Come
se si trattasse di un figlio d'anima passato da una famiglia povera
a una con i mezzi. «Non stiamo a fare troppe carte, – disse la priora delle suore gabbiane. – È un affidamento, un affidamento…»

Arrivati a casa, dopo un viaggio nel piú totale silenzio, il fabbro chiese al bambino quanti anni avesse, e lui rispose che ne aveva nove, o almeno cosí gli avevano detto all'orfanotrofio. Poi disse
che sapeva scrivere e leggere, male ma sapeva leggere, senza fretta.

Michele Angelo cominciò a frequentare l'officina dalla mattina dopo.

– Per imparare un mestiere non c'è altra strada che guardare,
– gli disse il fabbro. – Tu guarda e impara le cose e quello che non
capisci lo chiedi.

Nel frattempo, mentre guardava, Michele Angelo aiutava a tenere in ordine l'officina, riportava gli attrezzi al loro posto, spazzava la limatura dal pavimento...

Una sera, mentre mangiavano minestra di latte, il bambino prese per la prima volta la parola di sua spontanea volontà: – Ma commo babbu meu sese? – chiese al fabbro.

Questo lo guardò come si guarda un insetto sconosciuto: – Non soe babbu tuo, – scandí perché non ci fossero dubbi.

Il bambino continuò a mangiare.

Comunque in breve l'attitudine di Michele Angelo a parlare poco e osservare molto diede i suoi frutti. Nel giro di due anni sapeva maneggiare un mantice e capire il grado di fusione dal colore della fiamma. A undici anni era robusto e in salute come una benedizione. Aveva il suo letto in cucina e, in parte, aveva anche contribuito a costruirselo.

Al fabbro piaceva l'idea che due solitudini messe vicine, anche se non fanno necessariamente una compagnia, almeno fanno sembrare la propria condizione meno amara. E forse solo questo pensiero era un segnale del fatto che lui al ragazzo voleva bene, ma non aveva idea di come si facesse a esprimerlo.

Michele Angelo, dal canto suo, aveva sviluppato una fiducia totale nei confronti del padre d'anima che suo padre non era: se quello diceva batti, lui batteva; se diceva aspetta, lui aspettava; se diceva piú forte col mantice, lui piú forte lo faceva soffiare.

– Un giorno avrai un'officina tua, – disse il fabbro mentre si lavavano le mani e la faccia allo stesso catino. Lo disse come se stesse parlando da solo, perché quel ragazzino castano che gli cresceva affianco giorno per giorno non era nient'altro che un'emanazione della sua capacità di donare. Ecco: esiste un disinteresse che rende il dono un atto meraviglioso e proprio da quel disinteresse poi, paradossalmente, si può ricavare un guadagno.

Ora il guadagno fu di capire senza ombra di dubbio che ogni cammino richiede una meta e che stare al mondo perché c'è posto, ca b'at locu, non è esattamente quella che si può definire una meta. Ma rivedersi ragazzo, curioso, fiducioso, quella sí che lo è. Giuseppe Mundula non lo sapeva, né mai lo avrebbe

saputo, ma stava tentando di riempire quello staio di grano che
andava disperatamente svuotandosi.

Cosí, passati dieci anni, Michele Angelo era quasi in grado
di sostituire il padre putativo all'officina, sicché al fabbro piaceva trattenersi qualche ora alla bettola, tanto c'era il suo giovanotto a lavorare...
Per questo al perno del turibolo dovette pensarci lui.
Eccolo all'apice della scala a pioli, che flette e spancia verso
il centro tanto è lunga, mentre saggia la tenuta del gancio che
tutti dicono sia precario. E in effetti balla come un dente che
stia per staccarsi dalla gengiva. Cosí Michele Angelo, esamina-
to il malato, si appresta a scendere per munirsi di quanto gli
serve per la cura. Mentre abbassa lo sguardo per capire come
iniziare a scendere, la vede. Mercede è seduta qualche metro
piú in basso, ma nella sua testa è già talmente in alto da essere
irraggiungibile. Lui ha diciannove anni e non ha amato mai, sa
del corpo come sanno i maschi di questa terra, con spreco, con
fretta... Sa del suo corpo e della sua consistenza, ma non sa nulla del corpo altrui. La scala sotto al suo peso oscilla come una
canna, quando finalmente arriva a terra con la coda dell'occhio
controlla se lei lo stia guardando e lei lo sta guardando.
Il resto ce lo siamo già detto.

Alla messa delle sei Mercede si presenta da sola, con un abito
vecchio ma ancora buono della padrona, che le sta largo all'altezza del seno. Ha la testa fasciata da una benda bianca. Non
può permettersi nient'altro. Michele Angelo arriva subito dopo accompagnato da Giuseppe Mundula, porta lo zippone blu
e viola alla nuorese, sotto alla berritta i capelli sono stati messi
a posto con acqua e olio. Il sacrestano arriva per quarto: aveva
quasi dimenticato quell'incombenza e ora, nel silenzio dei ceri
febbrili, si scusa. Il matrimonio è veloce, non nell'altare maggiore ma nella cappella laterale, come quando si officia per un

latitante delinquente o per un amore che ha generato un frutto del peccato prima del sacramento.

Mercede porta in dote se stessa e il desiderio che Michele Angelo nutre per lei. Michele Angelo porta una piccola officina e due stanzette sopra che gli sono state affidate da Giuseppe Mundula perché possa cominciare a camminare con le sue gambe. L'ha maritato, gli ha preparato un futuro e gli ha ceduto persino qualcuna delle sue commissioni.

E l'ha fatto proprio quando tutto quel moderno che stava arrivando imponeva molti balconi in bella vista sulla via del passeggio.

Due anni passano.

Come capita anche nelle storie grandi il tempo trascorre senza niente di preciso da raccontare. Quanto ci sarebbe da dire è ordinario all'apparenza, ma nei fatti è un miracolo, quello compulsivo del generare e rigenerarsi. Nacquero i gemelli, Pietro e Paolo, e quindi Giovanni Maria, nato morto.

Quel bambino nato morto era la prima dimostrazione che tanto si riceve tanto si restituisce, perché nonostante il lavoro aumentasse di giorno in giorno per la febbre dei balconcini, e delle inferriate, e delle ringhiere graziose per interni; nonostante dopo nemmeno un anno dal matrimonio già fosse chiaro che occorreva allargare l'officina verso il cortile e magari prendere un dischente; ecco, nonostante tutto questo, che era felicità semplice, quasi un percorso banale di crescere e moltiplicarsi, Giovanni Maria nacque già perfettamente formato, ma verde come espulso da una palude. Dissero che era stato concepito troppo presto dopo il primo parto, che era stato lungo ma non laborioso: prima era uscito Paolo, poi, e dicono che questo decreti il gemello maggiore, Pietro. «Troppo presto», dissero le donne del quartiere e un po' criticarono questa coppia di nuovi arrivati che, affamati, si buttavano sulla buona sorte come cani randagi.

«Guarda questi Chironi, – dicevano, – ma chi si credono di essere? Ma da dove sono venuti? Eh?»

E comunque Mercede sapeva bene che era stata un'imprudenza concedersi che ancora allattava. Ma come si faceva con

Michele Angelo? Il marito bisogna tenerselo a tavola e a letto, per il resto è meglio che lavori e basta.

Lei si schermisce: – Vedi, la figura degli animali ci hai fatto fare...

Michele Angelo aggrotta le sopracciglia senza nemmeno alzare la testa dalla zuppa.

E lei continua: – È inutile che fai finta di nulla Michele Angelo Chironi...

– Perché, male il servizio ti ho fatto? – biascica lui a un certo punto, prima di ingoiare.

Mercede scuote la testa e abbassa il tono. – E bravo, sei messo proprio bene, cos'è questa una risposta?

A lui basta questo cambiamento di registro per fargli perdere la baldanza, perché Michele Angelo con quella donna è incapace di prendere il sopravvento. – Me lo potevi dire che non era il momento, – fa lui con un broncio leggero.

– E come no certo, – ironizza lei. – Mangia, mangia... – E poi quasi tra sé: – Chiudere l'ovile quando il gregge è scappato –. E sta sorridendo.

Cosí i gemelli vengono cresciuti a latte di capra, perché latte materno non ce n'è: la gravidanza precoce ha distorto tutti gli orologi del corpo. Mercede è afferrata da caldane che sembrano ferri roventi dal basso ventre al collo, e qualche volta perde il controllo. Ha partorito due gemelli, non ha finito di allattarli che è rimasta incinta un'altra volta. Ha subito una seconda gravidanza difficilissima con nausee continue, acidità – i capelli del nascituro, dicevano –, capogiri... E per di piú, ma era logico, ha perso il latte.

Pietro è saggio. Paolo è inquieto. Si assomigliano come due gocce d'acqua tranne per il colore dei capelli, il primo castano e il secondo nerissimo. Pietro mangia e dorme, Paolo è di quelli che cerca il seno. Quando Mercede si avvicina eccolo che spalanca la bocca come un uccellino, per avere il capezzolo, e lei sussurra, ma quasi senz'astio: – Eh, chiediglielo a quella bestia di tuo padre.

È un maggio incredibilmente luminoso, quasi estivo, senza

le sporcature che lo fanno incerto: niente pioggia, qualche nuvola. I gemelli sono nati a gennaio e a maggio ecco che Mercede resta incinta di nuovo.

L'inverno si era attardato in una luce plumbea, costante. Fino a Pasqua era stato brutto, ma a tal punto che non si erano potuti rifare cuscini e materassi, né preparare fichi o pomodori secchi.

La porta di maggio si spalanca alla luce di colpo. Dalla sera alla mattina. Quando i seni di Mercede ancora esplodono di latte. È allora che l'estro di Michele Angelo si fa ingovernabile.

Perciò, malamassaia, criticata come una donnaccia, è costretta a smettere l'allattamento. E a nutrire i suoi figli col latte di capra attraverso un budello disseccato, come si faceva agli ovili per gli agnelli orfani.

Molti anni dopo questa sottrazione sarebbe diventata occasione di dolore. Un'altra alba, a maggio, ancora.

Ma non adesso.

Adesso, l'improvviso benessere aveva permesso a Michele Angelo di comprare un terreno a Lollove. Era un fazzoletto coltivato a vite, ma stabiliva un concetto preciso: quello era suo. La prima cosa immobile che avesse mai posseduto. Sa roba. A trovare l'occasione fu Giuseppe Mundula, a dire il vero, che preferí offrirla al figlio putativo: quel Giuseppe, di nome e di fatto, che facendosi anziano si era addolcito e persino si commuoveva. Davanti all'appezzamento appena comprato i maschi Mundula-Chironi, padre e figlio nel principio piuttosto che nella carne, si abbracciarono cingendosi vicendevolmente le spalle. Oltre non ci fu piú nulla, ciò fu quanto di piú intimo riuscirono a concepire tra loro. Erano passati dodici anni da quando si erano incontrati nel corridoio dell'orfanotrofio di Cuglieri.

– Il benessere porta rispetto, – disse Giuseppe, senza staccarsi dal figlio. Perché ora lo sentiva figlio a tutti gli effetti, andava in età, si sentiva colmo di esperienza e di cose da dare, si sentiva al sicuro perché non aveva permesso alla solitudine di portarsi via quanto di buono era riuscito a fare. – Mettitelo in testa, – proseguí. – Chi non ha fatto niente, non era niente. Se arriviamo su questa terra per non lasciare un segno siamo morti due volte. Tu non l'hai conosciuta a mia moglie Rosangela, eh, dovevi vedere che razza di femmina era... Lei sí che ci capiva di cosa andava fatto e di cosa non andava fatto. Ma a me mi sembra di poter dire che oggi sarebbe stata contenta.

Michele Angelo annuí. Era una stagione in cui si poteva morire senza nemmeno lasciare un'immagine di sé. A Rosangela Líndiri, coniugata Mundula, nessuno le aveva mai fatto una fotografia o, tanto meno, un ritratto. Se n'era andata senza lasciare un'orma se non le brevi descrizioni che sapeva farne il marito: bella no, non si poteva dire che fosse bella, animedda, e c'aveva anche un caratterino che te lo raccomando, ma era una che sapeva il conto suo, questo sí. Lei alle cinque del mattino era in piedi. Tutti i giorni. Per lei non c'era domenica o festa. Diceva sempre di avere tante cose da fare, ma quali fossero queste cose non si capiva di certo.

Nessuno dei due si chiese quanto fosse congruo questo discorso di anziano davanti alla distesa immobile di vitigni nani che si contorcevano intorno ai paletti troppo lunghi. Avvertirono che le persone care mancano nei momenti belli. E nei momenti brutti, dovunque esse siano, si vorrebbe che fossero voltate da un'altra parte. Tutto questo era vita, contro qualunque morte possibile. Era vita di gemme e poi foglie, e poi grappoli. Per questo, forse, valeva la pena di richiamare le anime ad assistere al proprio istante di felicità.

Ecco, a Michele Angelo non sarebbe potuta venire nessun'anima a benedire quella scheggia di benessere, perciò ci aveva pensato Giuseppe, che sapeva come vanno le cose, e come sempre sono andate. Va bene c'era stato Giovanni Maria, il figlio appena nato morto, ma quella era un'anima incompleta, un nume incapace di vegliare. Perciò ci aveva pensato Giuseppe, offrendogli la propria personale, immensa, protezione.

Cosí quella vigna si chiamò Rosanzela.

Quando i gemelli mettono passi l'officina si è ingrandita, e anche la casa. Il piano inferiore è stato trasformato in una grande cucina e due stanze da letto. Il piano superiore non è cambiato, ma la vecchia cucina è diventata la stanza matrimoniale, piú due locali: uno piccolo che è rimasto dispensa e l'altro che è la stanza dove dormono Pietro e Paolo. L'officina, piú larga e piú attrezzata, ha occupato un pezzo del cortile vecchio e anche una porzione di quello comprato dai confinanti.

Rosanzela ha dato vino asprigno e rozzo, ma è il vino di casa, ed è una delle manifestazioni del divino. Da una parte c'è il pane che lievita e gonfia e cuoce e ricuoce sino alla croccantezza; dall'altra c'è il vino che fermenta e vibra e si colora. Ma questo è un vinaccio troppo scuro che va mischiato con l'acqua, perché basta un bicchiere che prende alla testa. C'è chi lo stempera col miele e chi con acqua e zucchero, ma questo, dicono, va bene solo per il vino da messa, per i preti mezzi uomini, insomma, che non hanno il palato per quello verace. Per essere buono il vino deve sporcare il bicchiere, greve, sciropposo, risultato di uvette vizze nate male e coltivate peggio. E non ci vuole un dottore per capire che da quelle parti sapevano fare pane e formaggio, ma vino proprio no. E neanche olio per dirla tutta.

Comunque alla vendemmia, se cosí si può chiamare, Mercede è incinta di otto mesi. È ottobre, si vendemmia in ritardo perché settembre è stato freddo e l'uva è stata tardiva. A Michele Angelo sembra di essere diventato un mere e domino perché ha chiamato dei ragazzi del quartiere e gli ha messo in mano qualche sisino per vendemmiare a giornata. Ci sono tutti, Mercede che ha preparato di che appentarsi, i gemelli che scorrazzano tra i filari e persino Giuseppe Mundula seduto in disparte che guarda davanti a sé. Poi ci sono tre ragazzi, due femmine e un maschio, per aiutare. E c'è Michele Angelo che fa il possidente con una goffaggine che sa di tempi nuovi e di nuove caste montanti.

Lui ha in mente un ricordo che non potrebbe avere. È notte, fa freddo, si sente un lamento lunghissimo come un muggito sostenuto. Non sa esattamente cosa ricorda, e non può dare uno spazio fisico a quel ricordo. Ma sa che era notte e sa che c'era un lamento terribile. Tutte le volte che i polmoni gli si riempiono d'orgoglio, quando si guarda attorno; quando al Corso può mostrare i balconi di casa Deffenu o Campanelli e può dire, con fierezza: Quelli li ho fatti io; quando si trova davanti a un traguardo di se stesso e alla responsabilità di costruire una schiatta perché niente vada perduto; ecco, allora, sente quel ricordo impossibile, quel freddo, quel lamento.

Anche adesso, davanti alla terra che è sua, ai suoi figli, quelli che ci sono e quelli che verranno; davanti all'unica donna che amerà mai, per sempre; anche adesso sente esattamente quel lamento. E la notte e il freddo. Come un memento. Un marchio. Che tutti ci figuriamo essere predatori e invece siamo prede. Tutti ci sentiamo padroni e invece siamo sempre servi. Certo ci vogliono generazioni per abituarsi al benessere, specialmente se il benessere è stato conquistato col sudore della fronte.

Michele Angelo diceva tra sé e sé: Ecco vedo i miei figli crescere e io ci sono, e sono io che sono stato in grado di procurare loro di che vivere bene in questo mondo di lacrime, ma la cosa importante è che loro non passino mai quello che ho passato io: la notte, il freddo, il lamento.

Tornati a casa dalla vendemmia Mercede sta male. Subito, le donne accorse, dicono che si è affaticata troppo per le sue condizioni. E subito si fanno ipotesi: aver viaggiato sballottata dal carro per la distanza dalla vigna al paese; essere rimasta in piedi tutto il giorno sotto il sole; aver bevuto acqua troppo fredda; aver mangiato troppa uva col pane bagnato...

Ma Mercede sa che tutte quelle ipotesi sono una sola: la creatura che ha in grembo è morta. Un'altra volta. Lo sa perché il dolore che ha sentito è stato prima quello di un addio che quello di uno strappo. Prima un vuoto, poi una lacerazione. Come quando quello che temi di più al mondo avviene, e avviene inesorabilmente, che sembra una crudeltà doppia il fatto che sia avvenuto dopo che per tanto tempo lo hai temuto.

Perciò avviene. La prima femmina Chironi, Franceschina, nasce morta. Bianca e rosa come se dormisse, senza che appaia in lei alcun segno che ne specifichi la causa della morte. Mer-

cede sa dire con precisione con quale dolcezza la sua bambina
ha lasciato questo mondo, perché ne ha sentito la voce poco
prima che si staccasse. Aveva sempre pensato a se stessa come
una solida brocca, una giara per i tempi grami, colma di olive
confettate, che durano e nutrono. Si sentiva pronta a ogni se-
mina. Donna di carne e di ferro. Ora si sente fragile, come se
fosse fatta di cristallo.

Ora percepisce ogni cosa chiaramente, come se osservasse
il mondo con lo sguardo fisso di un soggetto davanti al pittore
che ne sta facendo il ritratto. Nella precarietà di quell'equilibrio
frontale sente concretarsi una luce che sussurra oro e carminio.

Le è chiaro che al di là di quella luce c'è la franchezza del
non detto come un sipario scuro a nascondere la sostanza, a con-
trastare l'invisibile. Tenacia d'ombre scure sbattute sul piano
scivoloso del non fatto. Che quella realtà ha la delicatezza del
vetro soffiato, frutto del soffio e del fuoco. Che quella realtà è
un costante rimandare, una specie di stabilità fatta di tentativi.
Un piano levigato su cui posare incertezze, che pure avevano
l'arte delle certezze.

Verità di forme, ma falsità d'intenti.

Quell'addio l'aveva schiantata. E le femmine intorno capirono che non c'erano ragioni, che non c'era viaggio in carro, o
indigestione, o calura che tenesse. Perché qualunque fosse stata la ragione, non giustificava in nulla quel dolore atrocissimo
che si leggeva sul volto di quella madre.

Michele Angelo, quella notte, mentre le donne si affacen-
davano intorno alla puerpera, scappò di casa. Non l'aveva mai
fatto. Lui e Mercede non si erano mai lasciati soli a soffrire.
Eppure in quell'epilogo terribile di una giornata perfetta, lui
capí che non c'era assolutamente niente che avrebbe potuto dire o fare, se non fuggire. Andarsene, in piena notte, al freddo,
in campagna, a urlare.

Camminò alla cieca chissà per quanto, e solo quando giunse
alla riva di un ruscello sentí un brivido addosso e si accorse che

era uscito senza indossare nulla sopra alla camicia. C'erano cose
che avrebbe potuto dire, se solo avesse saputo dirle...

Al mattino quando ritornò, sfinito di pensieri che non sapeva nemmeno concepire, Michele Angelo si fermò sulla soglia
della camera da letto a spiare Mercede che, sfinita anch'essa,
dormiva. Anche le donne, intorno a lei, si erano addormentate.
E lei, sentendolo, nel sonno leggermente sorrise.

Era rimasto lí a guardarla per un tempo indefinibile. Il fuoco languiva. Pietro era immobile come un piccolo defunto, Paolo bisbigliava in un sogno di lotta. Il dolore, come tutto quel
silenzio, era perfetto, concluso in sé, immobile, immodificabile.

Se ne andò in officina, aveva un cancello da terminare e molte altre cose da fare, eppure, arrivato lí, non si mosse, aspirò
l'odore terribile del ferro trasportato dall'aria notturna. Aveva
qualche lavoretto silenzioso che si poteva terminare a quell'ora
senza disturbare nessuno, eppure stava in piedi, in mezzo a quello che aveva costruito, in mezzo alle cose non finite e a quelle
pronte da consegnare. Aveva fatto tutto questo: ogni singolo
utensile era suo, ogni singola scheggia di ferro. Non c'era niente di niente là dentro che non fosse definitivamente suo: i muri, il tetto, ogni cosa, ogni pietra che ricopriva la superficie del
cortile. Sotto quel cielo Michele Angelo Chironi aveva fatto il
suo nido, scavato la sua tana, costruito la sua diga. Aveva una
casa e un terreno. Di un pezzo di quella terra maledetta poteva
dire: Poggio i piedi sulla mia terra, che ho comprato sputando
sangue alla fornace da quando avevo nove anni; e qui, dentro al
recinto che chiude la mia terra, respiro la mia aria e vedo crescere i miei grappoli; e sono autorizzato a essere re e imperatore.

Aveva un'amarezza in corpo che nemmeno in mille anni
avrebbe potuto addolcirla.

Era il solo a vegliare quella notte, nessuno avrebbe potuto
vederlo lí in piedi al centro esatto della sua officina, eppure ricacciò dentro qualunque tentazione di pianto, perché non c'è
genia, da che mondo è mondo, che sia nata forte e invincibile
se nutrita di lacrime. Certo era arrabbiato contro questa sorte

che con una mano dava e con due prendeva, ma non piegava la testa, aveva esperienza di tenacia e aveva imparato che certe leghe, apparentemente inviolabili, cedono quando meno te lo aspetti, basta un colpo in piú, basta non arrendersi. Il metallo è cosa viva, lui capisce la mano che lo forgia. Capisce il cuore di chi lo lavora.

Cosí, ritornato nel pieno possesso di se stesso gli parve di capire che tutto dipendeva dallo sguardo altrui. Da come li guardavano i vicini, questi Chironi chissachí. E tutto dipendeva dall'invidia prosciugante di quegli sguardi. In quell'istante gli sembrò di aver risolto ogni cosa, come se la soluzione fosse stata lí da sempre davanti ai suoi occhi e lui non se ne fosse accorto. La felicità non piace a nessuno che non ce l'abbia. Era questo, senza dubbio. Tutto, tutto lo confermava e lo gridava a gran voce: in pochi anni una casa, un terreno, un'attività avviata... E dal nulla poi. Dal nulla. Ecco, si disse, è cosí: qui si ha il dovere di stare nascosti, ora ho capito.

Poco dopo Giuseppe Mundula, svegliato in piena notte, ascoltò ogni delirante conclusione. Confermò tutto. Approvò ogni cosa. Poi, con la stessa imperturbabile costanza con la quale l'altro diceva di non avere sonno, convinse il figlio d'anima a distendersi nel suo vecchio letto perché provasse a dormire...

C'è un cielo di nubi viola che scolano sangue denso sul campo. E c'è un amalgama terribile di Nulla e Tutto... Come la nostra coscienza che vaga nel troppo dichiarato sino a produrre solo silenzio. Quante cose vorremmo sentirci dire e nessuno ce le dice.

Nel silenzio delle stanze ci sono dèi oppressi dai paramenti. È un vecchio stanco, come un padre costretto a punire i suoi figli. Il corpo esilissimo è sorretto da un'impalcatura febbrile, le spalle incurvate per il peso del triregno. Intorno, gli angeli espongono i simboli del martirio supremo.

È un dolore sommesso e irraccontabile.

Appena sveglio Michele Angelo Chironi sa perfettamente quello che deve fare.

Quando rientra in casa la prima cosa che sente è la salmodia a fior di labbra delle donne che stanno recitando il rosario. Il ventre ancora gonfio di Mercede è completamente ricoperto di messali e immaginette di santi.

Michele Angelo entra nella camera e si ferma ai piedi del letto. Ha uno sguardo in volto che non è umano. Persino sua moglie, ancora stordita, ricambia quello sguardo con un'ombra di preoccupazione. Le donne smettono di biascicare.

Michele Angelo tira su col naso: – Fuori da casa mia, – dice, senza gridare.

Ed è questo che principalmente spaventa. Tanto che le donne non replicano nemmeno, si affrettano a riprendere i messali, a rimettersi gli scialli e sciamano dalla stanza.

In un attimo Mercede e Michele Angelo sono soli uno di fronte all'altra. Lei è troppo stanca per commentare; lui si sta sforzando di tenere a bada il rimbombare del sangue nelle tempie.

Il silenzio è compatto come una balla di fieno.

– Non fare cosí, – tenta lei a un certo punto.

Ma lui la blocca con un gesto della mano come se non volesse distogliersi da un pensiero fondamentale. In verità lui non sta pensando a niente, ha bisogno di concentrazione perché sennò si convincerebbe che una divinità malefica si stia opponendo all'unico obiettivo reale della sua esistenza: quello di generare.

In questo preciso istante, immerso in questo preciso silenzio, Michele Angelo capisce che quanto era sembrato privo di conseguenze ha invece segnato definitivamente la sua vita.

E capí anche che non si poteva certo pretendere altrimenti. Era come un naufrago troppo felice per aver raggiunto la riva, ma non ancora pronto per affrontare di nuovo il mare aperto. O un fantino rovinato a terra durante una corsa, che pensa di esserne uscito incolume solo perché non si è rotto niente, ma non ha previsto l'angoscia di ritrovarsi davanti a un cavallo bardato.

Ora il suo timore vero, che non era la povertà e non era la fatica insostenibile e nemmeno il sacrificio, ma la solitudine, gli stava davanti. Terribile come quel vecchio oppresso dai paramenti che aveva sognato. Come il silenzio del corridoio all'orfanotrofio.

Erano appena rientrati dal refettorio quando si udirono due suoni prolungati della campanella. Quel segnale significava che c'erano visite e bisognava presentarsi al corridoio col proprio numero esposto. A lui era spettato il 17. Era nella sezione dei grandi, fra coloro che di lí a poco sarebbero stati congedati dall'istituto e consegnati alla vita. Travasati dal contenitore al nulla. Come cani cresciuti in cattività improvvisamente liberati nel bosco. E le notizie sul travaso erano terribili: si usciva per morire, cosí dicevano tutti. Fuori di lí si diventava delinquenti, servi pastori, manovali, mendicanti, mozzi, soli fino alla morte. Ogni visita, ogni squillo di campanella significava un'opportunità di contravvenire a quel destino. Significava opporsi alla prospettiva della solitudine. La solitudine. Per quanto poteva saperne Michele Angelo Chironi, nove anni, era lo strumento che mancava, che sarebbe mancato fuori dalla prigione terribile che era stata tutta la sua infanzia senza genitori. Perché senza denti per mordere, senza artigli per graffiare, senza la scaltrezza imparata ora per ora dal padre capobranco, dalla madre, si è soli. Senza qualcuno in grado di darti, anche solo in parte, attenzione, calore, interesse, si poteva anche tranquillamente pensare di farla finita.

Due cose pensava di sé; la prima: che se non fosse uscito dall'orfanotrofio quel giorno, non sarebbe uscito mai piú; la seconda: che nessuno al mondo avrebbe scelto un bambino col numero 17. Cosí barattò l'unica ricchezza che possedeva, due pezzi di pane non troppo vecchio sottratti alla mensa, per scambiare il 17 col 7. Quando Giuseppe Mundula si presentò al corridoio nella testa di Michele Angelo si agitò un'implorazione: Scegli me, ti prego, scegli me!

Ma lo sguardo dell'uomo si tratteneva proprio sul 17 e poi si spostava ai primi tre. Lui non sembrò mai guardarlo. Scegli me! E invece niente, quell'uomo sembrava del tutto incapace di accogliere la sua preghiera, perché era distante, annichilito da un dolore freschissimo, ed era lí non certo per fare una scelta congrua, quanto per sciogliere un voto. Scegli me! E invece passavano secondi come anni e ancora quell'uomo non si decideva a indicarlo.

Finché non accadde qualcosa: la tavoletta col numero 7 gli cascò di mano. Nel silenzio concentrato, monastico di quel corridoio, quel suono rimbombò sino alle volte. Giuseppe Mundula spostò lo sguardo, inquadrò Michele Angelo con sorpresa come se fosse apparso all'improvviso: – Lui, – sussurrò.

Il resto ce lo siamo già detto.

Ora davanti alla moglie, indicando un dio assente con l'indice minaccioso, Michele Angelo parlò: – Indietro non si torna, – scandí. – E non ci lasceremo abbattere. Io ho intenzione di darti ancora molti figli Mercede Lai –. E poi tra sé e sé pensò: Amore mio. Ma non lo disse. Eppure lei lo sentí perfettamente. – Certo, – proseguí dopo una breve pausa, – dovremo stare attenti, vivere piú riservati… A nessuno piace la felicità degli altri, e la nostra meno che meno.

Sembrava un discorso sensato. Mercede assentí, poi chiuse gli occhi.

Un'alba chiassosa salutò gli umani.

Quell'ossequio alla modestia diede i suoi frutti. Nei due anni successivi nacque Gavino, e poi dopo due anni ancora Luigi Ippolito.

Quattro maschi e niente femmine. E due dischenti. E ancora un terreno a Marreri per Michele Angelo Chironi, ma sempre con gli stessi pantaloni rattoppati addosso. E sempre a testa china dire Sissignore, Sissignora, a quelli che gli firmavano cambiali su cambiali.

Invisibile, protetta dagli sguardi, la stirpe prosperava. Eppure ancora Mercede si prestava come una teracchedda a fare pulizie in chiesa. O partecipava alla panificazione comune delle vicine come se non potesse permettersi di farselo per lei sola e per la sua famiglia, il pane, o addirittura di farselo fare.

Il decimo compleanno dei gemelli fu festeggiato con una donazione segreta per l'erezione di una statua del Redentore sul Monte Orthobène.

Tutta la cittadinanza si era mobilitata, ognuno in rapporto alle proprie possibilità, perché prendesse corpo questo progetto artistico, culturale e religioso che avrebbe messo Nuoro alla stregua delle cittadine della Nazione e al centro delle celebrazioni per l'Anno Santo del 1900.

L'atto privatissimo della donazione di Michele Angelo Chironi fu in realtà oltremodo pubblico. Come è pubblico ogni segreto nelle comunità piccole, specialmente se si fingono grandi. L'entità dell'offerta del fabbro fu argomento nei crocicchi: cinque lire, secondo alcuni, fino a cinquanta secondo altri. E fu argomento quest'arroganza di vivere come se non si avesse niente pur avendo tutto, ma, del resto, era ugualmente criticabile il vivere come se si avesse tutto pur non avendo niente. Bisognava scegliere di quale veleno morire. E comunque, già quando la statua in pezzi da saldare arrivò a Cagliari sul piroscafo Tirso, ognuno dei nuoresi era in grado di dire perfettamente quale brandello toccasse a ciascuno di loro in base a quanto avevano offerto per pagarla. E quando venne ricomposta in cima al monte, con la faccia rivolta verso quel villaggio pieno di sé, apparve per quello che era: un Cristo di carne, virile, muscoloso, sopraccigliuto, circense. Un Laocoonte che si sia appena liberato dai serpenti. Corpo pagano, pettorale ampio. Seminudo col sudario che gli aderisce alla pelle trattenuto da un vento selvaggio, anche se di lí a poco, nell'ascesa, ci si aspetta che gli scivoli lungo le cosce potenti. Questo videro i padri di ogni nuoresità e, in qualche modo, vi si riconobbero. Perché c'era qualcosa che loro sapevano bene di se stessi in quella pesantezza che spiccava il volo. In quella leggerezza di bronzo.

La vulgata avrebbe poi raccontato che quella statua era co-

stata le vite delle persone piú care allo scultore Vincenzo Jerace:
la figlioletta era morta durante la fusione, e la moglie subito dopo la sistemazione. Per questo, raccontano, quel Cristo appare
tanto malinconico. Si sono spinti a dire che il volto già scolpito,
sorridente, mutò d'espressione per accordarsi al dolore immenso
dell'artista. Sicché, come la cera persa, scomparve ogni lietezza
dal suo viso proprio quando Luisa Jerace, moglie di Vincenzo,
debilitata dal lutto recente, vedendo il cielo attraversato dalle
nubi che scorrevano dietro alla statua magnifica ebbe l'impressione che quella le precipitasse addosso e, terrorizzata, cadde
a terra morta. E come dev'essere stata quella scena di maggiorenti locali e bustini e velette e bende tradizionali, che hanno il
privilegio di vedere per primi il bronzo esposto ai venti. Perché la giornata certo dev'essere stata ventosa anche se siamo ad
agosto pieno, dal momento che le nubi devono correre in cielo.
Del resto da Ferragosto in poi l'estate si rompe. Ecco, c'è vento sulla piccola spianata pavimentata che circonda il piedistallo
in cima al monte. Ci sono tutti quelli che devono esserci, il sindaco, il vescovo, il notaio, il dottore, il generale, le signore, c'è
lui Jerace e, se è vero quel che raccontano, c'è la moglie Luisa.
Ci sono anche Michele Angelo e Mercede, in ultima fila quel
giorno, segno che, leggenda o no, l'offerta dev'essere stata piú
che congrua, ma per quanto se ne sappia non raccontarono mai
niente in merito alla presunta morte della moglie dello scultore.
Eppure quella giornata di agosto calante non la dimenticarono
mai per due motivi opposti: l'invito ad assistere all'inaugurazione della statua, appunto, e il fatto che Mercede sentí per la
prima volta il bambino scalciare dentro di lei.

Arrivati col carro in cima al monte, in coda alla teoria dei
maggiorenti, nessuno parve nemmeno notarli, della statua videro pochissimo...

Poi tornarono a casa.

Cantica seconda - Inferno
(1901-1942)

Scire nefas.

Prima di uscire per vedere la statua del Redentore, Michele Angelo e Mercede hanno affidato ai vicini i piccoli, Gavino di cinque anni e Luigi Ippolito di tre. Pietro e Paolo, i gemelli, hanno avuto il loro primo incarico di uomini: portare cibo e denari per la zorronada ai lavoranti nella vigna.

Alla vigna non ci arriveranno mai Pietro e Paolo. Non sono piú bambini e portano cibo e soldi nella taschedda. Non ci arriveranno mai. Perché i lavoranti diranno di non averli visti... E nessuno dirà di averli visti nemmeno in quella fetta di paese prima che tutto si annulli nella campagna. Non un cristiano, non una cristiana. Perciò alla controra si raduna una piccola folla davanti alla casa del fabbro, tutta gente che sa cosa fare, dove cercare, sa dove ci sono rupi o caverne.

Mercede vede tutta quella gente che si agita, ascolta senza ascoltare. Sente il mare in tempesta.

Lei non sapeva cos'era il mare e nemmeno la tempesta. Non sapeva quasi nulla di quello che in genere si pensa che sia importante sapere. Perché aveva sette anni quando l'affidarono a una madre padrona. E aveva sette anni quando le spiegarono che non aveva un padre, né una madre vera. E le dissero che si chiamava Mercede come la suora ostetrica che l'aveva lavata per la prima volta e si era segnata accordandosi con Dio in modo che disponesse Lui a proposito della sopravvivenza o meno di quella bambina sfortunata. Lei, suor Mercede, la sua preferenza l'aveva già espressa: «Meglio morta», pispisiava. Ma non fu cosí. Dio dispose diversamente.

Perciò si arriva ai sette anni, quando la bambina viene portata da Redenta Lai che le dà un cognome e una casa, e un marito, e due figli, da accudire. Dalla padrona c'erano i mobili e, sopra i mobili, centrini e ninnoli, tutta roba come nelle case dei signori che hanno bisogno anche di cose inutili. Anzi, essere signori significa avere cose che non servono... All'ingresso, posata su un tavolino, sopra un centrino, c'era la conchiglia, che era una cosa misteriosa. Mercede la vide appena entrata in quella casa, ma scoprí come si chiamava qualche tempo dopo. Conchiglia. Conchiglia. Era grassa, grande, sembrava morbida e invece era durissima, sembrava di carne e invece era di pietra.

Il piccolo dei Lai, che aveva solo un anno piú di Mercede, un giorno le rivela l'arcano di quella forma intoccabile: – Dentro alla conchiglia c'è il mare in tempesta.

Lei fa segno di sí, come se capisse tutto quello che le viene rivelato. È come Maria di fronte all'angelo: lui sussurra, e lei capisce e non capisce, ma è chiaro che quanto le si chiede non merita comprensione. Cosí accade a Mercede quando il piccolo dei Lai le racconta di mari e di tempeste.

– Che ignorante che sei, – sta dicendo mentre afferra la conchiglia. – Prendi, – continua porgendogliela. Ma lei indietreggia. – Ascolta, – insiste lui appoggiandosela all'orecchio. Ma lei fa segno di no con la testa. – Asina ignorante! – incalza l'altro e costringendola per la treccia le pressa la conchiglia contro l'orecchio.

Sembrava una cosa molle e calda e invece è durissima e fredda. Quel contatto le arriva fino allo stomaco, poi sente quello che il piccolo Lai chiama mare. Visto che lei si è calmata lui non preme piú.

– Il mare in tempesta, senti! – le ordina. E lei sente. Un nulla turbolento che si aggira dentro la caverna gelida della conchiglia, che forse è veramente un ricordo del mare da cui proviene, forse è solo il riverbero del suo cuore. Forse.

Proprio come ora, che i suoi figli non sono a casa, ora che i vicini sussurrano la sventura imminente, e prevedono l'ineluttabile. Mandare due creature con tanto denaro in giro non è cosa prudente con i tempi che corrono, con la miseria netta che ci ha assalito...

– Sono tempi troppo metzani, – sta commentando il prete Salis. Ma è un commento che si smorza quando lo sguardo si indirizza a Mercede.

Proprio come ora quel mare che non conosce ricorda a Mercede che ci sono sentimenti talmente vigliacchi che può passare una vita prima che si palesino. Come quello che sta sentendo ora, che a descriverlo è un misto di furore e impotenza, la percezione di qualcosa che non si conosce: il mare in tempesta appunto, ma cos'è mare? Cos'è tempesta?

– Povera, povera madre... – bisbigliano le donne.

Povera madre, perché Michele Angelo non sembra nemmeno preoccupato. – Appena si fanno vedere li arrangio io! – sta sibilando, come a chiarire che lui a tutti questi annunciatori di tragedia non vuole dare ascolto. Lui è convinto che la cosa giusta da fare sia aspettare i figli alla vigna. Cosí si avvia.

Dopo qualche ora si è fatto buio. È una notte nera, i ragazzi si cercano con grida e torce senza risultato. All'alba, dopo aver setacciato i dintorni palmo a palmo, un gruppetto di uomini è arrivato a S'Arbore, in fondo a Marreri, perché per forza i due Chironi devono aver fatto quella strada. Ancora si sentono richiami, altri gruppi stanno procedendo. Il tempo di sedersi e riposarsi un po' e Murazzanu, che è il cane di Basilio Boneddu, si mette a forrocare verso una tuppa... Uggiola come una bambinetta viziata e si attacca col muso alle frasche. Basilio si avvicina, si china. E quello che vede lo tramortisce. Gli altri lo raggiungono.

Michele Angelo ha aspettato alla vigna tutta la notte. Dai e dai quel fazzoletto di terra è diventato un frammento del paradiso terrestre, quando Adamo capí che da soli non si può sta-

re. Terra buona, lavoro serio, innesti giusti ed ecco i grappoli
che scoppiano di salute sui tralci. Seduto tra due filari Michele
Angelo sta facendo una preghiera e una richiesta. Perché, sta
dicendo senza dire, sta chiedendo: perché? A chi lo chieda non
lo sa esattamente. La sua rabbia è che è stato invisibile e modesto come si dev'essere quando la sorte è troppo favorevole.
Invisibile e modesto, ripete, non abbiamo sbattuto in faccia a
nessuno il benessere, a nessuno. Modesti sempre, sempre. E
allora perché? Rognoso come Giobbe, Michele Angelo prende
a rinfacciare la sua pena: Quale destino ho io? Di non vedere i
miei figli crescere, due, due, me li hai già tolti...

Non è che si aspetti qualcosa, ma quando vede, in fondo alla vigna, spuntare la sagoma più scura dell'oscurità di Basilio
Boneddu, davvero spera che qualcuno gli sia stato mandato per
rispondere alle sue domande.

Quel funerale con due bare bianche fu straziante. Tutto il
quartiere San Pietro si precipitò sul sagrato del Rosario. E come fare diversamente? Lí gli spettacoli erano i dibattimenti in
tribunale e i funerali. Quel funerale, poi, di due creature morte uccise in quel modo atroce, attirò persino gente da Séuna...

Mercede partecipa con uno stato di euforia in corpo che quasi le scappa da ridere ogni volta che qualcuno si avvicina per
farle le condoglianze. Tutta quella gente sta dicendo qualcosa
di indicibile, dimostrando qualcosa di indimostrabile. Magari il
mare è questa inconcretezza di sguardi, questa pena magmati-
ca, e la tempesta è questa alterità atroce: essere lí e non esserci.
È questa la tempesta?

Il corteo procede come se non volesse arrivare mai; c'è chi
dice che una volta entrato in chiesa il morto è morto davvero,
per altri la morte definitiva è solo quando cominciano a spalare
terra sulla bara. Eppure per Mercede quella morte, quell'assenza, non è nemmeno avvenuta. In balia della sua tempesta continua a chiedersi perché mai tutta quella gente si sia radunata
davanti a casa sua. Lei i suoi figli li conosce bene e lo sa che
Pietro è un po' musone e Paolo un po' barroseddu, ma bravo,

sono due bambini e ai bambini con l'aiuto di Dio e di Nostra
Signora non gli può succedere niente, perché chi è la bestia che
se la può prendere con due ragazzini? Chi? Eh?

Comunque la gente c'è, e tanta.

Michele Angelo non c'è.

Basilio Boneddu, in fondo al corteo, circondato da qualche
curioso, non trova nemmeno le parole per dire che cosa ha visto veramente.

Sono seduti per riposarsi, lui e Michelino Congia, e anche
Prededdu Murrighile, e altri. Hanno camminato per quattro
ore seguendo la strada di Lollove. Non è che ce ne siano tante
di strade possibili... Ecco che arrivano a S'Arbore, lui dice che
manca sí e no un'oretta al sorgere del sole. Per cui gli uomini
si guardano tra loro e si fanno cenno di sedersi cinque minuti a
bersi qualcosa per scaldarsi, che sta cominciando a fare freddo.

«Murazzanu abbaia, corre, è contento come una pasqua: a
lui basta portarlo in campagna e non vede strada di casa, fattu
andande. Insomma, – sta raccontando Basilio Boneddu, – noi
siamo seduti lí, che a un certo punto sentiamo il cane che fa
versi, e questi non sono versi, io prego che per tanti anni che
Nostro Signore mi lascia su questa terra di non sentire mai piú
una cosa del genere. Oh, il cane comincia una specie di lamento come un bambinetto, e poi col muso tenta di entrare in una
tuppa. Noi arpilati ci guardiamo e basta guardarsi per capire che
tutti stiamo pensando la stessa cosa. Cosí mi alzo in piedi e vado
a staccare la bestia dal cespuglio, il cane fa forza, io lo strattono
dal collare e lo spedisco qualche passo indietro, intanto è arrivato Prededdu. Quando sposto la tuppa non è che si veda niente:
Non vedo niente, dico, cosí Prededdu accende una frasca e l'avvicina. Io non lo so, grande e grosso quanto sono, da quello che
è apparso, mi sono sentito le ginocchia molli molli... Gèsúsu.
Dentro alla tuppa ci sono pezzi di carne in mezzo a vestiti rossi
di sangue. Alla luce della fiamma quel rosso sembra ancora piú
rosso. Io dico: Che Dio non voglia! Prededdu Murrighile fa un
salto all'indietro come se gli fosse arrivata una fucilata al pet-

to. E cosí accorrono anche gli altri. Michelino, Bustianeddu... Per carità, per carità...» E scuote la testa.

Chi lo sta a sentire, anche qualche donna, abbassa lo sguardo: «Allora è vero che li hanno trovati fatti a pezzi?» Basilio fa cenno di sí, macellati e buttati lí per farli mangiare dai cinghiali. «Ma chi è la bestia che può fare una cosa del genere?» Basilio fa di spalle, secondo me questa non è una cosa di uno solo, qui erano magari un gruppo, chissà venuti da dove, con la fame che c'è in giro, ci sono uomini che anche solo dire uomini è troppo. Le donne si stringono nelle spalle e si segnano. «Non voglia Dio», bisbigliano. E intendono che non voglia Dio che possa mai capitare loro quello che è successo ai Chironi. Nessuno è piú al sicuro, sta continuando Basilio, bisogna stare attenti, perché la campagna è piena di questi disgraziati che non hanno piú niente da perdere...

Intanto il corteo, piano piano, avanza...

Michele Angelo in piedi guarda la sua vigna. Ha mandato a casa i lavoranti. Lui al funerale non c'è andato, perché ha qualcosa di preciso da fare. E sarebbe che c'ha da chiarire un paio di cose con chi ha precisamente stabilito un percorso tanto terribile per la sua vita.

Va bene, va bene tutto, si sta dicendo, guarda che io non ti ho chiesto di avere di piú di quello che mi spettava, ma solo quello che mi spettava, solo quello. E tu? Bravo, bravo davvero. Qual è il dolore, questa vigna? Eh? Qual è? La casa? L'officina? Eh?

Sta gridando, a chi non si sa, o forse sí a pensarci bene. Pover'uomo, è straziante solo a vederlo. Come un bue infastidito dalle mosche si sta agitando per togliersi di dosso il dolore che lo assale.

È una giornata atroce per fare un funerale. È atroce di smalto puro, come se fosse necessario frugare con lo sguardo fino ai particolari piú minuti. Infatti si vede tutto: gli acini gonfi, vetrosi, le foglie di un verde ramarro, i tronchi asciutti e scuri come carne secca. Non è che si può parlare con Dio e contemporaneamente essere costretti a tanta chiarezza, a tanta minu-

zia. Tutto è sensazionale in quel momento, Michele Angelo
Chironi sta facendo i conti, sta tirando le somme. E proprio
quando pretende ascolto ecco che guarda e sente le cose come
non le aveva mai viste e intese, un nastrino rosso che sвento-
la impigliato a un filare, un pezzo di carta che scivola sospinto
dalla corrente d'aria, il ruscello poco distante che dice la sua,
il battito d'ali di una gazza. Tutto serenamente perfetto. Che
quasi viene da pensare che quella perfezione sia già di per sé
una risposta definitiva.

Lui, Michele Angelo Chironi, lo sa bene cosa deve fare.

Quando Giuseppe Mundula arriva a cavallo di un asino e
lo vede in piedi al centro di quello che è rimasto della sua vigna, sussurra appena: – Figlio, – gli dice. È la prima volta che
lo chiama in quel modo.

Sono passati tanti anni da quando Michele Angelo davanti alla
minestra di latte gli ha chiesto: «Ma tu adesso babbo mio sei?»

Ed è passato lo stesso ostinatissimo numero di anni da quando lui senza nemmeno guardarlo gli ha risposto: «Non sono
babbo tuo».

Eppure adesso lo chiama figlio. Lo vede di spalle. Lo guarda,
e il corpo di suo figlio sembra asciugato da un tremore continuo,
come una povera creatura masticata dall'interno.

Michele Angelo, che l'ha sentito arrivare, nemmeno si volta.
Quando Giuseppe lo chiama figlio, pensa a quanto dolore possa generare quella parola. E serra le mascelle fino a farsi male
perché non vuole assolutamente piangere. Giuseppe, come può,
scende dall'asino, ormai è in età e le ossa cominciano a far male, comunque scende e lo raggiunge alle spalle: – Che cosa hai
fatto? – gli chiede. – Tutti ti cercano, – dice poi.

Ma Michele Angelo non risponde. Il fuoco si è divorato la
vigna in un batter d'occhio, gli acini sono esplosi per il calore.
In pochissimo tempo quella quiete di filari si è trasformata in
una superficie di raso nero che si fa argento vivo quando l'aria
la smuove. Ora al posto della vigna c'è la febbre crepitante sotto
al carbonchio, e qualche ferita, ancora fresca, di brace ardente.

E gloria a tutti i venti e a tutte le correnti, persino poco fumo: è come se il fuoco si fosse mangiato le viti in un boccone soltanto, senza troppe incertezze. La fiamma ha attecchito senza indugi, una fiamma quasi fredda come quella che pensava di incenerire il cespuglio di Mosè. Tanto che Giuseppe, dalla valle, mentre arrivava, ha appena fatto in tempo a vederla. È stata una vampata, un'unica immensa fiammata. Ora quel pezzo di paradiso è diventato il canale oscuro di un vulcano attivo.

Giuseppe raggiunge Michele Angelo alle spalle: – Che hai fatto, figlio? – ripete.

Ma Michele Angelo si è fissato a guardare un insetto volteggiare intorno a un fiore di cardo che si è salvato dalle fiamme, leggerissimo, e pensa che ci deve essere del buono se dalla pace assoluta di quella leggerezza perfetta in tutto può scaturire un istante di distacco... La voce di Giuseppe lo richiama alla terra: – Che hai fatto, figlio? Che hai fatto?

Cosí Michele Angelo scuote il capo, ma è un equilibrio talmente precario che le lacrime cominciano a scendere da sole.

Quando Michele Angelo si volta, Giuseppe è costretto a indietreggiare. Quel pianto gli fa paura, come se fosse un momento che ha sempre temuto e ora è arrivato. Cosí d'istinto indietreggia mentre Michele Angelo gli si fa incontro. Poi si fa raggiungere dal figlio, che ha deciso di lasciarsi andare e sta piangendo. Il primo abbraccio è puro come può essere puro quanto di immacolato esista al mondo, il sorriso di un neonato forse. Ecco, Michele Angelo abbraccia Giuseppe come se fosse diventato finalmente quel bambino che non ha mai potuto essere. Piange piano con la testa affondata fra il collo e la spalla del vecchio. Non si dicono niente. Non c'è niente da dire.

Quattro mesi dopo nasce, mestamente, Marianna. Un parto facile, una notte di travaglio e via, la bambina viene fuori senza nemmeno piangere. Quando l'ostetrica la batte lei fa come un colpetto di tosse e si mette in armonia col respiro dell'Universo.

Poi, se Dio vuole, gli anni passano.

E passano come devono passare, senza quasi nulla da dire.

Che uno si fa un bilancio, da vecchio, e si rende conto di quanto belle siano state quelle stagioni della vita che scorrevano silenziose. Perché il chiasso della vita piace solo a chi pensa di doverlo raccontare, per tutti gli altri il silenzio è un privilegio. Gli anni passano dunque fino a ridurre a una sterpaia la vigna di Lollove; fino a rendere talmente malfermo sulle gambe Giuseppe Mundula da costringere Michele Angelo e Mercede a portarselo a casa da loro. La sferzata di quella fine d'agosto maledetta ha lasciato segni indelebili. Mercede non ha piú tolto il lutto, il volto di Michele Angelo è marchiato da una malinconia piena di attese. Fa sonni agitati e lavora con una concentrazione ipnotica. Negli anni il ferro sembra essere diventato piú morbido, molto piú malleabile. Perché anche il ferro finisce per assoggettarsi al tempo, e alla perizia di chi lo lavora, e al braccio di chi lo batte, e all'accresciuta esperienza dell'artigiano. Ora, nella sua scurissima concentrazione, a Michele Angelo pare di sentire chiarissimi i segnali del metallo che si arrende e si lascia forgiare esattamente come lui stesso ha deciso di lasciar fare al tempo sulla sua carne.

In nero Mercede sembra una bambina, un dolore costante l'ha fatta strigile strigile. Eppure a sentirla si direbbe la stessa di sempre: a differenza di quel musone di Michele Angelo, la si può persino sentir sorridere. Lei è una zattera che procede nella bonaccia, certo è stata disperatamente sballottata durante le tempeste che hanno sconvolto il suo mare, ma ora c'è pace: le cose vanno bene, il pane non manca, i bambini crescono. Gavino ha compiuto gli otto anni e Luigi Ippolito ne ha fatti sei. Marianna è entrata nei tre.

Solo in un caso si rabbuia Mercede, quando le dicono che deve andare in cimitero a curare l'ultima casa dei suoi morti. Solo in quel caso. Le donne la prendono da parte e, ognuna a modo suo, le dicono sempre la stessa cosa: che non sta bene di lasciare in quelle condizioni le tombe dei suoi figli; che i cipressi le hanno ricoperte di fogliami secchi come piccoli vermi marroni; che il vento le rode smerigliando il marmo con terra secca e ghiaia; che dai vasi rovesciati fuoriescono fiori imputriditi.

Ma lei, Mercede, da quell'orecchio non ci sente. Non ci sente proprio. Hanno un bel dire le donne, che ne sanno loro? Il loro lutto è quasi un trofeo, la visita in cimitero sembra la sfilata della sagra paesana. Loro se ne vanno tra le tombe a ragionare della vita dei morti come se quel passaggio non le riguardasse. Loro guardano, criticano, concludono. E sembrano non sapere. O, forse, non vogliono sapere.

Dal giorno dell'interramento dei gemelli Mercede non ha piú varcato il cancello del cimitero e ha giurato a se stessa che mai piú lo farà, se non quando saranno gli altri a dovercela trasportare. Il punto è che sotto a quelle lapidi i morti sembrano piú morti, troppo morti perché lei possa sopportarlo. Cosí si è fatta l'idea che solo questa morte parziale è sopportabile per lei. Il resto no. Lo sa lei cosa è costato lasciare che portassero i suoi figli in quella dimora, lo sa lei... Le donne a questo punto fanno di spalle e si imbronciano: «Non sei la prima e non sarai l'ultima che ha perso le sue creature, Mercede Chironi! Non farti cosa, – le dicono, – che cosí ci fai sembrare a noi che ce ne andiamo in cimitero solo per contularjare...»

Lei nemmeno sa cosa rispondere. Perché qualunque risposta sarebbe poca cosa rispetto a quello che lei teme di poter dire. Si conosce Mercede e si fa paura da sola, perché se proprio vogliono tirarle le cose di bocca si accomodino pure... Perciò allarga le braccia come a dire: Ognuno fa a modo suo, voi a lustrare tombe, io a lasciare che i morti seppelliscano i morti. E basta cosí.

Finita la quinta si deve stabilire se vale la pena di continuare a mandare Gavino a scuola o meno. Lui è sveglio, ma con gli studi ha poco a che fare. Non è come Luigi Ippolito che è destinato a diventare dottore. Cosí bisogna capire come procedere: o lo si mette in officina col padre o gli si fa fare la sesta, che chiude i conti con la scuola e non se ne parla piú. L'opinione che riscuote piú consenso è: lo si fa continuare fino alla sesta e contemporaneamente comincia a frequentare l'officina.

Quanto Gavino è svogliato Luigi Ippolito è diligente. Per lui infatti bisognerà programmarsi per bene. Michele Angelo ha fatto da poco un lavoro per un dottore di Sassari che gli ha spiegato come trovare un pensionato buono, gestito da preti, cosí il ragazzo può fare due anni in uno, il ginnasio e poi gli studi superiori. Lo studio, la lettura, sembrano assolutamente fatti per lui, tanto che il maestro lo porta ad esempio e l'ha persino candidato alla medaglia di merito. A Luigi Ippolito gli piace stare a casa e legge, custodisce anche la sorella a volte. È come un Jubanne Lukia, quando le donne in casa fanno l'impasto per il pane lui è sempre lí seduto in un angolo a guardarle e soprattutto ad ascoltarle... Qualche volta Marianna fa domande e lui risponde alla sorellina con pazienza. Gavino invece di stare a casa manco a parlarne, «Sempre fuori come uno zingaro», gli ripete la mamma. È grosso come suo padre.

Giuseppe Mundula, dalla sua sedia comoda vicino al caminetto di nonno acquisito, lo guarda con una specie di sorpresa: come se vedendo quel ragazzone rivedesse Michele Angelo alla sua stessa età in piedi nel corridoio dell'orfanotrofio.

Luigi Ippolito è bellissimo come la madre. È delicato e sottile, ma castano come il padre. Nel suo sguardo, sempre serio, si legge un futuro importante. Basta guardarlo per capire che sarà lui a rappresentare il passo avanti decisivo di questa stirpe. Tutti lo vedono già adulto, studiato, in una grande casa al Corso dove abitano quelli che contano.

Luigi Ippolito era il primo dei Chironi che sapesse da dove arrivavano. Aveva letto abbastanza da capire che tutti arriviamo da qualche parte e aveva parole per raccontare. Aveva una voce salda, ma ancora imperfetta, che risuonava calmissima nelle giornate brevi di novembre quando si aspettava il sonno davanti ai ceppi.

Sapeva raccontare bene Luigi Ippolito di quando don Juan de Quiròn fu mandato in Sardegna come *fiscal* del Banco Regio e come spettasse proprio a lui di arrestare don Diego de Gamiz, inquisitore.

A casa quando lo ascoltavano non riuscivano a capire come fosse possibile che quelle persone con nomi tanto estranei potessero avere a che fare con loro. Ma la storia del *fiscal* era diventata di volta in volta sempre piú la loro storia privata: in qualche modo, se le generazioni si confondono in una matassa di spire, quel passaggio tra De Quiròn, Kirone e Chironi era il loro bandolo. Michele Angelo taceva sulla circostanza che quel cognome era stato un caso nella sua vita, nient'altro che una concessione, e Giuseppe ascoltava quella storia lontana con la tranquilla contezza di chi sa che ripercorrere un percorso a ritroso non incide sul futuro se non in termini di coscienza di sé. Dal basso della sua condizione analfabeta sapeva qualcosa che non si può insegnare: non importava quanto fosse vero o falso quel racconto, importava raccontare.

Perciò prendevano posto, e persino quella bestiolina di Gavino si ammansiva quando il fratello cominciava: «Aprite! In nome del Viceré!»

Perché c'era il Viceré in questa terra oltre i monti, ed era gente che arrivava dal mare... A questo punto, a quella parola, Mercede sempre sobbalzava e accarezzava la testa riccia di Gavino. Lei era stata al massimo tra Silanus, dove l'avevano cresciuta, e Nuoro: lí per lei c'era tutto l'Universo abitabile, nient'altro...

Loro lo sapevano a casa che cos'era l'araldica? No, chiaro. Ma Luigi Ippolito lo sapeva bene. Quindi: l'araldica era una materia che serviva per capire chi era di famiglia notabile o meno. Ecco perché quando il ragazzo Chironi si era imbattuto nella storia del cavaliere De Quiròn si era accorto che quest'ultimo aveva un cognome che in spagnolo si leggeva in tutto come il suo. Ora, la storia di questo cavaliere era assolutamente ordinaria, e che fosse un *fiscal* del Banco Regio, in pratica un gendarme al soldo del Re, non è che migliorasse le cose. Ma a Luigi Ippolito l'idea di costruire un antenato piaceva moltissimo. E che cosa aveva fatto di notevole questo cavaliere? Mah, da quanto se ne sapeva aveva tentato, senza successo, di arrestare don Diego de Gamiz, inquisitore. Ma la storia, quella vera, consisterebbe nel fatto che, nonostante fosse stato mandato in Sardegna per punizione, quando gli avevano comunicato che l'esilio era finito aveva deciso di restare. Perché nel frattempo si era affezionato a quella terra e perché già quelli del posto lo chiamavano Kirone.

In ogni caso: quando ancora considerava il suo destino come quello di un galeotto, per prima cosa lo incaricarono di andare a prelevare l'Inquisitore per conto del Re. Erano storie fra loro e, come al solito, ci andava di mezzo chi doveva eseguire gli ordini, buoni o cattivi che fossero.

Insomma, tutte le volte Luigi Ippolito iniziava a raccontare da quando la voce del capitano don Angelo Jagaracho, con tanto di gorgiera e mezza armatura, risuonava davanti al portale del convento fortificato in cui risiedeva l'Inquisitore: «Aprite! In nome del Viceré!»

Qui a sorpresa, ma non troppo, arrivava nella storia il primo Chironi, allora ancora De Quiròn, attestato. Egli appare come un prudente, con un carattere assolutamente riflessivo, mentre cerca di calmare il suo capitano che tuttavia insiste a gridare che gli aprano.

Oltre il portale i frati si segnano dalla paura: «Madre Santissima, Madre Misericordiosa...» E non si azzardano ad aprire, ma guardano in alto verso la finestra da cui Diego de Gamiz osserva tutto ciò che accade.

Era cattivo questo De Gamiz: oltre le montagne, nella Storia, c'erano preti e frati terribili... Non come prete Salis che era buono come il pane. Ecco, per esempio – Luigi Ippolito lo capiva in quell'istante – raccontare le storie poteva servire per stabilire differenze. Ora in quella scheggia di Universo si stava ripetendo il rito della conoscenza, dalla bocca all'orecchio, come dicono sia stato generato persino Cristo... Già questo breve racconto è la conferma di come l'avo Chironi fosse di pasta buona, piú ponderato e saldo del suo collerico compagno d'armi.

Infatti mentre Jagaracho ha già ordinato alle sue guardie di forzare il portone, De Quiròn vorrebbe tentare con un metodo piú civile.

Luigi Ippolito, per una qualche forma di storiografia interessata, sottolineava sempre l'atteggiamento conciliante del Quiròn e cambiava tono tutte le volte che nella storia era lui a parlare.

E comunque i soldati stanno cercando di sfondare il portale mentre De Quiròn insiste che il Viceré in persona, don Carlos de Borgia e Velasco dei Duchi di Gandía, ha ordinato quella procedura.

All'interno del cortile si può immaginare un'agitazione ancora piú frenetica di tonache che insistono sulla straordinarietà di quella situazione: «Non è consentito fare ricorso alla procedura del Banco Regio contro gli inquisitori», dice un frate aprendo uno spioncino del portale.

Il viso di don Juan de Quiròn compare a distanza di un fiato dal viso del frate. «Non siamo qui per parlamentare!» taglia corto, costringendo il religioso a spostare il capo indietro.

Dal fondo del cortile sopravviene il frate piú giovane che si installa alle spalle del suo superiore. «Non si può, cari fratelli», tenta senza sporgersi.

«Non si può!» fa eco l'anziano, grato dell'imbeccata.

C'è, dicono loro, una legge di protezione che garantisce l'immunità all'inquisizione, tanto per cambiare. E va bene: comunque stanno le cose, gli ordini del Viceré vanno eseguiti. Lontano dal lasciarsi convincere il capitano Jagaracho continua a incitare i suoi soldati a sfondare il portale. Qui succede che De Quiròn si mette da parte e lascia fare, perché per quanto lo riguarda lui si è speso totalmente a rendere le cose piú semplici, anche se non ci è riuscito.

Chiunque ascoltasse Luigi Ippolito raccontare questa storia poteva capire quanto di sé mettesse nel «suo» antenato d'elezione.

Insomma sfondano il portale ed entrano in un giardino, ma non risolvono niente perché ora a essere sbarrato è il portale del palazzo.

«Metafora» diceva spocchioso Luigi Ippolito che gli studi sapeva farli pesare, ma anche fruttare a dovere, metafora dunque, cioè immagine figurata del fatto che quando si crede di aver superato un ostacolo eccone apparire un altro. Vedete? Ora sono nel giardino e niente è cambiato.

«In nome di don Carlos de Borgia e Velasco dei Duchi di Gandía, Viceré di Sardegna, vi ordiniamo di aprire la porta degli appartamenti dell'Inquisitore! Abbiamo un'ambasciata per lui», insiste don Juan de Quiròn, metafora, questa volta, di tenacia inflessibile.

Infatti dopo l'ennesimo rifiuto eccolo uscire dal giardino sotto lo sguardo del suo capitano. Quasi quasi le parti sembrano invertite: ora Jagaracho pare calmo e De Quiròn irato.

Il capitano se ne resta solo con qualche armato di scorta in quel giardino che sembra l'Eden. E il suo compagno dov'è andato? Non si sa per il momento.

Don Angelo Jagaracho cerca un posto per sedersi. Imitando i pochi soldati rimasti con lui, si accomoda sui gradini alla base del pozzo nel centro del giardino. La Spagna gli pare all'improvviso vicina, a portata di sguardo, come se il pensiero fosse capace di annullare quel braccio di mare che lo separa dalla sua terra.

Il tempo che è passato nel silenzio dell'orto – con gli occhi dei frati, oltre le finestre, puntati addosso – don Angelo Jagaracho non saprebbe quantificarlo. Gli odori acri della strada sono scomparsi in quell'angolo di mondo, in quell'Eden non piú grande della Sala Reale del Prado. Con quelle murature invase dai rampicanti di edera grassa che le rivestono come un velluto prezioso in un cofanetto di gioielli. Tutto sembra distante in quell'attesa. Anche le voci che dovrebbe sentire ora che la Porta Castello, la piú grande della città, viene spalancata per i villici e per i loro babelici linguaggi di masserizie scambiate nel vicino mercato. Per le greggi belanti spinte dalle incitazioni gutturali di pastori che si differenziano dalle proprie bestie solo per il fatto di avanzare eretti. E lo sciacquio dei passi malcalzati nelle strade invase dagli scoli, dal fango di piogge sulla terra battuta delle stradelle secondarie; e lo sferragliare delle ruote di carri trainati da buoi scheletrici. Non piú bestie. Non piú uomini. È l'ora dei sardi in città.

Può essere stata un'ora, può essere un giorno, ma a don Angelo Jagaracho pare di avere aspettato il tempo di un battito di ciglia quando vede don Juan de Quiròn ritornare con dieci armati di rinforzo e con due maestri d'ascia.

Lavorano per una buona mezz'ora menando fendenti a una delle porte che conducono agli appartamenti. Spaccano l'uscio e il silenzio a colpi d'accetta. Quando è possibile rimuovere la sbarra all'interno, che bloccava l'ingresso, penetrano in un'ampia stanza buia. Il portiere del Santo Uffizio avanza tendendo

le palme in avanti come a volersi fare martire, ultima porta da
abbattere. Don Juan de Quiròn fa un cenno agli armigeri perché si mantengano a distanza. «Dobbiamo parlare con don Diego de Gamiz, abbiamo una comunicazione per lui da parte del
Viceré», dice con voce distesa, ricominciando esattamente da
dove era stato interrotto dagli avvenimenti.

«L'Inquisitore è nella Sala del Segreto, – annuncia il portiere. – Non può essere disturbato...»

... Ma era troppo tardi per continuare a raccontare: il fuoco
era ormai spento, le palpebre pesanti...

Don Juan de Quiròn chiude gli occhi. «Bene, – constata man-
tenendosi conciliante ancora una volta, – aspetteremo che abbia
finito».

A quel punto Luigi Ippolito taceva d'improvviso, ma nessuno
se ne accorgeva. Nessuno gli chiedeva come continuasse la storia.

Ora, in bidda si respira l'aria moderna della cittadina, ma all'inizio, ai tempi del capostipite, prima Quiròn, poi Kirone, quindi Chironi... questo era un avamposto silenzioso con due villaggi di uomini piccoli e feroci. Il nome stesso del posto, «Nur», è la radice delle radici. Qui il tempo si è fermato per millenni sin quando una pestilenza o un'epidemia non hanno cambiato le cose. Quello che siamo è sempre mescolanza e qui sull'altipiano dove l'aria era fine e dove la pestilenza non arrivava sopravvissero i primi come una specie di mondo a parte; ci pensarono gli insetti, le febbri terze o quartane, le piaghe infette, ci pensarono il mare, le lagune e le paludi a liberare questi pochi dalla loro millenaria solitudine.

Per quanto impressionasse Mercede era il mare che portava i nemici, ma era dal mare che arrivavano Vergini Marie galleggianti. Ora questi uomini primi una qualche religione dovevano averla, ed era su questo punto, assolutamente, che Mercede sentiva la contraddizione e si perdeva nel ragionamento. Sicché concludeva che il mare è qualcosa da cui tutto proviene, il bene e il male, per sempre, da sempre.

Quindi, raccontavano, a causa dell'aria malsana, salmastra, chi viveva oltre i monti – dove c'erano preti e frati cattivi e viceré e nomi impronunciabili – dovette fuggire verso il centro, sulle alture, dove l'aria era perfetta, sana, limpida, e dove vivevano i primi. Si trattò di spostare l'arcidiocesi di Galtellí dalla Baronia ubertosa e mefitica per trasportarla nel cuore della

Barbagia salubre e selvatica. Non siamo nient'altro che il prodotto di una mistura tra qualcosa già fatto e qualcosa da farsi.

In quel mischiarsi qualcuno avanzò e qualcun altro tornò indietro, sicché la corte dell'Arcivescovo si ridusse da palazzo a villa, e la sua chiesa da cattedrale a pieve. Ma le capanne divennero case e i tratturi fangosi vie lastricate. Che tutti si nasca da questo dare e avere non ci sono dubbi, tutti. Non ci sono dubbi soprattutto se si guarda al fatto che la Storia, raggiunto il territorio dopo aver attraversato valichi boscosi, occupò la porzione mediana dell'altipiano: al centro esatto fra i due villaggi, quello delle greggi e quello degli ortaggi. Da sud veniva il pane e l'olio, da nord veniva la carne e il latte. In quel centro dove i primi facevano baratto arrivò la Storia, che da sempre conosce i posti esatti. Prima a Nur la campagna e la roccia abitavano insieme agli uomini, che avevano i ritmi dimessi del sole e delle bestie, poi giunsero le strade e i mercati, giunsero le monete e tutte quelle malie che mettono alla prova gli uomini fino a quando non si arrivi a capire chi sono gli stupidi e chi i furbi.

Perciò, insieme alla Storia, al costume, all'intonaco, alle parole nuove, insieme al culto della Madonna delle Grazie, i pastori e i contadini che abitavano l'altipiano di Nur conobbero se stessi e si videro per la prima volta e si resero conto che non erano soli.

A casa del fabbro, raccontavano spesso la storia del corteo sfarzosissimo dell'Arcivescovo di Galtellí che entrava nel territorio di Nur e del cavaliere Quiròn che faceva parte del seguito... E della sorpresa dei primi quando videro cavalli bardati e gualdrappe e gorgiere.

Poi però nel travasarsi quotidiano, si dice che Quiròn svestí la gualdrappa per indossare la mastruca che era perfetta per quel clima che, d'inverno, si faceva gelido e secco; e si unse i capelli e la barba acconciandoli a trecce come i maschi del posto e, come loro, si fece bucare entrambe le orecchie con la scheggia d'osso. Finché, completamente trasformato, sposò un'indigena. Fu a quel punto che Quiròn divenne Kirone.

Ora il racconto di questa trasformazione non è nient'altro

che una sintesi per spiegare che la Storia cammina avanti e indietro e forse va a spirale, o gira in tondo, o dirazza, ma mai, mai procede lineare, dritta e sibilante come una freccia... Striscia piuttosto come una serpe d'acqua, parte da un punto, sparisce sotto allo specchio e non si sa dove rispunti. Noi possiamo soltanto vederne le spire che turbano la calma dello stagno. Cosí la percepiamo, per segnali.

Col nuovo secolo l'opera di fusione è completata. Le case nuove arrivano fino al Ponte di Ferro che è in qualche modo la porta di Séuna. Come l'avvento dell'Arcivescovo aveva sancito la fine della preistoria quasi tre secoli prima, cosí l'ultimo colpo di cazzuola sulla parete di casa Virdis, all'angolo tra il podere di Tuffu e la spianata del Ponte di Ferro, sancisce la fine dell'età coloniale e della divisione tra il villaggio di sopra, ribattezzato San Pietro, e il villaggio di sotto restato Séuna. Tra i due mondi c'è un'osmosi impercettibile, quando i pastori scendono a valle per terreni e i contadini salgono per commercio, poi quando fidanzamenti, e conseguenti matrimoni, mescolano le carte. Ecco, prima dell'edilizia fascista dalla Camera di commercio alle Poste, alla Prefettura, a via Deffenu, fino all'Ufficio delle finanze; prima dell'espansione postbellica, in zona Convento col tribunale nuovo e del boom economico, che ha fatto il suo botto da petardo anche in questo angolo di mondo inurbando Istiritta e inaugurando ufficialmente la stagione del dio mattone; insomma prima di tutto questo ci sono nell'ordine, dall'alto verso il basso: San Pietro, piazza San Giovanni, la via Majore, il Ponte di Ferro e Séuna.

Fuori da questa direttiva, a segmenti sono state costruite le grandi opere: cattedrale, carcere e tribunale. La prima sulle fondamenta di una pieve piú antica, quando le pievi si confondevano coi nuraghi; il carcere invece, la Rotonda, come lo chiamano, per ribadire che lo Stato punisce amaramente chi non capisce di farne parte, perché l'ignoranza non è ammessa, ma auspicabile; il tribunale lo fanno, affianco alla cattedrale, per riempire le carceri.

Ora si può prevedere uno sviluppo a sud, sul crinale sopra alle case dei contadini, dove da una trentina d'anni è stata innestata una linea periferica della ferrovia di Chilivani, e dove si dirama la strada verso l'Ogliastra.

È una stagione che non risparmia la Belle Époque neanche alla sperduta, piccola, negletta, capitale della Barbagia, quella in cui i nuoresi forgiano la leggenda di se stessi. Temerari e irriducibili, resistenziali, ma di mondo. Non metalli, ma leghe, quindi piú forti o piú deboli a seconda della perizia con cui viene composta la mescola. Un po' artisti, un po' meschini; attenti al particolare, ma completamente ignari del generale.

Ma non è questo che dobbiamo raccontare.

A piazza San Giovanni dunque convergono i signori e i servi e, fra i servi, i possidenti e i servi pastori. Nello spazio franco del libero scambio giovanotti a cavallo, vestiti a festa, fanno affari di bestiàmene e formaggi e sementi; gli altri, a piedi, cercano a giornata per la vendemmia o per la stagione delle olive. Ma piazza San Giovanni è soprattutto il teatro dei comizi, dove oratori performatici cercano di spiegare ai pastori che qualcuno in Germania ha scritto qualcosa che ha molto a che vedere con le loro rivendicazioni di terre comuni. Da lí si vede chiaro che dal passato non arrivano solo brutte cose, come tutti sembrano pensare. Lí la serpe della Storia fa un'ansa larga perché racconta che ci sono situazioni in cui il progresso significa tornare indietro. Ora nel paese quasi città c'è tutto: il quartiere dei ricchi, le fogge continentali, la pubblica illuminazione, i locali alla parigina e anche qualche sarto *à la mode*. C'è persino una classe intellettuale cosmopolita di pittori, scrittori, musicisti, tutti figli cadetti nella grande famiglia della Nazione appena nata. Impregnati di entusiasmo e di goffaggine, molti di loro capiranno quanto vicino bisogna guardarsi per andare lontano.

È una società di cortili e muretti a secco, la modernità trasformerà quell'intimità in vita pubblica. Come una folata di vento che solleva la gonna a una giovinetta per strada.

Ma, ancora una volta, non è questo il punto...

Gavino Chironi, a cui non piaceva studiare, passava ore in piazza San Giovanni. Fu lí che sentí parlare di Carlo Marx e di

Bakunin. E fu lí che ebbe la sensazione precisa che la sua era una specie in via d'estinzione. Perché non è che si diventa deboli solo per mancanza di energie, ma anche per eccesso di sensibilità. Tutti dicevano che quello intelligente in casa era Luigi Ippolito, e dicevano che Gavino era quello semplice, ma non era vero, non era mai stato vero: erano due leghe diverse, miscelate con diverse proporzioni. Uno antico e uno moderno, sintetizzavano, dove per antico si intendeva legato a Nur piuttosto che a Nuoro, ma non per questo antiquato. L'errore fu di non tener conto di quanto dipendessero l'uno dall'altro. Di quanto fossero necessari l'uno all'altro. Di quanto fossero incompleti l'uno senza l'altro.

Ora che diventavano ragazzi, Gavino e Luigi Ippolito, appariva chiaro, a chi aveva occhi per vedere, che il fatto di essere cresciuti in una famiglia segnata dal terrore di estinguersi li aveva costruiti incompleti, parziali. Non semplicemente diversi come si direbbe di qualunque coppia di fratelli. Perché diversi erano diversi, ma la loro non era una diversità che bastasse a spiegare il motivo primo della loro indeterminatezza.

Luigi Ippolito aveva una sensibilità estrema che si stemperava solo in presenza di Gavino, il quale al contrario sembrava ignaro di qualunque delicatezza. L'uno chiedeva esplicitamente quello che l'altro avrebbe voluto chiedere. Ma il punto era che il primo faceva una domanda anche se sapeva che la risposta non gli interessava affatto, mentre l'altro non chiedeva qualcosa che assolutamente gli interessava sapere. Gavino aveva una capacità deduttiva e l'altro induttiva. Non semplici differenze, ma complementi, come due parti basculanti di un meccanismo.

Quando si decise per la sesta a Gavino e il liceo ginnasio a Sassari per Luigi Ippolito, senza saperlo, senza prevederlo, si era deciso di sezionare in due una persona sola.

Come previsto, la partenza del fratello per il collegio non sembrò turbare piú di tanto Gavino. Eppure cominciò a dormire male. Gli venne in mente che il respiro regolare del fratello, sul letto accanto, era parte del suo respiro, perciò improvvisamente cominciò a soffrire di una forma asmatica.

Il letto vuoto accanto al suo era come la figura di quanto sarebbe potuto essere e non era stato. Da piccolo, che lui poteva ricordarlo appena, i suoi fratelli erano stati derubati, trucidati, fatti a pezzi. E nessuno in casa si era mai sognato di dire che erano morti e basta, o che si erano ammalati. No: tutti avevano sempre detto uccisi, sgozzati come capretti, buttati a pezzi dentro una tuppa come cibo per cinghiali.

Questa chiarezza cambiava le cose. Era come un testimone passato in corsa senza che chi lo riceveva potesse in alcun modo riflettere. Su quel letto vuoto c'erano parole che Gavino non sapeva dire e lacrime che non aveva mai imparato a versare. Perché lui potevano massacrarlo ma mai avrebbe versato una lacrima, mai.

Come accadde quando arrivò voce a Mercede che il figlio, anziché andare a scuola, ciondolava in piazza San Giovanni e frequentava ragazzi piú grandi di lui, tutta gente metzana, e lei allora andò dritta in officina dal marito a dire: Cosí e cosí, tuo figlio eccetera eccetera. E Michele Angelo allargò le braccia come per dire: Sono ragazzi. E lei lo fulminò con lo sguardo per non fargli nemmeno finire il pensiero. E Michele Angelo fece sí con la testa per concordare che ci voleva una lezione, poi aspettò che la moglie fosse soddisfatta. Mercede guardò il marito per capire quanta convinzione ci fosse in ciò che affermava. Era una che non si accontentava di parole, e nemmeno di fatti, lei voleva che parole e fatti fossero conseguenti al pensiero. Michele Angelo non doveva cedere per amor di pace o per dargliela vinta, no, lui doveva cedere per convinzione intima, senza tentennamenti.

Cosí quando Gavino rientra, nell'orario che corrisponde alla fine della lezione, si sorprende di trovare il padre ad aspettarlo a casa.

Michele Angelo in piedi. Mercede seduta all'angolo del camino. Giuseppe in cortile a fare passi.

Gavino entra in cucina e vede il padre, poi guarda la madre e, immediatamente, capisce. C'è un silenzio pesantissimo durante questa sequenza di sguardi.

– Siedi, – dice, improvviso e secco, Michele Angelo. Ha l'impressione che se fa sedere suo figlio avrà la meglio sul quel ragazzone che comincia a diventare alto.

– No, – fa quell'altro, testardo. – Sto in piedi.

– Siedi, – ripete Michele Angelo, ma con una calma immensamente piú determinata di qualche secondo prima. Mercede dall'angolo approva. Gavino cede, ma non del tutto, che piú che sedersi si appoggia alla sedia. – Per che cosa stiamo lavorando noi? – chiede il padre.

Gavino abbassa la testa, ma non perché si senta umiliato. Lui abbassa la testa per recitare l'umiliazione, come se davanti al padre ci fosse non il suo corpo, ma quella parte che gli hanno estirpato con la partenza del fratello. Lui non lo ammetterebbe mai, ma in questo preciso momento gli manca, perché Luigi Ippolito è quello che aveva le parole per dire le cose, e sempre avere le parole significa farle succedere le cose.

– Per che cosa stiamo lavorando noi? – insiste Michele Angelo.

Gavino fa di spalle. Cerca la madre con lo sguardo, lo sa che quando è dimessa, da parte, allora è davvero pericolosa. Infatti rinchiusa dentro alla sua icona di *mater dolorosa* Mercede non ricambia lo sguardo. È tutto un pensiero lento quello che si agita nella testa di Gavino, una percezione ovattata che protegge dagli urti di un dolore delicatissimo. Stringe le labbra per non piangere. Eppure piangerebbe.

– Che delusione figlio mio, che delusione… Sapere che a scuola stai andando sempre peggio e che sono piú le volte che non ci vai… Che delusione. Devo dare ragione a tua madre, sono giorni che mi dice che bisogna darti una regolata. Sono stato io a fermarla, sono stato io… Che delusione –. Poi silenzio. A differenza di quanto annunciato dallo sguardo e dalla domanda iniziale, le parole, il tono di Michele sono accorati, privi di astio. Terribili.

– Tanto non piango, – risponde Gavino.

Michele Angelo annuncia un sorriso con gli angoli della bocca, ma non lo fa. Batte un pugno sul tavolo. Un pugno da fabbro che sembrerebbe riuscire a spezzare il piano di marmo. Comunque il rumore è assordante: Gavino fa uno scatto indietro, Mercede trattiene un sobbalzo, facendolo implodere dentro di sé. – Tu hai finito con la scuola. Finito con le perdite di tempo. Adesso il pane in questa casa te lo devi lavorare! Domani mattina ti voglio in officina alle sei.

Gavino non replica. Nessuno replica. Si torna al silenzio.

Quella notte, disteso nel suo letto, affianco a quello vuoto di Luigi Ippolito, Gavino sogna le parole per dire le cose:

Io subirò la mia Storia, piccola o grande che sia. Finirò per credere di essere solo in transito su questa terra e invece lascerò un segno. Penserò d'essere venuto al mondo in un posto crudele e malato d'oblio, ma sarà solo la dimostrazione della mia ignoranza.

Qualche padre mi ricorderà quello che non voglio e non posso ricordare.

La sostanza della Memoria è un cane che guida un gregge, un'ombra disegnata sui muri.

Dalla precisione con cui riuscirò a determinare il corso ostinato delle ricorrenze dipenderà gran parte del mio andare e venire.

Penserò d'essere nato in un posto ridotto a galera, a terra di punizione, ma un padre artigiano, dal profondo di racconti mai dimenticati, mi dirà di mari solcati, di civiltà prospere e di terre feraci come l'Eden. Oltre i monti.

Starò bene, oh certo. Eppure da sempre l'altrove mi sussurrerà parole piú rotonde, malie di mondi irraggiungibili.

Io sempre abiterò questa precisa, maledetta, condizione d'inferiore desiderio.

Al mattino, con la testa affondata nella tazza del latte, Gavino annuncia che sarebbe diventato marinaio.

Mercede lo guarda a lungo prima di rispondere. – Finisci il latte, – dice scuotendo la testa, – che tuo padre ti sta aspettando da mezz'ora.

Luigi Ippolito dal convitto sassarese scriveva lettere enfatiche, intrise di nostalgia. Faceva impressione come le sue parole, spesso incomprensibili per le persone a cui erano rivolte, riuscissero a dare il senso di un abito da adulto sul corpo di un bambino. Era quella seriosità che colpiva piú di ogni cosa.

La purezza infantile con cui veniva descritto il mondo in quelle lettere non corrispondeva in nulla alle frasi stilate con sussiego da adulto, e questo inteneriva fino alle lacrime. Tanto che Mercede non aveva mai la forza di leggerle o ascoltarle leggere per intero.

Se Luigi Ippolito poi iniziava la sua lettera con *Madre Cara*, già Mercede sentiva cedere ogni controllo. Non ci poteva fare niente anche se, grazie a Dio, non c'era da piangere, anzi era un privilegio di cui andare fieri, avere un figlio che faceva gli studi superiori. E quando le dicevano che stava piangendo come morto un figlio sano, bello e intelligente, Mercede rispondeva che sí, era tutto vero, ma ribadiva che era piú forte di lei. E provava a spiegare che l'assenza di quel figlio era un dolore inestinguibile, ma il motivo di quell'assenza la riempiva d'orgoglio.

Il compito di Mercede, a quel punto, era diventato quello di sottrarre i suoi figli alla malasorte. Dopo il massacro dei gemelli tutto per lei era fuggito via. Era come se le avessero chiesto di custodire un gregge che, durante una notte di tempesta, aveva spezzato il recinto dell'ovile scappando da tutte le parti.

Madre Cara,

non me ne vogliano i miei fratelli e nostro Padre se mi rivol-go a Voi, ma stamane, compiendo il tragitto che dal convitto ci conduceva all'edificio scolastico mi sono imbattuto in qualcosa che mi ha fatto pensare a Voi. Non so come sia il tempo fra le nostre belle montagne, ma qui nel piano il sole ha brillato arro-gante e a causa di esso le signore portavano leggeri ombrellini. Qui in città è l'ultima moda, e vedendo le donne che li esibivano cosí leziosamente ho pensato a Voi e a quanto sareste ugualmen-te bella, se non di piú, con queste fogge e quanto non sfigurere-ste al confronto delle gran signore di città. Poscia ho pensato che quanto Vi rende oltremodo bella, e a me piú cara, è proprio la sobrietà che da sempre Vi ha contraddistinto. Ora arrossite, ma dovere dei buoni figli non è quello di ribadire il loro imperituro debito nei confronti della donna che li ha messi al mondo? Lo diceva stamani a lezione anche il Reverendo Marongiu: l'amore per la propria madre è figura dell'amore per la Madre di Dio...

Oltre, dove si diceva quanto stesse bene, quanto dormisse, quanto mangiasse il suo figlio adorato, Mercede non andava, soffocata dai singhiozzi trattenuti. Ma teneva le lettere con sé come se volesse averle quando sarebbe arrivato il momento di leggerle per intero.

La piccola Marianna era una consolazione, quando ancora aveva cinque anni parlava poco e male, qualcuno sospettava che fosse ritardata, ma per Mercede dentro al suo silenzio c'e-rano tutti i discorsi possibili. La donna sapeva bene cos'aveva avuto in cuore mentre quel seme si sviluppava dentro di lei, e concepiva quel silenzio come una conseguenza logica di tanto dolore. Michele Angelo poi era completamente invaghito della sua bambina. «Mazinedda», la chiamava, perché per lui asso-migliava in tutto alle madonnine delle immaginette che dava-no in chiesa a chi faceva le offerte. Era impossibile non amar-la composta e seria come una donnina fatta. Persino Gavino si inteneriva con lei.

Ora che era cresciuto, che si era stabilito che a scuola non ci sarebbe tornato, Gavino si temprava come il metallo che imparava a lavorare; non gradiva le attenzioni della madre e s'infuriava quando il padre gli ricordava che era solo un ragazzino. Con malinconia Michele Angelo vedeva suo figlio lavorargli accanto e non riusciva a non pensare che guardare una parte di sé che cresce e si sviluppa era come avere la certezza di non morire mai. Ma, allo stesso tempo, anche avere la certezza che per sopravvivere bisogna rassegnarsi a morire. Si aveva un bel tentare di insegnargli qualcosa, con Gavino era tutto tempo perso, lui aveva un sistema tutto suo di guardare il mondo e rivendicava questa autonomia in modo testardo. Era passato dall'essere taciturno all'essere ciarliero: ora parlava sempre, commentava e sovrastava. Si esaltava a parlare di giustizia sociale, di lotta di classe... Fin quando Michele Angelo era costretto a interrompere il suo lavoro per dire: «Ma che cosa stai dicendo? Chi è che ti riempie la testa con queste scemenze? Prima con la questione del marinaio, poi con la questione delle rivoluzioni, ma che cosa vuoi fare? Parli perché hai la lingua in bocca... Guarda quello che stai facendo piuttosto!»

Il punto è come si guardano padre e figlio. Gavino ridotto al silenzio assume un'aria concentrata come se si stesse sforzando di mantenere in corpo tutte le cose che avrebbe da dire. Michele Angelo lo guarda senza guardarlo, il figlio ha mani buone, è forte...

Gavino, dal canto suo, sente lo sguardo del padre che gli si posa addosso e quasi lo riveste. È uno sguardo caldo, rotondo. È, forse, qualcosa che vorrebbe assomigliare all'affetto, se quella parola esistesse al di là del suo significato.

Quella è una mattina di cristallo, ogni cosa oltre le finestre sembra sul punto di spezzarsi. Nella luce secca di gennaio tutto appare fragile. Quasi una glaciazione dello sguardo.

Giuseppe a letto ha freddo, non ha dormito tutta la notte. Mercede lo copre, è dal giorno prima quando il vecchio non ha voluto alzarsi nemmeno per cenare che ha un brutto presentimento. Lui la guarda e pensa che se proprio deve scegliere un'immagine da portarsi nella tomba, il viso di quella donna va benissimo. Ha freddo davvero, il labbro inferiore trema appena.

– Sono stato bene, – sussurra a un certo punto.

Mercede lo guarda, quel vecchio le allarga il cuore. Lui, un tempo, quando rimasto vedovo era andato a prendersi Michele Angelo all'orfanotrofio, aveva preso un impegno per la vita. E l'aveva fatto senza aspettarsi niente.

– Siete stato buono, – risponde Mercede. – Siete stato piú di un padre.

Lui sorride come può, poi indica il cassetto del comodino. Mercede ci trova dentro un quadernetto nero con infilato fra le pagine un vecchio foglio di giornale, croccante come pane.

– Apri, – incoraggia Giuseppe.

Mercede lo apre: è la notizia illustrata della partenza per la Crimea di un gruppo di volontari sardi. Nel disegno si vedono uomini in fila con uniformi fresche, nel rigore grafico del bianco e nero paiono statue di vetro, soprammobili esposti in una cristalleria.

– Lí c'è mio padre, – dice Giuseppe, indicando l'immagine dei soldati.

Quell'improvvisa confidenza, quell'improvvisa intimità, sconcerta Mercede molto piú che un accesso di tosse, e rende corporeo il suo terribile presentimento: lei sentiva che la morte stava arrivando sotto forma di una confidenza.

Infatti Giuseppe perde lo sguardo col dito che ancora indica il disegno…

Alla folla trasparente del mare glaciale. Al corteo nuziale del delfino dello zar. Alla falange dei guerrieri di cristallo. Sergenti col collo stretto. Generali svettanti fra la truppa, luminosi di titanio. Hanno la prosopopea dell'esercito armato di lance scure e moschetti istoriati. Hanno la fermezza e l'algida eleganza dei

plotoni di rappresentanza. Che l'imperatore infreddolito caccia
volpi argentate al chiaro di luna. Mute di dalmati rompono il silenzio della foresta pietrificata. Fate silenziose danno spessore alla
liquidità dell'aria. Piú in là un marciare solenne fa scrocchiare il
terreno imprigionato dal gelo e disturba il sonno della bestia sacra. Ma è un vibrare come un silenzio concentrato, intriso d'attesa, che ferma il paesaggio nella quiete turbolenta dell'esercito
in posa prima dell'attacco. La lastra spessa del lago ghiacciato si
spacca sotto il peso dei neri boiardi.

Ed ecco il boschetto di betulle nella tundra imbiancata. A nord
del pensiero, con la compostezza del ritratto posato, le piante si
offrono al suo sguardo pulsanti di una vita trattenuta. Aspettano
la febbre delle gemme, con la saggezza del tempo concordato. Ma
ora sono scheletri sbiancati, che si dispongono a danzare il Trionfo della Morte. Tra pochissimo il *la* della ghironda romperà l'assetto. Oppure anime, trasparenti di un destino infausto. Vittime
anelanti pace. Quelle che raccontano l'invisibile, che affermano
l'indicibile. Povere anime all'ingresso del crematorio, soffocate
dalla fuliggine argentea di corpi consumati dalla follia. Reggono
la loro esistenza in equilibri precari di terrore.

... quando le grida di Mercede fanno accorrere Michele Angelo è troppo tardi.

Gavino segue poco dopo, guarda il corpo appena svuotato
dell'anima come una scatola vuota. Poi guarda Mercede e Michele Angelo che stanno parlando tra loro davanti al cadavere caldo
di Giuseppe Mundula, padre e testimone, anima in viaggio. Lei
sta raccontando al marito del giornale, della Crimea... Quando
Michele Angelo si accorge di Gavino alle sue spalle si volta e capisce che il loro sguardo reciproco è una ragione sufficiente per
lasciarsi andare. Cosí piange andandogli incontro. Gavino indietreggia stringendo le labbra.

– Tanto io non piango, – dice secco.

Per la veglia di Giuseppe, Luigi Ippolito viene richiamato da Sassari. Si è allungato a tal punto che tutti faticano a riconoscerlo. Fa impressione quanto sembri diventato all'improvviso estraneo, pallido, urbano e signorino. È tirato per le ore di viaggio, ma si vede che è anche commosso. Appena si rivedono i due fratelli quasi fanno finta di niente, come se tutto fosse assolutamente normale e fosse trascorsa al massimo mezz'ora dall'ultima volta che si sono parlati.

Quella notte passa a chiacchierare col morto, perché, durante la veglia, gli intimi devono chiarire tutto quanto è rimasto in sospeso. Cosí il problema è che a Giuseppe Mundula, col viso spianato e la pelle fosforescente, non hanno proprio nulla da rivendicare. Ha lavorato tutta la vita, ha allevato un figlio che non era suo meglio che se fosse stato suo, ha campato una vita discreta, graziaddio né fame né sete e nemmeno chissà quali malattie. Si è spento come un lume quando finisce l'olio. Tutto qui.

Ecco, questo genera un dolore sereno. Quando si piange la morte di un vecchio, si piange per lui, serenamente. A mente si fa il calcolo di quanto ci manca a raggiungere quell'età e sempre ci si dice che c'è ancora tempo. Quando si piange la morte di un giovane si piange per se stessi, perché, a conti fatti, non c'è piú tempo, non c'è una regola, non c'è giustizia.

Per questo quando Giuseppe Mundula si mette a sedere sul letto, a tutti sembra una cosa normale. È lui che viene vegliato, ma è anche lui a cui, d'ora in poi, verrà chiesto di vegliare, da lassú. Cosí si stipula il contratto. Ora che si solleva è chiaro quanto la morte l'abbia asciugato, il colletto abbottonato della camicia bianca mette in evidenza un collo che si è fatto sottile come un giunco. Giuseppe parla sapendo di essere morto, con una calma che fa ben sperare: «Qui va tutto bene, – sussurra per non svegliare nessuno. – Qui c'è quello che deve esserci, non temete nulla».

Luigi Ippolito a quelle parole scuote la testa e apre gli occhi, vede che anche Gavino e Michele Angelo si sono assopiti, senza fare rumore si alza in piedi e raggiunge la cucina. Lí c'è

Mercede, che ha vegliato sul serio. Lei è l'unica in casa che ha congedato degnamente l'anima di Giuseppe che lasciava questa terra di lacrime.

– Vai a dormire figlio mio. Vai a letto che basta cosí, – dice a un certo punto.

Luigi Ippolito fa segno di no. Ha paura di tornare in camera da solo.

Mercede si alza in piedi, vuole assolutamente preparare qualcosa da mangiare, ma Luigi Ippolito ripete un no, non ha fame. Cosí lei gli si para davanti, lo guarda. Ora che può guardarla meglio Luigi Ippolito capisce che il tempo è passato, e sa che questo è il motivo per cui entrambi si stanno scrutando con sorpresa. Quando la madre ritorna a sedersi Luigi Ippolito la raggiunge e si accuccia per fissarla. Senza parlarsi fanno gesti che sarebbero stati naturali solo qualche anno prima e che ora, dopo la distanza, dopo l'assenza, dopo la lontananza, sembrano impacciati. Sfiorandogli la guancia Mercede si accorge con imbarazzo che il suo bambino ha cominciato a radersi e ha una stretta. Luigi Ippolito avverte che la madre ha rovesciato su di sé quella piccola rivelazione.

– Hai letto le mie lettere? – le chiede come farebbe con un'amante.

Lei gli risponde con un cenno che non è né sí né no. Poi guarda dietro alle sue spalle, Gavino è in piedi sulla porta della cucina. Luigi Ippolito si volta anch'esso, come colto in flagrante scatta in piedi.

– Avete ancora un paio d'ore di sonno, – dice Mercede. – Approfittatene, che domani è una giornata lunga.

Col fratello disteso nel letto affianco Gavino si sente finalmente completo. Sorride nel buio. Luigi Ippolito respira con lo stesso identico suono di sempre. E niente, niente sembra successo. Gli sembra di essere rimasto davanti al camino, a sentire il racconto del capostipite, quel Quiròn, che diventa Kirone, poi Chironi.

– Com'è che continua? – chiede Gavino improvvisamente al fratello.

– Che cosa? – domanda l'altro dopo un tempo infinito.

– La storia del nostro parente spagnolo –. E mentre lo sta dicendo, pensa: Mio Dio, sembra ieri, sembra un'ora fa...

Luigi Ippolito si schiarisce leggermente la gola, ha in cantiere una voce nuova nuova. Quella di Gavino, nonostante la stazza, è rimasta ancora fanciullesca. – Dove eravamo rimasti? – chiede.

– Che non li lasciavano entrare, – risponde l'altro prontissimo.

Luigi Ippolito si alza, si dirige verso la sua borsa posata poco distante dal letto e ne estrae dei fogli scritti fittamente.

– Che cos'è? – chiede Gavino.

– Ho scritto tutto, – spiega Luigi Ippolito.

Poi accende il lume.

Don Angelo Jagaracho schiumante di rabbia avanzò verso il portiere del Santo Uffizio. Lo afferrò per la gorgiera prima che potesse indietreggiare: – Il tempo di un Pater, Ave, Gloria, *non un istante di piú; cosí avrete agio di avvertirlo che ci sono i rappresentanti del Viceré e che questi debbono fargli un'ambasciata per suo conto –. Detto ciò avanzò verso un frate che era rimasto in disparte e, afferrandolo per il cordiglio, lo condusse al centro della stanza. – Cominciate a pregare, – intimò. Il frate minacciato cercò lo sguardo del portiere. – Cominciate a pregare!* – sibilò don Angelo Jagaracho. – Pater Noster, qui es in coelis... – *anticipò invitandolo ad inginocchiarsi con una pressione sulla spalla. Il frate cedette vedendo il portiere sparire oltre la porta che conduceva alla Sala del Segreto. –* P...a...t...e...r...N...o...s...t...e...r... – *intraprese balbettando.*

*Per tutta l'*Ave Maria *don Angelo Jagaracho tenne lo sguardo puntato sulla porta che il segretario dell'Inquisitore si era chiuso alle spalle. A metà del* Gloria, *don Giovanni de Quiròn si sollevò in piedi finendo la preghiera e segnandosi mentre si conduceva alla Sala del Segreto seguito dal* fiscal.

Con sorpresa constatarono che la porta non era chiusa. Ma si trovarono in un'anticamera avvolti dal fumo grasso dei ceri di sego che davano luce ad un tavolo dietro il quale spariva uno scrivano. Il vecchio frate sollevò la testa distraendosi per un istante dall'opera che stava compiendo. Sistemandosi un laccio dei pesanti occhiali guardò con stupore gli intrusi. Senza convenevoli don Angelo Jagaracho superò la scrivania per portarsi verso l'ingresso della

Sala del Segreto. Il vecchio frate tentò di protestare adducendo che dall'Inquisitore in persona era partito l'ordine, pena la scomunica, di non entrare nella Sala prima che egli stesso non avesse dato l'assenso con due trilli di campana.

Attirato dalle voci provenienti dall'anticamera, si affacciò dalla Sala il segretario portiere del Santo Uffizio, che rivolgendosi direttamente a don Giovanni de Quiròn, più civile e conciliante come ebbe modo di raccontare, lo invitò a pazientare di quel tanto che serviva perché spirasse l'ora dell'udienza segreta. *Ma le cose si erano messe male: il vecchio frate aveva cercato di afferrare per un braccio don Angelo Jagaracho ed era finito, come privo di sensi, disteso sul pavimento.* Una gomitata del *fiscal gli aveva fatto saltare la cordella destra degli occhiali che ora giacevano in equilibrio instabile sulla sua spalla, ancora legati all'orecchio sinistro. La scheggia di una delle spesse lenti gli aveva ferito una guancia.*

La vista del sangue valse a far sbollire la rabbia di don Angelo Jagaracho che si chinò per controllare che il vecchio frate non fosse morto. Non lo era. Respirava a fatica con sbuffi ritmici.

Il segretario portiere giunse le mani portandosi gli indici alla bocca. – Per l'amor del cielo! – implorava sempre rivolto a don Giovanni de Quiròn. – Il tempo di sigillare la Causa... – parlava cercando di ostruire il passaggio, deciso a placare il suo interlocutore.

Intanto il capitano della guardia regia e alcuni soldati avevano fatto irruzione nell'anticamera mal illuminata attratti dal trambusto. Don Angelo Jagaracho ordinò a due di loro che sollevassero il frate scrivano ancora disteso a terra. Il vecchio fu issato di peso su uno scranno posto al lato della scrivania.

– Il tempo di sigillare la Causa, – ripeté il segretario portiere trattenendo l'assessor al criminal per le spalle. Si era fatto più coraggioso.

– Abbiamo aspettato per troppo tempo, – concluse don Angelo Jagaracho dopo essersi sincerato che le condizioni del ferito non fossero gravi. E si avviò verso la Sala. Il vecchio frate, vedendo che il fiscal *era deciso a non attendere oltre, ebbe come un soprassalto e dallo scranno si slanciò verso di lui attaccandosi alla sua cintura. Don Angelo Jagaracho fece due passi tentando di scrollarsi di dosso*

quel peso morto. I militari non furono abbastanza veloci da reagire in tempo. E per liberare il fiscal *dal frate scrivano furono costretti a battere il vecchio sui lombi usando i fucili come bastoni. Il religioso abbandonò la presa della mano sinistra con un lamento soffocato. Ma restava ancora artigliato al sacchetto degli scudi che pendeva sul fianco del* fiscal. *Il borsellino si staccò dalla cintura di don Angelo Jagaracho facendo esplodere un getto di monete che presero a rimbalzare e roteare sul pavimento dell'anticamera. Quando tutti gli ostacoli parvero superati, anche il segretario portiere si arrese facendo crollare le braccia e mettendosi da parte per lasciar libero l'ingresso alla Sala del Segreto.*

Il primo ad irrompere all'interno della Sala fu don Giovanni de Quiròn. L'illuminazione, ridotta allo spazio del tavolo – intorno al quale erano seduti l'Inquisitore, un fiscal *del Santo Uffizio, un religioso e un uomo, un reo probabilmente, che pareva sporco e sanguinante –, non permise all'*assessor al criminal *di cogliere in tempo un tramestio di passi che si persero oltre una porticina a pochi metri da lui. Gli era sembrato di intuire una forma avvolta da un mantello scuro, forse insanguinato. Questa riflessione durò un istante, tanto occorse perché, ansimante, don Angelo Jagaracho si ponesse al suo fianco.*

Don Diego de Gamiz, inquisitore, non accettò convenevoli: puntandosi sulle mani scattò all'impiedi rivolgendo agli intrusi uno sguardo di commiserazione e rabbia.

– Faccio notare alle Vostre Signorie che in questa Sala si sta procedendo a celebrare un processo di Fede! – esclamò portando in avanti il volto adunco. – Vi ordino perciò di uscirne immediatamente!

– Per ordine di don Carlos de Borgia e Velasco dei Duchi di Gandía, Viceré di Sardegna, per ordine del Consiglio Reale, per decreto del Re di Spagna cattolicissimo Filippo III, vi intimo di seguirci! – scandí don Giovanni de Quiròn senza lasciarsi intimorire.

L'Inquisitore non rispose, con un gesto invitò il fiscal *del Santo Uffizio a condurre fuori dalla Sala il reo. Questi ebbe un attimo di incertezza, poi vedendo che i messi del Viceré non si opponevano, eseguí l'ordine trascinando di peso l'uomo attraverso la stessa porticina dalla quale era passata la figura intravista per un istante da don Giovanni de Quiròn.*

– Voi date ordini a me? – domandò incredulo don Diego de Gamiz, mentre il fiscal *del Santo Uffizio ritornava al suo posto.*

– È il Re e il Consiglio Reale che ve lo ordinano e noi in vece Loro! – puntualizzò don Angelo Jagaracho. – Verrete scortato in armi ad Alguer e di lí verrete imbarcato verso le coste della Spagna su una nave noleggiata dalla Corte Regia che è già pronta all'imbarcadero.

L'Inquisitore si strofinò la faccia con entrambe le mani come a volersi risvegliare da un brutto sogno.

Don Giovanni de Quiròn avanzò mostrando il sigillo che lo identificava come messo regio: – Il nostro mandato è nullo solo nel caso che vengano ritirate, qui e ora, davanti a testimoni attendibili, dalla vostra persona, le scomuniche comminate dal Santo Uffizio, che voi rappresentate, all'ordine di don Francesco Scano e don Matteo Querqui –. C'era una speranza malcelata di conciliazione nel suo tono di voce, il desiderio di concludere nel migliore dei modi quel contenzioso.

– Impossibile! – inveí l'Inquisitore. – Hanno contravvenuto al capo terzo della Concordia del 1613, procedendo agli arresti di don Sebastiano de Carbine familiare del Santo Uffizio...

– Il Santo Uffizio, – lo sovrastò don Angelo Jagaracho, senza lasciarlo finire, – avrebbe dovuto esibire la cedola della sua familiatura nei tempi previsti dalla stessa Concordia e dimostrare che era stata notificata dal Governatore di Sassari o dal Viceré in persona! Inoltre, secondo quanto disposto ai capitoli primo e ventiseiesimo della stessa Concordia, era indispensabile fornire la prova che a don Sebastiano de Carbine non fosse stata concessa la familiatura, quando il numero massimo dei familiari in carico al Santo Uffizio era stato già superato.

Seguí un istante di grande silenzio. Il fiscal del Santo Uffizio provò a spezzarlo preparandosi a parlare con un gesto deciso del capo. Don Diego de Gamiz lo bloccò prima che potesse aprire bocca: – Come privato cittadino chinerei il capo e dovrei seguirli, ma co-

me Inquisitore della città di Sassari, come legato a latere del Santo Padre e difensore della Vera Fede non posso soccombere alla prosopopea di tali leguleii, – disse rivolto direttamente a lui, ignorando gli inviati reali. Poi voltandosi verso di loro: – Lasciate la Sala ora e non sarò costretto ad invocare la scomunica sulle vostre teste.

– Non vi si chiede un atto di umiltà, – insistette don Giovanni de Quiròn, – ma un atto di giustizia. Le scomuniche a don Francesco Scano e don Matteo Querqui sono una sopraffazione che non può essere accettata dal Consiglio Reale!

– E non è una sopraffazione questo arresto? – resistette l'Inquisitore. – Nemici della mia persona e del Tribunale che io rappresento! – continuò in un crescendo di collera.

– L'ordine di espulsione è revocabile, – gemette don Giovanni de Quiròn. – Un atto di giustizia.

– Siate tutti testimoni che io ho espresso la mia decisione di non seguire gli inviati del Viceré e che non sarà possibile farmi uscire da questa Sala se non con l'uso della forza, – urlò l'Inquisitore rivolto al fiscal *del Santo Uffizio e al religioso che per tutto il tempo non aveva nemmeno osato sollevare la testa. Entrambi, come risvegliati, fecero un gesto di assenso. – Si de protegendis! – continuò ad urlare quando fu certo che i suoi testimoni fossero attenti.*

Un moto di nervosismo stampò una risata sul viso di don Giovanni de Quiròn. – Dunque vi rifiutate di seguirci, vi rifiutate di obbedire al vostro Re! – concluse senza perdere di vista il suo compagno che stringeva nervosamente l'elsa della spada.

Don Diego de Gamiz aspettò qualche secondo prima di rispondere. – Tutto viene da Dio, – scandí. – Anche il mio Re deve rispondere a Lui. E se ci sono leggi che mi obbligano a rispondere al Re e non a Dio, quelle leggi vanno cambiate.

– Come osate! – tuonò don Angelo Jagaracho avanzando minacciosamente verso il tavolo dell'Inquisitore. Il fiscal *del Santo Uffizio fece uno scatto in avanti mettendo anch'egli mano alla spada. Il religioso sollevò il capo con aria implorante. Il segretario portiere, che per tutto il dialogo si era tenuto in disparte, scattò verso il centro della Sala. Don Giovanni de Quiròn raggiunse Jagaracho. – No, – gli disse. – Non diamogli questo vantaggio –. Don Angelo Jagaracho*

abbandonò la spada, ma continuò ad avanzare finché non fu vicinissimo all'Inquisitore: – Dunque vi rifiutate di riconoscere l'autorità del Re! – gli sibilò sul viso.

Don Diego de Gamiz ebbe un sospiro, scosse il capo come se volesse schivare un insetto molesto. – Mi rifiuto di mettere Dio al secondo posto, – spiegò con sufficienza l'Inquisitore. Non indietreggiò, ma tenne il mento sollevato e lo sguardo puntato verso il suo interlocutore.

La corpulenza di don Angelo Jagaracho ebbe una scossa, egli si vide costretto a scaricarla battendo il pugno chiuso sul piano del tavolo.

– Questa è una discussione che non ci compete, – intervenne don Giovanni de Quiròn portandosi all'altezza del tavolo. – Noi rispondiamo al potere regio, apparteniamo al secolo, e siamo qui perché gli ordini di Sua Maestà Cattolicissima vengano eseguiti. Non lasceremo questa Sala prima che ciò non sia avvenuto e che voi non decidiate, come ogni suddito fedele dovrebbe fare, di seguirci. È Dio che ha dato queste prerogative al nostro e vostro Re, voi stesso l'avete detto!

– Non bestemmiate, non bestemmiate! – irruppe l'Inquisitore. – Questo non è un mercato, non è il banco dei cambi! Non è una questione che possa essere portata avanti come una qualsiasi negoziazione. Il primato di Dio non è discutibile, qualunque sia il miserabile potere a cui bisogna rispondere su questa terra. La Sua supremazia è inconfutabile, che siate secolari o religiosi: è un dato di fatto!

– Date a Cesare quel che è di Cesare e a Dio quel che è di Dio! – citò don Giovanni de Quiròn. – La vostra funzione vi impone l'obbedienza, perché se proprio voi, che siete il faro della Vera Fede cederete alla superbia, allora diverremo ostaggi del caos. Seguiteci e il tributo a Cesare sarà pagato.

– È troppo! – esplose il fiscal del Santo Uffizio sguainando la spada.

Fu l'Inquisitore a fermarlo prima che don Angelo Jagaracho potesse rispondere alla sfida. – Uscite, – ordinò rivolto a quest'ultimo e al religioso che per tutto il tempo non aveva abbandonato la sua posizione.

– *Sono impressionato,* – riprese con una nota di scherno, quando i due se ne furono andati. – *Hanno scelto un teologo per arrestarmi. Io non lascerò di mia volontà questo posto. Pagherò con la vita il tributo a Cesare se sarà necessario.*

Detto questo cominciò a togliersi gli abiti di dosso. Il segretario portiere accorse per dissuaderlo. Seguirono attimi di confusione.

– *Questa è la vostra ultima parola?* – domandò don Giovanni de Quiròn constatando la secchezza del suo corpo e il pallore della sua pelle. – *Sapete che non possiamo portarvi fuori con la forza, non dalla Sede del Santo Uffizio. E si è fatto troppo tardi per arrivare ad Alguer con la luce del sole. Devo ordinarvi di non lasciare le vostre stanze fino a quando non deciderete di seguirci. La vostra nave aspetterà in porto.*

– *Sono troppo vecchio e malato,* – sembrò cedere l'Inquisitore. Si sorreggeva puntandosi sulla spalla del segretario portiere che si era sfilato lo scapolare per cingergli i fianchi. – *Non potrei seguirvi neanche se volessi, non potrei sopportare la navigazione e i disagi del viaggio fino ad Alguer.*

– *Abbiamo l'incarico di trasportarvi in ogni caso, e in quanto alla vostra salute saranno i medici a decidere!* – la voce di don Angelo Jagaracho si era fatta improvvisamente flebile, come se tutte le sue energie si fossero esaurite.

– *Io non vi seguirò! E le scomuniche non saranno ritirate,* – concluse abbassando le palpebre don Diego de Gamiz.

Passano gli anni. Ne passano cinque.

Ci sono giorni di maggio in cui il pallore dell'aria ricopre la campagna di una tristezza vaghissima. E può accadere di convincersi che sia proprio quella malinconia sottile a determinare il senso di qualcosa di indefinito, come un nodo alla gola. Ecco, in quel maggio, in quel preciso giorno, forse solo per un istante, si sentí la febbre sottile del mutamento. Una patologia necessaria, un passaggio scontato. I vecchi dicevano che se ci si trovava in campagna in quell'esatto momento si poteva sentire con chiarezza lo stridore del seme che si sperrava, lacerato dalla lama del germoglio richiamato verso la luce da una potenza incontrastabile. E si poteva sentire il canto della gemma e il lamento della terra, che era timore e sollievo. Andando avanti in quel lasciarsi andare si poteva imparare a interpretare il linguaggio estroso delle bestie e dare il via alla corsa impazzita dei presentimenti.

Ora fate conto che in un giorno di maggio di quelli, una donna non piú giovane, reduce da un sonno agitato, sbalzata fuori dal suo letto prima della luce da un pensiero tremendo, condotta all'aperto dal giorno che nasce e da un'inquietudine insanabile; ecco fate conto che quasi senza accorgersene quella donna si sia trovata poco fuori dalla bidda, in piena campagna, nella solitudine grassa dell'aroma del timo e del finocchietto selvatico, nella desolazione appassionata del rovo e del cardo, nell'attesa tremante del bocciolo di borragine e della capsula di euforbia.

Tutto intorno a lei concorre a definire un sentimento che

non ha nome. Nel costato di quella donna batte un cuore come
un uccello in gabbia. Si è alzata, è uscita di casa, per non dovere spiegare cosa sente, per non essere costretta a raccontare il
peso che la tormenta.

Comunque è stato un brutto sogno, talmente brutto che
svegliarsi improvvisamente è stato sí precipitare, ma allo stesso tempo salvarsi. Perciò quella donna, ancora al buio, si è vestita e ha corso come ha potuto verso la campagna quasi fosse
mare aperto.

Cose troppo, troppo brutte ha appena visto in sogno: bambini partoriti in un catino arrugginito, i suoi figli che mostra-
vano i toraci laceri, e cani col muso schiumante. Cosí, in fretta,
a s'impuddile, nell'oscurità del giorno che si annuncia, si veste
alla cieca e corre fuori...

Ha visto una montagna di cadaveri quella donna, e non si
sa nemmeno dove li ha visti, perché erano ammucchiati in una
stanza chiusa ed erano tutti giovani, tutti figli di qualche povera madre che li aspettava chissà dove.

Perciò, sbarrando gli occhi contro il soffitto della sua stanza
da letto, quella donna spalanca la bocca come se non riuscisse
piú a respirare e ancora, nonostante gli occhi aperti e il sonno
rotto, sente in corpo una pena impossibile da sopportare. Si
mette a sedere sul letto e guardandosi intorno si rende conto
di essersi finalmente svegliata e vede suo marito che russa, cosí
conclude che non sono ancora le cinque.

Ecco, scivola fuori dal letto come una biscia, nonostante la
camicia da notte cerchi di trattenerla, con un colpo di reni si
mette in piedi. Il gelo del pavimento le rivela l'orrendo amaro
in bocca e la mano che le stringe lo stomaco.

Sa lei quello che deve fare, sa lei che se non uscirà da quella
casa e non correrà a mettersi in salvo, l'intero edificio potrebbe
precipitarle addosso e sui suoi figli e su suo marito che dorme.
Perché quella donna considera indissolubili quanto ha visto in
sogno e la sua presenza in casa. Si è convinta che solo uscendo
da lí potrà salvare la sua famiglia, il suo tetto, dalla distruzione.

In cucina, nonostante la penombra, vede il chiarore del piano di marmo del tavolo e del foglio di giornale in cui si annuncia che l'Italia è entrata ufficialmente nel conflitto che tutti chiamano mondiale.

Mondiale voleva dire che tutto il mondo, quindi anche tutti i sardi che abitavano oltre le montagne e persino oltre il mare, sarebbero stati chiamati a combattere. Qualcuno se li ricordava ancora i reduci garibaldini o quelli di Crimea, senza una mano, senza un occhio, e mica si trattava di guerre mondiali, figuriamoci. A quella donna la parola «mondiale» sembra enormemente peggiore, peggiore della parola «guerra». Che le donne, a guerreggiare con se stesse, con gli stenti, con i mariti ubriaconi, con i figli da sistemare, ci sono abituate da sempre. Ma il mondo, Dio santo, il mondo è un'altra cosa.

Per questo quando il marito è tornato nel pomeriggio a dire che ormai la Guerra mondiale era scoppiata e che anche l'Italia aveva dovuto partecipare, lei all'inizio ha tirato un sospiro di sollievo che tanto, si è detta, noi che abbiamo a che fare con l'Italia? E invece no, perché – spiegava il figlio grande – quando si dice mondiale si dice tutti. Anzi, tanto per non saper né leggere e né scrivere alcuni si erano già dati alla macchia che i carabinieri in coppia stavano battendo città e paesi per consegnare le cartoline precetto.

Per Deus, ha pensato la donna, «mondiale» e «cartolina precetto»: le parole piú brutte che esistano. E mentre sta facendo questo pensiero, ecco che il marito, per confermare quanto andava dicendo sventola la prima pagina del giornale dove c'è scritto GUERRA, in nero come se fosse la dicitura di una lapide. Lei si segna e sospira per trattenere fuori di sé il brutto pensiero che la sta avvolgendo, ma è una lotta impari. Infatti appena abbassa la guardia ecco che un macigno le frana sul petto. Per tutto quel giorno quasi non parla, ma non certo perché non abbia niente da dire, al contrario tutto quello che ha da dire la spaventa. Ora misura con un altro metro tutte le dicerie delle donne al lavatoio. Di uomini che vengono precettati a forza, di bastimenti stipati di soldati come fossero animali, di posti chissà dove in cui quelle creature sono portate a morire. E di carabinieri in coppia che dicono di avere ordini a proposito del fatto che i figli non sono piú figli, ma soldati. Raccontano che in guerra gli uomini recitano in terra l'ira dei cieli, con tuoni e lampi, e tremori. E che alla fine vince solo chi muore di meno.

Cosí quando arriva la cartolina precetto dicono che è come se cadesse un fulmine sul tetto di casa tua, perché la forza viva viene estirpata dalla famiglia, come un dente sano strappato a furor di pinza.

Per tutta la notte si è detta queste cose, senza capire come mai intorno a lei possa regnare il silenzio, come mai tutti gli altri nella casa possano riposare. Solo lei ha paura delle parole?

Quella donna ha sepolto molti dei suoi figli e molti altrui ne ha visti seppellire. E sa che maledizione senza rimedio sia sopravvivere alle proprie creature. È una valanga che fa crollare gli edifici, un alito velenoso che uccide col respiro, una piena che allaga e trascina via, una tormenta che frusta le rocce.

Quella donna conosce ogni catastrofe nella sua carne. E sa che l'unico modo per evitare il crollo è quello di fuggire da quella stanza, da quella casa, da quelle parole: guerra e mondiale. Ma dove andare? Mondiale significa dappertutto...

Corre fuori. Corre come può, tenendosi la franda in grembo perché non l'intralci. Lasciando che il fazzoletto le scivoli via. Lontano, lontano deve andare. Oltre il vicolo, e poi di piú, perché è ancora troppo vicina alla sua casa. Lontano, fuori dal paese, in aperta campagna, dove soffia maggio.

A tavola Michele Angelo guarda fisso davanti a sé senza toccare cibo.

– Qui non si arruola nessuno, – scandisce.

Mercede stringe una lettera tra le mani. Per quanto ne sa, per quanto ne capisce, Luigi Ippolito ha deciso di arruolarsi volontario. Può entrare con la paga da sottoufficiale perché è studiato.

A Michele Angelo questa sembra una cosa da matti: la gente scappa appena vede i carabinieri che si aggirano per le strade e

questo qui addirittura dice che vuole partire volontario. – Itte arruolarsi? Questo si crede che sono due passi, non è come
andare a Sassari.
    – Vuole dire, figlio... – interviene Mercede. – Che non ti
devi lasciare incantare...
    Luigi Ippolito nemmeno risponde, guarda un punto qualunque
della stanza. È sicuro di sé come si può esserlo solo nella brevissima età che sta attraversando. Lui si vede guerriero, temprato e roccioso come il fante che lo invita dai manifesti sui muri.
    Michele Angelo scuote la testa, perché quello sguardo del
figlio lo conosce. Lo conosce fin troppo bene. – Ma l'hai visto
in quale corno grande della forca si deve andare a combattere?
– Luigi Ippolito fa cenno di sí. – E quell'altro dov'è? – chiede
riferendosi a Gavino.
    A chi faccia precisamente quella domanda non è chiaro, ma
è chiaro il motivo che lo spinge a farla. Perché Michele Angelo
ha imparato a fiutare il pericolo nascosto in una giornata qualsiasi. La sua maledizione è che di punto in bianco le cose cambiano, si rovesciano, passano dal bianco al nero. E quella che
sente non è preveggenza, ma esperienza. Lui è artigiano nella
mano e nella testa, sa che col tempo il corpo agisce senza che il
cervello apparentemente lo controlli. Ecco, giorno dopo giorno il braccio va da sé, il colpo diventa perfetto, il ferro cede
in tre, quattro colpi ben assestati dove prima ne occorrevano
dieci, quindici... È questo che accade. Cosí quella mattina si è
svegliato come tutti i giorni e ha visto subito qualcosa che l'ha
impensierito: la valigia di Luigi Ippolito in cucina e Mercede
già in piedi a preparare acqua calda.

    È una mattina di maggio dunque, scavalcato il secolo quasi
pare che anche in quella comunità periferica sia arrivato un alito di modernità. Ora le signore e i signori si distinguono perché
vestono alla continentale. Ed è assodato che ai bambini come
obbligo e tassa da pagare per entrare a tutti gli effetti nella Nazione spetta il lavoro di apprendere. C'è fermento e c'è guerra.
Come echi lontanissimi arrivano in piazza i dibattiti d'oltremare.

Gavino si è spinto sino al frantoio vecchio, dove ha un appuntamento. Si incontrano al mattino presto lui e il diavolo Josto Corbu, perché hanno stabilito che danno meno nell'occhio.
Gavino a Corbu lo conosce fin da quando era ragazzino che perdeva tempo in piazza anziché andare a scuola. Si esce per lavoro, o per bestiàmene, o per compravendita, o per transazioni,
o per commissioni, e invece ci si ritrova lí a capire come girano
le cose. E le cose girano che l'Italia sta entrando in guerra, questo è ormai chiaro. E che, soprattutto, girano le ronde per gli
arruolamenti, volontari o meno che siano. Che il vento a Roma
è cambiato lo capiscono perché ciò che era vero solo l'anno prima ora sembra definitivamente disatteso.

– Che cosa ne è stato di «né aderire, né sabotare»? – chiede
Gavino un po' polemico.

– Ne è stato che le cose cambiano, – risponde serenamente
Josto Corbu, che è un dimmoniu socialista personificato. La leggenda dice che quello in chiesa non c'è voluto entrare nemmeno
per il battesimo. Eh, dice che anche in fasce pianse cosí tanto
quando cercarono di battezzarlo che il prete dovette rinunciare
alla cerimonia. Insomma Josto Corbu este unu palas'a Deus. A
lui l'hanno educato a pane e socialismo. Perché un frutto non
cade mai troppo lontano dall'albero e anche il padre Gedeone,
dottore di matti e di animali, di ateismo ne sa qualcosa. – Al
punto in cui siamo, – prosegue Corbu, – la neutralità è solo un
salto nel buio...

– Ma... – insiste Gavino, – ... ma cosí vuol dire che quello
che valeva prima adesso non vale piú.

Josto Corbu è piccoletto, magro magro, c'ha uno sguardo
tremendo: né dolce né amaro, lo sguardo di uno che sa quello
che dice. – Il patto segreto con la Francia ci ha spostato nell'alveo della Triplice Intesa, cosí stanno le cose.

Capita dunque che per gli stessi motivi per cui ci si dichiarava neutrali, ora si entra in guerra. A Gavino quella Storia
non sembra una cosa fatta bene. – Non è certo cosí che si decide, – protesta.

Josto Corbu lo guarda a lungo prima di rispondere: – Che

cosa vuoi decidere Gaví? – gli chiede. E Gavino si rende conto
che al di là di un sentimento inspiegabile quel dubbio che lo so-
vrasta non è nient'altro che paura. E si rende conto che il soffio
della Storia arriva certo come può e dove può, ma anche che se
arriva, arriva quando gli pare... – Siamo rivoluzionari, – completa Josto Corbu.
    – Appunto per quello siamo contro la guerra, no? Che cosa si
diceva? Che il conflitto serviva solo per gli interessi dei borghesi...
    Josto Corbu non risponde. Dalla tasca posteriore si sfila una
copia vecchia de «L'Avanguardia». – Ascò, Gaví, leggiti cosa
scrive Deffenu su questa cosa e poi dimmi... Io devo scappare
che c'ho da mungere... – senza nemmeno aspettare un saluto
sgattaiola via come un furetto. Gavino se ne rimane lí col giornale arrotolato in mano.
    C'è un odore amarissimo di olive spremute e aria viscosa. È
un maggio vetroso, fragile fragile, come se dovesse spezzarsi da
un momento all'altro. Mai vista una stagione cosí incerta, in tutti i sensi. Un vento a raffiche ha spazzolato via ogni nuvola. Il
quadrante della finestra è tutto occupato dal turchese di un cielo
perfettamente terso, eppure il sole non scalda. Gavino si cerca
un posto comodo per sedersi a leggere.

    Michele Angelo quindi quella mattina entra in cucina e chie-
de alla moglie: – Cos'è tornato Luigi? – Mercede saggia il calore
dell'acqua con la punta del dito poi fa segno di sí. Michele Angelo incalza: – Ha deciso di fare un'improvvisata? Diceva che era
periodo di esami, che per questo mese da Sassari non sarebbe
tornato... – Mercede allarga le braccia. – Non è che è successo
qualcosa e non me lo vuoi dire?
    – Ha detto che ci deve parlare...
    – Non è che ha fatto un guaio? – l'interrompe, ansioso, Mi-
chele Angelo.
    Mercede, ancora una volta, allarga le braccia.
    – No nessun guaio –. È proprio Luigi Ippolito che risponde
entrando in cucina. Sembra lavato di fresco, sbarbato ritorna un
ragazzino.

– Ti stavo portando altra acqua, – gli dice Mercede.

– Grazie, ho finito... Bastava, – fa lui con quell'aria distratta e cittadina. – Volevo parlarvi, – attacca a un certo punto sedendosi di fronte al padre. – Una cosa che avevo accennato per lettera a mamma.

Come fosse stata chiamata in causa da un pubblico ministero, Mercede estrae la lettera in questione.

– Io avrei deciso di arruolarmi, – spara, secco, Luigi Ippolito, per colpire il padre in pieno petto.

Michele Angelo prepara il broncio come quando sta facendo uno sforzo solenne per non rispondere senza aver riflettuto. – Se hai deciso... Cos'è non si mangia niente stamattina? – dice sgarbato rivolto alla moglie. Mercede sa bene che quel tono non è rivolto a lei, ma al fatto che il marito sta battagliando contro un'inquietudine furiosa. Quindi, lestra che coette, apparecchia per la colazione del marito.

– Ve lo sto dicendo perché è sempre meglio che lo sappiate da me.

– E bravo allora l'hai detto... Altro?

Luigi Ippolito fa segno di no. Mercede posa sul tavolo una tazza di latte fumante. Michele Angelo guarda la moglie come a scusarsi per poco prima.

– Mi sarebbe comunque riconosciuto il grado per meriti scolastici... – aggiunge Luigi Ippolito nel silenzio.

«... Coloro che amano dipingere quelli fra noi che, pur essendo e proclamandosi rivoluzionari, sono favorevoli alle tesi dell'intervento, come della gente diventata – per improvvisa resipiscenza – tenera delle istituzioni; dei traviati che confessano i loro errori e si apprestano a fare ammenda delle colpe passate, non si rendono esatto conto dell'importanza del fatto storico della Guerra e di quelle che sono le tendenze probabili delle forze politiche e sociali che cozzano in Europa in questo momento.

La Guerra, se altri vantaggi non ci apporterà, almeno avrà avuto questo benefico risultato: di averci insegnato molte cose, di essere stata una grande maestra, che ci avrà richiamati dalle nuvole dei

sogni e dalle illusioni al nudo terreno positivo dell'esame realistico
delle condizioni di fatto del mondo e della civiltà moderna e delle
forze capaci di rimuoverle e rivoluzionarle. Il lampo – insomma
– che rischiara le tenebre e insegna la strada maestra al viandante
smarrito tra la nuvolaglia e la paura...»

Gavino richiude il giornale seguendo le pieghe da cui è scaturito. Lo stringe al pugno, guarda il cielo: nuvole nemmeno
una... Niente proprio.

In cucina Mercede ha preso il sopravvento perché a lei il silenzio che si è creato non piace manco per niente. Padre e figlio
sono seduti uno di fronte all'altro e non dicono nulla. Michele
Angelo guarda il latte nella tazza e non lo beve, Luigi Ippolito
afferra un pezzo di pane ma non lo mangia.

Cosí Mercede si è messa a raccontare di Tzia Mena che c'ha
l'età sua, e l'altro giorno era in campagna a fare erbette quando ha visto due carabinieri venire verso di lei con una busta in
mano, e allora abbandonando tutto quello che aveva raccolto
si è messa a scappare correndo per il campo come una capra e
gli altri due dietro che la chiamano: Signora, dove va? Signora,
signora! Ma lei niente, a lei le hanno detto che non deve prendere nulla dalla mano dei carabinieri perché sennò diventa atto
ufficiale e magari quella è la cartolina precetto per qualcuno dei
suoi figli. E comunque nonostante la sua età Tzia Mena corre
come una ragazzina tanto che i carabinieri, due giovinotti, fanno fatica a raggiungerla... Ma Mercede ride troppo raccontando
questa storia che una storia non è, perché di fatto i carabinieri
volevano solo sapere dove abitasse per lasciare l'atto in casa sua
e lei pensando di fuggire ce li ha portati.

– Questo succede quando uno si crede mariane e invece finisce *marianato*, – commenta senza enfasi Michele Angelo.

– Marianato? – ripete Luigi Ippolito. – Che cosa vuol dire?
Non esiste un detto del genere... – reagisce trattenendosi dal
ridere in faccia al babbo.

– E tando? Me lo sono inventato adesso, bene ti va? Vuol
dire che ogni furbo prima o poi incontra uno piú furbo di lui...

– Poi, dopo una breve sosta: – Ma l'hai visto in quale corno grande della forca si deve andare a combattere? – Luigi Ippolito fa cenno di sí. – E quell'altro dov'è? – chiede all'improvviso Michele Angelo alla moglie, rendendosi conto che Gavino non si è visto.

– È uscito da presto, da prima che arrivasse Luigi, – risponde rapida Mercede. Poi riprende col suo racconto a proposito del fatto che Tzia Mena si è chiusa in casa lasciando i due carabinieri in cortile e gridando che lei è andata dal notaio che gli ha detto di non prendere niente, perché se la consegna non avviene ufficialmente il richiamo non è valido. Ma i carabinieri replicano che comunque li ha visti e che se non apre si mette nei guai, non può fare finta di non essere in casa. E dicono che una cosa è non esserci e una cosa è fingere di non esserci. A Tzia Mena quella differenza sfugge.

Ma in ogni caso non è esattamente quella la storia che a Mercede preme di raccontare. A lei interessa che, attraverso questa vicenda di una donna semplice e un po' ignorante che cerca di salvarsi con un ombrellino dall'uragano, il figlio capisca che all'uomo su questa terra spettano fin troppe prove terribili senza che uno debba andare a cercarsele. Insomma ditemi voi se è possibile che persino i sassi conoscano la faccenda degli arruolamenti coatti, che tutti cerchino di sfuggirli e invece quel figlio suo vuole addirittura partire volontario.

– Non è cosí, – insiste Luigi Ippolito. – Tanti stanno partendo volontari e tanti ne partiranno. Ci chiamano a contribuire per questa Nazione e noi che facciamo? Scappiamo?

– Contribuire, – ripete con sarcasmo Michele Angelo. E si alza. – Lascia che vado a lavorare, c'ho due tori da ferrare a Molimentu. Quando arriva quell'altro digli che ha gli alari del notaio Serra da finire –. Ed esce.

Luigi Ippolito e la madre si guardano.

Di lí a una settimana Luigi Ippolito parte. Ad accompagnarlo ci sono solo Mercede e Marianna che è diventata quasi una signorina, sottile e piuttosto alta per la sua età. È un saluto mesto. Col postale messo a disposizione dall'esercito si deve arrivare fino al centro di smistamento; le truppe partono in treno, ma i graduati, quelli studiati, assai pochi, viaggiano in postale.

È tutto precario, tutto mantenuto in piedi da un'aria tremolante. C'è luce estiva, ma un freddo secco che punge le ossa. A Mercede quella situazione sembra una cosa vissuta da altri. Si guarda affianco Marianna: composta come una suorina sembra tranquillissima. E anche le altre madri e qualche padre sembrano tranquilli. Cosí si dice che non bisogna dar retta a quella specie di accelerazione del respiro che non la fa ragionare e che, molto probabilmente, anche lei, a vederla da fuori, nel suo involucro di madre del soldato, appare serena. E invece no. Perché serena non è. Sono almeno quattro notti che non chiude occhio.

Marianna tiene per mano il fratello come se all'ultimo avesse deciso di non lasciarlo andare. Ma, quando arriva il momento, eccoli che si staccano. Cosí a Luigi Ippolito viene in mente tutto quello che avrebbe avuto da dire e che non ha detto: Saluta babbo e Gavino; Non preoccuparti di nulla; E tu Marià, mi raccomando... E cosí via.

A Mercede invece viene in mente che quella potrebbe essere l'ultima volta in cui vede suo figlio. Marianna capisce al volo quel pensiero e fa cenno di no col capo. Luigi Ippolito sorride e poi si avvia sul postale. L'aria frantuma tutto al primo rombare del motore.

La sera a casa Mercede non parla, se ne sta seduta nel suo sgabello davanti al camino e non parla. Gavino e Michele Angelo mangiano con la testa affondata nella zuppa come se avessero la schiena molle. Marianna fa la massaia. Nessuno ha chiesto niente e nessuno ha risposto.

Cosí del fronte non si parla a casa Chironi. E i giornali non si comprano. E non si pronuncia nemmeno la parola guerra. Si aspettano le lettere. E solo da quelle si capisce che Luigi Ippolito non è a Sassari come sempre, ma al corno grande della forca.

Cosí una mattina Michele Angelo fa una pensata.

Ma prima di questo bisogna dire che, dalla partenza di Luigi Ippolito, Gavino sembra inquieto. Lavora male, non sta mai fermo, non fa il nido da nessuna parte, come dice la madre.

Molti dei suoi amici non ci sono piú, qualcuno è persino già morto al fronte, qualcuno chissà. Josto Corbu insieme a un paio di «rivoluzionari» ha deciso di saltare il fosso e si è arruolato volontario. Lui no. Lui è come un tuffatore che aspetti il momento opportuno per buttarsi. E la metafora non è gratuita, considerando il fatto che Gavino non è mai stato di quelli che fanno senza prima pensarci dieci volte. A scuola per esempio prima di dare una risposta passavano i minuti, soprattutto se la sapeva, anzi quanto piú la sapeva tanto piú tardava a rispondere. Bisognava conoscerlo a Gavino per non perdere la pazienza e volergli anche molto bene, sennò davvero le mani scappavano da sole.

Insomma anche stavolta, dopo la partenza del fratello, Gavino era lí che tardava a rispondere a se stesso. E il padre, che lo conosceva, lo osservava attentamente. Poi di sera davanti alla cena e davanti alla moglie diceva: – Quello sta ruminando qualcosa –. Mercede annuiva convinta, perché quanto affermava il marito era chiarissimo anche a lei. – Quello ci fa lo scherzetto, – aggiungeva il fabbro.

Intanto dal fronte arrivavano le lettere di Luigi Ippolito piene di un entusiasmo preoccupante. Per i due mesi successivi non ci fu giorno che Gavino non accennasse al fatto che tutti erano o sarebbero partiti. E non c'era giorno che Michele Angelo non pensasse a quelle due o tre paroline che lui e il Padreterno si erano scambiati qualche anno prima nella vigna, quando Pietro e Paolo erano scomparsi. Dal punto di vista di Michele Angelo era chiaro quanto stava succedendo e cioè che Gavino aveva la risposta pronta, una risposta che conosceva benissimo, ma che tardava a dare. E allora, siccome ogni ortolano conosce le sue rape, il padre stava in guardia perché sapeva che quando il figlio quella risposta se la fosse data definitivamente allora non ci sarebbe stato piú niente da fare. Per ora la faccenda si regge-

va col fatto che per ogni figlio che partiva volontario un altro
figlio veniva esonerato dalla leva obbligatoria. Ma, e qui stava
la domanda, era altrettanto chiaro che due volontari nella stessa famiglia erano comunque ben accetti.

Quando Marianna fu chiesta in sposa da un avvocato piú
grande, ma non troppo vecchio, Michele Angelo e Mercede decisero di mettere in atto una manovra diversiva. Gavino non
sapeva che quel suo titubare l'aveva infilato in una guerra altrettanto tattica, seppur meno sanguinosa, di quella che stava
combattendo Luigi Ippolito.

Il piano consisteva nel prendere tempo finché Marianna non
si fosse fidanzata ufficialmente e, intanto, lavorare per procurare a Gavino un diversivo infallibile. Quel diversivo si chiamava Agnese Desogus.

La ragazza, amica d'infanzia di Marianna, era bella, in buona
salute, sveglia e da tempo «interessata», come si diceva allora, a
Gavino. Lui del resto aveva tutte le caratteristiche del maschio
maschio. Uomo in tutto, serio, lavoratore, fattore. Piú vicino
alla corpulenza del padre che all'asciuttezza della madre, e con
quel biondo che lo rendeva in qualche modo esotico. Gavino
alle donne piaceva, ma non si può dire che fosse uno troppo intraprendente. Lui stava meglio con gli amici. E anche quella era
una continua fonte di pessamentos per i genitori. «Perché questo di accasarsi non ci pensa e quell'altro meno che meno…»
Cosí l'idea è di riuscire a celebrare due fidanzamenti al posto
di uno. Michele Angelo è sicuro che appena Gavino «assaggia»
poi non si stacca piú. Se poco poco mi assomiglia come sembra,
dice a se stesso, è uno che fagli annusare la donna e i grilli per
la testa spariscono. Quindi, con la scusa di preparare tutto per
il fidanzamento di Marianna, ecco Agnese sempre in giro per
casa. E sempre intorno a Gavino. Incoraggiata dal suo status
di femmina e di ape regina eccola ronzare intorno al fiore prediletto. Gavino per lo piú si imbarazza, capisce e non capisce,
o fa finta. Quel che è certo è che, quando può, scappa.

«È una storia vecchia, – dicono le donne tra loro, – a questi maschi se non gli dai la pappa pronta non si decidono». «Anche Michele Angelo era cosí all'inizio», specifica Mercede, e le donne ridono. «Poi però ha imparato la strada», aggiunge lei.

Fino al pomeriggio in cui Agnese lo bacia e Gavino si fa baciare. E non solo...

Agnese la racconta cosí: che erano da soli in cucina, lui seduto, lei in piedi. E racconta che lui ha mani bellissime anche se fa il lavoro che fa. Quindi erano in cucina da soli e lei non riesce a togliergli gli occhi di dosso, specialmente dall'aureola dorata che la luce del pomeriggio gli fa intorno alla nuca. Ed è esattamente lí che lo sfiora come per caso mentre gli sta passando alle spalle... Lui sente quel contatto come un'enfasi del silenzio che li circonda.

È un pomeriggio di agosto avanzato, di quelli compatti che sanno di lenzuola fresche profumate con mele cotogne. Agnese racconta che lui non fa un gesto come se non si fosse nemmeno accorto che lei l'ha sfiorato, ma è solo apparenza e lei lo capisce bene perché nel silenzio morboso di quella cucina può sentirlo deglutire come chi ha troppa saliva in bocca. Ma il punto è che resta immobile perché non vuole incoraggiare ma neanche scoraggiare. E Agnese si scoraggia? No, no di certo. Lei ritorna esattamente da dov'era partita e ancora lo sfiora, ma questa volta con intenzione chiara, dilungandosi addirittura. Ecco, Gavino, concentratissimo, aspetta che Agnese faccia il terzo giro intorno a lui e quando sente che lei sta di nuovo per sfiorargli la nuca scatta e le afferra la mano come se fosse una mosca ronzante. Restano cosí e si guardano. Lui non la stringe, eppure lei si rende conto che è impossibile liberarsi da quella presa. Quasi impercettibilmente gli sorride. Quasi impercettibilmente lui muove le dita sul dorso della mano di lei. E tutto resta cosí, nell'immobilità febbrile di quel che è: i gesti, gli sguardi, i sorrisi, i respiri.

Ecco, nella mezz'ora che segue Agnese perde la dignità e Gavino perde la verginità, dice lei. Ma tant'è: bisogna imparare presto chi decide, e cosa. Gavino visto, scelto, preso, fa

il suo dovere come gli detta la sua natura guardinga, a metà tra
quello che è e quello che dovrebbe essere, o che vorrebbe essere. E comunque, mentre si riabbottona i calzoni, si sente come
lo scampato all'incendio, che capisce di essere scampato proprio
perché ha agito prima di pensare. Quanto all'innamoramento, se
sapesse di cosa è fatto potrebbe anche ragionarci su, ma non lo sa.

E ora? Vuoto, piú triste che allegro, piú imbarazzato che fiero, avrebbe solo fretta di andare via. Agnese non sembra attraversata dallo stesso sentimento, con movimenti minimi si sistema
la camicia all'altezza del seno. Quell'intimità tanto esibita è peggio del mischiarsi di poco prima, è passato abbastanza tempo da
considerare quanto accaduto come un dato archiviato, un arnese
riposto, una pratica espletata; ma ne è passato troppo poco perché si possa evitare la mitizzazione. Ora sembra che tutto quello che è avvenuto nella cucina odorosa d'agnello e di cannella,
si possa riconsiderare solo a patto di uscire in fretta da lí. Fuori,
nel cortile, va già meglio: per strada, tutto diventa raccontabile
e quindi un segreto da custodire.

Anche di questo parlano le donne. Agnese racconta di come
Gavino si è ricomposto in fretta, spiega che l'ha trovato pulito
come un bambino ben accudito, gentile e forte. È semente buona, pensa di lui; Sono terra fertile, pensa di se stessa.

Quella terra è diventata un regno di femmine. I maschi sono
al fronte e cadono a grappoli in prima linea cercando per protervia di sfidare il fuoco.

Ma a giudicare dalle lettere di Luigi Ippolito quel fronte è solo un utero infestato di topi dove si passano giornate intere ad
aspettare. Per ogni giorno di fuoco, per ogni carneficina, passano giorni di nulla. Cosí non rimane che scrivere, per quanto sia
lecito, che a volte si rischia di scrivere cose non concesse senza
nemmeno saperlo. A sentir lui l'offensiva offre prospettive che
quell'attesa tremenda, senza fine, disperatamente cancella. Ma
questo non si può scrivere. Ciò che Luigi Ippolito sa, cioè che
per ogni metro conquistato si perdono decine di soldati, non lo
può dire. Rimane nella parte cancellata della lettera, sostituito

da un'unica, prosaica, parola: CENSURA. Fuori da quella selezione si percepisce quanto resta di Luigi Ippolito: raccontatore, forse patriota, soldato senza una guerra...

Nelle ore di attesa ha raccontato ai compagni commilitoni la storia di Quiròn quando tentò di arrestare l'Inquisitore, e di come il mancato arresto l'avesse fatto cadere in disgrazia tanto da persuaderlo a lasciare il Capo di Sopra, civilizzato, per raggiungere l'interno selvatico come avevano fatto Pizarro o Cortés. E poi ancora di come fosse diventato il camerlengo del vescovo di Galtellí, e di come infine, per sfuggire alla mal'aria e alla peste, si fosse trovato a calpestare l'antichissimo territorio di Nur insieme ai famigli del religioso che lí aveva deciso di trasferire l'arcidiocesi. La voce di Luigi Ippolito, stondata dalle pareti carsiche della grotta, si adegua all'accompagnamento della bombarda. «Ancora una volta, – dice, – Quiròn diventa Kirone e, infine, Chironi, come quello che avete davanti».

La manovra diversiva attuata dai genitori non pare riuscita: nonostante le indagini di Michele Angelo in officina Gavino non parla, né dà segni di cambiamento. Cosí quando il fabbro incontra la moglie, che gli chiede con un'alzata del mento se il figlio ha accennato ad accasarsi, deve scuotere la testa per significare che non c'è niente di nùovo. Non gli è bastato quello che ha annusato, o forse non ha annusato bene.

La settimana prima del fidanzamento di Marianna viene funestata da due brutte notizie: la prima è che Luigi Ippolito non ritornerà in licenza, la seconda che Agnese Desogus ha sposato un commerciante genovese piú vecchio di lei di trentadue anni. In verità questa seconda notizia, ferale per il mondo che lo circonda, non sembra turbare piú di tanto Gavino. La prima invece sí. Ha ripreso a non dormire di notte e sente respirare il letto vuoto affianco al suo come se fosse occupato da un'anima in pena.

Per aggiunta Josto Corbu – senza una gamba e con metà del viso sfigurato, ma con una medaglia lucida sul petto – è stato rimandato alle cure dei suoi cari. A pezzi ma è tornato. Frammento di eroe locale pronto da rimuovere come una scheggia nell'oc-

chio. Non ci vuole niente a passare da colui che ha fronteggiato
il nemico con coraggio, al coglione che ha combattuto una guerra
stupida e ne è uscito letteralmente a pezzi.

Quando mancano tre giorni al fidanzamento di Marianna, Josto manda a chiamare Gavino.

Non appena rivede l'amico, Gavino capisce quale sensazione
gli aveva impedito di andarlo a trovare fino ad allora. Quello che
vede è un pezzo di corpo buttato su un letto. Posata all'altezza
del comodino c'è una gamba di legno grottesca, scura, cinghiata
in cima, calzata con uno scarponcino ben allacciato.

– Secondo te posso portarla? – chiede Josto seguendo lo
sguardo di Gavino. – Mi hanno dato la scarpa per la protesi,
ma non quella per il piede sano. Ti pare che devo andare in giro
con due scarpe diverse? Meglio con una sola gamba –. E, come
suo solito di ridere di cose terribili, eccolo che ride con mezza
faccia, perché tutto il lato destro fa l'effetto di un impasto lasciato a lievitare. Ogni piega è scomparsa. Ogni linea, ogni forma, è scomparsa. Sparita la curva del labbro inferiore, che ora
segue l'imbastitura scomposta con cui hanno rattoppato guancia e mascella, scoprendo la gengiva e qualche dente. Spenta la
luce dell'occhio marrone, che sembra l'unica cosa viva in mezzo
a tutto quel tessuto cicatriziale. – Bellino, vero? – commenta
Josto Corbu leggendo i pensieri di Gavino.

– Bello non sei stato mai, – risponde lui, con una tristezza
nella voce che basterebbe a oscurare la terra.

Cosí finisce la pace. A Gavino sembra di avere davanti un
morto tornato dal sepolcro come un Lazzaro che abbia il compito di riportarci notizie dalle tenebre. È lí che inghiotte saliva e,
insieme a quella, la domanda che disperatamente vorrebbe fare.

– Tuo fratello l'ho visto, – lo anticipa ancora una volta Josto
Corbu. – Due volte l'ho visto: prima al fronte, poi in ospedale,
una leggera ferita al piede, una scheggia di granata. Stava bene,
mi è sembrato che stesse bene, – si corregge.

E quella correzione dice tutto. Ora che è diventato uno di
quei pupazzi che fanno paura ai bambini la sua capacità di men-

tire sembra definitivamente compromessa. Né è aiutato dall'impossibilità di articolare lo sguardo. Le parole di Josto adesso sono comunque terribili perché emesse da forme infernali e perché per emetterle necessitano di uno sforzo tremendo. Quella è una bocca che non si è resa conto dell'obbrobrio che l'ha trasformata in una cavità sbilenca, senza armonia.

– Non sta bene, – afferma a un certo punto Gavino.

– Un piede ferito, cosa vuoi che sia?

– Non dicevo quello...

Quella notte Gavino aspetta che i suoi genitori si mettano a letto. Poi, sapendo dove cercare, va a prendere tutte le lettere del fratello: due anni di corrispondenza dal fronte. E capisce che tutto quello che c'è da sapere è stato cancellato, ma quando pensa «cancellato» non pensa a quelle porzioni sbiancate e alla scritta CENSURA che le sostituisce. No, quando pensa cancellato Gavino pensa a tutto quello che il fratello non ha voluto scrivere.

Togliendo i fogli dalle buste li distende in ordine sul pavimento della sua camera e vede tante cose che non ci sono... La scrittura, per esempio. Gennaio e febbraio del 1916: pochissime parti censurate, la scrittura è ferma, precisa. Marzo, aprile, maggio: aumentano le censure. In una lettera del 24 aprile praticamente sono rimaste l'intestazione e i saluti. La scrittura si appuntisce.

Tutti quei fogli in ordine fanno l'effetto di un cimitero monumentale con le lapidi tutte uguali. La guerra vista da lí è una cronaca ostinata, una batteria di obici con il compito di preparare un'offensiva, un'onda che si gonfia prima di sbattere sulle rocce...

Giugno del 1916, della lettera non rimane niente:

Ti ricordi la nostra discussione a proposito del dovere guerresco poco prima della mia partenza? Sembrano passati millenni e sono meno di due anni. Ti ricordi che tu dicevi non trattarsi di un dovere ed io invece opponevo la necessità, addirittura la sacralità, di tale dovere? So che lo rammenti e che rammenti anche quanto mi infervorai a dimostrare che nessuno piú dei

sardi era razza guerresca, per cultura, per natura e per quella sua disposizione alla virile e spiccia risoluzione delle questioni piuttosto che alla diplomazia. Bene, ora che i fatti paiono avermi dato ragione, ora che noi, i pastori e contadini, gli ultimi arrivati in questa Nazione fanciulla ne siamo stati eletti paladini sul campo di battaglia... Ora, dicevo, sento che tu CENSURA
Molti di noi necessitavano di cure immediate, non io come sai, non temere: i dolori al piede offeso dalla scheggia di granata CENSURA

Qui la scrittura rasenta l'assurdo... Ma è comunque la sua. Meno sicura, ma sua, e questo dimostra che è vivo chi scrive. Le righe sono recinti di filo spinato che ingabbiano il foglio:

CENSURA *lo faccio ora e con eguale amore ti chiedo di perdonarmi, e ti bacio i piedi, e ti abbraccio le ginocchia, inerme, disarmato, denudato della corazza, spogliato delle certezze...*

Ma che cosa mai avevano letto finora? Com'era possibile che in tutto questo tempo non avessero notato che era successo qualcosa? E chi era quello che scriveva? Due anni al fronte e mai una licenza, mai un accenno a tornare a casa.

A Marianna che un mese prima gli ha scritto annunciando il suo fidanzamento, lui fra l'altro risponde:

Anche da qui grandi notizie! Sono stato allo Studio Notarile Plesnicar per un dovere di cui parlerò a te e a voi tutti a voce... CENSURA *non mi affatico, non temere, sono accudito oltre ogni dire e faccio pasti regolari; mi impongo almeno un'ora di moto al giorno, giusto per muovere il piede offeso dalla granata come sai. Ti sia di consolazione sapere che sono ormai due mesi che non necessito più del bastone. Ti sia di consolazione sapere che ho cercato in ogni momento di non disattendere alle speranze che voi avevate riposto in me. Anche se, qualche volta, ho come la certezza di avervi deluso e di avervi arrecato solo ambasce e preoccupazioni, ma ora, mentre scrivo, riesco a pensare che tutto quello che andava fatto è stato fatto, fino in fondo...*

Nessun accenno al fidanzamento, niente.

È notte piena, ormai, c'è silenzio di autunno incombente. Gavino, seduto sul pavimento come un pellegrino al santuario, comincia a sentire freddo; intorno a lui i fogli respirano, come il letto vuoto del fratello, come tutto ciò che ha toccato Luigi Ippolito.

Ci vuole un bel po' prima di rimettere a posto i fogli nelle buste corrispondenti e soprattutto per ricomporre la risma santa legata da un nastro rosso che Mercede adora e custodisce come una reliquia.

Sfinito, Gavino va a distendersi sul letto di Luigi Ippolito, ma la pace dura poco. Ha un pensiero in mente, qualcosa che non riesce a mettere a fuoco. Nel torpore del dormiveglia fili invisibili sembrano voler tessere un bozzolo che lentamente lo soffoca.

Così di scatto si siede sul letto, sveglio adesso, e capisce cosa non era riuscito ad afferrare fino a quel momento. A piedi nudi ritorna verso il suo tavolo. Le lettere sono sempre lí. Con furore le riapre.

Novembre del 1917:

Ti sia di consolazione sapere che ho cercato in ogni momento di non disattendere alle speranze che voi avevate riposto in me.

Ecco, ancora:

con eguale amore ti chiedo di perdonarmi, e ti bacio i piedi, e ti abbraccio le ginocchia, inerme, disarmato,

Dicembre del 1917:

... ti abbraccio le ginocchia, inerme, disarmato...

Gennaio del 1918:

Ti sia di consolazione sapere che ho cercato in ogni momento di non disattendere alle speranze che voi avevate riposto in me. Anche se, qualche volta, ho come la certezza di avervi deluso... Ti ricordi che tu dicevi non trattarsi di un dovere ed io invece opponevo la necessità, addirittura la sacralità, di tale dovere?

... tu dicevi non trattarsi di un dovere ed io invece opponevo la necessità, addirittura la sacralità, di tale dovere?

– Ti stavo aspettando –. Josto Corbu indica una sedia davanti a lui.

– Che cosa è successo? – attacca Gavino, con tutta la notte insonne appiccicata addosso. – Perché Luigi Ippolito non è mai tornato a casa? Tu l'hai visto...

Josto Corbu prende tempo. – Non so se vuoi davvero sapere quello che chiedi. Siedi, riposati.

Ma Gavino non si siede. – Che cosa è successo a mio fratello?

– Vi ha scritto no? – la voce di Josto Corbu è alterata come se provenisse da un'altra stanza. Gavino lo guarda e aspetta. – Siedi, – ripete l'altro.

Io adesso ti racconto un giorno. Uno solo.

Voi da qui non capite, nemmeno potete immaginare cosa sia una guerra. Per mesi abbiamo sofferto freddo, fame, stanchezza. Oh la stanchezza, come un carico perenne sopra le spalle! Noi l'equipaggiamento lo chiamavamo «stanchezza», trenta chili veri sulle spalle di ragazzi che mangiavano poco e dormivano peggio. Piú e meglio di noi mangiavano i topi e i pidocchi, loro sí. A me mi faceva impazzire non dormire, piú che i topi, piú che la fame... La notte nemmeno si pensava di dormire. Mai. Uscivamo dalle trincee ma eravamo già morti. Fermi sull'Isonzo. E comunque finii per addormentarmi nonostante il fragore continuo, e bum e bum, sempre...

Ad agosto dice che abbiamo preso Gorizia, ma non è vero,

siamo solo entrati in un cimitero a cielo aperto infestato di cecchini, e quello è l'unico passo avanti che si è fatto in mesi e mesi.

Quel giorno arriva col silenzio, ci avvertono di prepararci per un'offensiva verso le cinque del mattino. Nella notte ci hanno raggiunto contingenti dal Veneto. Tuo fratello era tra questi. All'inizio nemmeno l'ho notato con l'elmetto calato sulla testa, poi quando ha cominciato a gridare ordini ho riconosciuto in quella voce qualcosa di familiare. E poi ho sentito il capitano che diceva: – Tenente Chironi, si sinceri che tutti abbiano capito gli ordini.

E allora tuo fratello ripete di mettersi in riga, di prepararsi per reparto e cosí via. Lo dice in sardo, che molti davvero l'italiano nemmeno lo capivano. Allora mi avvicino e gli faccio: – Tenente mi scusi...

– Dica caporale, – mi fa lui.

E io: – Ma lei è per caso dei Chironi di Nuoro? Micheli Anzelu Chirone, su mastru 'e ferru?

– Sí, – fa lui sbrigativo.

– Il fratello di Gavino?

– Eja, – dice. – Connosches a frade meu?

– Semus fedales.

A Gavino già quel pezzo di racconto fa velare gli occhi.

E comunque la giornata passa, nell'inferno, nell'Apocalisse, per guadagnare qualche metro di territorio, ma passa. Quando si ritorna alle tane si fa la conta. Si accende il fuoco e si dorme senza dormire, come animali. A tuo fratello non l'ho piú visto per tutta la settimana, lí vale il fatto che non sai mai dove ti mandano e che vivi come le talpe dentro a un labirinto di gallerie. Davvero si può stare fianco a fianco per mesi senza vedersi mai. Io però a Luigi Ippolito l'ho visto bene: magro, con un po' di barba, serio serio. Lo sai com'è lui, no? Che sembra sempre che mentre ti dice una cosa stia pensando a un'altra.

Gavino fa cenno di sí.

In divisa lui rimane un bell'uomo perché è alto e chiaro e agli ufficiali dello Stato maggiore non sembra nemmeno sardo. Insomma, Gaví, dopo quella volta che mi sono presentato lui è stato molto gentile con me e mi ha sempre fatto avere qualche razione in piú. Lui per me è una bravissima persona. Dico per me perché lí in reparto non è che avesse una buona fama... Te lo devo dire, tanto è inutile starsi zitti. Dicevano che tuo fratello era culo e camicia col capitano Sermonti e quello te lo raccomando... E poi dicevano che tuo fratello, il tenente Chironi, non era nemmeno tanto per la quale, mi spiego?

Gavino scuote la testa. Ad abituarsi, dalla bocca sbilenca di Josto Corbu smettono di uscire stracci di frasi.

Sí insomma dicevano che era il cane da guardia del capitano e poi dicevano anche altro, ma sono scemenze... Comunque si capiva bene che non era tanto sereno, però davvero chi cazzo è che era sereno con gli austriaci a meno di un chilometro. Io continuavo a dire: Siete scemi, guardate che i Chironi io li conosco bene e sono gente a posto, il tenente avrà le sue buone ragioni per comportarsi come si comporta.

Un giorno però arriva il caporale Tinti e dice che a tuo fratello dalla postazione degli ufficiali nemmeno lo lasciano uscire. Com'è come non è, tutti hanno una loro teoria... Che non ci sia piú con la testa, per esempio. E cosí arriva quel giorno che ti volevo raccontare dall'inizio. E te lo racconto proprio perché è il giorno famoso in cui tutti dicono che il tenente Chironi ha fatto il matto e che il capitano per parargli il culo con le alte sfere non l'ha nemmeno fatto alzare dalla branda. Infatti quel giorno tuo fratello mi manda a chiamare. A letto è a letto, ma in preda alla febbre, senza divisa, è magro come un Gesú Cristo con i capelli sporchi, e sembra invecchiato. Ecco, sembra esattamente come ognuno di noi. Io penso che nella truppa ci sono certe malelingue che davvero uccidono piú di qualunque arma... E comunque mi ha mandato a chiamare per un motivo preciso: vuole sapere se sono sposato, se ho famiglia. E io: Signornò! Poi vuole sapere se ti ho scritto o se tu hai scritto a me. E io: Signornò! Lui sorride come se avessi dato una risposta del tutto scontata: Scrivere, Gavino, no eh? chiede. E io dico: No, proprio no. E lui: Da quanto tempo non ritorni a casa? E io: Da un anno e sette mesi, signore! Allora lui prende un foglio che ha sul tavolino e me lo porge. È una licenza, per me.

Silenzio. Dall'occhio sano di Josto Corbu cola una lacrima densa.

Cosí quel giorno è precisissimo perché con quel foglietto in mano mi sono reso conto che da moltissimo tempo non ero stato felice, e nemmeno allegro, e nemmeno, solo, contento. Io quel giorno lí ho capito dov'ero finito, in quale Apocalisse ero stato risucchiato. Ecco, mi guardavo intorno e vedevo esattamente me stesso replicato ancora e ancora, tremante sotto allo sterrato, incastrato tra le rocce, tenuto sospeso dal filo spinato. Io ero tutti e tutti erano me.

Di lí a poco è previsto un attacco, quindi si prende posizione, ma io c'ho la mia licenza come una ricetta contro ogni morte. Cosí quando la terra mi esplode intorno non sento nemmeno male, vedo la mia gamba che mi precede e penso: Però siamo fragili. Sento come un gancio che mi strappa metà della faccia e penso ancora: Siamo fragili. Eppure non muoio. Sono forte! grido. Sono vivo! I barellieri corrono verso di me. Niente male, giuro. Dopo sí, dopo, ma lí, rotto a pezzi, col sangue che impasta il terreno, nessun dolore. Niente. A caldo, sbattuto al suolo dopo l'esplosione, ho il tempo di pensare alla mia licenza, poi piú niente.

Chi lo sa quanto tempo passa, ma l'importante è che i barellieri mi prelevano. Uno dice: È piú morto che vivo; l'altro dice: Povera creatura; lo dice come fosse un vecchio, e invece era anche piú giovane di me.

Sono certo che da un orecchio non ci sento proprio nulla.

E mentre mi trasportano vedo che è primo mattino. Ti dico, Gaví, che quella è stata una condizione di pace: è l'alba, c'è un freddo che taglia in due, e un cielo che sembra dipinto. Uno lo guarda e si dice: non è possibile che al mondo esistano meraviglie simili. Poi considera se stesso e capisce che è un animale che sta in piedi per maledizione, sempre costretto a guardare la terra. Dal quel cielo invece era impossibile staccarsi perché era semplice. La perfezione fine a se stessa. Lí davvero ho pensato che forse ero a un passo dalla fine. Perché, mi sono detto, proprio ora che sto per morire, mi si concede una rivelazione. E la rivelazione è che la bellezza è semplice: la pace, la vita, quello che per paura o per comodità chiamiamo Dio, tutto è limpido. Non c'è nient'altro amico mio, frade, nient'altro.

Insomma, dopo quattro mesi nell'ospedale militare mi mettono in piedi. L'ufficiale medico dice: Lei Corbu deve ringraziare il freddo innanzitutto che non ha favorito infezioni e poi la sua tempra, diavoli di sardi!

E poi mi fa il verso: Com'è che dite voi? Ajò! e ride. Io, con mezza faccia bendata, rispondo per quanto posso e ripeto: Ajò!

Devo fare passi, ma dopo mesi allettato la cosa non è semplice. Disteso stavo meglio, accudito in tutto, come ritornato, nemmeno bambino: neonato. Mi piaceva, perché potevo vivere da adulto, da persona cosciente, qualcosa che avevo già vissuto quando ero incosciente. Quando si viene da dove sono venuto io, Gaví, la guarigione è quasi una punizione, perché fuori dal sepolcro devi fare i conti con tutto quello che hai capito quand'eri dentro.

A Caporetto, dicono, è successo l'irreparabile. Ne avete saputo qualcosa qui?

Gavino alza le spalle.

Non piú di tanto, si capisce. Cosa ci si può aspettare dai giornali? In tempo di guerra, poi... Comunque ora si arriva dove voglio arrivare ed è tutto collegato a quel giorno della licenza.

Infatti il foglio che avevo in tasca viene conservato dagli infermieri durante il ricovero. Quella mattina che mi mettono in piedi su una gamba la prima cosa che mi viene in mente è che mesi prima mi era stata concessa una licenza dal tenente Chironi. L'infermiere mi dice di non preoccuparmi, che tutti i miei effetti personali sono ben custoditi e che della licenza non ne ho proprio bisogno, visto il congedo ineluttabile. Eppure proprio quel giorno che ci penso ecco che mi portano a far passi per «fortificare la gamba restante», l'altra come vedi ha corso piú di me ed è sepolta da qualche parte.

Ecco, sono nel parco dell'ospedale, saltello e mi siedo, provo le stampelle, mi sfinisco, ma il tono muscolare è pressoché assente. Ho il fiatone.

In fondo al viale vedo un gruppo di fantasmi accompagnati da infermieri grandissimi. Davvero, non è una mia sensazione, quel gruppetto di strane marionette scattanti è custodito da quattro enormi divise bianche.

Quelli sono i matti, mi dice l'infermiere che mi assiste nella rieducazione... Accanto a me c'è anche una donna con la divisa delle volontarie: fa che quel può per sorreggermi, ma è una fatica. Cosí quando non ho fatto che qualche passo già mi riportano verso il reparto. Ed è esattamente mentre si decide che per quel giorno può bastare che vedo tuo fratello. È in coda al gruppo, quello che dicono dei matti, che ci passa accanto... Ecco, vedi che alla fine te l'ho detto? Dice che era stato messo ai plotoni d'esecuzione dei nostri soldati ritenuti disertori dopo Caporetto. Lo sapevi questo? Lo sapevi che oltre alla disfatta col nemico quei poveri ragazzi hanno subito anche l'umiliazione di passare per vigliacchi? Io lo capisco che si diventi pazzi.

Comunque nel reparto dei matti proprio era impossibile entrare, dicevano che li curavano con la corrente elettrica e con le docce fredde. Questo dicevano, che arrivavano al fronte come persone normali e poi rivelavano una debolezza della mente che li faceva instabili all'improvviso.

Al fronte era pieno di ragazzi che credevano di poter contare qualcosa e quando si accorgevano di non contare niente perdevano la testa, ma noi sardi lo sappiamo bene fin da quando siamo nati che non contiamo niente. E allora cosa cambia?

Insieme a me in trincea c'era un ragazzo di Bergamo, in Lombardia, che a ogni scoppio perdeva la testa. Io lo guardavo come a dirgli di stare calmo che tanto era sempre la stessa carneficina, cambiavano solo le armi.

Certo questa è guerra moderna di posizionamento, qui un centimetro di terra vale di piú delle migliaia di vite che costa...

Gaví, ti parlo di Monte San Michele, il 29 giugno. C'è un intero battaglione appostato e c'è qualcosa che non si capisce, perché dal fronte austriaco cominciano a piovere dei fumogeni che fanno puzza di fieno marcio. Strano, ma, pare, senza conseguenze. Se non che la mattina dopo alcuni ragazzi cominciano a stare male, ma male sul serio, tossiscono fino a diventare blu poi stramazzano a terra con la bocca schiumante. Chi li ha visti dice che non muoiono, dice che quei fumogeni che puzzano di stalla sono armi senza pallottole, veleno che si respira. Il Male Assoluto dicono, quello destinato per l'interno che si respira come l'alito di Dio contro gli adoratori del vitello nel deserto. Ma il male vero è che si muore solo dopo ore e ore di agonia, come annegati in terra ferma, perché i polmoni si dissolvono in acqua putrida. A Monte San Michele non è sopravvissuto nessuno: sessantamila ragazzi che rantolavano nelle trincee, ciechi, ustionati, deformati dalle vesciche. Al punto che dal comando austriaco hanno ordinato di bonificare le linee mandando un plotone con le mazze chiodate, capisci? Non volevano sprecare pallottole per finire i moribondi. Questo l'hanno scritto da qualche parte, Gaví?

Gavino fa segno di no. È pietrificato in una posizione strana, né seduto né in piedi, come se avesse guardato negli occhi la Medusa nell'atto stesso di alzarsi.

Quante sono sessantamila persone Gaví? Eh? Quante sono?

Gavino cade a sedere, vittima di un incantesimo spezzato.

Quante Nuoro sono sessantamila persone, eh? Nove? Otto? Piú o meno. Ecco immagina che nove, otto Nuoro vengano distrutte in un giorno, che muoiano tutti, ma tutti tutti: donne uomini bambini bambine vecchi vecchie; il curato, il sagrestano, la perpetua, il notaio, il maresciallo, il dottore... Immagina che in questa falcidie non ci sia possibilità di privilegio: muore il delinquente sanguinario, lo stupratore, il ladro, esattamente come la madre dell'ucciso, la donna violata, il derubato. Tutti. Sessantamila. Ventimila in un minuto. Questo è successo sul fronte francese. Ne sapevate qualcosa?

Gavino avrebbe in mente qualcosa da dire, ma si rende conto che ormai è fuori tempo massimo, che quella risposta che ha in mente doveva darla un anno prima.

Josto Corbu gli legge in fronte come se vi fosse il suo pensiero marchiato a fuoco.

E che cosa cambiava se partivi e ti arruolavi anche tu, Gaví?

Non vedi che stanno arruolando i ragazzini? la voce di Gavino esce impastata.

E allora? Ti credi che hanno bisogno proprio di te? La tua guerra l'hai fatta qui.

A Gavino viene in mente di quella volta che Luigi Ippolito lo svegliò e gli chiese di raggiungerlo nel suo letto. Il che in fondo non era cosí strano, perché si trattava del fratello minore che chiedeva protezione al fratello maggiore.

Lui se la ricorda con beneficio d'inventario quella notte, perché aveva sí e no cinque anni ed era una notte che nessuno dormiva e che la casa era piena di gente. Pietro e Paolo non erano tornati a casa e tutti si chiedevano che fine avevano fatto, anche se era una domanda per modo di dire visto che la fine che avevano fatto era assolutamente chiara a tutti.

Sí, quella notte Luigi Ippolito, che si agita nel letto, gli dice: Dormiamo insieme. Piú caldi, dice.

Eppure è agosto, questo è certo, ma c'è freddo, anche questo Gavino lo ricorda. E ricorda l'odore del fratello, di ferro e stagno. E ricorda la consistenza assolutamente nervosa del suo corpicino asciutto.

Tutto questo gli viene in mente adesso. E gli viene in mente perché in definitiva quello che non vuol dire è che se fosse rimasto accanto al fratello tutto sarebbe stato diverso. Piú caldo, piú sicuro.

Ma lo pensa anche ora che le parole di Josto Corbu hanno sciolto l'arcano, e che si è capito il motivo per cui Luigi Ippolito da un certo momento in poi ha praticamente smesso di comunicare... O magari ha tentato di farlo riscrivendo ossessivamente le stesse frasi nelle sue lettere. E si è capito soprattutto contro quale muraglia di omertà sono andati a cozzare tutti i tentativi di Michele Angelo di capire se suo figlio fosse disperso o morto. Perché Luigi Ippolito al momento non è disperso, e non è morto. Ma è disperso e morto.

Non credere, interviene Josto Corbu, non credere che non abbia momenti di lucidità. Quella follia lí, mi dicono, non è follia vera. È solo paura trattenuta, che esplode tutta insieme. Ne ho visti, mio padre è del ramo, li capisco i sintomi: attoniti che guardano un niente popolatissimo, senza parole, senza un gesto; nevrastenici che frammentano le azioni perché non sanno dargli continuità in una sequenza frenetica di luce e buio; balbuzienti che custodiscono la parola e lottano contro di lei che vuole uscire. Sono ragazzi che non hanno sognato mai, ma che improvvisamente sognano le loro paure piú profonde: Mommotti, Sa Mama 'e su Sole, Su Boe Muliache... Come tornati bambinetti. Sono ragazzi che per mettersi in salvo hanno corso sui cadaveri e, facendoli esplodere con le suole chiodate, sono rimasti per giorni imbrattati di umori puzzolenti e viscere. Senza potersi lavare.

Quanta fermezza ci vuole Gaví? Eh?

Quelli finiscono nel reparto dei matti, dove nella migliore delle ipotesi non hanno coscienza di se stessi. Piangono per un nonnulla. Diventano folli schiumanti davanti a una divisa rossa, sentendo un fischio, guardando un fiore. Ognuno c'ha la sua.

Silenzio.

Senza aggiungere altro Josto Corbu allunga il braccio verso il cassetto del comodino e ne estrae una busta sigillata. Sembra corposa, a mano c'è scritto solo: *Gavino*. Con uno sforzo, puntellandosi sul letto la porge all'amico. E spiega che due giorni dopo il loro incontro nel parco dell'ospedale, e il giorno prima che lo dimettessero per rimandarlo a casa, un infermiere di quelli enormi gli ha portato quella busta, dicendo che era da parte del tenente Chironi. Josto Corbu aggiunge che alle domande sullo stato di salute dell'ufficiale l'energumeno nemmeno risponde: gli butta la lettera sul letto e se ne va.

Silenzio lungo, lungo davvero. Gavino sembra tornato bambino. Dal suo sguardo si capisce che è in preda a un dubbio terribile. Come faccio? sta pensando con la busta tra le mani. Come posso fare? Posso tornare a casa e dire a mamma e a babbo che Luigi Ippolito non è morto, non è disperso, ma morto e disperso insieme? E un figlio pazzo è meglio o peggio di un figlio morto?

Cosí se ne torna a casa e non dice niente. Ma quando uno c'ha la testa di vetro come lui non ha mai vita facile con chi lo conosce bene. Infatti Mercede non gli stacca gli occhi di dosso: – Cosa c'è? – lo incalza. – Come mai sei stato fuori tutto il pomeriggio? Tuo padre ti ha cercato, c'era da fare... – E Gavino: – Niente, niente –. E Mercede: – Non sembra, sei strano –. E lui: – Sono stanco, me ne vado a letto.

Mercede lo guarda mentre se ne va, sa bene che fra lei e suo figlio si è alzato un muro oltre il quale non si passa...

Quando quella sera Michele Angelo rientra la trova in piedi tra la finestra e la dispensa, cosí come una giara da olive... E non c'è niente di pronto, nemmeno l'ombra di una cena. Lui si guarda intorno e dice: – Niente da mangiare?

Lei nemmeno lo ascolta: – Devi parlare con Gavino, – sibila come se la voce facesse fatica a uscire. – Sta covando qualcosa.

– Ho parlato con l'avvocato Offeddu per Luigi Ippolito, – risponde lui.

– Hai capito che cosa ho detto?

– Dice che effettivamente è strano che non ci siano notizie da tanto tempo... Che ha amici al ministero della Guerra e che mi fa sapere...

Mercede si stringe le tempie con i pugni.

Michele Angelo la guarda come si fosse accorto solo allora che aveva detto qualcosa: – Che cosa gli è successo a Gavino? – chiede infatti.

– Non è piú lui, – risponde la moglie, pronta come una scolaretta diligente, ma nervosissima.

Michele Angelo con addosso la stanchezza dei secoli cade a sedere. – Che cosa stai dicendo? – chiede.

– Che cosí si perde tutto sto dicendo. Tu continui a guardare dove non c'è niente da vedere...

È avvenuto un cambiamento improvviso in lei, un cambio di tono inaspettato come se fino a quel momento avesse tentato di mantenere la calma e solo allora avesse capito che non ce la faceva.

– Ma che cosa? – fa lui sconcertato.

– Tutto... Tutto, – dice lei fuori controllo.

– Che cosa? – ripete lui, gridando. Sa che se non grida lei non si calmerà. E infatti lei pare improvvisamente calmarsi. – Lo so che sei preoccupata, – la precede lui e fa come per raggiungerla, ma lei impercettibilmente indietreggia e quel millimetro basta perché il marito capisca che non vuole essere raggiunta.

– Non lo sai, – dice lei. Ma ha capito di aver sconcertato suo marito con quell'improvvisa presa di coscienza. – Non lo sai, – ripete, come se repente si fosse spalancata una porta che lascia entrare raffiche di vento nella stanza.

– Bisogna essere pronti a tutto, – conclude lui a un certo punto, accordandosi perfettamente alla strana armonia che lei si è messa a suonare. – Lo so che non ti piace parlarne, ma questa cosa che Luigi Ippolito non torna e non dà notizie non è una cosa buona manco per niente.

Ma lei scuote la testa come se non le importasse, lei c'ha il tarlo di Gavino che le scappa di casa e finisce soldato, questo pensa, e le sembra abbastanza per concedersi di impazzire.

Lei c'ha solo in mente una serata del tutto simile di diciassette anni prima. Sono diciassette, sí? Sí. Ecco, la cucina è la stessa e persino l'ora è la stessa. Mercede vorrebbe dirsi che col tempo qualche differenza si è precisata, qualche capello bianco, e nuove cose moderne che prima non c'erano. Eppure, nonostante l'evidenza del contrario, a lei sembra che non sia cambiato proprio nulla…

Diciassette anni prima dunque, quando marito e moglie discussero sull'opportunità o meno di mandare Pietro e Paolo alla vigna per pagare i lavoranti. Se deve dare un senso a quel malumore che l'ha colta, se deve dargli un significato vero, deve costringersi a ritornare a quella sera di tanti anni prima. Cosí le sembra improvvisamente chiaro che tutto quel lasso di tempo è stato come una lunga, ribollente risacca, una specie di preparazione gorgogliante a quanto adesso stava capendo con chiarezza: doveva salvare i suoi figli. E se non tutti e due doveva salvarne almeno uno.

Mercede ha questo pensiero cinico, cieco, proprio come è cinica, cieca, l'onda che sfogandosi s'infrange sulla roccia, la schiaffeggia. Se Luigi Ippolito è perso, pensa, bisogna assolutamente fare in modo che Gavino si salvi. Proprio cosí. Esattamente in questo modo e con queste parole lo pensa. Perché viene percorsa da un senso di qualcosa di già vissuto che le raggela il sangue. Michele Angelo sembra impegnatissimo in un'impresa sconcertante e semplice: avere notizie di un figlio, partito volontario per la guerra, che non vede da due anni. Mentre a lei spaventa l'ipotesi che il primogenito possa essere risucchiato dallo stesso gorgo che ha rapito l'altro suo figlio. Certo ci sono le lettere e c'è persino Marianna. Ma allora perché all'improvviso nutre questa specie di astio per l'uomo che ha davanti? Lui è Michele Angelo, quello che l'ha salvata, e che lei ha salvato. Loro si sono dati senso. Ma ora, inutile rigirarci, lo odia. Come si può odiare solo chi si ama immensamente. Senza mezze misure, senza mezzi termini. Quell'uomo ha mangiato i suoi figli, come una divinità sprezzante ha reso vano quanto lei ha generato. I gemelli per esempio, e si ritorna, ostinatamente, a diciassette anni prima, se solo lei avesse saputo insistere, se solo avesse avuto la forza necessaria per sostanziare il suo timore, il suo dubbio... Ma lui no, per lui erano abbastanza grandi. Chi poteva toccare anche solo con un dito i suoi figli? I semi di tanto odio represso e di tanto incommensurabile amore sono stati piantati esattamente in quel giorno e hanno germogliato solo ora, con sapienza di foglie tenerissime. Lui ha permesso che i suoi figli morissero. Ha addosso quel destino di padre cannibale, che uccide per amore, ma uccide.

– Ho già capito che non si mangia stasera, – constata Michele Angelo spezzando il silenzio.

– Roba ce n'è, arrangiati, – dice Mercede.

Gavino li ha sentiti discutere. Come gli capita sempre piú spesso si è coricato sul letto di suo fratello. Non sono ancora le otto e lui già è pronto a dormire

Sotto al cuscino ha messo la busta sigillata che Josto Corbu gli ha consegnato. C'è una decisione da prendere. Chiude gli occhi quasi si aspetti di chiudere fuori anche i pensieri. E invece no. Ha sentito Mercede e Michele Angelo discutere, ma ora c'è silenzio. E non sa che cosa gli faccia piú paura. Comunque questo è quello che succede nella vita, pensa: c'è una bestia che dorme e che, d'improvviso, si sveglia. Fa tremare la terra mentre si scrolla di dosso anni di sonnolenza, genera terremoti col suo passo pesante e lascia dietro di sé orme che sembrano crateri. E quella che sembra pace non è altro che una sosta tra un rovescio e l'altro. Ora per esempio, la luce è la stessa, l'ora è la stessa, il letto è lo stesso. È lo stesso il respiro mefitico della bestia che si desta. Di quale bestia si tratti è difficile da dire, non ha una razza certa, non compare in nessun manuale di zoologia. Lui, fin da bambino, se la figura come un cinghiale e come un orso insieme, anche se dell'orso non ha esperienza diretta. Ma questa qualità indefinita è quanto concorre a renderla terribile. La bestia non bestia, indescrivibile, ma quantificabile; che non ha voce, ma respiro; che non ha corpo, ma peso. Un nulla che lascia tracce. A Gavino fa spavento soprattutto l'idea che divori con un risucchio, che mastichi senza denti e ci tenga a lasciarti in vita mentre ti ingoia. E magari, semplicemente – ma se ne rende conto solo ora –, quella bestia fluida non è nient'altro che l'immagine di se stesso, della sua inconsistenza.

Gavino non sa piangere, non ha mai saputo piangere. Ma non certo perché lo consideri un atto di debolezza. È proprio che non sa fare quel gesto: sa cosa vuol dire, sa da dove scaturisce, ma è come se ci fosse una diga tra sé e il suo pianto. Eppure non significa che non capisca qual è il limite estremo della felicità o dell'infelicità che sempre si toccano, senza mai travasare l'una sull'altra. Ha guardato Josto Corbu, l'ha sentito farfugliare il suo racconto con la bava che gli colava dalla bocca deforme; ha sentito l'odore acre della sua carne martoriata. E non ha pianto. Ora ha un destino su cui ragionare, e il potere di far travasare una piena d'infelicità sulla calma presunzione di normalità. E può assistere, addirittura provocare, il risveglio della bestia. Basta alzarsi e andare in cucina e dire: Smettete di cercare, Luigi Ippolito è vivo e morto. Basta mostrare una busta e dire: Eccolo qui vostro figlio scomparso, nudo davanti a voi, perduto in se stesso.

Non piango, si dice Gavino, io non piango.

La busta sotto al cuscino sembra fremere dall'attesa di liberare il suo contenuto.

Michele Angelo si taglia un pezzo di salsiccia e bagna un po' di pane carasau. Posiziona davanti a sé il fiasco del vino e se ne versa un bicchiere fino all'orlo.

– Ho fatto una pensata, – dice con la gola fresca.

– Sí? – chiede Mercede come colta alla sprovvista.

– Sí, – conferma lui, sicuro. – Tuo figlio lo conosci meglio di
me. Se si mette una cosa in testa non gliela leva nessuno. Cosí
ho pensato una cosa: io lo guasto –. Mercede questa volta pare rientrare nel mondo dei vivi, sgrana gli occhi. – Lo guasto,
– ribadisce Michele Angelo. – Voglio vedere se arruolano uno
zoppo. In officina occasioni non ne mancano. Cosí questa discussione finisce.

– E come? – balbetta Mercede.

– Non lo so ancora: un peso sul piede, un colpo di mazzetta
alla gamba, alla spalla...

– Meglio alla gamba, – lo interrompe la moglie.

– La gamba allora, che poi guarisce, e se non guarisce meglio
zoppo che morto, no?

Mercede fa cenno di sí.

Fratello caro,
    quanto sto per scriverti necessita di un preambolo. Ti ricordi
la nostra discussione a proposito del dovere guerresco poco pri-
ma della mia partenza? Sembrano passati millenni e sono meno
di due anni. Ti ricordi che tu dicevi non trattarsi di un dovere
ed io invece opponevo la necessità, addirittura la sacralità, di
tale dovere? So che lo rammenti e che rammenti anche quanto
mi infervorai a dimostrare che nessuno piú dei sardi era razza
guerresca, per cultura, per natura e per quella sua disposizione
alla virile e spiccia risoluzione delle questioni piuttosto che alla
diplomazia. Bene, ora che i fatti paiono avermi dato ragione,
ora che noi, i pastori e contadini, gli ultimi arrivati in questa
Nazione fanciulla ne siamo stati eletti paladini sul campo di
battaglia... Ora, dicevo, sento che tu avevi assolutamente ragio-
ne. Ci hanno abbandonato in una città allo stremo delle forze.
Una città magnifica. Il che fa pensare che qualcosa di buono
albergasse persino negli asburgici. Molti di noi necessitavano di
cure immediate, non io come sai, non temere: i dolori al pie-
de offeso dalla scheggia di granata sono solo un brutto ricordo.
    Gorizia è una città di fantasmi, di poveri corpi privati di tut-
to, del cibo, delle illusioni, della Storia... Avevi ragione! Mi è
bastato vedere il volto spaventato di vecchi e bambini e donne

in balia dell'incertezza, pronti a varcare il confine con le poche suppellettili rimastegli. Donne, vecchi, bambini: uomini non ce ne sono. Gli uomini sono tutti vincitori o morti! Sloveni, croati, gli abitanti del Litorale premono in massa verso i confini del nuovo Stato iugoslavo, si buttano in pasto alle macchie inselvatichite, ai campi minati, ai crateri delle bombe... Un prezzo esorbitante, un fardello che mi pesa nel petto... Eppure sono stato uomo di guerra. Ora non piú. L'ho capito con certezza stamattina mentre camminavo nel cortile della clinica e un velo sottilissimo di neve mi si posava addosso. Gorizia è una città di fantasmi e anch'io lo sono. Gorizia è una città fantasma. Era un impero che noi abbiamo trasformato in regno, e non mi riferisco agli assetti politici. È una vittoria senza gioia, fiumi di sangue sprecato in nome di una superiorità solo numerica. Anche su questo avevi ragione: che è meglio una felicità non nostra piuttosto che una nostra infelicità. Ora capisco quelle parole: ora capisco che è sempre vero, che sarà sempre vero, ma dubito che saranno in molti a capirlo... Non fa niente... Ti chiederai, ma forse no, che cosa ha generato questa svolta nel mio pensiero. Potrei risponderti che non lo so, o meglio che non so spiegarlo con le parole adatte, si tratta piú che altro di immagini, terribili e momentanee come un sogno di primo mattino: sono i volti, sono le mani, sono le grida di donne e bambini che si azzuffano per un tocco di pane raffermo o per gli avanzi del rancio in caserma. Alzando il capo posso vedere un quadrato di cielo bianchissimo come una bandiera di resa. Una pace bianca di neve sottilissima mi si posa sull'anima... Ma a te almeno devo dire tutto, a chi sennò? Ti affido il mio segreto perché quando ci rivedremo non sarò in grado di darti ragioni. E magari qualcuno si prenderà il compito di non dirti le cose come stanno. Ma la verità è che io sarò morto pazzo. A te stabilire se rivelarlo o meno ai nostri cari.

Ripartiamo dal principio. Delle vicende guerresche sai ogni cosa per le mie lettere precedenti che la mamma ti ha letto. Sai che sono stato ferito ad un piede, e che sono stato decorato al valore sul campo per tre volte. Gorizia dunque. Vedessi quan-

ta meraviglia! Ma non divaghiamo… Mi trovo a Gorizia e la guerra mi pare un'altra cosa. Visi terrorizzati, intere popolazioni a cui manca, e non è metafora, la terra sotto i piedi. Tutto ciò che dal Carso poco distante pareva fulgido ed eroico, da qui appare mortifero e diabolico. Cosí è cominciato tutto dentro di me. Due settimane orsono mi chiama il Tenente Colonnello Pugliese e mi fa grosso modo questo discorso: «Tenente Chironi, il Comitato di Salute Pubblica della città di Gorizia chiede ufficialmente il nostro intervento per sedare le ruberie ai forni, prenda con sé un plotone di uomini fidati e si prepari ad intervenire». Il tempo di preparare ogni cosa ed eseguo. L'entusiasmo è alle stelle: la Sassari è di nuovo in marcia! Arriviamo al posto: un forno di panettiere, l'assembramento di vecchie si dissolve al solo rumore dei nostri passi nel selciato. Intimiamo di uscire con le mani alzate a quelli che sono stati sorpresi all'interno dell'edificio. Essi escono lentamente: bambini. Carichi di pani, bianchi di farina come morticini. La sorpresa ci annichilisce, per un attimo il silenzio diventa compatto, anche i gabbiani smettono di stridere sulle nostre teste. Poi la sassaiola. Una grandine di porfidi dalle finestre dei piani superiori della via. È un attimo: un fante fa per proteggersi, dall'arma gli parte un colpo e una bambina è a terra, i pani ancora stretti fra le braccia… E questo è l'incubo. Dopo non è stato piú lo stesso. Dopo questa città mi è apparsa come velata di un bianco abbacinante. Un niente funereo. Ho urlato, fratello mio. Ho avuto paura. Ho pianto come se avessi perso una persona cara… A te devo dire tutto: sono consegnato in clinica. Ricevo cure e trattamenti. Ma non sono piú io.

Ad ottobre le cose sono definitivamente precipitate, abbiamo dovuto cedere tutto il terreno guadagnato con sangue e fatica. La follia si è impadronita di questo povero Universo. I ragazzi che prima combattevano sono messi al muro… Poche ore fa in cortile durante una passeggiata ho incontrato un comune amico della gioventú, ha subito danni corporali irreparabili. Verrà congedato e allora ho pensato di approfittare per scriverti queste righe senza incorrere in censure o controlli. Se stai leggendo questa mia evidentemente la consegna è riuscita in pieno. Chi ti scrive ora è il tuo fratello di sempre, ma il fratello di sempre non c'è più... Non c'è più... Il trattamento elettrico mi calma, mi riporta alla normalità, ma dura poco, troppo poco...

Sono in pace davvero, e ritornerò a casa come uno di cui possiate, tu, la mamma, il babbo, essere ancora fieri... Troverò il modo...

Io, Luigi Ippolito Chironi

Il corpo del tenente Luigi Ippolito Chironi arriva a Nuoro appena in tempo per occupare un posto nel nuovo sacrario ai caduti costruito nell'area centrale del cimitero. È come una piccola arena di lapidi di granito grezzo impreziosite da bullonature in ferro. L'officina Chironi lavora a pieno regime alla fonditura per dare un nome o un numero a quei corpi che troveranno riposo nella gloria del paradiso degli eroi.

La lettera del ministero che precede la spedizione della salma è semplice: *Morto nel fulgido impegno di servire il Sacro Suolo della Patria*. Fine. La cassa zincata e sigillata arriva due settimane dopo direttamente alla caserma perché sia consegnata in forma simbolica ai parenti e subito tumulata insieme agli altri eroi del sacrario. Per il resto nessuna spiegazione. Nessun referto. Nessun ulteriore ragguaglio. In guerra del resto, come nella vita, vale solo la regola che oggi ci sei e tra un secondo non ci sei piú.

Gavino, rimesso a nuovo e salvo dalla «pensata» del padre, guarda la bara del fratello dicendosi che se mai a qualcuno saltasse in mente di aprirla troverebbe la sorpresa di un cadavere sul cui collo corre il solco della cicatrice dell'impiccato, o sulla cui tempia è marchiato il foro di uno sparo a bruciapelo. Ma questo è il segreto che ha deciso di mantenere. Il personale calvario del tenente Luigi Ippolito Chironi, scemo di guerra, non è raccontabile, perché sarebbe cibo per la bestia che pascola incurante sulla sua esistenza proprio adesso che pareva convincersi a ritornare al suo letargo. Le strette di mano lo svegliano da quei pensieri.

Mercede e Michele Angelo pensieri non ne hanno, se non che alla faccia della malasorte Gavino l'hanno salvato. E oggi, sotto a quel cielo per miscredenti tanto si finge sereno, quella mezza vittoria gli pare abbastanza per non lasciarsi abbattere dalla mezza sconfitta. Ora hanno capito, e l'hanno capito insieme, che niente può essere atroce se mettono in funzione questo dispositivo di salvaguardia. Al dolore deve corrispondere la consolazione. Deve comunque.

Marianna si scioglie in lacrime. Ha anche lei un segreto inconfessabile che prima o poi dovrà venir fuori. Ora davanti alla bara del fratello piange le lacrime che ha trattenuto troppo a lungo per se stessa.

Josto Corbu si presenta alla cerimonia sorretto fino alla bara da un ex commilitone piú fortunato. Entrambi indossano la divisa. La gamba del pantalone, nell'arto che manca, è piegata e tenuta in alto da una spilla da balia. Davanti alla bara di Luigi Ippolito pensa allo sguardo incantato di qualche mese prima, al cortile della clinica e al suo sorriso. Come può, reggendosi sulle stampelle alte, fa un saluto militare a quel tenente che l'aveva riconosciuto con dolcezza nonostante la deformità.

In ogni caso occorrerà raccontare di Marianna che per tutto questo tempo è rimasta dietro le quinte. A lei non spetta il ruolo di comprimaria perché, nell'economia di questa stirpe nata sofferente, rappresenta una speranza segreta, riposta in un cassetto.

Marianna dunque, a diciassette anni, promessa a un buon partito, è acqua di un ramo del fiume nascosto tra le forre e la macchia. Lei, femmina, non è corso stabile, preciso e navigabile come dev'essere quello maschile; ma pure, con pervicacia, nella stagione piovosa, quando è in piena, ha sempre assolto il suo compito di portare acqua pulita ai rami maggiori. Ora che gli accordi per il matrimonio sono fatti – accordi che non sembrano scontentarla in nulla, come previsto dal suo codice e da quello comune – la sua incombenza principale è di preparare un corredo che possa giustificare il suo status di serva e imperatrice. Perché cosí l'ha fermamente instradata Mercede: a dire che quanto piú sarà disposta a servire tanto piú sarà in grado di comandare. Non è roba da maschi questa, è roba da femmine, quindi è in assoluto il principio dei principî. Non è, insomma, attitudine che vada precisata o spiegata: si tratta di sapere senza mostrare di sapere, perché ciò rassicura in tutto il maschio, lo tranquillizza fino al punto da fargli pensare di governare. Mentre, semplicemente, esegue.

Ora, tutto ciò passa attraverso un processo arcano, qualcosa che è piú alchimia che psicologia. «Perché, – diceva Mercede, – per poter decidere di non fare una cosa devi dimostrare di saperla fare. Cosí non vale dire: Questo non lo faccio! Questa è una condizione da malamassaia; bisognerebbe dire: Questo potrei farlo, so farlo, ma non voglio farlo!»

Ecco il motivo per cui da qualche mese a questa parte la promessa sposa passa interamente il suo tempo presso le suore di clausura a ricamare il suo corredo. Quanto occorra ancora per portare a termine l'opera non è dato di saperlo. Molto, anzi tutto, dipende dallo sfarzo di ricami che verrà eseguito nelle lenzuola, nelle federe, nelle tovaglie e tovaglioli, nelle tende e persino nei piccoli, sottili fazzoletti da naso. Perché nel corredo c'è il senso di sé, la rappresentazione fisica del proprio peso specifico. C'è il quanto e il come. Sono gli orli a giorno, le migliaia e migliaia di punti, i piccoli trafori, che trasformano la stoffa grezza in meraviglia floreale.

A Mercede la perfezione di questo rito, la precisione di questa liturgia, pare il raggiungimento di quel privilegio dei ricchi di possedere quanto non serve. E infatti con stupore nel guardare il risultato di tanta dedizione esclama: «Che meraviglia, io nemmeno mi sono mai sognata di dormire in un lenzuolo del genere». E lo dice sapendo bene che a dormire, quando c'è stanchezza, uno dorme coperto anche da tela di sacco. E quindi poter dire: «Questa tenda è di mussola, questa tovaglia è di canapa», significava dire: Ora possiamo dare nomi alle cose, non è semplicemente coprirsi e dormire, è potersi occupare di battezzare gli oggetti come se fossero cristiani in carne e ossa.

Marianna è nata nella stagione prospera, ma senza saperlo. Senza presagire un corredo ricco e un matrimonio altolocato. Cosí quando entrambe le condizioni si sono verificate a lei sembra incredibile che la figlia del fabbro possa entrare nelle case dei signori. Ma la guerra ha cambiato l'ordine delle cose e tutto quello che sembrava impossibile ora diventa realtà...

I ragazzi del '99 sono morti a grappoli, falciati dal delirio del sacrificio estremo, e sulle armate di lapidi si è festeggiata una vittoria mesta. Ora i servi diventano padroni e i padroni si consegnano, senza nemmeno rendersene conto, al loro nemico di sempre: il cambiamento. Tutto quanto hanno visto in questi pochi anni è irraccontabile: ci si può limitare a montagne altissime e donne bellissime, ci si può limitare alla coscienza del mondo...

Perciò quando avviene che il vecchio Serra-Pintus in persona, con piú debiti che crediti, si fa avanti a proporre suo figlio di mezzo, Biagio, per un affare matrimoniale col fabbro Michele Angelo Chironi, solo crediti e niente debiti, nessuno si sorprende piú di tanto. Tranne Marianna. A lei questa stagione fatta di rovesciamenti non sembra affatto consolante. Tutte le volte che sbaglia un punto, il colore di un filo, la stramatura per un orlo, dice a se stessa che quelli sono segnali chiari, anzi chiarissimi. E la madre priora, che l'assiste, e persino le altre suore che lavorano con lei e per lei, le spiegano che quella non è preveggenza, ma una forma di superstizione. Perché, dicono, Dio non perde tempo a mandare segnali, Dio fa, e basta. Eccome se fa: basta guardarsi intorno, dicono.

A Marianna viene in mente che deve esistere di sicuro un modo di guardare le cose che a lei sfugge, considerato che nessuna di quelle sante donne è mai uscita dal convento da almeno dieci anni. Però – c'è sempre un però – non è certo la frequentazione del mondo che affina la conoscenza, ma la frequentazione di se stessi, questo dicono perlomeno le suore piú scaltre, le poche che parlano; le altre si dice siano talmente votate al silenzio da aver perso la meccanica stessa della parola, cosicché se volessero mai riprendere a parlare non saprebbero proprio farlo.

Dentro a quel gineceo Marianna sta in pace. E qualche volta, da piccola Penelope, sbaglia i punti e le imbastiture, o finge il capriccio di volere una foglia o un fiore in piú, dove non era previsto. E le suore, quelle scaltre, si lanciano occhiate come a dire: Questa fa la furba.

Quando torna a casa la sera tutto quello che deve succedere è già successo, sempre. In questi mesi di noviziato a Marianna è stato risparmiato tutto, persino l'incertezza fatale dei ritorni dal fronte, con i propri piedi o no. Cosí, che Luigi Ippolito è tornato in una cassa zincata lei lo sa per ultima, e quasi per caso, perché una suorina di Siniscola, sua sponte, l'abbraccia e le fa le condoglianze. Ecco che allora quel giorno il ricamo le riesce

male. Tutto impreciso: sta lavorando a un tralcio di vite delicatissimo che decora l'angolo di una federa; a vederla si direbbe calmissima se non che le mani se ne vanno dove dicono loro,
mosse da un tremolio mal trattenuto che non permette di fare
un lavoro fatto bene. Il grappolo infatti viene malissimo, come
un rammendo poco curato, tira persino la stoffa verso il centro: a guardarlo piú che un grappolo sembra uno strano pesce.
Ma, nonostante l'invito della madre priora a rifarlo, Marianna
decide di tenerlo cosí, ed è il suo modo di piangere il fratello.

Alla cerimonia in onore dei caduti Biagio Serra-Pintus appare
per quello che è: un uomo modesto, d'aspetto e di sguardo...
Il futuro marito di Marianna è un mozzo che scruta dall'alto
dell'albero maestro il proprio orizzonte che si allontana. È sangue, ma non censo. È come un cappotto di stoffa buona. Nell'accordo prematrimoniale si è deciso che il buon nome va quantifi-
cato in moneta sonante, cosí che da una parte ci si occupi della
forma e dall'altra, come sempre, delle sostanze. Marianna al suo
fianco sembra un vaso cinese vicino a una pignatta di coccio.
Chi la guarda, compunta, semplice nel suo soprabito grigio tagliato bene, sgrana le palpebre, perché vestita alla continentale
sembra davvero un'altra. Quel suo stare in disparte l'ha rivela-
ta all'improvviso, come se nessuno si fosse accorto fino a quel
momento che non era piú una bambina.

Mercede non si era presentata alla cerimonia, per lei il cimitero non era nemmeno un luogo e i suoi figli non c'erano.
Fine della discussione. Come un ricamo tutta la sua esistenza,
ogni sua energia, al momento era attorcigliata intorno alla trama consolidata dell'organizzare il matrimonio della sua unica
figlia femmina. Che, proprio in quanto femmina, nonostante
potesse tutt'al piú contribuire con la generazione di un ramo
cadetto, aveva sempre la possibilità di richiedere la concessione
dell'affiancamento del suo cognome a quello del marito che già
ne possedeva due. Sicché, se lui avesse acconsentito alla richiesta, chiunque fosse venuto al mondo da quella coppia avrebbe
posseduto almeno un nome ma, sicuramente, tre cognomi: Ser-

ra-Pintus-Chironi. Per aggiunta c'era il fatto che Gavino non sembrava per niente intenzionato ad accasarsi.

Erano tempi di euforia infantile, molti soldati tornavano a pezzi dal fronte e alcuni non tornavano affatto, perché sepolti da qualche parte o perché avevano messo su famiglia al nord. Pareva l'altro capo del mondo, il nord, e invece erano proprio quei posti per i quali si era combattuto.

Il dolore si coniuga come un verbo difettivo, cambia radicalmente, ma è sempre, ostinatamente uguale. Mercede credeva di aver superato il guado della maturità con una forza interiore che le avrebbe permesso di guardare in faccia i rovesci che le erano stati assegnati. E invece no, di fronte a prove troppo ardue continuava a pensare che poi in fondo c'era dell'altro e spostava ancora piú in là il suo limite. Cosí si trovò a dirsi che la morte di Luigi Ippolito, annunciata dal silenzio e dall'assenza, era solo la conclusione logica di quel percorso. Dentro di lei si diceva che tutti si muore prima o poi e che suo figlio era semplicemente morto prima. Ora sembra impossibile descrivere un dolore sotto forma di incredula immobilità, oppure di ineluttabile normalità. Eppure fu proprio cosí che Mercede si spiegò la morte di questo ennesimo figlio.

Quando Gavino, Marianna e Michele Angelo tornarono dalla cerimonia funebre la trovarono che dormiva come una bambina, dentro al letto, svestita, in pieno pomeriggio come se fosse notte piena. Cosí si tolsero le scarpe e parlarono a sussurri per non svegliarla.

Quella notte Gavino si accorse per la prima volta che il letto affianco al suo era vuoto. Cosí pensò che era arrivato il momento di provare a piangere. Con sconcerto capí che non era facile come pensava, eppure in cimitero durante tutta la cerimonia non aveva fatto altro che trattenere il tremolio del labbro inferiore, sforzandosi di mantenere una calma virile nonostante tutti intorno a lui piangessero. No, non era facile.

Quando Luigi Ippolito comparve seduto sul suo letto gli sembrò del tutto legittimo chiedergli perché l'avesse fatto.

E quello chiese: Che cosa?

E lui rispose: Lo sai che cosa, sempre lo stesso, a chiedere quello che sai bene.

E l'altro: Te lo ricordi quando pensavi che saresti morto di lí a poco?

Me lo ricordo, ma che c'entra questo?

E te lo ricordi quando hai staccato la coda a una lucertola e te la sei messa in bocca che ancora si muoveva cosí tutti pensavano che avessi ingoiato la lucertola intera? E quando Marianna era piccolina in culla che tu hai detto che la vendevamo ai torronai in cambio di dolci?

Ti ricordi? Era tutto un dirsi Ti ricordi? Ed è tremendo quando il dolore si manifesta in forma di ricordo, in forma di odore e di sapore.

Ti ricordi che ti mettevi il panino sotto il culo per farlo piú grande? E della volta che mi hai infilato un bottone nel naso e il babbo ti ha dato una surra da matti? E quando abbiamo bucato i sacchi sul carro per rubare il grano? Che delinquenti! Quando mamma ci ha inseguito gridando che eravamo ladri e che i ladri devono finire in galera. Te lo ricordi?

Io mi ricordo il profumo dei bucati e dei fichi secchi; e la carne sotto sale, orecchie e muso di maiale che odoravano di ruggine e ferro; la bollitura acida della gelatina. Poi anche la puzza del pelo di pecora zuppo di pioggia e del fumo freddo dei camini...

Ora che il fratello era seduto accanto a lui a Gavino sembrò che tutto fosse spiegabile. Che cosa ti è successo? chiese infatti. Che cosa?

E Luigi Ippolito: Era troppo.

Era troppo capisci?

Troppo.

Ti ricordi la speranza trasparente dei vetri? Mi ricordo come cristallo il mio tempo, questo sí. E il tuo come un pugnale di luce, dentro me, oltre me. Il tuo come una pennellata scura a formare il profondo. Non potevo, davvero non potevo! Sono andato via, ma ho abbandonato soprattutto me stesso. Mi sono messo in posa, ho lasciato che mi dipingessi come una natura morta di tempo vivo. Co-me un oggetto che non sa resistere all'abbraccio del colore, che lottan-do contro il buio si espone a una corposità tattile. Ti ricordi? Era uno sfregio di riflessi, era come sapere di avere un peso, una consistenza. Era una promessa. Era stabilire punti fermi, da dove corre lo sguar-do all'oggetto di quello sguardo. Era ferocia del pittore. Era memoria consistente. Oh... Ridotte a una voce sola le cose si amalgamano e fluiscono nel corso del tempo a cui non abbiamo concesso tempo. È il silenzio fragoroso della vita che scorre dentro alla convessità di una brocca, è l'occhio vigile del rapace notturno, è la veglia con lo sguardo trafitto dalla pagina stampata. Ti ricordi? Tutto quello che ti ho dato è nero, tutto quello che mi hai dato è luce.

Certo sentire quel ragazzone piangere a singhiozzi fa un effetto terribile. Michele Angelo si stringe le tempie, poi scatta a sedere sul letto. In cucina trova Marianna in piedi con gli occhi rossi. Poi fa qualche domanda a cui la figlia risponde appena, mentre dal-la stanza dei ragazzi si sente ancora piangere: da quanto tempo?

– Gli hai portato una cosa calda? C'è del brodo.

E lei fa segno di no: – Non ho il coraggio, – spiega, – non ce la faccio.

Michele Angelo capisce bene quel sentimento, il pianto di suo figlio lo spacca in due e gli fa paura. Gli fa paura quanto il sonno mortale di Mercede, che dorme ininterrottamente dal pomeriggio.

Quando entra nella stanza di Gavino, con in mano una tazza fumante, lo trova disteso sul letto di Luigi Ippolito, gli occhi co-perti dalla piega del braccio.

– Prendi qualcosa, – dice.

Ma Gavino non si muove.

– Capisci adesso? – chiede al figlio.

Lui finalmente solleva il braccio, al posto degli occhi ha due pozzi profondi. – Che cosa? – chiede.

– Hai capito che per ogni cosa che si guadagna se ne perde un'altra? – Michele Angelo si siede sul letto dove poco prima era seduto Luigi Ippolito. La tazza fra le mani.

Gavino si solleva sui gomiti.

– Tua mamma dorme, – sussurra Michele Angelo. – Sei un bel ragazzo, non ti manca nulla, e allora perché non ti decidi a mettere su una famiglia tua?

Gavino si lascia andare sul materasso con le braccia spalancate come un Cristo.

– Non c'è da piangere figlio. Ogni lacrima… Ogni lacrima è una vittoria, è Lui che vince.

– Lui chi? – chiede Gavino. Ha una voce che sembra scaturire da una caverna.

– Lui, Lui, – ribadisce Michele Angelo. – Non hai mangiato niente, prendi un po' di brodo.

Gavino rifiuta. – Queste sono cose che succedono se succedono.

– Eh no, – irrompe Michele Angelo, – queste sono cose che devono succedere perché se no è tutto inutile.

– Che cosa volete da me? – chiede.

Michele Angelo prima di rispondere posa la tazza sul comodino: – Di salvarci.

Gavino capisce al volo. – Queste sono cose che succedono solo se succedono. E non è successo babbo. Io lo so che cosa volete dire… – Prende una pausa lunghissima, e Michele Angelo aspetta. Restano cosí finché qualcuno non cede.

– Di salvarci, – ripete Michele Angelo. – Io mi ero convinto che saresti stato tu a partire per arruolarti e dicevo a tua mamma: Vedrai che quello ci fa lo scherzetto. Eravamo convinti cosí, specialmente dopo che partivano tutti i tuoi amici… – si ferma per guardare il figlio negli occhi. – Eravamo proprio convinti che saresti stato tu a partire. E invece no. Questo davvero non si capiva, pensavamo di esserci salvati e invece tuo fratello dice che vuole partire. E parte. Lui. Per noi era incomprensibile, perché tu eri quello…

– Quello giusto? – completa Gavino.

– No, – lo incalza Michele Angelo, rafforzando con un gesto delle braccia. – Non ci pensare nemmeno a quello che stai pensando. Io dico, noi pensavamo… Oh, come si fa, io e tua mamma eravamo sicuri che se fossi stato tu a partire, tu saresti tornato. Ma dopo che Luigi Ippolito era partito le cose sono cambiate… Ecco, dicevamo, questo bisogna salvarlo a tutti i costi, anche a costo di mutilarlo…

– Mutilarmi?

A Michele Angelo scappa un abbozzo di sorriso. Accenna col capo. – Sí mutilarti, se falliva...

– Che cosa? Che cosa doveva fallire?

– Se falliva il matrimonio –. È Marianna a completare entrando nella stanza.

– Queste cose succedono se devono succedere, – fa Gavino senza nemmeno guardarla.

Marianna indica la tazza sul comodino. – Non hai bevuto niente e si è raffreddato.

Gavino fa di spalle. Michele Angelo si alza e si avvia verso l'uscita: – Andiamo a dormire, – dice, – abbiamo bisogno di dormire.

Da soli Marianna e Gavino si guardano in silenzio. Nella penombra la ragazza si accorge che il viso del fratello si è fatto affilato. Lo accarezza sfiorandolo appena. Gavino socchiude gli occhi come a dirle di non smettere. Una lacrima lentamente comincia a scorrere fino all'angolo della bocca. Lei lo stringe.

– Che cosa ha raccontato Agnese Desogus? – chiede lui.

– Niente, niente davvero, – dice lei.

Gavino la guarda come quando non le crede.

Ora ve lo dico io come è andata.

Agosto. È un pomeriggio d'amido, lievito, fichi secchi e vino spunto. Siamo ormai alla fine della controra, dal camino spento esala l'alito gassoso della fuliggine. Attraverso la finestra, dalla corte, penetra una lama di luce color ramarro, brulicante di peli di nespolo. C'è un sapore nell'aria che è di caffè tostato, miele e mosto. Le vespe volano, virano e vorticano, scartano la spirale insetticida vischiosa, gialla, procedendo verso paradisi d'uva passa, ambrati.

Tutto deve ancora succedere.

Lei mi gira intorno, sento che quando mi passa dietro mi sfiora il collo, è una sensazione strana.

Che fai? Che stai facendo? le chiedo.

Niente, fa lei. E comincia un altro giro.

Quando ripassa dietro di me le blocco la mano prima che possa sfiorarmi di nuovo il collo. Lei pensa che voglia invitarla a baciarmi e infatti mi bacia. Mi bacia senza neanche darmi il tempo di capire, sento solo le sue labbra troppo umide. Vorrei sottrarmi, ma non so come fare. Lei comincia a sbottonarmi i pantaloni finché non riesce ad abbassarmeli e intanto continua a baciarmi, sento la sua lingua che cerca di entrarmi in bocca. Faccio fatica a respirare cosí la spingo perché non mi stia addosso. Lei improvvisamente si ferma, poi un po' sorride, ma come se fosse pensierosa, quindi si sistema la camicia che le si era aperta sul seno e senza smettere di fissarmi arriva alla porta.

E comunque, mentre mi riabbottono i calzoni, mi sento come lo scampato all'incendio, che capisce di essere scampato proprio perché ha agito prima di pensare. E ora? Vuoto, piú triste che allegro, piú imbarazzato che fiero, ho solo fretta di vederla andare via. Agnese non sembra attraversata dallo stesso sentimento, con movimenti minimi si sistema la camicia all'altezza del seno. Ora sembra che tutto quello che è avvenuto nella cucina odorosa d'agnello e di cannella, si possa riconsiderare solo a patto di uscire in fretta da lí.

Lei esce dalla cucina appena le si consuma il sorriso.

È cosí che è andata.

Marianna fa di spalle, come a dire: E allora? – Cosa cambia? – dice.

Gavino sorride amaramente: – Cambia, cambia, altroché se cambia. Vedi... – vorrebbe proseguire.

Ma la sorella lo zittisce sfiorandogli le labbra: – Ci penso io, – sussurra. – Ci penso io.

Quella notte dura qualche anno.

Le spose di novembre hanno il sorriso triste. Se interpellate rispondono appena. Stanno sedute in disparte a osservare quello che perderanno. Le spose di novembre si muovono con una lentezza di autunno che agonizza. Alla confusione che gli turbina intorno rispondono con la lentezza del sonno imminente. Si preparano al silenzio mettendosi in posa.

Tutta la casa pare investita da un calore sordo di donne che sistemano dolci sui vassoi e stabiliscono con precisione la quantità di caffè nelle tazzine del servizio buono, mentre i maschi, puliti e sbarbati, fanno chiacchiere in cortile. Hanno la voce calda del primo mattino, del bagno nella tinozza, della camicia linda, della giornata di festa. Sorridono col toscano acceso e la tassichedda di vino degli sposi in equilibrio fra indice e pollice, colma fino all'orlo. È un gruppo di circensi che insieme commenta, ride, copre col palmo della mano sinistra l'occhio rubino del sigaro e sorbisce vino nero senza versarne una goccia.

Dentro alla casa Mercede sembra tornata ai vecchi tempi, ha l'assetto diritto della regina madre. Ansiosa, ma contenuta. Tutto, tutto deve essere assolutamente perfetto, lindo. Marianna aspetta nella sua stanza da signorina. Quei maschi in cortile sono i parenti dello sposo venuti a mimare la domanda di matrimonio. Gli è stato risposto di sí e gli è stato offerto da bere. In cortile aspettano i parenti stretti della sposa e insieme andranno a prendere lo sposo per poi ritornare tutti insieme in quel cortile. È un rito di complessità condivisa, e pare che questo andare e venire rappresenti in qualche modo gli infiniti compromessi che un matrimonio deve fare per resistere. E la parola «compromesso» Marianna, seduta sul suo letto di signorina perfettamente rifatto con la coperta di pizzo, la conosce bene. Ma deve pensarci lei, che tanto Gavino di sposarsi o di mettere su famiglia non ci pensa proprio.

La sera prima ha promesso alla sorella che non avrebbe bevuto, che si sarebbe cambiato e sbarbato e che avrebbe fatto tutto quello che ormai piú nessuno si aspetta da lui. Nemmeno Mercede e Michele Angelo, che nel tempo l'hanno visto allontanarsi, diventare estraneo, irragionevole, senza poter fare niente.

– Ma per me, lo devi fare, – gli ha detto Marianna la sera prima. – Per me, – ha insistito, – è il mio regalo.

Lui ha fatto cenno di sí, ma come se fosse uno sforzo impossibile da affrontare. – Che cosa te lo sposi a fare quello lí? – ha chiesto alla sorella.

– Quello lí sarà mio marito, – gli ha fatto il verso lei. – Tu intanto promettimi che non ne combini qualcuna delle tue…

– Guarda che sono passati i tempi in cui una donna doveva sposarsi per forza.

– Ecco, era proprio a questo che mi riferivo quando ti ho chiesto di farmi un regalo… Un regalo per me, Gaví. Non sono sempre stata dalla tua parte?

Gavino ha abbassato la testa. – Va bene, – ha sussurrato. – Dài, va bene. Anche se non c'era nemmeno bisogno di chiederlo.

– E invece sí, Gaví, non ti si riconosce piú –. L'atteggiamento accorato di Marianna è forse l'unica cosa che ancora lo tiene legato a questa terra mentre lui si sente estraneo a tutto. – Qual è la bestia che ti ha fatto il nido in corpo, Gaví? Eh?

E lui? Che ha risposto? Che volete che risponda? Niente. Dice che non lo sa.

E invece sí.

Comunque la mattina dopo Gavino si alza di buon'ora e si prepara di tutto punto, con la biancheria pulita che Mercede gli ha messo sulla sedia affianco al letto. E quando arriva in cucina sembra quasi di essere tornati a quando Luigi Ippolito era vivo, e Gavino non sapeva niente di niente, soprattutto di se stesso.

La madre lo vede arrivare bello come il sole, magro, che lei
nemmeno si era accorta di quanto era dimagrito, ma come accorgersene se non è mai a casa, sempre dietro a queste cose della
politica e chissà cos'altro. Mercede dunque lo guarda come non
lo guardava da tempo, e persino a Michele Angelo, che pure ce
l'ha davanti in officina tutti giorni, persino a lui questo giovanotto ben rasato e sobriamente elegante sembra un'altra persona. Marianna è in camera sua, tra poco verrà una pettinatrice
da Sassari per acconciarle i capelli.

Mercede prepara una tazza di latte caldo come piace a lui
e, da parte, un'altra tazza piena di schegge di pane carasau
da inzupparci dentro. Ecco, sta posando le tazze sul tavolo
quando gli viene da dire questa cosa: – Un giorno ce lo dirai,
a me e a tuo padre, che cosa ti abbiamo fatto.

Michele Angelo guarda la moglie disapprovando senza di-
sapprovare, perché non gli sembra la cosa migliore da dire a una
persona che si sta sforzando di venire incontro a una situazione che evidentemente non gli piace. Mercede ricambia quello
sguardo con la sicumera di quel tipo di donne che rivendicano
comunque la congruità di quanto dicono e pensano.

Gavino dal canto suo fa nevicare pane sbriciolato sulla superficie membranosa del latte, non sente niente, non vuole sentire niente. E non parla. Eppure di cose da dire ne avrebbe…

– Ci sono anche i biscotti, per il latte, se li vuoi, – dice
asciutta Mercede.

– Va bene cosí, – fa lui, controllandosi per non apparire
asciutto a sua volta. Ha promesso e vuole mantenere la promessa. Di lí a qualche ora la casa sarà piena di gente. E di controllo
ne servirà parecchio.

– Ma che cosa ti abbiamo fatto noi? Eh, che cosa ti abbiamo fatto? Cosa ti credi che per noi è stata una passeggiata? Che
soffri solo tu? Eh? – Mercede sbotta, e insiste come se corresse
all'unico appuntamento concessole di incontrare il suo bambino, ora che è prigioniero della parola data.

– Lascialo stare, – tenta Michele Angelo.

Ma lei lo zittisce come non ha mai fatto prima: – No! – grida.

– Ma cosa crede? Cosa crede? – continua rivolgendosi al marito, ma facendo quella domanda insulsa, impotente, povera, al figlio.

Marianna entra in cucina. Ancora scarmigliata, con una vestaglietta indosso. – Che succede? – domanda.

Mercede la guarda come chi sia stato privo di sensi e venga svegliato a schiaffi.

Gavino affonda il cucchiaio nella zuppa.

– Niente, niente succede. Che ti sposi succede, no? – la voce di Michele Angelo è la copia carbone di una voce serena.

Ecco, quella domenica di novembre era iniziata cosí. Ma poteva andare peggio, che tutti pronosticavano piogge battenti per via dei nuvoloni proprio sulla cresta del Monte Orthobène. La pioggia non c'era stata solo grazie all'arrivo di un vento sottile e maldestro, che aveva salvato la cerimonia ma non certo i festoni nel cortile, già mezzi strappati prima che la festa cominciasse.

In ogni caso Michele Angelo non fu costretto ad aggiungere nulla alla risposta generica data alla figlia, che era anche la futura sposa, perché subito dopo arrivò la pettinatrice sassarese. Nonostante fosse istranza e cittadina non era granché diversa da un'acconciatrice nugorese, la differenza era che a Nuoro nessuno avrebbe speso dei soldi per ottenere qualcosa che si poteva fare gratis con le proprie mani.

Tuttavia quella faccenda della pettinatrice, fatta arrivare direttamente dal Capo di Sopra, fu l'argomento principale di tutto il matrimonio Serra-Pintus Chironi. E il fatto stesso che se ne parlasse metteva in agitazione Michele Angelo, perché lui conosceva bene la regola del pelo dell'acqua in cui deve galleggiare per sempre la nostra esistenza.

Mai sotto la superficie, mai sopra, sempre solo galleggiare… Sul filo, contro l'invidia, contro la commiserazione. Su, troppo in alto, c'è la bestia verde e livida, che mangia male e non digerisce. Giú, sottotraccia, c'è il buffone ridanciano vestito in gramaglie, che con una mano ti accarezza e con l'altra ti pugnala.

Chi pensasse alla parola fatalismo si ricreda, perché non è

certo di questo che si tratta. Il particolare sentimento di cui si
parla è piuttosto realismo, conoscenza intima della propria genetica. Lí non c'è dispari, c'è solo pari. «Tu sei me», dicono.
E, se lo dicono, vogliono intendere che «Io sono te»: quello che
hai, quello che ostenti, è una precisa sottrazione che tu fai a
me. Noi siamo pari dunque: è questo il pelo dell'acqua, il resto
è contravvenire. Se tu non sei pari, vuol dire che io sarò di volta in volta superiore o inferiore, invidiato o commiserato; se io
non sono pari, costringerò te a venire su con me o ad affondare.

Si cammina come sulle braci ardenti, si deve procedere leggerissimi per non bruciarsi, per non far rumore, per non farsi
notare.

Se quella pettinatrice straniera costituisse emersione o som-
mersione non è dato di saperlo. Quel che è certo è che costituí
argomento di conversazione e quindi spostamento dalla stasi
autunnale di foglie naviganti, umili alla corrente, al ribollire
del pubblico dominio.

Infatti si diceva: «Vediamo che lavoro fa questa qui arrivata da Sassari apposta per pettinare la sposa, cosí almeno si
capisce come vanno spesi i soldi. Vedi cosa succede quando ce
ne sono tanti di soldi? Che uno li usa per i capricci. E questo è
uno sgarbo che si fa a Dio, alla faccia di chi non ha nemmeno
da mangiare».

Poi c'è anche da dire che la famiglia dello sposo era di quelle
col nome ma senza patrimonio, e quella della sposa al contrario
aveva solo il patrimonio. Quindi l'affare era preciso preciso e
c'era caso che tutto questo fare i cittadini, da parte dei Chironi,
altro non fosse che un tentativo di dimostrarsi degni del cognome, anzi dei cognomi, che si andavano comprando con le nozze.

Queste cose Michele Angelo le conosceva alla perfezione,
e alcuni fondamentali li aveva chiariti per bene con chi di dovere anni prima alla vigna. Ed era solo per questo che si sentiva inquieto.

Quando per la seconda volta i parenti dei nubendi ritornano al cortile lo trovano già pieno di invitati. Gli amici di Biagio Serra-Pintus aprono la piccola folla come un picchetto d'onore di camicie nere: sembrano appena sbarcati da Terranova dopo la Marcia su Roma, che dicono essere stata un picco di entusiasmo supremo e un momento cardine della Storia Patria. Nessuno di questi c'è stato veramente a Roma, e ha marciato tutt'al piú nel cortile di casa, ma la maschia schiettezza di questi giovanotti fasciati in questo lutto che non è lutto fa un certo effetto.

Qualche veterano del Carso li guarda come fossero amanti che prendono il meglio delle mogli altrui senza accollarsene il peggio. Questi soldati senza trincea, questi marciatori senza strada, sono forme palesate. Nessuno di loro riesce a dire di cosa parlano realmente quando parlano di Partito Nazionale Fascista. Siamo alle pendici estreme dell'Impero, quello che succede in Sardegna, in Barbagia, è talmente ininfluente che non vale senza dubbio la pena di sprecare tempo. Ergo ogni spiegazione si spegne nel tono trionfalistico di qualcosa che è ma che non si sa cos'è. Forse, per i trogloditi locali, marzialità, camicie nere, cori virili, maschie prestazioni, valgono quanto perline e specchietti per gli indigeni africani. Del resto, sussurrano in qualche angolo del cortile, se anche i sardisti hanno aderito al PNF evidentemente c'hanno il loro tornaconto...

Biagio Serra-Pintus la parola politica non la sa nemmeno pronunciare, eppure è accreditato di una carica prestigiosa. Non appena sarà in grado di comprarsela.

Eccolo in mezzo ai suoi camerati avanguardisti e mascelluti, etimologicamente barrosi: anch'egli porta la camicia nera sotto al doppiopetto di grisaglia.

Gavino si tiene in disparte nonostante l'obbligo di comparire come parente primo. Lui tutto quel teatro lí, di petti in fuori e schiene dritte, l'ha già capito bene. Approfitta della fase caotica del matrimonio, quando le parentele devono affrontarsi fra dolci e liquori prima di concordare secondo quale schema il corteo a piedi debba raggiungere la chiesa, per appartarsi. Mercede semplice e bella, come la madre della sposa deve essere, lo controlla da lontano, che quel figlio è pena e gioia insieme.

Finalmente arriva la sposa, elegante e bellissima. L'acconciatura è come un grumo di immobili, attorcigliate, bisce lucide sul capo. Il volto sembra quello di un'Artemide pronta per la caccia. Un semplice velo appoggiato e fermato con due spilloni le copre il viso sino al mento. L'abito alla caviglia di un bianco vagamente dorato scivola dritto sul corpo minuto senza segnare forme, come il costume di scena di un Olimpo fatto in casa. Eppure, a vederlo da vicino, è cosparso da un firmamento di perline. Sopra ci andrebbe la mantella col colletto di astrakan sbiancato. Per la sposa di novembre.

Le donne traggono sospiri aggiustandosi, come gesto riflesso, qualcosa che ancora non è perfettamente a posto nel loro abbigliamento, tradizionale o borghese che sia.

Quando il corteo si forma e tutti sono pronti per recarsi in chiesa, Gavino aspetta che anche l'ultimo degli invitati sia uscito prima di muoversi.

Le piogge promesse arrivano il giorno dopo, quando gli sposi dovrebbero già essere imbarcati da qualche ora sul piroscafo che li porta a Livorno e poi a Firenze e Venezia per il viaggio di nozze.

Il vuoto che invade una casa dopo una cerimonia, di qualunque tipo essa sia, è insieme sollievo e malinconia. Mercede, Michele Angelo e Gavino sono lí, seduti in cucina, silenziosi che mangiano avanzi. Nessuno ha cucinato quel giorno né lo farà per i tre successivi, e molta roba avanzata è stata portata in parrocchia per i poveri.

Il matrimonio e la parentela giovano ai Chironi, perché pare che da Roma abbiano grandi progetti per quell'avamposto, già si cominciano a espropriare d'imperio i terreni vicini all'abitato per costruire grandi uffici pubblici. Eh, cari miei, si prevede lo status di città. E, finalmente, la pulizia totale dal brigantaggio e da tutto quanto ha impedito finora il progresso. Per i mastri ferrai Chironi e, d'ora in poi, anche Serra-Pintus, lavoro non ne mancherà di certo.

La via Majore, ora corso Garibaldi, è come il letto di un fiume secco, una catena che tiene unite due entità apparentemente difformi. Quella strada ha costituito il passaggio da Nur a Nuoro, ma è altrove, piú in alto, nel primo gradino del costone che si comincia a lottizzare. La grande mulattiera che si snoda dal carcere, tirando dritto fino quasi a Séuna, sarà la nuova arteria intitolata ad Attilio Deffenu, eroe giovane e caro agli dèi. Lungo quella linea, come indica senza tentennamenti la smania di direttive sia stradali che politiche del regime montante, si svilupperanno i gangli della città fascista: strutture pubbliche e private in forma di unità abitative condominiali. Al Ponte di Ferro intanto, dove la città nuova e quella vecchia convergono, è stato costruito l'immenso Palazzo degli Impiegati. Perché presto in quella città di nome e di fatto, con tanto di Prefettura e sede provinciale, di impiegati ce ne sarà bisogno, ma anche di ringhiere e balconi.

È la stagione delle architetture, quella in cui si capisce che per essere al passo bisogna avere uno stile. Come l'abito da sposa di Marianna, che a vederlo cosí non sembrava gran cosa e invece era perfettamente alla moda continentale. Ecco, allo stesso modo, come un fungo cresce dove c'era una vigna, con un immenso e tondeggiante torrione terrazzato centrale spunta l'Ufficio delle finanze, in un posto in cui «ufficio» e «finanze» sono davvero due parole assolutamente esoteriche. La conseguenza è che si deve attrezzare anche la scadente via La Marmora, fino ad allora entrata ogliastrina della città, perché, come proseguimento del Corso e snodo parallelo alla modernissima via Deffenu, deve condurre alla nuova stazione ferroviaria a scartamento ridotto. La littorina arriva, come una carrozza trainata da cavalli, allo snodo di Macomer dove ci passa anche qualche treno vero; per il resto va piú lenta del tempo che, al contrario, scorre veloce.

Dopo quattro anni di matrimonio, Anno V, da Biagio e Marianna nasce Mercede, che tutti si accordano di chiamare Dina perché non si confonda con la nonna.

I Serra-Pintus-Chironi abitano nella zona nuova in una villa con giardino come si addice a un capobastone, o capomanganello. Gavino in quella casa non ci è mai entrato, ma a Biagio questa cosa non lo interessa piú di tanto. Quel cognato per lui è come una clausola scritta in piccolissimo in fondo al contratto di matrimonio. Una di quelle incognite che si sa bene di dover accettare con cristiana rassegnazione. I camerati hanno l'ordine di lasciarlo stare che tanto il fesso, l'imboscato di casa Chironi, al massimo può fare male solo a se stesso. Quando Biagio riceve segnalazioni che riguardano il cognato – affissione abusiva, disfattismo, assembramenti non autorizzati – alza gli occhi al cielo e sposta la pratica nell'ultimo cassetto della sua scrivania. Qualche volta, di fronte a situazioni imbarazzanti, a casa parla con la moglie e le chiede di fare due chiacchiere con quel disgraziato di suo fratello Gavino, che se c'ha tutte le sue cose a posto lo deve solo al rispetto che i camerati hanno per lui.

Spera che gli arrivi presto il trasferimento a Cagliari, Biagio, in quanto papabile per la segreteria particolare del prefetto. E lí sarebbe un'altra cosa, fuori da quel buco che solo Mussolini in persona ci tiene a far diventare città.

Marianna a casa dei genitori ci torna poco perché ha troppo da fare e perché il nuovo status di signora le impone, volente o

nolente, di fare delle rinunce. Se Mercede vuol vedere la nipotina deve muoversi all'alba come per la prima messa e passare
dalle cucine.

Ora che la Storia sta ridistribuendo le carte, ai Serra-Pintus
è venuto in mente che forse forse accettare questo legame con
i Chironi – per carità brava gente, semplice – è stata una soluzione affrettata che ha sistemato le finanze, è vero, ma ha sporcato la genia. Marianna, la moglie ricca e dimessa, è diventata
una creatura da guardare a vista. Specialmente ora che Biagio
è nelle grazie del federale, e che il trasferimento in pompa magna a Cagliari è sempre più vicino. I padroni sanno fare solo i
padroni anche quando non c'è il tanto, perché loro sono edu-
cati a pensare, generazione dopo generazione, che tutto gli sia
dovuto. Biagio, dal canto suo, è affezionato sinceramente alla
moglie, ma non ha proprio la tempra di opporsi alla madre, che
resta padrona nonostante tutto, anche se dispone di patrimoni
non suoi. Cosí Mercede, che sa stare al suo posto, visita la figlia e la nipote quando nessuno può vederla. E qualche volta,
col tempo buono e di primo pomeriggio, anche Marianna quasi
in segreto porta la nipotina a San Pietro dai nonni.

Questa figlia in ostaggio non fa passare notti serene a Michele
Angelo che una mattina, ripulito, decide di recarsi alla sede del
fascio dove il genero ha l'ufficio. Gli vuole spiegare che vergognarsi dei propri parenti non è una cosa buona manco per niente.

Biagio lo accoglie con affetto, ha nella faccia l'espressione di
chi vorrebbe dire Hai ragione, ma si ferma un attimo prima di
ammetterlo. Lui capisce, capisce tutto, ma anche loro devono
capire lui, che ha un nome da difendere, una carica importante, e rappresenta qualcosa.

Michele Angelo, piú volte invitato a sedersi, ostinatamente sta in piedi: – Il nostro primo antenato è arrivato da queste
parti col corteo dell'Arcivescovo di Galtellí... Quando voi non
eravate ancora nemmeno previsti, noi Quiròn, Kirone, Chironi, c'eravamo già.

Biagio in questi pochi anni si è arrotondato, segno che, no-

nostante la propaganda, non dev'essersi sforzato tanto di curare il fisico. Michele Angelo in piedi con i capelli schiariti dalla
canizie pare un Padre della Chiesa che abbia appena pronunciato un anatema. Gli ha detto che loro, i Serra-Pintus, sono
solo gli ultimi arrivati e che quindi non si facciano cosa, e gli ha
detto che hanno due cognomi appositamente perché se si dice
Serra o Pintus, non si sa nemmeno a chi ci si riferisce, mentre
se si dice Chironi, a Nuoro, vuol dire Michele Angelo Chironi,
maestro del ferro.

Segue un silenzio lunghissimo, Biagio ha una reazione che
è insieme di sorpresa e di paura. È passato dal rosso rubino al
bianco, pare stia per scoppiare in una risata, ma non è cosí: è
nervoso, piuttosto. – Tra noi ci sono i sacramenti, – dice. – E
voi secondo me capite anche quello che dite di non capire. Pure se siete arrivati per primi, le cose sono cambiate e le regole
non le ho fatte io.

È un congedo, Michele Angelo e Biagio non si vedranno piú.

Quella notte Gavino ritorna a casa trascinato da due uomini che lo lasciano davanti al portale del cortile, piú morto che vivo.

Quando esce dalla stanza di Gavino, Dottor Romagna si ricompone. Per lavorare bene si era arrotolato le maniche della camicia fin sopra ai gomiti e ora, dopo essersi chiuso la porta alle spalle, si ricopre gli avambracci pelosi.

Michele Angelo gli sta davanti senza chiedere nulla, perché sa che su Duttore quando deve parlare parla. E infatti: – L'hanno picchiato malamente, – dice. – Che cosa sta combinando?

Michele Angelo scuote la testa.

– Non è che sta frequentando gente metzana... – ipotizza il medico. – Chi l'ha conciato in quel modo sapeva quello che faceva. Questi sono tempi che bisogna tapparsi le orecchie e aspettare che passi –. Michele Angelo fa cenno che ha capito. – Comunque s'omine est forte. Eh insomma Chirò, voi c'avete anche parenti che contano...

– Parenti d'entratura, – specifica Michele Angelo. E con questo dice tutto.

– Però nel caso almeno sapete a chi rivolgervi, c'è tanta povera gente che non può fare nemmeno quello.

Segue un breve, compatto silenzio.

– Dottò che cosa gli hanno fatto?

Il dottore finisce di sistemarsi la camicia. – Sediamoci un attimo, – dice. – Una cosa forte ce l'hai?

No, certo che non lo immaginava. Come si fa a immaginare cose del genere? E certo che non c'aveva minimamente

pensato, perché Michele Angelo non riusciva a concepire nemmeno un Universo lontanissimo in cui potessero succedere, si
potessero fare quelle cose che stava raccontando il dottore. E
mentre quest'ultimo parla e dice: «legato, percosso, abusato»,
Mercede gira intorno al tavolo di cucina senza potersi fermare
come una pazza del manicomio, perché a lei la fa impazzire di
capire e non capire. Ora si trova davanti al dirupo del presentimento e non sa come affrontarlo. Perché le parole del medico
sono parole che pesano parecchio e hanno significati anche piú
tremendi di quelli che lei, se avesse il coraggio di affrontare il
costone, riuscirebbe a immaginare al momento. Tanto Gavino
non aiuta. Non parla.

Michele Angelo le fa segno di mettersi buona che se continua a girare in tondo non riesce a capire bene cosa vuol dire su
Duttore. Ma comunque c'è poco da capire: questa è una storia brutta davvero, suo figlio c'ha ferite e lacerazioni che non
lasciano dubbi. Dottor Romagna arriva fino a lí. Lui i ragazzi
Chironi li ha visti crescere e grazie a Dio non c'è stato nemmeno tanto bisogno del suo lavoro che sono sempre stati belli sani, ma in questo caso il peggio che avrebbe da dire non si sente
di dirlo, non perlomeno con le parole giuste.

Mercede che non è scema per niente ha visto cose che non
avrebbe voluto assolutamente vedere: i segni, gli indumenti,
i pantaloni, la biancheria – quella che lei pulisce con la soda e
stira col ferro a carbone – tutto zuppo di sangue. Guardando
il marito gli dice di smettere che a chiedere troppo si hanno
solo bruttissime notizie e che tanto l'inconcepibile è successo, come un presentimento tenuto in cortile per anni che una
bella mattina bussa alla porta.

Ora le pare giunto il momento di prendere una decisione: o
darsi torto definitivamente, oppure dare il via all'analisi puntuale dei segnali, nel tempo. Perché se i fatti, le cose minute,
trovano una loro collocazione, allora tutto questo improvviso
disordine, questa improvvisa scossa, si rimette a posto. Ma se
si comincia a mettere in ordine non si può piú tornare indietro.

Gavino in camera ha il viso tesissimo del moribondo, ma
non sta per morire. Ha perso molto sangue. Ora sta sognando di quando non aveva contezza del corpo, quasi fosse stata un'appendice secondaria. Quando cioè credeva che la felicità dipendesse da quanto del mondo circostante riusciva a
guardare. Ecco a pensarci bene è proprio in quella stagione
che, come un messaggio in bottiglia navigante in un oceano,
gli arrivò la notizia che a lui piacevano gli uomini. E guardate
quanto è sottile, quanto furbo l'arzigogolo del pensiero: Gavino fanciullo capisce qualcosa che non vive; mentre l'adulto
vive qualcosa che non capisce. Salvarsi dipende esclusivamente dal fatto di non far mai coincidere le due cose. Quando una
urla, l'altra tace.

Ecco, abusi dunque. Quella parola che a Mercede fa tanta paura.

La prima volta Gavino la ricorda bene, ma quello che con
certezza si disse poi è che non si dovrebbe desiderare di essere perdonati per aver seguito la propria natura.

Quella prima volta era una mattinata meravigliosa con cielo
smaltato e un profumo di tramontana appena passata. E lui,
l'altro, era un adulto perfetto, un traguardo e un percorso insieme. Morto in guerra, mai piú tornato, cibo di vermi, ma allora
aveva il sorriso piú bello che si potesse vedere in un uomo. E
un odore di pioggia e di tabacco insieme, e di giornate a cotti-
mo all'ovile, e di madre attenta che sapeva lavare le camicie.

Quella prima volta nemmeno si spogliò né pretese che fosse
Gavino a farlo, fu stringersi come fossero due corpi che dipen-
devano l'uno dall'altro. Lí Gavino imparò che il corpo adulto
è solido dove il corpo adolescente è morbido. E imparò anche
che per quanto sembri infinito il prima, il dopo è sbrigativo;
quanto direzionato, preciso, il prima, tanto sghimbescio e sussurrato il dopo. Una pienezza che contiene un vuoto.

Cosí, a sedici anni, Gavino capí fin troppo bene dove l'avrebbe portato la carne: in alto e in basso, nell'euforia e nella depressione, nello spreco e nella parsimonia.

Al centro della fuga Mercede capisce che, se non si ferma – e in tutti i sensi –, la disperazione avrà la meglio, specialmente adesso che i segnali, ignorati per anni, si stanno accumulando nella sua testa. Quella volta che è tornato tardi e a scuola non c'era andato; e quei ragazzi grandi che frequentava; e...

A pochi passi da lei anche Michele Angelo sta cominciando a capire qualcosa che, come una testa d'ariete, dai e dai, sta riuscendo a sfondare il portale solidissimo del non voler sapere.

– Chirò è una malattia, – continua a specificare il dottore, come per rendere il concetto piú traducibile a quel cervello che lo rigetta senza nemmeno tentare un minimo di sforzo. – Gavino è finito in mano a qualche pederasta, Chirò, chissà da quanto tempo dura la cosa –. Dottor Romagna dice la parola «pederasta» abbassando un poco la voce e scandendo bene le lettere, come per farla rientrare nel novero di quelle parole che spaventano per il suono e non per il significato.

– Non è un ragazzino su Duttò... – riesce a biascicare Michele Angelo.

Non si sarebbe arreso comunque: quella parola terribile lui non sa nemmeno concepirla, per quanto sia derivante dal greco antico e per quanto contenga persino un vago significato amoroso. In ogni caso, ora che è stata pronunciata, è ineluttabile.

La luce nella stanza si è fatta scarna, come quando si consuma una candela e ci si rende conto che è diventato buio solo nel momento in cui lo stoppino è ormai consumato e i colori, piano piano, vengono meno. Quel pallore diffuso assomiglia in tutto allo stato di stupore esangue che sta facendo tremare Michele Angelo. Ha un uomo nella stanza accanto ed è un uomo con cui ha condiviso ore e giorni della sua vita. Un uomo che ha guardato negli occhi. L'ha visto sudare, rompersi la schiena. L'ha visto diventare adulto, modificare il viso, imbrunire la mascella. E allora? Ora sa, senza ombra di dubbio, che quel libro aperto era una cassaforte blindata. Il sapore del tradimento è stemperato solo dalla coscienza che quello di Gavino non era un segreto che gli avrebbe fatto piacere conoscere. E infatti, adesso, col dottore che spiega tentando persino di glissare sui particolari, non è per niente curioso di sapere, anche se capisce che deve dimostrare interesse per non disattendere a quanto si aspetterebbe da un padre il suo interlocutore.

Mercede, dal canto suo, ha capito che esiste una soluzione: la sua creatura non ha colpa. E non dicano che se l'è cercata. Aggredito da delinquenti che l'hanno voluto ingiuriare: ecco come sono andate le cose. Nell'altra stanza per lei c'è un martire cristiano, un'anima inerme, un giglio. Eppure anche adesso che ha capito come stanno le cose non osa entrare nella stanza accanto dove Gavino, sedato, dorme.

Ha perso molto sangue, ha rischiato un'emorragia interna, ma se l'è cavata. Questo è quanto, alle madri non si può dire altro.

– Vedi tu Chirò che cosa vuoi spiegare a tua moglie, – conclude il dottore prima di uscire. – Io, da fratello, ti consiglio di rimanere sul vago, alle madri queste cose è meglio non dirle… Per il resto si riprenderà, non deve fare movimenti bruschi, tenetelo a letto, per i controlli vengo io…

– Su Duttò… – fa Michele Angelo che non può piú differire quanto sta per dire. – Mi raccomando… – comincia come se dovesse proseguire, ma non prosegue.

Il dottore finge una specie di risentimento. – Non c'è nemmeno bisogno di dirlo Chirò, – afferma battendosi fiero il petto. – Non dire altro e io non dico altro.

Michele Angelo, schiantato, abbassa il capo.

A Marianna raccontano che Gavino è stato male. E che con la bambina ancora al seno è meglio se non passa nemmeno a vederlo che i malati portano dolore e preoccupazione e fanno il latte materno amaro. Cosí sta distante, in obbediente sofferenza, e quasi le sembra di essere tornata alla stagione del corredo, quando, relegata in quella specie di limbo del ricamo con le suore di clausura, per un attimo ha pensato di non uscire piú di lí.

Ma poi era uscita e adesso doveva occuparsi della sua creatura, che era la prima cosa sempre. Gavino certo poteva aspettare: anche lui, ormai, veniva dopo.

Senza quasi rendersene conto Marianna capisce che la sua famiglia è entrata nella stagione tremenda, quella in cui bisogna restituire quanto si è preso.

Marianna ripete a se stessa le parole della madre priora, e cioè che noi tutti siamo mezzadri di questa terra e che parte di quanto ci viene concesso di coltivare e raccogliere dobbiamo restituirlo al Padrone. Che è buono, ma anche inflessibile, perché con dovizia dona e con ferocia pretende. Come un esattore. Noi capiamo la nostra sofferenza quando pensiamo di avere subito un torto, ma alla sofferenza di Dio quando si trova nella terribile condizione di essere inflessibile con i suoi figli ci pensiamo mai?

No, Marianna non ci aveva pensato. Al contrario, adesso come non mai pensava di dover accettare qualcosa di inaccettabile, e pensava che in nessun caso doveva farsi carico del patimento di chi poteva fare qualcosa per alleviare le sofferenze e non lo faceva.

Tutto quello che sapeva di Gavino era quanto il marito gli diceva in forma di monito: – Ormai le cose si sono messe in modo tale che, come puoi capire, è meglio prendere le distanze... Abbiamo una reputazione, abbiamo una posizione, abbiamo una bambina.

A casa poi Michele Angelo e Mercede non le dicevano molto di piú se non che lentamente Gavino si stava riprendendo.

La vulgata in bidda diceva che gli era stata data una lezione per motivi di propaganda politica, che già si sapeva che Gavino Chironi non era certo vicino alle idee di Mussolini. Ma mettere in giro questa voce era stato l'unico atto d'affetto che Biagio Serra-Pintus avesse fatto nei confronti della moglie, e forse neppure quello... In ogni caso, ormai vicinissima al trasferimento per Cagliari, Marianna preferí pensare che lo fosse, e la sera a tavola finse di essere risentita col marito per non aver tenuto fede alla promessa di salvaguardare il fratello da qualunque agguato squadrista. E Biagio finse di accondiscendere a quella finzione, come deve succedere se si pretende che un matrimonio duri per sempre.

C'è un cielo di nubi viola che scolano sangue denso sul campo. E c'è un amalgama terribile di Nulla e Tutto... Come la nostra coscienza che vaga nel troppo dichiarato sino a produrre solo silenzio. Quante cose vorremmo sentirci dire e nessuno ce le dice.

Nel silenzio delle stanze ci sono dèi oppressi dai paramenti. È un vecchio stanco, come un padre costretto a punire i suoi figli. Il corpo esilissimo è sorretto da un'impalcatura febbrile, le spalle incurvate per il peso del triregno. Intorno, gli angeli espongono i simboli del martirio supremo.

È un dolore sommesso e irraccontabile.

La Memoria è un filo sottilissimo di cui si tace. Ogni memoria muta è una figura dell'Apocalisse. Smagliante urlante.

Omissis.

Ma l'immagine smagliante di un'Apocalisse è di per sé contraddittoria, è narcisismo di chi l'inventa e di chi la interpreta: di Giovanni che l'ha scritta, di ogni pittore che l'ha rappresentata. Entrambi a loro immagine. Il primo che fagocita parole in una febbre costante, il secondo che produce segni su segni con una minuzia fantasmagorica. Giovanni non aveva certo pensato a meraviglie di paramenti o ai virtuosismi del cesello. Ma un pittore l'Apocalisse non sa leggerla se non in termini di se stesso. Come si descrive il silenzio della memoria trascurata? Col silenzio o col segno? I pittori risposero dipingendo carnefici angelici che posano per la perfezione dei drappeggi, mentre le vittime mimano un terrore mai sboccato. I santi risposero tacendo di fronte alla richiesta di abiura. Gli uni *col teatro della meraviglia, gli altri con la macchina sapiente della persuasione.*

Omissis.

Eppure nella testa di Giovanni, l'Apocalisse la immagino levantina e calda, sporca della polvere desertica e odorosa di traspirazioni. La immagino come una fila di corpi ricomposti in un hangar o nella piazza antistante di una stazione... E gli angeli me li immagino stanchi di uccidere, madidi di sudore, col fiato grosso. Me li immagino ammutoliti che vestono divise, che mai e poi mai possono parlare. E m'immagino lamenti atroci di anime mutilate.

Omissis.

Ma non qui. Qui è tutto un combattimento di linee rette contro spirali. La via maestra del Bene, contro l'immenso contorcersi del Male. I segni sono l'anima del pittore, quasi tentativo di ordinare, di conquistare la quiete dell'icona. Eppure nel cielo di quel nordest schiumoso si consuma un vibrante temporale, con saette d'ali candide e fiamme di candelabri. E poi silenzi, silenzi terribili, spesso vestiti di atroci rivelazioni.

Ci sono i numeri: il sette, il dodici, il tre, il quattro. La cabbala infinita dei ritorni: quante le tribú, quanti i cavalieri? Dodici, che è tre volte quattro. Quattro: guerra, carestia, morte, pestilenza. E quanti candelabri? Sette, che è tre piú quattro. E il numero preciso dei segnati? Centoquarantaquattromila, dodicimila per dodici. E poi sette trombe e sette sigilli, sette teste del mostro. E sette stelle nel palmo aperto della mano di Dio, bianco nel candore terribile del Giusto.

Gavino, avvolto nel sudario, finge di dormire. Sente rumori e odori attutiti.

Aprire gli occhi è altrettanto faticoso che cercare di mettersi seduto. E infatti non ci riesce, non al primo tentativo. Il dolore alle gambe e alla schiena è terribile. Ci prova ancora, e ancora.

Nella stanza è stata fatta una penombra costante di persiane accostate, se quella che viene da fuori sia una lama di luna o altro è difficile da capire. Forse è un pomeriggio quieto, o il silenzio compatto dell'ultimo sonno prima dell'alba. Forse, semplicemente, non è, e quel tentativo di sollevarsi significa soltanto sognare di sé nel cuore profondo della notte. Sonno da farmaci o semiveglia, Gavino procede a tentoni verso la coscienza di sé come se stesse attraversando bendato un corridoio e brancolasse agitando le braccia. Quanto gli è successo non vuole ricordarlo. Eppure, senza che possa farci niente, ricorda. Ricorda tutto.

Di quando lo sguardo del giovane sconosciuto appoggiato al bancone della bettola gli parve una fune lanciata verso un naufrago che sta per affogare, e di come dietro quello sguardo si aprisse un sorriso promettente. E di quanto gli battesse il cuore fino a quasi esplodere. Tutto questo lo ricorda. E anche dei pensieri che gli balenarono in quel preciso istante, quando si chiese che cosa avrebbero pensato tutti se avessero potuto capire quale discorso amoroso stavano facendo i corpi e gli sguardi e i gesti in quel preciso istante, in piedi davanti all'oste che procedeva a riempire di vino fino all'orlo bicchierini in fila accostati l'uno all'altro. Quello sconosciuto sapeva di buono, aveva un sorriso segreto, appena accennato, saporosissimo; aveva occhi bruni di pietra dura. Non smise di guardarlo finché fu lui ad abbassare lo sguardo.

Tutto durò lo spazio di un'era geologica, quando dalla glaciazione si passa alla primavera del cosmo e il respiro tiepido ingravida le cellule; il gelo si stempera, le acque scorrono verso le fosse degli oceani e in quel brodo brulicante di vita si selezionano le specie. Durò un istante preciso come quando Dio riassunse nel gesto di separare il buio dalla luce, gli animali del cielo da quelli della terra e dell'acqua, scindendo ogni possibile complessità. Cosí quello sguardo, quell'accenno, discriminò la vita dalla morte in una frazione di secondo. Proprio come era accaduto a Luigi Ippolito quando, fra uno stato di incoscienza e l'altro, disperso nella sua follia, riuscí ad acchiappare quell'istante di lucidità che lo condusse a uccidersi. Ecco proprio cosí, ma al contrario, ricambiare lo sguardo di uno sconosciuto significava afferrare un istante di follia dopo anni e anni di saggia finzione. Mai si era fidato del corpo prima che della testa. Gavino uscí dalla taverna mostosa sapendo di essersi esposto piú di quanto fosse lecito ed ebbe paura. Ma quando varcò quella soglia, come sperava, come aveva pregato, sentí lo sconosciuto camminare dietro di lui, scivolando quasi senza toccare il suolo. Cosí anziché dirigersi verso casa, si avviò nella notte fragorosa fino alla fine delle case, dove si apre la campagna e l'erba secca frigge sotto i piedi…

Il corpo morto di Luigi Ippolito è abbastanza pesante da comprimere l'angolo del materasso. Quando Gavino lo vede fa un gesto con la mano.

Pensavo di sognare, sussurra. E invece sei qui.

Sono qui, conferma l'altro. Te l'ho mai detto di quando ho deciso quello che andava deciso?

Poi aspetta una risposta. Dopo pochissimo Gavino accenna di no.

Era di pomeriggio, avevamo appena sfollato un forno quando dal plotone un bambino con la divisa sparò a un bambino sporco di farina. Io avevo la responsabilità di quel plotone. E tutte quelle persone che avevano assalito il fornaio erano fantasmi. Sarebbero morti comunque, tanto valeva difendere quanto avevano predato anche a costo della vita. Noi arrivammo, ci posizionammo davanti alla bottega e loro uscirono, bianchi pallidi di farina come cadaveri polverosi, in silenzio. Nonostante gli chiedessimo di alzare le mani e abbandonare la refurtiva nessuno fece un gesto o disse una parola. I bambini davanti stringevano le pagnotte come i giocattoli preferiti. Dietro di loro le donne impazzite dalla fame, senza casa, nella città morta che dicevamo di aver liberato. Gli uomini nel fiume, sul pelo dell'acqua, dove scorrevano cadaveri gonfi di soldati morti sui monti, inghiottiti dalle forre, risucchiati dalle correnti, addentati dai ghiacciai, qualunque divisa avessero addosso. Nell'aria persisteva un odore di marcio, l'intera umanità era una fogna a cielo aperto. E allora la mia testa cominciò a pensare che io ero venuto da un posto che è alla fine del mondo per togliere il pane dall'abbraccio di quei bambini. – Fermi tutti, altolà! – grido. Ma a chi, che nessuno si sta muovendo? Sembra che tutte le forze a loro disposizione le abbiano impiegate per sfondare la porta malferma della bottega del fornaio e buttarsi sopra le pile di pane fresco. Dall'interno arriva odore di buono, di crosta fragrante, che combatte contro la puzza di morte. Guerra sulla guerra. È lí, mentre si compie il rito di quest'attesa che pare lunghissima a raccontarla ma è nient'altro che il tempo di uno sguardo, lí che succede tutto: un bambino apre la bocca per urlare, dalle finestre piovono sassi, e insulti. Un caporale, bambino, spara. Il proiettile trapassa il pane ed entra nella carne di un fantasma, bambino...

Luigi Ippolito piange senza lacrime e Gavino si protende per toccarlo; un dolore amarissimo trabocca dall'otre della pena di se stesso. Io e te. Io e te, gli dice. E il fratello gli fa segno di no, gli spiega che esistono gli istanti e quello sguardo, forse frainteso, forse ingannevole, che l'ha perduto, può essere l'inciampo che fa mangiare la polvere all'eroe invincibile, ma che niente si può dire in proposito finché non si è mangiata la polvere. E parla di sé:

Negli autunni brumosi può capitare che il corpo trabocchi da un'anima di vetro. E certo può capitare di vedere la fiamma che si origina dall'acqua, come di assistere alla morte in volo per annegamento.

Oh, negli inverni solenni i corpi sono poca cosa, e poca cosa sono i pensieri che, con ostinazione, si sono pensati, e le terre che ci si è lasciati alle spalle appena salpati i bastimenti... Può capitare di non sapere perché...

Solo lo strazio resta, fratello mio, carne mia, anima cara, sangue del sangue, ma è strazio incosciente tanto sembra impossibile l'essere estirpati, strappati come malapianta, portati in volo, leggerissimi, nell'incerto contro la pesantezza del certo... Certo, sí. Certo tutto, tutto questo può capitare...

Poi restano parole, come geografie che non si sanno pronunciare, e primavere che noi sappiamo non vedremo mai piú, ma che i primi di noi raccontarono ai secondi e i secondi ai terzi: enormi fiori raccolti oltremare e seccati fra le pagine di un libro, viole del pensiero *e* violaciocche *che qui crescono minutissime, affamate di luce, non certo come quelle che la mamma coltiva in cortile, o che crescono nel nostro cimitero.*

Qui Gavino cerca di parlare.

Ah, sentimi: lí, dopo l'orizzonte, ubriachi di luce, esplodono i limoni, maturano i fichi d'india, si vestono gli oleandri; con loro, nelle estati estatiche, abbiamo temprato il sorriso e l'abbiamo ricevuto come una ricetta segreta ai figli dei figli, assieme alla coreografia delle origini.

Gavino si sporge in avanti, ma Luigi Ippolito ancora lo ferma sollevando l'indice.

Sentimi: dopo la partenza abbiamo salutato il mare, le colline, le creste di monti sconosciuti. E l'orizzonte sterminato della pianura.
Poi abbiamo posato il piede nel Teatro di Guerra, nel campo di battaglia, che era comunque piú pacifico di quello che ci portavamo dentro. Poveri, derelitti, convinti di essere prigionieri del destino... E tristi come se davvero lo fossimo.
E abbiamo snocciolato le stagioni come rosari, Ave Maria e Pater Noster e Gloria e Pace. Pace in terra. Ascoltami: pace in terra! E, dolcemente, addio.
Finché dura la stagione degli amori...

Gavino osserva quel fratello morto, vede che non ha un segno addosso. Il suo corpo è immacolato, talmente pallido che sembra generare luce propria. Ha parlato muovendo le mani ossute, il ciuffo di capelli gli cade a ciocche morbide sulla fronte ogni volta che piega il capo. Ora che Luigi Ippolito tace a Gavino pare che il silenzio tra loro sia diventato insopportabile. Il fratello fa girare lo sguardo verso la stanza come se vi cercasse qualcosa che non conosce. Eppure non è cambiato nulla. Stesso odore, persino stessa luce. Gavino si schiarisce la gola.

Come va a finire? chiede a un certo punto.

Luigi Ippolito prende tempo: Va a finire che lui Quiròn è in pericolo...

Eh, i galantuomini fedeli all'Inquisitore non sono molto contenti dell'umiliazione inflitta a Diego de Gamiz, cosí progettano vendette. Ma don Giovanni de Quiròn non se ne preoccupa. È dentro a una guerra e nemmeno lo sa, nemmeno lo vuole sapere. Il suo destino è, in tutto e per tutto, legato a quello del Banco Regio. Ha fatto un giuramento, ha baciato il pavimento dell'abside di San Tomè e si è affidato all'Infallibile. Ora gli dicono che deve nascondersi, che è meglio non provocare ulteriormente il Santo Uffizio. Dicono che don Angelo Jagaracho, su sua richiesta, è già in partenza per le Indie. Dentro a questa guerra particolare anche fare il proprio dovere, anche portare il proprio onore, la propria parola come stendardo, è considerato un atto di protervia. Avete vinto, dicono, il Re si è preso la sua soddisfazione, il Santo Uffizio non se ne starà a guardare. Vedi, fratello: va a finire sempre nello stesso modo. Io ho capito qualcosa di questa guerra, quando mi è stato chiaro che nessuno, comunque, avrebbe vinto. Si perde la testa, si prova a capire l'incomprensibile. E credo che questo sia accaduto a don Giovanni de Quiròn. Perché anche lui si chiese come poteva essere successo che ora rischiava la vita per aver fatto il suo dovere. Non so se furono esattamente questi i suoi pensieri, ma posso dire con certezza che furono i miei: Abbiamo vinto, mi dissero. Ma allora com'è che io mi sentivo sconfitto? Quando mi misero ai plotoni d'esecuzione le domande divennero immensamente soverchianti rispetto a qualunque risposta possibile. Perché risposte semplicemente non ce n'erano. La mia condizione divenne quella di chi cerca una ragione, la implora. Alla terza esecuzione capii che la mia verità non poteva comprendere quell'atto. Cosí come Quiròn comprese che fuggire, nascondersi, come tutti gli consigliavano di fare, significava contraddire se stessi. Al contrario lui si fece vedere, uscí in pompa magna, si mise in mostra. Una notte sentí che lo seguivano, ma lui tirò avanti senza voltarsi. Poi la mattina dopo il capo dei *fiscales* lo manda a chiamare e gli spiega che cause di forza maggiore lo costringono a consigliargli un trasferimento immediato. Lui capisce, no? Lo sa come succede... A volte poteri contrapposti fingono di essere nemici, fanno teatro, ma alla fine si accordano sempre.

Il capitano Sermonti quando mi venne a trovare finse di trovarmi bene, ma io lo capii che qualcosa nel mio sguardo doveva averlo turbato. – Tenente, – disse, e basta.

Si sedette, e dopo un po' mi disse che per il mio bene dovevo accettare un ricovero in clinica. E io allora gli spiegai che anche all'antenato don Giovanni de Quiròn consigliarono un trasferimento in Spagna, ma egli implorò un incarico nella Sardegna interna dove vivevano i selvaggi, e dove tutti l'avrebbero chiamato Kirone... Dove si poteva andare incontro a un pericolo peggiore di quello da cui tutti si sforzavano di allontanarlo. Aggiunsi che quello che mi proponeva lui era scappare e questo non potevo accettarlo. Chiesi che mi mandassero in prima linea, nel pericolo, come fece Quiròn.

Il capitano scosse la testa, cosí due uomini vestiti di bianco irruppero nella stanza. Indietreggiai: – Siate tutti testimoni che io ho espresso la mia decisione di non seguire gli inviati del Viceré e che non sarà possibile farmi uscire da questa Sala se non con l'uso della forza –. Detto questo cominciai a togliermi gli abiti di dosso.

– Che fate tenente? Ho l'incarico di trasportarvi in ogni caso, e in quanto alla vostra salute saranno i medici a decidere!

Quegli infermieri esitarono, come non comprenderli? Ero nudo davanti a loro e dovetti sembrargli improvvisamente intoccabile. – Io non vi seguirò, – dissi.

Cosí finisce, fratello. Il resto è stato solo trovare il momento giusto.

Mercede, origliando dalla porta socchiusa, sente che il figlio nel delirio prega e alza gli occhi al cielo.

Michele Angelo lavora e ancora ha un brutto presentimento. Certo non si può pretendere che sia di buonumore, questo no. Non gli sembra possibile che quel figlio massacrato sia lo stesso che lui ha messo al mondo.

Sta squadrando una sbarra di ferro da inserire insieme a ventiquattro sorelle negli incastri di un corrimano; dal suo punto di vista il fatto che le batta in modo diverso non significa che alla fine, in fila, fissate ai gradini, non sembrino tutte uguali: basta avere l'accortezza e il talento di rendere uguali anche cose diverse. Dentro a questo talento riesce a concepire una soluzione per il figlio sofferente. Non arriva a concepire il sentimento, ma di disciplina ne sa qualcosa. Appena si mette in piedi me ne occupo io, dice a se stesso. E pensa a come fare il discorso che vuole fare: Quello che è stato è stato, comincia fra sé e sé.

«Quello che è stato è stato. Hai sbagliato. Va bene. Ora si ricomincia, non ce n'è malattia da cui non si può guarire tranne la morte, figlio. Ora ti sembra che niente si sistema, ma non è cosí, non è cosí. Se te lo dice tuo padre, credici. Se te lo dice chi ti vuole bene, credici».

Pensa che magari sarebbe meglio abbracciarlo, nel dirgli tutto questo. E pensa che come si piegano le sbarre di ferro per la ringhiera, allo stesso modo, si può piegare il silenzio ostinatissimo di Gavino. Lui ci sarebbe riuscito.

Mercede è ancora con l'orecchio appoggiato alla porta. Il figlio parla nel sonno, prima pregava, l'aveva sentito con chiarezza. Ora parla a qualcuno con un linguaggio incomprensibile, ma questo l'ha fatto sin da quando era bambino. Ora a Mercede sembra di poter dire che la sua vita è stata una *Via Crucis*. A vedere come la luce smorta di quel pomeriggio tramortisce gli oggetti, neutralizza i colori, appiana le forme.

Eppure non si ha idea di quanti momenti felici si siano vissuti in quella casa, e non si ha idea di quanta disperazione sia stata risparmiata alla sua famiglia in questa stagione terribile.

E quante risate, certo. È possibile che nei racconti le risate siano meno interessanti dei pianti, perché a noi ci piace la passione che si annida dentro alle sventure, ma risate ce ne sono state, e quante. Sarebbe uno sgarbo a Dio dire che dentro alla casa del maestro del ferro non è entrata mai la felicità.

Come la volta che Luigi Ippolito e Gavino decisero di portarla al mare. Che cosa fu ancora non si può raccontare, che non ci sono parole. Non ci sono parole.

Qui Mercede si commuove fino alle lacrime. Fugge in cucina con gli occhi che le diventano lucidi e le labbra che si muovono da sole. Cade a sedere.

Ecco vedete, ha appena ammesso che ringraziando il cielo nella sua vita la felicità non è mancata, insieme a tanto dolore, eppure piange. Sempre lí si finisce, sempre lí.

Cosí scatta in piedi e si ricompone come se ci fosse qualcuno a guardarla, ma non c'è nessuno. Decide che il figlio deve mangiare. Versa una zuppa di verdure su un piatto, afferra un cucchiaio e si affretta verso la camera.

La dieta liquida ha asciugato il corpo di Gavino fino all'inverosimile. Finché i punti non si sono cicatrizzati è stato impossibile dargli del cibo solido. Lo nutrono a succo di carne, miele con acqua tiepida, semolino e zuppa di verdure, appunto. Da qualche giorno riesce a stare seduto, ma non è la condizione fisica che impensierisce: è forte, ci vuole ben altro. È lo sguardo che fa paura.

Lui, dentro di sé, ha deciso. Peggio che morire.

– Pensavo a quella volta che mi avete portato al mare, – dice Mercede mentre lo imbocca. Lui muove appena le labbra per dire che ricorda. – Che spavento, – continua lei. – Che spavento. Chi se lo aspettava una grandezza simile, un profumo simile... Eh? – Gavino la guarda con uno sguardo che sembrerebbe di tenerezza. – Te lo ricordi che io non volevo nemmeno venire? E tuo fratello che si era messo d'accordo con Pani della corriera per scendere a Orosei. Te lo ricordi?

Ti ricordi? Era tutto un dirsi Ti ricordi?

– Io parto, appena mi rimetto in piedi parto, – annuncia Gavino. È la prima frase che pronuncia da settimane, e forse è quello il motivo per cui a Mercede sembra cosí terribile.

– E noi? – chiede lei infatti. Gavino non sembra intenzionato a rispondere. Lei resta cosí, col cucchiaio a mezz'aria.

Cosí quella notte stessa Mercede ha sognato che nevicava. A fiocchi tondi. I suoi figli tutti ancora piccoli: Pietro, Paolo, i due nati morti Giovanni Maria e Franceschina, Luigi Ippolito, Gavino, Marianna... Tutti insieme, come cuccioli di una stessa nidiata di cinghiale.

Lei nei sogni poteva presagire quanto direttamente non vedeva, perché caratteristica del sognare è per l'appunto di posizionare lo sguardo del sognatore come su una vetta, come sulla cima di un campanile, o sulla testa dell'astore. Il sogno era in tutto e per tutto rinunciare alla propria limitata visione per accettarne un'altra, piú specializzata. Ora, per esempio, lei poteva vedere con chiarezza ogni singolo fiocco di neve che si univa ai milioni, ai miliardi, di altri fiocchi e ingannava con l'idea di contare poco e nulla, ma invece contava, perché in una nevicata ogni fiocco conta; e allo stesso tempo poteva vedere i suoi figli, anche quelli mai nati, che giocavano davanti al camino acceso, come fossero tutta la vita che non era riuscita a entrare in quella casa, ma che, adesso, si prendeva una rivincita. Lí, rischiarati e scaldati dalle fiamme i bambini ridevano, maschi e femmine, vivi e morti, si inseguivano senza farsi male. Ora, per esempio, poteva vedere il fiocco, i bambini, e oltre il monte il tempo bello che arrivava, perché quella nevicata non era nient'altro che ostinazione dell'inverno contro la bella stagione.

E ha sognato che le fiamme del camino erano di un colore che in natura non esisteva o che lei non conosceva. Proprio come quando ha visto il mare per la prima volta e, per quanto fosse preparata al blu, davvero non aveva la minima idea che potesse esisterne uno simile. Questo è lo stupore che ha sognato. In risposta alla scomparsa imminente di un altro figlio. Proprio quando, caduto nella sventura, viene restituito alle sue cure.

– E noi? – chiede Mercede, il cucchiaio a mezz'aria.

– Non dite niente a babbo, – prega Gavino, ma senza troppa enfasi, come se non si aspettasse niente, nemmeno una conferma. – Lo sto dicendo a voi.

– Creatura, – sospira lei. – Creatura. Noi che scelta abbiamo se non quella di mettervi al mondo e amarvi? – Solleva le spalle e improvvisamente sembra lei diventata una bambina.

Gavino tende il mento e stringe le palpebre nell'estremo tentativo di non piangere. Ce la fa per miracolo, ma resta sul crinale. – Era bello, – dice, sapendo che se non lo dirà adesso non lo dirà mai piú. – E io mi sono detto: È troppo bello per me. L'ho guardato e lui mi ha guardato, poi sono uscito e l'ho sentito dietro di me –. Mercede, che adesso ha capito, abbassa la testa e posa il cucchiaio. Fa per alzarsi, ma lui la trattiene alzando la voce. – Abbiamo camminato nel buio...

– No, – implora lei. – No, – tenta ancora una volta di alzarsi.

Gavino la trattiene al suo posto, il piatto cade a terra, cade a terra la zuppa, cade a terra il cucchiaio. – Vediamo quanto riuscite ad amarmi adesso, – sibila. Ha una forza imprevista nelle braccia. – Sono io che l'ho cercato e quando ha cominciato a picchiarmi, quando sono arrivati i suoi amici e mi hanno detto quello che ero, e quando sono caduto a terra, non ho sentito dolore, ma sollievo, e ho chiesto: Uccidetemi.

– Uccidetemi.

Ma quelli: – È troppo anche ucciderti.

Sono passati quattro anni esatti dal giorno della partenza di Gavino. Quattro anni in cui Dina cresce, Mercede e Michele Angelo invecchiano, Marianna fa la signora a Cagliari.

L'officina è stata ampliata fino a richiedere mesi di ristrutturazione. Michele Angelo può contare su tre lavoranti, giovani del posto. Figli di fucina come i ciclopi da Vulcano. Fatica meno adesso, sa come far lavorare i dischenti. Il posto di Gavino è rimasto vuoto e nessuno osa accostarsi a quell'incudine. È stata una stagione di edificazioni e di inaugurazioni. Nuoro provincia del Littorio è come un plastico su cui si possano decidere nuovi assetti: l'edificio delle Poste provinciali costruito sul retro del Regio Istituto Magistrale, in cima al raccordo tra l'ormai antica via Majore e la nuovissima via Deffenu dove smagliante e balconato è stato appena liberato dalle impalcature il Palazzo del Genio civile.

Altri lavori sono stati fatti per trasformare in colonia estiva lo spazio della fonte di Salotti poco prima della cima del Monte Orthobène. Dove i monelli locali, scalzi come pellegrini, scalano le rocce in piccole cordate. È tutto all'insegna del salutismo: cibo sano, aria sana, lotta al rachitismo, bagni di sole. Oltre oceano Mr Kellogg's ha appena inventato i Rice Krispies. Maestrini bilingui stanno incitando in italiano e sardo i pitzinnos a conquistare la vetta. Nello spiazzo erboso due squadrette di fanciulli, i petti esili di chi ha bisogno di ricostituenti, si sfidano al tiro della corda; in secondo piano assistono le bambine, escluse per biologia dalle prove di forza, e i ragazzini piú grandi, quelli che non hanno conosciuto l'esercizio salutista e l'agonismo performativo se non in forma di lotta corpo a corpo, di strumpa, con umani o bestiame che fosse. Al centro il maestrino con le mani sui fianchi e i capelli ricci.

È la stagione dei dispensari e dei ricostituenti, della salute pubblica, dell'igiene quotidiana, dell'istruzione diffusa e della mensa scolastica. In un lungo tavolo comune molti bambini e poche bambine mangeranno sano: sali minerali contro il cretinismo, acido citrico contro lo scorbuto, calcio e sole contro il rachitismo.

Colpisce un precoce sentimento di adesione al moderno, come un adattamento immediato, senza un minimo segno di resistenza: oltre gli edifici in muratura che fungono da camerate, per camerati in erba, è stata montata una grande tenda da campo nello stile anglosassone dei boy-scout. Spogliati e rasati i piccoli assistiti bisognosi sono pronti da catalogare: altezza, peso, dentizione, ampiezza toracica. Per molti di quei bambini, tra qualche anno, un'altra visita del tutto simile stabilirà se sono pronti o meno per l'ennesima guerra. Altri di questi si troveranno a dover contribuire, col loro stesso esistere, alla compilazione di altre tabelle sulla fisiognomica dei delinquenti. Qualcuno sopravviverà al proprio destino di carne da macello o carne da galera. Per ora, italianizzati ma ancora guardinghi, i monelli si lasciano catalogare. Attraverso un altro tassello di quello che è stato sicuramente molto piú che semplice racconto del passato: in quella colonia periferica sta respirando la Storia. E respira anche il mito di se stessi che si va costruendo senza sostanza: spaesati, figli e nipoti di eroi i cui nomi sono scolpiti su brutti monumenti al centro di ogni piazzetta. Quei bambini sono già retorica.

Di Gavino si sa che si è imbarcato per Livorno e di lí per Tolone e di lí ancora dovrebbe proseguire per l'Australia attraverso l'Inghilterra. Per quanto ci si pensi non si riesce a trovare un posto piú estremo dove collocarlo, anche se alcuni affermano che non è l'Australia il Paese in questione, ma l'Argentina. Tuttavia né Mercede né Michele Angelo interrogati in proposito sanno rispondere, per loro Australia e Argentina sono, almeno per assonanza, esattamente la stessa cosa. E comunque Gavino, come ha giurato, è partito e, come ha promesso a se stesso, non ha mai dato notizie di sé.

Ci è voluto un anno dalla partenza di Gavino perché Mercede si rendesse conto che il figlio ha sottratto dal loro posto tutte le lettere di Luigi Ippolito e se l'è portate via, come se non se la sentisse di viaggiare da solo ma volesse portarsi dietro anche il fratello.

Marianna periodicamente viaggia da Cagliari con la bambina per far visita ai genitori. È una signora in tutto e per tutto, con guanti e cappellino. Dina si fa bella come il sole, sembra quasi che qualcosa di buono ci sia stato anche dentro a quel genere irriconoscente che è Biagio Serra-Pintus, fatto da poco commendatore e, si dice, prossimo podestà di Ozieri.

Questo dicono dei Chironi: che manca poco alla consacrazione definitiva di questi trovatelli che possono alla fine raccogliere i frutti del loro lavoro silenzioso. Certo non fortunati con quei figli, certo avrebbero barattato la loro condizione per averli con loro, ma cosí era stato deciso da chi può decidere e niente, niente, a questo mondo è gratuito. E comunque, ora che vanno in età e hanno casa propria e terreni propri, e un'impresa avviata con dipendenti, un figlio in Australia o chissà dove, e una figlia cojubata bene proprio, che con quel matrimonio hanno avuto l'occhio lungo, insomma, ora hanno la certezza di una vecchiaia dignitosa. E hanno anche una nipote. Femmina e non maschio come sarebbe stato meglio per i Serra-Pintus, ma Marianna Chironi è ancora giovane e Biagio Serra-Pintus anche.

La voce della gente sa cantare infinite variazioni della stessa storia come uno strumento ben temperato. Del tempo che passò dopo la partenza di Gavino e prima del viaggio fatale verso Ozieri di Marianna, raccontano che Mercede e Michele Angelo vissero come due astori sul dirupo: belli, silenziosi e irraggiungibili. Dicono che lui nemmeno andasse piú a prendere accordi o misure per i lavori da fare, ma che ci mandasse di volta in volta qualcuno dei dischenti. I Chironi fuori casa era raro vederli. A tal punto che, quando tempo dopo Mercede si recò a Orgosolo per la grande messa in suffragio della martire Antonia Mesina, uccisa l'anno prima, tutti lo considerarono un avvenimento. Ma interpretarono quel viaggio a onorare la fanciulla massacrata come un omaggio ai suoi figli martiri. E come poteva essere altrimenti?

Il racconto era che Antonia Mesina di sedici anni, da Orgosolo, si era allontanata dal paese per fare legna ed era stata adocchiata da un giovane del posto, di cui tutti ben presto disconobbero i natali. Questo giovane, Ignazio Giovanni Catgiu, col battesimo ricevette il destino di strumento. Altre volte era successo che gli uomini nascessero nello spazio oscuro, piuttosto che verso la luce, cosicché come Giuda o Alessandro Serenelli che massacrò Maria Goretti, anche il Catgiu nacque per dimostrare che senza qualcuno che si prenda il peso del male, il bene non ha nessuna possibilità di esistere. Le terre hanno bisogno di Storia e martiri, anche dove la Storia non passa e il martirio è talmente comune da non sembrare nemmeno tale.

Eppure Antonia Mesina quella mattina di maggio, mese di Maria, quando si recò a far legna aveva ben chiaro che il disegno divino nei suoi confronti era speciale. Per questo quando vide il giovane scuro che la superò lungo il sentiero in campagna ebbe la tentazione di tornare indietro e, contemporaneamente, la certezza di dover andare avanti. Infatti andò avanti. Come capitò alla beata martire pontina, e come capitò sicuramente ai fratelli Chironi, Pietro e Paolo, mentre si recavano alla vigna.

Facevano quel racconto in corriera, nei tornanti che dalla valle riportano a Orgosolo, ma Mercede pensava solo ai suoi figli, che non aveva potuto vedere, e per questo in sua presenza sussurravano: «Gesú Santo, Madre di Dio, infilati a pezzi dentro la bara, povere, povere creature».

Lí Mercede poteva capire che quel giorno di agosto di trentacinque anni prima era stato il perno su cui si era ribaltata tutta la sua esistenza. Sentí pena di sé e, dentro, si insultò come la peggiore delle madri, perché senza opporsi si era lasciata mangiare viva da quel dolore e si era offerta a quel martirio come se non avesse scelta.

Lei capiva questo sentimento sopra ogni altra cosa, e ora, davanti all'immagine infiorata della piccola Mesina, morta lapidata, riusciva persino a dirsi che tutti gli altri figli non li aveva voluti amare allo stesso modo, perché agli appuntamenti successivi col martirio non aveva voluto presentarsi inerme.

Cosí davanti alla tomba che conteneva la salma, che dicevano profumatissima, della piccola vergine, a Mercede sembrò di essere invecchiata tanto da ritrovarsi al punto di partenza.

Nel giorno dell'inizio, che era anche la coscienza della fine, pensò al male ritrovato e a tutto il dolore che era riuscita a ignorare.

La piccola Antonia era bella come una statuina, minuta come bambinetta, ma forte. Tanto che riuscí a liberarsi dalla presa del Catgiu una prima volta, poi una seconda, scappando verso la strada che conduceva al paese... Ma il ragazzo, preso alla sprovvista da quella resistenza, spaventato da quello che aveva pensato di poter fare facilmente – e persuaso che quella bambina in fuga rappresentasse la sua morte e, soprattutto, il suo fallimento come mano sinistra del diavolo – afferrò una pietra e a distanza, con violenza, sferrò un colpo che schiantò la nuca della giovane.

L'impatto la tramortí, ma non uscí sangue perché il concio di capelli impedí ogni possibile lacerazione. Cosí cadde a terra, con lo sguardo annebbiato lo vide arrivare, e il Catgiu con due balzi le fu sopra. Ma ancora lei non si arrese e quasi riuscí a rialzarsi, quando il ragazzo le sferrò un pugno che la colpí alla base del collo. Nella campagna al frinire impazzito degli insetti in amore si aggiunse il respiro ansimante di Ignazio Giovanni e l'uggiolare di cucciolo di Antonia.

Esponendo la schiena e ripiegando le gambe lei si rinchiude in un nodo fortissimo, lui, con i polmoni che battono contro il costato, tenta di rigirarla. La bambina è paralizzata nella sua manovra di difesa, serrata a testuggine sembra impossibile da voltare. Perché voltarla è quello che vuole Ignazio Giovanni, voltarla e basta. Ora che ha capito che indietro non può tornare, no certo, ha deciso di andare avanti, ma non sa dove. Antonia ha smesso di lamentarsi, sente che il ragazzo sopra di sé è forte, nervoso. Capisce che ha paura quanto lei, e allora con la bocca che respira terriccio lo prega di lasciarla andare, ma lui nemmeno la sente, è rassegnato a precipitare dentro se stesso come chi si rende conto di essere finito dentro un pozzo e aspetta solo il sollievo di arrivare in fondo. Cosí la soverchia e con uno sforzo finale riesce a farla girare. Eppure ora che la guarda negli occhi non sa che fare. Lei incrocia le braccia al petto e stringe la bocca, poi piano sussurra: Dae borta… Dae borta. Ignazio Giovanni scuote la testa, potrebbe spiegare quanto sia inutile continuare a chiedergli di tornare indietro ma non lo fa, temendo che se apre la bocca sentirà se stesso e si vedrà mentre tenta di violare una bambina che lo implora. Un colpo di pietra alla tempia le scioglie i legamenti, le braccia di Antonia si spalancano, le gambe hanno una contrazione incontrollata. Ma, seppur assolutamente inerme, agli occhi del suo boia all'improvviso appare irraggiungibile. Gli occhi. Gli occhi. Quegli occhi che lo fissano. Per questo la colpisce, una, due, tre volte, per costringerla a chiudere gli occhi. Colpisce e continua a colpire anche quando si rende conto che è morta. Eppure quegli occhi continuano a guardarlo. Tremante si alza in piedi, è sporco di sangue, tenta di pulirsi, si guarda intorno come se sapesse esattamente cosa sta cercando, infatti trova esattamente quello che cerca: un masso piatto. Lo raccoglie da terra con fatica, e barcollante lo scaglia contro quel viso, contro quello sguardo. L'anima di Antonia si separa dal corpicino facendo abbagliante quel pomeriggio atterrito. Qualcuno dal paese giurerà di aver visto il bulbo del sole esplodere per un istante. Quando il respiro ritorna regolare Ignazio Giovanni si rende conto di tutto ciò che ha fatto. Come Adamo, quando si rende conto della sua nudità, come Caino quando viene interrogato da Dio, prova a nascondere il corpo martoriato della bambina. Solleva la pietra dal suo viso che non è piú un viso e trascina il cadavere fino a un enorme, intricato cespuglio...

Questo particolare del cespuglio amareggia Mercede come nessun altro prima. Anche i suoi figli, a pezzi, sono stati nascosti dentro a un rovo fittissimo per lasciare che fossero i cinghiali a far sparire i corpicini.

Tutto questo racconto l'amareggia e l'amareggia il pensiero che, per tutti questi anni, trentacinque, quell'avvenimento, prima di quest'incontro con la santa martire, sembrava non essere mai avvenuto veramente: niente assassini, niente corpi... Niente di niente.

Dicono che grazie all'intercessione del vescovo di Cabras, Antonia Mesina verrà beatificata proprio come la beata Maria Goretti di cui conosceva a memoria l'agiografia.

Mercede in silenzio domanda pace. Domanda tutto il dolore che le spetta e non ha sentito piú da quando le hanno detto che Pietro e Paolo ora sono seduti sugli scranni piú belli del Paradiso. Tanto piú che a Paolo non c'era modo di farlo stare seduto. Pietro magari, ma Paolo proprio no.

Lei non lo sa nemmeno quanto può costarle la pace che chiede. Ma tornando dalla messa in suffragio della bambina orgolese si sente meglio, come finalmente pronta ad accogliere una verità che aveva sempre ostinatamente rifiutato.

A casa prepara filindeu, che è un impasto che si deve fare con calma tenace, scaldando la pasta con le mani finché non diventa talmente elastica che a tirarla fila. Ogni porzione di impasto è come una trama fitta che si intreccia a un'altra, fino a raggiungere l'aspetto di un canovaccio.

Entrando in cucina quella sera Michele Angelo sente l'odore del brodo di pecora e formaggio fresco che ancora sobbolle sulla fiamma.

Ma quando accade tutto questo Mercede è già malata.

Di che malattia si trattasse non era facile da spiegare. Dottor Romagna, quando riuscí a visitare Mercede, per tentare di far capire l'incomprensibile a Michele Angelo disse che era come se due persone diverse abitassero nello stesso corpo. O come una diga, lo sapeva lui cos'era una diga? Ecco, una diga che lentamente s'incrina, dapprima con crepe quasi invisibili che un po' alla volta si allargano fino a far cedere tutto.

Del resto dopo quanto era capitato a Biagio e alla bambina quale donna avrebbe retto?

E tutto questo, aggiungeva il dottore, non succederebbe se si facessero solo le promesse che si possono mantenere... E meno male che questo delirio doveva essere passeggero. Passeggero un corno! sbottava; quando beveva un bicchiere di troppo al dottore si scioglieva la lingua. Alla faccia degli ambienti socialisti, che dicevano che Mussolini non durava un anno e invece... Poi dicevano che la gente non poteva essere talmente cretina da credere a quel fantoccio... e invece.

E invece il giorno prima il Duce era arrivato a Nuoro e tutti si erano riversati per le strade e per le piazze. Tutti tranne Mercede, che aveva atteso con trepidazione quel giorno ma quand'era arrivato il momento non si era alzata dal letto e anzi, cosí come si trovava, era andata in cortile a innaffiare le piante. Questo, nonostante la settimana precedente due ragazzi della Milizia locale avessero portato una missiva del Commendator Serra-Pintus, un lasciapassare per i Signori Suoceri che dava accesso alla Tribuna d'onore delle Autorità in occasione del discorso di Sua Eccellenza il Capo del Governo Benito Mussolini.

Ecco, cosí stavano le cose: mezz'ora esatta dopo che Biagio Serra-Pintus aveva firmato il lasciapassare per i suoceri, era salito insieme a Marianna e alla piccola Dina sull'auto mobile diretta a Ozieri, dove era appena stato nominato podestà.

Un anno prima del pellegrinaggio a Orgosolo.

Era un settembre autunnale, talmente freddo che tutti dicevano fosse una prova generale di glaciazione e si domandavano: Se questo è settembre, che sarà dicembre?

Insomma, due carabinieri e un avvocato si presentano a casa Chironi e chiedono del capofamiglia per una certa faccenda di cui è il caso di parlare faccia a faccia.

– Lei è certamente al corrente del massacro della giovanissima Antonia Mesina avvenuto il maggio scorso nelle campagne di Orgosolo, – comincia l'avvocato. Michele Angelo fa cenno di sí, e come ignorarlo. – Bene, – fa l'altro, – bene.

Poi tace per un attimo. Michele Angelo lo guarda e aspetta. È un uomo sui trent'anni, magrissimo, dallo sguardo comunque triste. Porta il distintivo del fascio.

– Bene, – ripete a un certo punto. – Lei sa che è stato arrestato, colto in flagranza di reato e reo confesso, Catgiu Ignazio Giovanni fu Bartolomeo? – Ancora Michele Angelo fa cenno di sí. E aspetta. – Ecco, bene, bene, – ripete ostinatamente quell'altro che non si decide ad arrivare al punto. – Il Catgiu ha rilasciato una dichiarazione ampia e circostanziata, nell'ambito della quale ha fatto riferimento a fatti lontani nel tempo che, benché non riguardino l'inchiesta in questione, riguardano tuttavia un fascicolo di duplice efferato omicidio, mai archiviato.

– E sarebbe? – domanda Michele Angelo, che in cuor suo spera di non aver capito.

L'uomo prende un po' di tempo prima di rispondere; è avvocato, è abituato alle pause a effetto, vuole capire sino a che punto il suo interlocutore immagini quanto sta per dir-gli. – L'assassinio dei suoi figli, signor Chironi.

Michele Angelo accenna col capo e benedice i frutti amari del regime maschio, il quale ha santamente estromesso Merce-de da quel colloquio. – In che modo il...?

– ... Catgiu.

– Ecco il Catgiu, in che modo può entrarci con... Con i miei figli, – comincia a balbettare. – Non si capisce in che modo. All'epoca nemmeno era nato.

– Ecco, – spiega l'avvocato. – Sperando in un atto di clemen-za della Corte il Catgiu ha riferito di discorsi sentiti durante la detenzione, e uno di questi discorsi riguardava in modo circo-stanziato il fascicolo in questione. Pare, ma a questo punto è più un'ipotesi, che un detenuto abbia parlato col Catgiu di due gemelli massacrati da due vagabondi, uno dei quali, l'unico so-pravvissuto, era detenuto nello stesso carcere per uxoricidio e corrisponderebbe a Carroni Giovanni Antonio fu Michele, che all'epoca dei fatti aveva diciassette anni...

– Il fascicolo, – ripete Michele Angelo. – Due vagabondi...

– Esatto, – puntualizza l'avvocato. – Siamo certi di poter dire che dopo oltre trent'anni il caso è stato risolto.

– Risolto.

– Sta bene?

– Sí, sí...

– Quando l'accusa sarà formalizzata riceverà una convoca-zione in tribunale in quanto parte lesa. Porga i miei omaggi al commendatore suo genero.

Silenzio.

Michele Angelo dovette riferire con molta calma la cosa a sua moglie. Per farsi aiutare, aveva chiamato Marianna da Ca-gliari. E lei arrivò, bella come una signora delle riviste o del cinematografo. Parve improvvisamente inadeguata per quegli interni semplici, ma fece la sua parte anche in virtú di questa speciale estraneità.

Quando i genitori vanno in età e i figli improvvisamente ac-quistano una sicurezza di persone, come anatroccoli che cedono i piumini per le penne, allora è arrivato il momento di cedere. Questo pensò Mercede quando il tono di Marianna si fece di rimprovero: – Non pensateci nemmeno mà, – sbottò alla notizia che Mercede voleva recarsi in carcere per un colloquio col Carroni. – Oh bà diteglielo anche voi per favore.

– E cosa le dico, – alzò le spalle Michele Angelo. – Lei quando si mette una cosa in testa...

– Le dite che non ci deve andare!

– Avete ragione, – interviene all'improvviso Mercede. – Non cambia niente andarci o meno, forse non cambia niente, ma, forse, cambia. Lo sai figlia mia che quando io ho visto il mare ero già grande? I tuoi fratelli hanno deciso di portarmi a vederlo. Tu non te lo puoi ricordare...

– Me lo ricordo invece, – il tono di Marianna si è fatto improvvisamente dolce.

– Io ho sempre avuto paura del mare, quando non lo conoscevo. Ecco –. Silenzio. – Tutto qui.

Che matti, che matti che siete! Ma come vi è venuto in testa, oh povera me... Ne fate quello che vi pare di vostra madre, quello che vi pare!

Eppure scendendo dalla corriera sorretta dai suoi figli era felice come non era mai stata.

Sentite il profumo mà, invitava Luigi Ippolito.

Com'era immensamente bello quel figlio! Bello come un angelo!

Era primavera inoltrata ma faceva già caldo, Orosei sapeva di pesce, stagno e agrumi. E il mare si sentiva prima di vederlo, perché era un mormorio imperiale, un profumo che tramortiva.

Quando l'avo Quiròn era dovuto scappare dalla mal'aria aveva tuttavia perso quel profumo meraviglioso, come di cespuglio, di terreno, di bacca, di pelo di bestia, tenuti umidi e fragranti da una pioggia lievissima, costante.

Che matti che siete!

Poi quando mise il piede nudo nella sabbia, lo fece senza rendersi conto che davanti a lei si apriva uno spazio che nessuno sguardo impreparato avrebbe potuto sostenere. Infatti quello che vide le sembrò troppo. Molto, molto piú ampio di qualunque aspettativa.

In lontananza passò un veliero, ed era il primo che Mercede vedesse dal vero nella sua vita. Cadde a sedere sulla spiaggia. Qualche mucca pascolava sul bagnasciuga.

La invitarono a toccare l'acqua, ma lei fece segno di no come se la proposta l'imbarazzasse. Cosí Gavino si tolse la camicia e si ripiegò i calzoni sulle ginocchia, poi raggiunse la battigia e raccolse un po' d'acqua nell'incavo delle mani e gliela portò.

Lei porse le mani a sua volta e lui, dorato e irsuto come Giovanni Battista, gliela fece scivolare sulle palme.

Luigi Ippolito lanciava sassi in acqua.

È calda, urlò Gavino al fratello.

L'altro fece segno di no, che non ci cascava che l'acqua in quella stagione, che era solo maggio, fosse calda. Gavino insisteva sfilandosi i pantaloni e restando in mutande.

Vestiti! urlò Mercede. La vergogna chi ti vede!

Gavino rideva come sapeva ridere lui. Luigi Ippolito faceva fatica a tenere lo sguardo serio poi, d'impeto, cominciò a spogliarsi.

Mercede si fingeva arrabbiata. Eppure in cuor suo pensò, ne era certa, che giornate come quelle servono per sempre. Si commosse senza lacrime.

Gavino nuotava come un pesce, a lui il mare era sempre piaciuto. Luigi Ippolito, con le spalle ampie di un biancore luminoso e i fianchi stretti, camminava lentamente verso il fratello senza azzardarsi a fare il tuffo.

Buttati! Buttati! gridava Gavino...

Tutto qui. Che altro poteva esserci da spiegare? Niente, infatti due giorni dopo l'arrivo di Marianna da Cagliari Mercede fu autorizzata al colloquio con Carroni Giovanni Antonio fu

Michele. Che era un altro il mare che bisognava guardare per smettere di avere paura.

Quello che gli si presentò davanti era un vecchio tremante. Aveva cinquantuno anni, ma ne dimostrava cento. La vita di stenti, la prigione...

Per quanto Mercede si sforzasse non riuscí a ricavare da quel viso alcun ricordo. Non riuscí per esempio a figurarsi quell'uomo in nessuna delle sue vite precedenti, quando era una madre. Davvero non capiva da dove venisse. Ecco, era davanti all'uomo che aveva rovesciato la sua esistenza come il vomere fa con la zolla di terra, eppure l'unica cosa che le veniva in mente era cercare di ricordare se mai l'avesse visto da ragazzo, scalzo, sporco, magari ciondolare intorno a casa sua o all'officina, ma niente.

– Che cosa hanno detto? – gli chiese. L'uomo faceva fatica a parlare, scuoteva la testa, era un abbozzo, come un corpo non finito, appena schizzato. – Che cosa hanno detto? – ripeté lei come avrebbe fatto con quel testardo di Gavino, che quando decideva di chiudersi nel mutismo non cambiava idea anche a costo di prenderle. Ma l'uomo cominciò a sfregarsi la faccia, davvero non sapeva cosa rispondere.

– Rispondi! – gli intimò il secondino con una manata sulla nuca.

L'uomo sospirò. – Nudda, – disse rinforzando con un movimento della testa.

– Hanno pianto? – incalzò lei, sentendo che quei figli adorati stavano morendo definitivamente.

– No, – rispose l'uomo senza guardarla.

Quella notte Mercede non riuscí a dormire. E nemmeno la notte successiva... Anziché dormire cominciò a girare per la casa, qualche volta si metteva a cucinare, oppure pregava seduta davanti al camino. Ora era come se una fase della sua vita si fosse conclusa e dopo non ci fosse nient'altro. Una martire di sedici anni le aveva portato via i figli morti trentaquattro anni prima, e con tutta probabilità li aveva condotti con sé, nel posto perfetto dove devono stare le anime carissime a Dio. Ma li aveva sottratti alla sua ostinazione e ora non rimaneva molto a cui aggrapparsi.

Quanto serva il dolore lo sa solo chi vigliaccamente, con prepotenza, ha cercato di sfuggirlo.

A occhi aperti Mercede sognava il mare, quel veliero visto in lontananza.

Ascolta!

La nave per un istante sembrò un vulcano in mezzo all'oceano che sputava carne, ferro e legno...

Scaturimmo dal silenzio per approdare al fragore del sibilo immenso della prua mastodontica che prima si sollevava e poi, sconfitta, si lasciava ingoiare dal vortice...

Ascolta!

Dalle scialuppe si sente gridare, naufraghi lucidi di nafta fanno gesti, come le sirene a Ulisse.

Intorno galleggiano corpi e corpi ancora...

Ascolta: povere carcasse annaspano catapultate dall'incertezza all'incertezza e con gli occhi sbarrati sondano lo sprofondo che non ha fine. Anche noi chiamammo col fiato spezzato, unti come feti chiedemmo di rivivere, e alcuni di noi furono issati a bordo tirati per i capelli, con la bocca spalancata per il bruciore alla gola, il collo segato dal giubbotto salvagente, gli occhi sbarrati per il terrore, le mani anchilosate per i crampi...

Ascolta: sulla scialuppa si temeva di morire asciutti. Il petto in cerca d'ossigeno, spaccato in due; le gambe, tremolanti per la spossatezza; le braccia, tese a cercare spazio.

Neanche a salvarsi ci si sentiva in salvo.

Salta! Salta! Buttati!

Io non salto...

Dài! Dài! Salta!

Io non salto, ho paura!

Forza, salta, salta!

No, ho paura, ho paura!

Ora dalla scialuppa il muso della nave sembrava immenso. Si remava a tutta forza per allontanarci dal risucchio...

Alla fine la prua spariva sotto la superficie e, come un sasso lanciato nello stagno, originava una grassa onda circolare di piombo fuso che pareva lenta, ma colpiva a tradimento, cattiva di risacca...

In salvo dicevano... raggiungeremo la terra... in salvo.

Ma poi... sulla terra?

Ascolta: *addio, arrivederci*, addio, arrivederci, addio, addio...

Quella volta che Mercede uscí in cortile scalza e in camicia da notte, Michele Angelo cominciò a preoccuparsi veramente. Prima aveva cercato di evitare di capire e di vedere, anche se era chiaro che la situazione stava precipitando. Mercede non usciva nemmeno dalla camera da letto se non era vestita di tutto punto. Era sempre stata precisissima in ogni suo rituale, ma da qualche tempo si dimenticava le cose.

Poi una mattina si alzò dal letto e scalza e in camicia da notte come si trovava scese in cortile a innaffiare le piante. La vicina che la vide dal balcone della casa di fronte si sorprese davvero, perché in anni che conosceva Mercede Lai la moglie del maestro del ferro, non l'aveva mai vista con un capello fuori posto, figurarsi scalza come una pellegrina e in camicia da notte e con i capelli sciolti!

La vicina la chiama dall'alto e lei nemmeno risponde, sussurra una canzone di quelle del cinematografo che ha sentito sul grammofono della figlia a Cagliari. Perché la figlia a Cagliari viveva come una signora e c'aveva persino l'apparecchio telefonico... Be', vedendola lí fuori intanto mandano a chiamare il marito. È chiaro ormai che ci sono problemi grossi, tanto che si sono risolti, padre e figlia, a prendere una teracca per sbrigare le faccende domestiche. Dalla casa infatti è proprio la teracca la prima ad arrivare; stava sistemando in dispensa e non si era accorta di nulla. Cosí, attratta dalle voci in cortile, esce e vede la padrona in quelle condizioni che abbiamo detto.

Quando sopraggiunge Michele Angelo, Mercede è seduta sul suo sgabello davanti al camino con le braccia conserte. Non fa in tempo a dirle niente: improvvisamente è come se si fosse resa conto da sola di quanto le è capitato. Si è innervosita e risponde aggressivamente a qualunque domanda: no, non vuol vestirsi! È a casa sua, fa quello che vuole! Non ha fame, non ha sete, non ha nulla, la lascino in pace! Che vogliono tutti? E Michele Angelo Chironi lui cosa ci fa a casa, perché non è in officina? Insomma una furia.

Cosí, dopo avere sentito il racconto dei fatti a voce, a Dottor Romagna quello sembra un caso di sonnambulismo, e cioè che una si comporta come se fosse del tutto sveglia, ma è addormentata. E anche il nervosismo successivo corrisponderebbe perché non c'è cosa peggiore che svegliare all'improvviso un sonnambulo. Il dottore si immagina le grida e gli strattoni verso Mercede da parte della vicina e della teracca: Ma quelle galline ignoranti cosa possono saperne di sonnambulismo, che si può pretendere? Cosí, dice il dottore, se dovesse ricapitare, cercate di trattarla con dolcezza e niente rumori o movimenti bruschi. Intanto però le date qualche goccia di questo – e scrive qualcosa di incomprensibile su un foglio – da farvi preparare in farmacia... Roba che la tiene calma perché la donna è troppo provata, e come potrebbe essere altrimenti dopo quello che è capitato alla nipotina...

Sí perché, nel frattempo – in circostanze terribili – Dina, nove anni, è morta e, con lei, Biagio. Esattamente tra il giorno in cui Mercede fu ammessa al colloquio in carcere con Carroni Giovanni Antonio fu Michele e quello in cui i due ragazzi col fez portarono ai Chironi il lasciapassare per la Tribuna d'onore in occasione della visita a Nuoro del Duce.

Il vescovo, monsignor Cogoni, durante la messa funebre del commendatore e della sua creatura parlò di strage degli innocenti riferendosi, si crede, al numero incredibile di bambini che erano morti in quella casa, ma anche al disegno di Dio che non aveva previsto una continuità di sangue a casa del mastro ferraio.

Per questo bisogna tornare a Biagio Serra-Pintus che, dopo aver firmato il lasciapassare per i suoceri, sale insieme a Marianna e alla piccola Dina sull'auto mobile diretta a Ozieri, dove è appena stato nominato podestà.

Il viaggio da Cagliari sarebbe di circa sei ore, strade permettendo. Ma sarà più lungo perché sono previste due soste: a Oristano, hanno deciso unanimemente di non fare la tremenda strada di Tortolí; e a Nuoro, per visita ai parenti dove si fermeranno per la notte. Parte dei bagagli sono già arrivati a destinazione con un mezzo militare messo a disposizione dalla segreteria federale locale. La casa del podestà è stata appena ridipinta e dotata di tutti i conforti moderni.

I giornali locali quel viaggio lo raccontarono con dovizia di particolari: percorso, velocità oraria, persino il colore dell'abito della signora commendatoressa, addirittura il fiocco bianco tra i capelli della piccola innocente passeggera. Nei giornali nazionali la notizia fu trattata come se fosse la spedizione di Nobile al Polo. Tutte le testate giornalistiche, però, evitarono di ufficializzare che quanto veniva fatto passare come incidente stradale altro non era che un tentativo di sequestro non andato a buon fine. Tuttavia la *vox populi*, per quanto si cercasse di imporre il silenzio, si sparse velocissima. Cosicché Dottor Romagna poté affermare che quando si fanno le promesse bisogna mantenerle e non sacrificare la verità alla menzogna. Biagio Serra-Pintus neopodestà di Ozieri era stato ucciso con la figlioletta e con l'autista per aver resistito a un tentativo di sequestro; ma tutto ciò secondo il regime non era successo, perché ammettere che era successo significava ammettere che c'era qualcuno che l'aveva perpetrato, e ammettere che c'era qualcuno che l'aveva perpetrato significava ammettere che il brigantaggio non era stato debellato, o peggio, che la *pax* stipulata con i delinquenti locali era saltata. Anni prima Samuele Stochino era morto in circostanze misteriose e ora la giostra ricominciava. Ma, continuava il dottore, questa volta non era così facile nascondere la polvere sotto al tappeto.

Il risultato fu che, avendo parlato una volta di troppo, il dottore venne chiuso in gattabuia per due giorni proprio durante la visita del Duce a Nuoro.

A casa Chironi qualunque fosse la versione ufficiale dell'incidente la notizia vera era che in quella zecca le matrici perfette non sarebbero riuscite a riprodurre monete sonanti.

L'istinto di Michele Angelo fu di allargare le braccia e poi irroccare verso il cielo. E lo fece davvero: certo era stato Giobbe rognoso, o Geremia lamentoso tuttavia fiducioso, ma ora si sentiva Lucifero, disposto a precipitare e perdersi definitivamente per affermare il suo diritto di maledire la cattiva sorte nei secoli dei secoli.

Da solo in cortile si batté le ginocchia e fece le ficche contro il cielo. Malaittu!

Poco tempo prima, chi lo sa? Marianna si era trovata dentro alla notte, dentro la campagna, senza una scarpa, con l'abito strappato e il respiro rotto dal terrore. Si era imbattuta in un ovile in mezzo al niente. Se le aveste chiesto dove fosse non avrebbe saputo dirlo, perché in un attimo si era trovata dall'interno dell'auto mobile con la sua bambina all'esterno nell'intrico odoroso della macchia.

Lei non era donna con sapienza rustica, nella sua famiglia di campagna avevano visto solo il podere coltivato a olivi, o la vigna di Lollove prima che fosse data in pasto agli sterpi, che vera campagna non era. Ora poteva afferrare la differenza. Perché quel posto lí, col cuore che impazziva, nel buio pesto totale della notte annuvolata, era uno spazio di fragore immenso, di profumo indecente come un ventre esposto. Quando percepí il bestiame chiuso nel recinto, ebbe un moto passeggero di inconsistente felicità. Poi cominciò a gridare e qualche pecora gridò con lei, finché da una costruzione primitiva, quasi incistata nella roccia, uscí un uomo anziano, piccoletto, compatto, con un pastrano enorme posato sulle spalle: – Itte b'at? – chiese.

Marianna non rispose perché non aveva abbastanza fiato per farlo. Il vecchio la vide con gli occhi del pipistrello perché a lui quel buio sembrava giorno pieno: era una signora, una di città.

In paese un maresciallo corpulento la rifocillò e cominciò a farle domande.

Ma lei, quando si accorse che le era tornata la parola, disse che proprio non capiva; disse che, partiti da Oristano, dopo il pranzo in canonica invitati dal vescovo in persona, si era appisolata sul sedile posteriore e che a un certo punto senza sapere esattamente come si era trovata da sola, al buio, in piena campagna.

Cosí, lentamente, con uno stupore progressivo il maresciallo si rese conto che seduta davanti a lui con una coperta sulle spalle, scossa da brividi terribili, c'era Donna Marianna Serra-Pintus la commendatoressa. Ed ebbe il sospetto, anzi la certezza, che qualcosa di terribile fosse accaduto. Perciò via a svegliare il marconista per contattare Nuoro senza indugio, e anche svegliare il medico condotto, buttarlo giú dal letto, perché la commendatoressa venisse immediatamente assistita nel modo piú adeguato.

Lui quel maresciallo sapeva come agire nei confronti dei delinquenti barrosi di quelle parti, ma con una signora cittadina e per giunta altolocata non sapeva davvero cosa fare. Cosí arrivarono medico condotto e anche levatrice, e persino il parroco.

Marianna venne trasferita in un luogo piú confortevole. In attesa di disposizioni da Nuoro il maresciallo, coadiuvato dai maggiorenti del paese, tentò qualche domanda.

– Che cosa ricorda esattamente?

– Poco. Prima dormivo, poi non so, si viaggiava…

– Da quanto tempo, cerchi di ricordare.

Marianna scosse la testa.

– Ma in macchina con lei chi c'era esattamente?

– Io ho sognato di poter fare cose che non so fare…

Questa risposta costrinse il maresciallo a guardare il medico che fece un accenno come per dire: La signora ha perso la miglior giornata dell'anno.

Sospetto suffragato dallo sguardo assolutamente impassibile della donna.

Altra cosa che si fece subito fu comunicare con Cagliari, con la segreteria del fascio: come, non lo sapevano? Non leggevano le ordinanze? Il commendatore Serra-Pintus era in viaggio con la famiglia per raggiungere Ozieri che è, a decorrere da oggi, sua sede podestarile.

Il maresciallo strizzò gli occhi e, solo dentro di sé, perché era padre e timorato, immaginò quale bestemmia fosse piú adatta per la situazione. Quindi ritornò dalla signora commendatoressa e con tutte le cautele del caso fece una domanda: – Suo marito e sua figlia viaggiavano con lei?

Lo chiese proprio cosí come se facesse una domanda qualunque, col tono di uno che già a partire dalla domanda vuol smorzare la possibile risposta. C'era una psicologia sottile quanto involontaria in quell'approccio. Marianna infatti sembrò per la prima volta capire bene quanto le si stava chiedendo. Infatti con un movimento impercettibile del volto parve ripetersi ogni parola che era stata pronunciata dal tutore dell'ordine.

Cosí si ricordò della bambina. E ricordò che era sua figlia e che dormiva sul sedile posteriore con la testina appoggiata alle sue gambe. Ed ebbe uno scatto in avanti. E il volto le divenne un foglio accartocciato. E la bocca si spalancò, senza riuscire a emettere nessun suono.

Quando si svegliò nel letto d'ospedale suo padre era in piedi davanti a lei.

C'era stato un incidente le dissero, un incidente terribile, la macchina era uscita fuori strada, non ricordava?

Non ricordava, se non di essersi trovata chissà dove al buio senza una scarpa, con gli abiti stracciati e le gambe ferite...

Il rapporto delle forze dell'ordine riporta: «Incidente stradale, tre vittime: il Commendatore Serra-Pintus, la bambina Serra-Pintus-Chironi Mercede, l'autista Senette Giuseppangelo. Unica superstite: Chironi Marianna, coniugata Serra-Pintus, ricoverata al Nuovo Dispensario Medico di Nuoro in stato confusionale».

Comunque la gente diceva altro, e cioè, nell'ordine: che la macchina non fosse uscita fuori strada per un incidente, ma per evitare uno sbarramento di massi e tronchi appositamente congegnato per ostruire la carreggiata; che tale ostruzione significava che la vettura, e i suoi passeggeri, fossero attesi da malviventi; che anziché fermarsi in seguito all'ostruzione la vettura avesse tentato un'improvvisa retromarcia; che nello svolgersi di tale manovra sempre la suddetta vettura fosse precipitata in una cunetta laterale; che i passeggeri, magari storditi, fossero stati tutti vivi al momento dell'uscita di strada; che fossero stati raggiunti da uomini a cavallo i quali avessero intimato loro di uscire dall'abitacolo per procedere sicuramente al sequestro del podestà in persona; che l'autista avesse risposto all'intimazione sparando col suo revolver contro i malviventi; che essi avessero risposto con una scarica di pallettoni sulla fiancata della macchina; che proprio a seguito di quella scarica non solo l'autista avesse perso la vita, ma anche la bambina che dormiva sul sedile posteriore, la quale non aveva fatto in tempo a rendersi conto dell'accaduto; che il Serra-Pintus avesse, a quel punto, apostrofato uno dei malviventi dicendogli di averlo senza dubbio riconosciuto; che questi l'avesse raggiunto mentre tentava di scappare e freddato con una fucilata in faccia senza nemmeno scendere da cavallo; che infine la commendatoressa svenuta all'interno della macchina fosse stata ritenuta morta e per questo risparmiata dall'eccidio.

Facile facile la prima versione, quella ufficiale, ma ancora piú facile la seconda, quella ufficiosa. Permessa la prima, assolutamente vietata la seconda. Coerente col piano di pacificazione nazionale la prima, disfattista la seconda.

E questo è quanto.

Al Duce in piazza, dopo l'ennesima proclamazione di ferrea volontà di vittoria, «Vincere e Vinceremo», non resta che accennare alla tragedia che ha colpito la ferace capitale barbaricina, con la perdita del commendator Serra-Pintus, fascista della primissima ora, e della sua figlioletta, virgulto reciso anzitempo – per disegno di chi tutto vede e tutto sa – a cui va il conforto dell'Italia fascista tutta, e del Duce in persona nella figura di sé medesimo!

Ma Mercede non era lí a sentirlo, né a commuoversi per l'onore di entrare nei discorsi di Sua Eccellenza il Primo Ministro.

Quella mattina infatti la vicina la vide dal balcone mentre innaffiava le piante in camicia da notte, scalza e con i capelli sciolti.

La coincidenza risultò immediata: la figlia corre un serio pericolo di vita, la nipote è morta, il genero influente anche, e lei cede. Senza nemmeno la necessità di conoscere i particolari o le versioni contrastanti della vicenda. Mercede, semplicemente, si arrende.

La riportano a casa che sembra tornata in sé. Vuoi vedere che davvero è diventata sonnambula? dicono. Michele Angelo non sa che rispondere, e anche se crede di non sapere cosa fare tuttavia capisce che deve fare la cosa giusta. Lui non ha illusioni e non perdona, ormai ha capito che il corso degli eventi, per chi lo voglia considerare con lucidità, senza troppe illusioni, appare chiaro fin da subito. Lui lo sa, lo capisce bene quando un lavoro nasce male, certo ci si può ostinare, battere di piú, scaldare di piú, ma quando non va non va. Se ci hanno assegnato dei limiti, bisogna assolutamente farci i conti. E il limite, l'errore di fabbricazione, la maledizione, per quanto lo riguardava era di sopravvivere ai suoi cari.

Improvviso lo scosse quel ricordo lamentoso che sembrava definitivamente spento: è notte, fa freddo, si sente un lamento lunghissimo, quasi un muggito sostenuto.

Quando lei morirà, pensò... Poi ricacciò quel pensiero. Quando lei morirà... e il lamento si fece terribile.

Buio, freddo, lamento.

Quando lei morirà, io sopravviverò. Questo gli fu chiaro e questo si disse. Anche se tentassi di uccidermi sopravvivrei. Lo sapeva bene. Era pronto. Quale fosse il punto era diventato palese, e il punto era che non contava piú il fatto che tutti morissero, ma che lui vivesse. E quel postulato era stato espresso già da quando in cima alla scala, in chiesa, aveva guardato verso il basso dove stava seduta Mercede.

Tranne che per questo stupido particolare le cose non erano andate male, ma ciò non significava granché: sapeva bene che all'infelicità basta affacciarsi un attimo per vanificare anni di felicità.

Questo Michele Angelo lo capisce adesso, davanti allo sguardo incredulo della moglie, che ancora non si capacita di essere uscita in cortile «mezza nuda».

Fu uno spavento, ma anche, a parere di tutti coloro che la visitarono, un episodio isolato, dovuto allo shock per la morte della nipotina adorata. Sta di fatto che Mercede parve rimettersi in fretta, mentre Marianna faticava.

Fisicamente stava bene, ma era come assalita da una stanchezza perenne, come una forma di abulia senza dolore.

In ogni caso la reazione di Marianna appariva piú accettabile di quella di Mercede, perché c'era qualcosa che non tornava nella normalità della moglie del fabbro, qualcosa che metteva a disagio. Certo non andava piú in giro semisvestita, ma sembrava reagire a tutto in modo innaturale, come qualcuno che sa di non essere in armonia, ma che finge noncuranza. Della nipotina morta non ne parlava. Andava in chiesa con un'assiduità insolita. Era sempre stata credente e praticante, ma da qualche tempo la frequentazione era diventata eccessiva: messa mattutina e vespertina sempre, tutti i giorni.

Quanto a Marianna aveva dovuto occuparsi di affrontare la sua rinnovata solitudine. Senza che nemmeno ci fosse bisogno di stabilirlo ritornò alla sua casa e alla sua camera di signorina, perché il padre potesse lavorare senza l'assillo che la madre restasse incustodita, nonostante la teracca. Marianna alla tragedia aveva risposto praticamente come se la questione piú importante fosse di giocare ad armi pari contro la malasorte.

Aveva trentacinque anni ed era una vedova ricca, ma non sapeva che farsene dei soldi.

Lei e il padre maturarono un'intesa silenziosa, cosí quando Mercede annunciò che sarebbe andata a Orgosolo alla messa in suffragio della povera Antonia Mesina a un anno dalla morte, Michele Angelo prima di accennare col capo cercò con lo sguardo lo sguardo della figlia.

Tornata dalla cerimonia Mercede pare distesa, tranquilla come ai vecchi tempi, quando nel suo volto si leggeva una specie di serafica compiutezza.

Sí, è tranquilla. Si mette a lavorare appena entrata in cucina, il tempo di posare lo scialle, di sistemare sulla testa i corni del fazzoletto e di lavarsi le mani. Svelta svelta versa la semola sul piano di marmo del tavolo, poi fa il pozzetto, aggiunge l'acqua e il sale e prende a impastare.

La lavorazione dura a lungo, finché l'impasto non diventa talmente elastico da poter essere tessuto. Mercede canta, mentre tende i filamenti, e sussurra le formule rituali:

> Non farti notare,
> non temere l'abisso,
> dona senza tornaconto,
> parla sinceramente,
> non essere ingiusto,
> fai le cose con dedizione,
> sii docile nelle avversità, indocile alle avversità.

Il tempo perché la pasta si secchi serve per mettere la carne di pecora, che deve cuocere lenta con gli aromi, a lessare. Il formaggio fresco si aggiunge quasi alla fine prima di inserirvi la pasta.

Entrando in cucina quella sera Michele Angelo sente l'odore del brodo di pecora e formaggio fresco che ancora sobbolle sulla fiamma.

La pasta è pronta da buttare.

Mercede non c'è.

Michele Angelo pensa che sia andata di nuovo in chiesa, chiede a Marianna, ma lei, occupata tutto il giorno a svuotare l'altra casa risponde che non si è nemmeno accorta che fosse tornata da Orgosolo, la teracca quel giorno a casa Chironi non c'è nemmeno andata.

Quando si fece buio denunciarono la scomparsa.

Dopo tre giorni capirono che era del tutto inutile continuare a cercarla perché Mercede era andata dove non voleva essere trovata. Al marito fece l'ultimo regalo: quello di non avere una tomba e di obbligarlo a ricredersi rispetto alla sua certezza che tutti dovessero morire prima di lui, perché che Mercede fosse morta si poteva ipotizzare ma non certo provare.

Cosí una mattina di buon'ora Michele Angelo va in officina e avverte i lavoranti che da quel momento in poi si porteranno avanti solo i lavori già iniziati, che non prenderanno ulteriori comande perché entro l'autunno si chiude tutto.

Poi se ne torna a casa. Marianna armeggia in cucina come se avesse una famiglia da accudire e invece non c'è nessuno. Lei lo sente rientrare e fa un movimento del capo per salutarlo senza nemmeno voltarsi, esattamente come avrebbe fatto Mercede.

– Ho chiuso tutto, basta cosí, – annuncia. Marianna continua a fare quello che sta facendo senza dargli retta. – Non ci credi? – incalza lui.

Marianna si asciuga le mani: – Eh.

– Anche io avrò diritto di riposarmi... Non ho lavorato abbastanza nella vita?

– Abbastanza, – constata la figlia. Lo vede impallidire progressivamente. – Che succede? – chiede cominciando a preoccuparsi.

Michele Angelo scuote la testa e pensa: Ci siamo. Anche se aveva sempre creduto che la sua morte sarebbe arrivata per vie traverse e non in modo cosí arrogante, in modo tanto vigliacco. Cosí: lui che chiude la sua officina, manda tutti a casa, spranga la porta, poi si mette a sedere in cucina dove la figlia vedova sta lavorando, sente che la testa gli diventa leggera, come se stesse spiccando il volo direttamente dal collo, sente che la vista gli viene meno e che tutto il corpo è trascinato in una caduta scivolosa, come un oggetto senza attrito. Sente le tempie che gli pulsano sempre piú forte, sempre piú forte...

Marianna gli corre incontro con un bicchiere d'acqua, poi lo afferra per il capo come si fa con chi si vuol costringere a bere.

Michele Angelo nell'ovatta che circonda il suo udito sente che lei sta dicendo qualcosa, ma non sa cosa.

– Non spaventatemi, non spaventatemi, bevete! – sta dicendo lei. – Che cosa succede? – sta chiedendo.

Ma che risposta si può dare a quella domanda: Sto morendo figlia, semplicemente. Sto morendo. E andrebbe anche bene, se non fosse per il fatto che mi aspettavo una morte piú graduale, piú rispettosa. Ma già al solo pensare questa cosa gli sembra di ritornare in sé e la sua testa che all'improvviso pareva prendere il volo ecco che ritorna a piantarsi esattamente dove deve stare e l'udito a tornargli forte e chiaro e la vista limpida, per quanto può essere limpida la vista di un uomo anziano.

Comunque come era arrivata, quell'avvisaglia di morte ora se ne è andata. Quasi fosse solamente una prova generale, un scherzo di cattivo gusto.

Marianna percepisce che il padre sta tornando in sé, ma non per questo smette di preoccuparsi.

– Sto bene, sto bene, – dice lui scrollandosela di torno.

Marianna fa un passo indietro come farebbe un pittore per vedere l'opera nel suo insieme e vede con chiarezza che effettivamente il colorito è tornato sulle guance del padre. – Bisogna farsi vedere dal dottore, – dice dopo essersi ricomposta.

– Che dottore, – fa il padre, ma badando di non sembrare troppo brusco, in fondo capisce che la figlia possa essersi spaventata. – Guarda che sto bene, davvero, chissà che cosa mi è successo, comunque ora è passato, – la rassicura.

Ma lei: – È proprio per capire che cosa vi è successo che bisogna sentire Dottor Romagna. Se risuccede?

– Figlia di tua madre, – sbotta lui col tono di uno che fa un rimprovero pur sapendo che sta facendo un complimento.

– Certo, – conferma lei. – Ma il dottore si chiama lo stesso –. E senza aspettare risposta si scioglie i lacci del grembiule, afferra il soprabito sull'attaccapanni ed esce.

Ora, come ha fatto quella strada che da casa Chironi porta a casa del dottore lo sa solo lei. Ha una fretta in corpo che non è tanto di sapere che cosa veramente è capitato a suo padre, quanto di accettare quell'ennesima dichiarazione di guerra. Si dirige verso un punto che appare sicuro, ma che sicuro non è. O meglio adesso ha un indirizzo, un obiettivo, un'apparenza di senso. Sta andando esattamente in un posto, che è preciso, è quello senza alcun dubbio. Cosí scaccia tutto il resto e accele-

ra per arrivare davanti al portoncino imbiancato della casa moderna di Dottor Romagna. È un percorso tutto sommato breve,
dritto, semplice, se non fosse che a Marianna adesso sembra di
camminare in un posto estraneo. Quel paesaggio le si presenta
trasformato dall'urgenza, come quella volta che stordita, mal-
ridotta, senza una scarpa, al buio si era trovata in mezzo alla
campagna. E prima ancora, quando l'auto mobile correva sulla
provinciale verso Nuoro.

Quel ricordo era in agguato, pronto a colpire come un sicario.
A Marianna parve di sentire il rumore stridente dei pneumatici
che grattavano la strada malamente asfaltata. Quel che ricorda
è che c'era un curvone. Ma non subito, prima un lunghissimo
rettilineo. Biagio seduto affianco al guidatore le parlava senza
guardarla. E parlava di Gavino che era meglio molto meglio che
fosse partito, che nessuno l'aveva ostacolato quando aveva deciso di lasciare l'Italia. Aveva la sicurezza di chi sa quel che dice,
perché voleva far intendere che erano tempi in cui qualunque
cosa, volendosi accanire, sarebbe potuta essere ostacolata. La
piccola Dina le dormiva addosso, lei la sistemò lungo il sedile
posteriore con la testina che poggiava sulla sua coscia sinistra.
Marianna ricorda il suo pensiero mentre il marito diceva quelle
cose: Lasciare l'Italia, pensò, vuol dire andare talmente lontano
da vanificare qualunque tentativo di aggiustamento. A questo
pensò, e si sentí tristemente impotente. Poi fece caso al tono
sbrigativo, privo di affetto del marito commendatore e ora podestà. Sono cose che contano, pensò, sono sfumature decisive.
Cosí continuando a controllare che Dina dormisse tranquilla
disse che Gavino aveva fatto esattamente quello che sentiva di
fare. Lui insinuò cose che lei aveva capito benissimo a proposito della questione che quel fratello, quel campione, non si era
compromesso solo politicamente, e calcava su quel «solo» come
per dire: Sono un gentiluomo e non aggiungo altro, tu lasciati
servire, non farmi parlare che è meglio. All'autista scappò un

sorrisino dagli angoli della bocca. Marianna non poté vederlo, ma lo sentí.

Farà quello che vuole fare, è padrone della sua vita, ribadí lei. È un uomo adulto.

Biagio scosse la testa. Questo è sempre stato il problema della vostra famiglia, commentò con un certo finto dolore.

Il problema? Quale problema? incalzò lei.

Quello di non avere una regola. Senza una regola non c'è senso del dovere e senza senso del dovere non c'è spirito di sacrificio.

Marianna approvò: Sí, sí, disse. È proprio cosí, del resto è il senso del dovere che ti ha portato dove sei.

Sembrava la risposta giusta, perfetta se data da una moglie devota. Cosí finse di averla percepita Biagio, che tuttavia covava il dubbio che quella volpe della moglie l'avesse messo nel sacco.

Ecco, proprio mentre faceva questo pensiero l'auto mobile intraprese la curva cieca un po' in salita. Forse fu il colpo d'acceleratore necessario per affrontarla che contribuí a far sembrare quella manovra un po' brusca. Le gomme stridettero sul fondo stradale che era quasi ghiaioso. Dina sobbalzò per un attimo, ma continuò a dormire; Marianna fu costretta a sorreggersi per non piegarsi contro la figlia. Superata la curva la strada tornava rettilinea, ma ancora leggermente in salita, bordata da due filari di grossi platani. Di nuovo in piano, girava verso destra. Alla fine della curva videro lo sbarramento. O meglio lo vide l'autista e, con tutto il rispetto, imprecò. Quando Biagio si rese conto si voltò verso la moglie. E quello sguardo carico di terrore, ma anche pietà, disse tante cose taciute per anni.

Si trattava di frasche e sassi, niente che la natura avrebbe potuto disporre lí senza l'intervento di qualcuno intenzionato a metterceli.

L'autista ingranò la retromarcia senza indugiare: ne scaturí un suono atroce come di lamiera sfregata sulla roccia… La macchina corse all'indietro quasi fosse risucchiata da un'enorme calamita. Quel movimento innaturale fece svegliare Dina. La bambina tentò di mettersi seduta, ma Biagio con un gesto del braccio la costrinse a star giú. Marianna guardò il marito, ebbe il tempo di pensare a come cambia il volto di un uomo quando la genetica lo mette di fronte ai suoi istinti primari. Ora Biagio sembrava scomparso, fagocitato dalla necessità di mettere al sicuro la bambina. Oh, Marianna era incosciente, non capí nemmeno che quel segnale avrebbe dovuto spaventarla e invece sentí caldo, e si convinse che non aveva sbagliato, che avrebbe potuto anche amare quell'uomo che si era voltato per proteggere sua figlia. Ma fu un attimo perché, consumato il piccolo rettilineo in retromarcia, l'autista perse il controllo del mezzo tentando di affrontare la curva. Seguí un precipitare brevissimo, poi l'auto mobile si stabilizzò col muso verso l'alto e il treno posteriore incastrato in un fossato.

Gli uomini a cavallo, dal ciglio della strada, sovrastavano immensamente le persone dentro l'abitacolo.

Erano quattro, bendati e armati di fucile. Intimarono che uscissero con una voce secca come se dovessero ordinare a una mandria di cambiare direzione.

State giú! ordinò Biagio alla moglie e alla figlia senza voltarsi e senza muovere la bocca. L'autista pietrificato aspettava ordini.

Stiamo scendendo, cosa volete da noi? urlò il podestà per farsi sentire dai cavalieri bendati.

Loro risposero che quello che volevano non era cosa che interessasse al commendatore, e che intanto scendessero dalla macchina disarmati.

Dina prese a piangere con la faccia affondata nel petto della madre.

Non è nulla, le disse, ma senza la convinzione che una madre dovrebbe avere in questi casi; sicché la bambina per un istante capí che erano perse, e capí che era necessario crescere di colpo se voleva tentare di consumare una parvenza di vita.

Intanto fuori i maschi a cavallo facevano la voce grossa.

Che cosa vi abbiamo fatto?

Scendete! Dài!

Soldi non ce ne sono!

E allora, dài, fuori!

Poco prima di scendere Biagio guardò la moglie come non l'aveva guardata mai, segno che anche le cose terribili, nel profondo, nel turbine degli avvenimenti, assumono un significato. In quello sguardo si manifestò un senso che quell'unione non aveva mai palesato. Era gratitudine, forse. Come se Biagio, spogliato dall'involucro, si fosse offerto per la prima volta nudo a sua moglie. A lei parve improvvisamente bello. E la stessa cosa dovette capitare a lui perché in quel frammento infinitesimale di tempo riuscirono ad accennare appena un sorriso reciproco, l'unico che si fossero mai fatti.

Fuori dalla macchina Biagio ritornò Biagio, piú incosciente che coraggioso. Forte delle insegne che portava. Il treno posteriore dell'auto mobile immerso nel fossato non lasciava intravedere altri passeggeri.

Biagio cominciò a trattare come si fa al mercato del bestiame, un po' alludendo, un po' accondiscendendo, ma anche un po' minacciando.

Quello che sembrava il capo dei banditi lo ascoltava sorpreso e anche ammirato: era uomo di mondo e maschio di campagna, lui sapeva riconoscere un uomo con le palle se lo incontrava e non era detto che un poco, prima di trucidarlo, non lo ammirasse.

L'autista, anche lui fuori dal veicolo, se ne stava in disparte senza mai intervenire, nemmeno con un fiato, alla trattativa in corso. Del resto di trattativa non è che se ne potesse parlare: gli uomini a cavallo dettavano condizioni e quelli in piedi dovevano eseguire. Sapevano solo che sarebbero morti o, nel migliore dei casi, sarebbero stati condotti alla macchia per la richiesta di un riscatto.

Dina in macchina cominciò ad agitarsi, nonostante Marianna facesse di tutto per tenerla ferma la bambina sussultava a ogni respiro dei cavalli.

Qualcuno sentí dei rumori all'interno dell'abitacolo.

Chi c'è? Venite fuori! intimò.

Una donna e una bambina, specificò Biagio. Anche con le donne e le bambine ve la prendete ora?

Sono tempi brutti, disse il capo a cavallo con una nota di scherno che non lasciava scampo.

Venite fuori, ripeté un altro. Ajò che cosa stiamo aspettando? chiese.

Marianna non sapeva che fare. Sembravano passati giorni da quando la macchina si era conficcata nel fossato e invece erano istanti. Si aspettava un cenno dal marito che pure non arrivò.

Una donna e una bambina, ribadí Biagio. Delinquenti, sibilò.

L'altro a cavallo lo prese come un complimento: Questione di punti di vista, disse. A noi pare proprio che i delinquenti siate voi. Non è per questo che ci troviamo in questa situazione?

Nel tempo esatto in cui Marianna decise di intraprendere la manovra che le serviva per uscire dall'auto mobile attraverso gli sportelli anteriori, uno dei quattro fece per scendere da cavallo.

L'autista, solo allora, tirò fuori un'arma luccicante direttamente dal buio pesto e fece fuoco. Dalla bocca della pistola venne fuori una fiamma densa come un piccolo spruzzo incandescente. L'uomo precipitò mentre finiva la discesa da cavallo, restò a terra morto col piede ancora inserito nella staffa; nella caduta il suo fucile sparò da solo, come se le armi sapessero parlare tra loro: il revolver aveva fatto una domanda, il fucile aveva risposto. Da dentro la macchina le donne sentirono il corpo pesante dell'autista che stramazzava contro la fiancata. Poi sentirono il piombo che arroventava la lamiera. Si vide qualche scia luminosa che quelle traiettorie avevano determinato nel buio del sedile del passeggero. Dina fece come un singhiozzo, qualcosa che solo Marianna fu in grado di percepire. La chiamò, la bambina non rispondeva. Intanto fuori Biagio gridava. Altri due scesero da cavallo per capire cosa fosse successo all'interno dell'abitacolo. Videro la bambina morta. Videro la donna annichilita, quasi euforica nella posizione ridicola di chi tenti una dignità che le circostanze hanno definitivamente compromesso. Biagio si voltò e guardò la moglie per un attimo talmente breve che non fece nemmeno in tempo a capire se fosse viva o no. Ma aveva capito con uno strappo che qualcosa di terribile era seguito alla fucilata che aveva crivellato la fiancata dell'auto mobile. Senza pensare disse quello che aveva in corpo.

Io ti conosco a te. Io ti conosco a te, delinquente! Maledetto tu e la tua famiglia! Che tu e la tua genìa finiate a mangiare nelle pattumiere della mensa dei poveri! Maledetto Vindice Deiana!

A sentire il suo nome il capo a cavallo fece un movimento di reni che costrinse l'animale a scartare.

Eja, confermò. Proprio io, disse. E sparò.

La pioggia di piombini lo colpí in piena faccia. Lo sguardo di Biagio fu condotto verso l'alto come quando si riceve un pugno al mento. Vide quel cielo maledettissimo che sempre accompagna chi non ha tempo per pensare alla bellezza, soprattutto a quella che ha trascurato. Cosí fece appena in tempo a notare la luminosità atrocissima di quel firmamento che sorprendentemente si teneva sospeso sopra tutti, anche sopra quella scheggia di mondo tormentato.

Silenzio.

Ora tutti e tre i banditi erano scesi da cavallo. Come speleologi puntarono una torcia verso l'interno della macchina. Marianna era lí, immobile. Dina era lí. Silenzio.

Quando capí che quegli uomini la stavano guardando: Uccidetemi, implorò.

Ma quelli: È troppo anche ucciderti.

E risalirono a cavallo.

Dentro al buio che seguí, Marianna comprese che in qualche modo tutto stava tornando all'origine. Dentro alla campagna, col freddo che cominciava a farsi sentire, con una scarpa sí e una no, sporca di sangue, fu incoraggiata a sopravvivere dalla precisa coscienza della sua mancanza di senso. Perché dentro a quell'oscurità immobile tutto il resto le parve avere avuto un significato tranne la sua esistenza: lo sguardo di Biagio, la veloce parabola della vita di Dina. Tutto sembrava quasi spiegabile. Solo lei, Marianna Chironi, solo lei non aveva avuto senso. E allora non aveva alcuna importanza dare corso al suo primo istinto, che era stato quello di togliersi la vita. Cosa si può togliere a chi non ha niente? Troppo facile, si disse, troppo facile Marianna Chironi: prima di rinunciare a qualcosa sarà meglio che tu possieda qualcosa. Ma a lei balenò precisissima la certezza di non avere assolutamente niente.

A Cagliari era stata una padrona assente, un corpo estraneo

in un ambiente ostile. Certo aveva cambiato se stessa, si era messa in discussione, aveva cercato di adattarsi alle circostanze, ma restava il niente che era. A Nuoro faceva la signora ed è probabile che lo fosse di fatto, ma era una parte in commedia. Magari era proprio questo il senso di quanto le era successo: capire che in ogni disegno c'è un altro disegno, e poi un altro ancora, e ancora...

Fu a quel punto che nel buio profondo vide una luce.

Quando percepí il bestiame chiuso nel recinto, ebbe un moto passeggero di inconsistente felicità. Poi cominciò a gridare e qualche pecora gridò con lei, finché da una costruzione primitiva, quasi incistata nella roccia, uscí un uomo anziano, piccoletto, compatto, con un pastrano enorme posato sulle spalle: Itte b'at? chiese.

– Itte b'at? – la teracca di Dottor Romagna ha un'aria spiccia. A lei proprio non piace che si disturbi il dottore quando sta pranzando, perciò a chiunque bussi a quell'ora fa sguardi di riprovazione affacciandosi dalla finestra che dà sul vicolo.

– Scusate c'abbiamo un'urgenza, – grida dal basso senza gridare Marianna.

– A quest'ora? – replica la teracca. – Su Duttore sta mangiando.

Dottor Romagna si materializza col tovagliolo al collo dietro alla sua domestica. – Gesuina fai entrare, – ordina senza ordinare. – Marianna sali, sali.

Però una volta salita non sa cosa dire, non sa nemmeno esattamente come raccontare. Michele Angelo certo ha avuto un malore, ma di che tipo non saprebbe dire. Il dottore continua a mangiare facendo domande che gli permettano di capire meglio, di farsi un'idea, ma lei non sa rispondere. La teracca la guarda come si guardano gli inopportuni di sempre che pensano che il medico sia un mago, uno che capisce anche quello che non gli si dice.

– L'hai messo a letto? – chiede il medico a un certo punto.

– No che letto, babbo a letto? No, no... ora sta meglio, sta bene dice, ma io su Duttò voglio stare tranquilla.

– Appunto, – bofonchia la domestica, – stare tranquilla disturbando gli altri.

– Vengo dopo, – la rassicura Dottor Romagna guardando male la sua domestica. Quest'ultima, lungi dall'essere intimorita, trattiene lo sguardo sullo sguardo del suo padrone. – Comanda lei, – commenta il dottore.

Dalla visita sommaria si capí che era stato un calo di pressione e che Michele Angelo per il momento non sarebbe morto.

Il dottore fu chiaro: – Sei forte come un toro, perché non torni a lavorare? Tenerti occupato ti farà bene.

Ma Michele Angelo fu categorico: – No, disse, non c'è nessun motivo per ritornare in officina.

– Siete in torto, – intervenne Marianna, – chissà quanti buoni giovani potete togliere dalla strada facendoli lavorare per voi...

– Lasciatela dire! – sbottò Michele Angelo rivolto al medico.

– Ha ragione invece, questa è l'unica medicina che ti posso consigliare, Chirò.

Michele Angelo sembrava di quelli che non ascoltavano e invece alla fine ascoltò. Cosí una mattina di buon'ora Marianna lo trovò in cucina vestito di tutto punto, perfettamente sbarbato che quasi sembrava un giovanotto.

– Ho pensato una cosa, – disse. Marianna aspettò che proseguisse. – Sono tempi troppo brutti con tutta questa povera gente che non ha piú nulla. Vado a restituire quanto mi è stato dato... Ancora esiste l'orfanotrofio di Cuglieri?

Marianna allargò le braccia: – E che bisogno c'è di andare fino a Cuglieri? Orfani non ne mancano neppure qui. Fate colazione prima.

– Sí.

Eppure la ricerca dell'orfano si rivelò infruttuosa. Michele Angelo cercava uno sguardo che non trovò e Marianna capí che costringerlo a decidere era del tutto inutile.

Ben presto smisero di cercare.

A cinque anni esatti dalla scomparsa di Mercede, arrivarono notizie di Gavino.

Ogni mercoledí mattina, dopo aver sistemato il padre e averlo costretto ad andarsene a fare passi, Marianna spalancava le stanze e scopriva i letti. Tutti, anche quelli che non venivano usati. Questa abitudine faceva storcere il muso alla teracca che fra sé e sé diceva: Vedi i signori, quando non hanno il lavoro se lo procurano.

Il cambio delle lenzuola era una liturgia complessa che cominciava sempre con l'aerazione, quindi si procedeva con lo scoprire i letti che appunto dovevano prendere aria, infine si cambiavano le lenzuola, anche quelle immacolate. Niente di nuovo dunque se non che, quel particolare mercoledí mattina, da un baule spuntò una federa mai usata. La teracca la guardò con aria critica: la biancheria di casa Chironi era sempre stata perfetta e piú di una volta la donna aveva pensato di chiedere alla padrona almeno un asciugamani in prestito per poterne copiare il ricamo. Quella federa portava un ricamo incomprensibile, un pesce forse, forse solo un grappolo d'uva malriuscito.

La teracca raggiunse Marianna nella stanza dei fratelli mentre rifaceva i letti con lenzuola fresche tesissime che nessuno avrebbe mai usato, e le fece notare quella federa spaiata e incredibilmente malriuscita. – Che faccio? – chiese. – La metto via? – Marianna fece segno che no, e pensò che se dal fondo del baule quella federa dimenticata aveva conquistato la luce, qualcosa senza alcun dubbio voleva dire. – Mettila nel mio letto, – decise a un certo punto. La teracca diede un'altra occhiata a quello strano ricamo che voleva essere un grappolo d'uva e invece sembrava un pesce e senza replicare si avviò verso la camera da letto della padrona.

Quella notte Marianna sognò la battaglia dei tritoni...

– Che hai da agitarti nel sonno Marià? – le disse Michele Angelo agitandola a sua volta.

– Una battaglia immensa, – sussurrò lei, tenendo gli occhi chiusi, – facevano ribollire l'acqua come un banco di pesci che vengono tirati in superficie, *oh colpi senza pietà...* Erano uomini, erano pesci... si cavavano gli occhi, si pestavano le carni, si scansavano l'un l'altro per ritardare l'istante in cui l'aria li avrebbe soffocati... Poi le pecore ammassate nel recinto cominciarono un lamento unisono...

– Quali pecore? – chiese il padre. – Di quali pecore stai parlando?

Ma era inutile, Marianna dormiva profondamente.

– La notte del diavolo, – disse Michele Angelo, e se ne tornò nella sua camera per riprendere a dormire.

La mattina dopo il cielo era di ferro e suonava come il maglio sull'incudine, poi un anticipo di vento, poi un belato lontano...

Ecco, la mattina dopo Marianna ricevette il telegramma.

Ora che aveva smesso di lavorare, a Michele Angelo non restava che ascoltare il silenzio intorno a sé. Certo era rassegnato a invecchiare, non aveva chiesto niente e non si aspettava niente.

L'officina chiusa sembrava un triste luogo di fantasmi, qualche volta risentivano stridori nella postazione in cui aveva lavorato Gavino. Ma era solo un sorighittu che approfittava dell'assenza del gatto per ballarsela. Via, che si polverizzi tutto, si diceva Michele Angelo cercando di quantificare il tempo che gli restava da sprecare. E questa era la sua vendetta contro se stesso, rinunciare a quanto nella sua vita era sempre andato bene: Gai imparas, diceva a chi, dovunque fosse, aveva deciso questa incoerente distribuzione dei pesi. A loro ormai, ai Quiròn, che cosa poteva succedere? Niente di niente: Marianna aveva superato l'età del concepimento, e lui, si diceva, era troppo vecchio. Anche se, come il patriarca Abramo, se avesse ricevuto la chiamata e una concubina giovane non si sarebbe certo tirato indietro. La sua salute era parte della maledizione, era cioè il sintomo principale di quella minaccia di sopravvivenza che sentiva su di sé; aveva settant'anni, ma se solo avesse voluto avrebbe potuto lavorare come quando era un ragazzino.

L'officina chiusa gli ricordava che, per una volta, aveva scelto lui. Certo le giornate erano lunghissime e silenziose. Oltre il cortile risuonava un'altra guerra, ma neanche questo pareva importante.

A Marianna era rimasto il vezzo di comprare riviste femminili, cose da signore, con attori del cinematografo e modelli di vestiti.

Qualche volta, nelle sere lunghissime dell'autunno, lei leggeva a voce alta e commentava che visto da lí il mondo sembrava innocuo, mentre visto al mercato, dove la gente si accapigliava per un pezzo di carne o per il pane, quel mondo pareva assai piú sofferente.

A loro non mancava nulla, e quello che mancava potevano comprarlo dai pastori locali o da tutti quelli che arrivavano per fare il mercato nero.

Quando, ufficialmente, scoppiò la Seconda guerra mondiale, sfiorò casa Chironi come se fosse una malattia a cui era abbondantemente vaccinata. Certo i ragazzi continuavano a partire, a vedere un mondo rovesciato, ad abbandonare pezzi di sé e anche la vita in luoghi mai sentiti prima.

In seguito ai primi bombardamenti di Cagliari, poi, cominciarono ad arrivare gli sfollati.

A giugno inoltrato un fragore di motori fece sobbalzare i cagliaritani: erano velivoli francesi che sganciarono una pioggia di bombe sul porto.

Ma queste erano notizie che ancora, nel silenzio totale dell'avamposto di Barbagia, si dovevano sussurrare. Dall'apparecchio radiofonico risultava un'altra realtà: che eravamo vincitori, che il nemico arretrava, che il suolo patrio irrorato dal sangue degli eroi mostrava il volto irriducibile del virile soldato italico.

Era una guerra terribile, dicevano. Gli sfollati cominciarono a raccontare di esplosioni che trasformavano le notti in pieno giorno e costringevano i poveri cristiani a rifugiarsi sotto terra come sorci. E dicevano che oltremare era ancora peggio, perché la guerra esplode dove ci sono soldi e ricchezze...

«Fortunatamente siamo abbastanza poveri perché la guerra arrivi da queste parti, ma non abbastanza ricchi per evitare di essere arruolati in massa», commentava Michele Angelo. E Marianna gli intimava di tacere perché erano tempi in cui tutti erano contro tutti. Tempi in cui bastava un niente per finire a Prato Sardo davanti al plotone d'esecuzione.

Erano passeggeri di una nave che galleggiava in mezzo a flutti terribili.

Gli sfollati raccontavano ogni storia a partire dal cielo, come un'*ouverture* che era un trambusto di nubi violacee...

Ad agosto, chiariscono loro, quelle sono terre in cui si vive nudi come selvaggi. C'è caldo in Campidano. Ma non qui, non da voi.

Eh no, qui da noi l'agosto è come il sapore del vinaccio casalingo denso e aspro, promettente, ma non piú appagante.

Proprio ad agosto, poi! Nella casa dei Chironi si piangono i morti e si prepara la tavolozza dell'infinito inverno.

È in quel mese che il mare suggerisce di abbandonare i pascoli che lambiscono le spiagge e preparare legna in abbondanza. E fortificare gli ovili.

Ad agosto l'inverno è già pensiero che dà brividi lungo la schiena.

Gli sfollati raccontavano del cielo: perché è dal cielo che il mare prende ordini, quando il vento gelido si fa alito ribollente.

Quelli erano tuoni della terra però, non di divinità saettanti, erano obici delle contraeree, siluri sottomarini, e tonnellate lorde di navigli che venivano inghiottite dai flutti.

Da Castello, che non era piú grande del piú piccolo dei navigli, si poteva vedere, al largo, il lampo della cannoniera e il rogo marino, stupore di fiamma galleggiante.

Da lí si potevano sentire i lamenti notturni delle anime naufragate e galleggianti mentre i corpi pesantissimi ingoiavano acqua e acqua ancora.

Per tutto l'anno fu guerra fra cielo e mare, esattamente sulla linea di tutti gli orizzonti possibili.

Pregarono a lungo e a lungo cercarono frutti acerbi nella campagna, poi dovettero arrendersi.

E mettersi in cammino.

Dicevano anche che quella tempesta d'uomini, quel crepitare dell'orizzonte, portasse doni dal mare: casse di viveri, pesci galleggianti, valigie con preziosi... Cappelli da marinaio e, qualche volta, persino rose.

Ma a Nuoro arrivarono solo passaggi di diavoli volanti neri, crociati, che strappavano la tela del cielo.

E racconti.

La casa di via Deffenu, quella che era stata dei Serra-Pintus-Chironi, semivuota ma confortevole, venne messa a disposizione di quelle anime in pena che erano dovute fuggire da Cagliari e dintorni in fiamme ed erano riuscite a raggiungere la Barbagia, che era dato come caposaldo del Nulla e quindi come porto sicuro.

Arrivi sempre nuovi soffiavano sul fuoco. Quella particolare Storia era come una fiammella che dovesse riscaldare troppe mani che le si affastellavano sopra. Era il racconto di un racconto, perché la sorte disgraziata di Cagliari – che, peraltro, molti nuoresi non avevano mai visto – era solo un'immagine pallidissima di quanto stava succedendo altrove.

In ogni caso la notizia del giorno fu che anche sul capoluogo venne lanciata una bomba immensa, caricata con mezza tonnellata di esplosivo, che impattando al suolo aveva polverizzato ogni cosa nel raggio di un chilometro. E, particolare raccapricciante, aveva distrutto il cimitero, scoperchiando le tombe e facendo volare scheletri e pezzi di cadavere dappertutto.

Cose terribili, cose su cui perdere il sonno, se non fosse per il fatto che Marianna c'aveva un altro tarlo: il giorno prima aveva ricevuto un telegramma.

Era stata donna di mondo, commendatoressa, sapeva cose che altri ignoravano. Sapeva, per esempio, che quando ti arriva un telegramma non si ha abbastanza tempo per aspettare che la notizia che stanno per darti arrivi con i tempi della posta ordinaria. Eppure tardava ad aprirlo.

Quella sera in cucina, col padre che la guardava, si mise a stirare. Teneva il ferro sul fuoco e ne controllava le braci all'interno, poi lo puliva con una pezza perché non restassero schegge di carbone attaccate al fondo.

Michele Angelo la guardava in silenzio, sua figlia sapeva inserire la punta incandescente fra le trine delicate senza strapparle, sapeva dare la giusta pressione quando necessaria e, quando necessaria, la giusta leggerezza.

– Che c'è? – chiese all'improvviso alla figlia.

Lei fece di spalle senza smettere di fare quello che stava facendo. – Niente, – disse.

– Niente? – insistette Michele Angelo.

– Una cosa c'è.

Michele Angelo aspettò con pazienza che proseguisse, avevano tutto il tempo del mondo, davanti a loro si spalancava l'eternità.

Lei di tempo se ne prese parecchio. – È una cosa del mese scorso non ci pensavo quasi piú, – mentí. Poi ancora prese tempo. Ma Michele Angelo aveva intenzione di aspettare, quindi aspettò guardandola. – Sí avevo visto un articolo su una rivista, ma non vi avevo detto niente.

Erano ad agosto quasi finito. Erano cioè in quella fetta di tempo che leva il sonno.

– Sí, – ripeté lui. E basta. Lo disse come se dovesse aspettarsi tutto il peggio dalla coda di quel mese maledettissimo.

– Il mese scorso appunto, no, che dico sarà stato Ferragosto, – si corresse. – Meno di un mese… C'era una notizia di una nave affondata, una nave grossa.

– Sí, – ripeté di nuovo Michele Angelo per darle il tempo

di cambiare idea e non dire quello che stava per dire, qualunque cosa fosse.

– C'erano le immagini di persone disperse nel naufragio e a me mi è sembrato di riconoscere...

– Riconoscere chi? – il tono di Michele Angelo fu cosí aggressivo che fece indietreggiare Marianna. – Che dici? Ma perché non lasci tutto come sta?

– Niente, niente, – si schermí Marianna. – Sono proprio una stupida, non so perché ve ne parlo. Quell'articolo mi ha impressionato e mi sono lasciata trasportare. Ho fatto un sogno strano...

Michele Angelo si ricordò improvvisamente di quella notte in cui si era dovuto alzare per controllare la figlia che gridava di pesci e annegamenti nel sonno. – Riconoscere chi? – chiese ancora quando si fu ricomposto.

Marianna cambiò le braci nel ferro. – Gavino, – disse.

– Lo sapevo, – sussurrò Michele Angelo.

Secondo l'articolo della rivista, in Inghilterra, dopo la dichiarazione di guerra dell'Italia, avevano cominciato a radunare gli italiani per deportarli fuori dalla Nazione. Li chiamavano «quarta colonna» presumendo che ogni italiano fosse fascista.

L'immagine principale della rivista riportava una grande nave, il transatlantico Victoria, al porto di Liverpool; una di quelle navi che servono ai ricchi per girare il mondo, dove i banchieri perdevano fortune al gioco e dove nascevano amori adulterini tra signore del bel mondo e valletti intraprendenti. Navi che da sole avrebbero potuto accogliere tutto il quartiere di San Pietro e molto di piú. Ecco, quella nave meravigliosa, secondo l'articolo, visti i tempi di guerra aveva cambiato destinazione ed era finita come mezzo di trasporto per passeggeri italiani o tedeschi non piú graditi in suolo inglese.

Bene, la notizia era che questa nave carica di «prigionieri» appartenenti alla quarta colonna era affondata colpita da un siluro tedesco al largo del mare d'Irlanda mentre navigava verso l'Australia.

Ora, che cosa avesse a che fare questa notizia con Gavino

non era chiaro nemmeno a Marianna, che però come la maggior parte delle donne sentiva prima di capire.

Cosí quella notte non riuscí a dormire e se lo spiegò col fatto che a lei solo quel nome: «Australia», evocava un fratello assente. Si diceva da qualche parte che, tramite Josto Corbu, Gavino avesse fatto sapere di essersi fermato in Inghilterra dove aveva trovato lavoro come commesso in un negozio di tessuti italiani. Forse Marianna mise insieme tutto questo e cominciò ad agitarsi, ma come faceva lei, senza darlo proprio a vedere. Però sapeva.

Infatti quella notte Gavino – ben vestito, un po' in carne, con una strana scioltezza nei movimenti, elegantissimo in un abito grigio – andò a trovarla.

Si deve sapere dove si nasce e, poi, dove si muore.

Si deve sapere perché si nasce e, poi, perché si muore.

Per la prima dunque direi *Nuoro* e, dopo, un posto senza nome, ma un punto precisissimo al largo della costa nord-ovest dell'Irlanda. *56°30′N 10°38′W*. Ecco il dove.

Il perché è un gioco di carte: si nasce per amore, se si nasce bene, ma per morire bene bisogna che si muoia di terrore, e che si muoia veramente un attimo prima di morire...

Nel salone delle feste del Victoria i primi fra noi scattarono verso le uscite un istante dopo l'esplosione... A saper stare al mondo si percepisce il pericolo di vita, a me tutti dicevano che ero un uomo affidabile che sapeva lavorare il ferro ma anche trattare i tessuti come pochi...

Chi costruisce, chi sa la pazienza dell'artigiano, riconosce la distruzione: i legni della nave cominciarono a lagnarsi, ma non era il miagolio della maretta, era il chiaro *rebound* della carena squarciata.

E quando ci fu l'impatto, quando il missile stuprò lo scafo, quasi parve che avessimo strisciato contro una roccia affiorante... Dalla nostra posizione nemmeno si sentí lo scoppio ma solo un riverbero, una vibrazione. Fu come la rottura del cristallo colpito proprio nel suo punto debole, come lo squarcio che corre sul pack quando infili la piccozza.

Lo sai sorellina cos'è il pack? Sapessi quante cose s'imparano a girare il mondo.

In ogni caso fu come se la sostanza della nave avesse perso improvvisamente consistenza, a questo io pensavo: al mistero delle molecole che abbracciandosi fanno invincibile la materia, le stesse che fanno malta buona o cattiva a seconda di come vengono mescolate, proprio come una lega ben riuscita, e pensavo a quell'unico punto su cui bisogna inserire la pietra di paragone.

Il colpo fu lieve tutto sommato, la nave tossí come un cetaceo delle favole: dentro al palazzo galleggiante, ottava meraviglia modernista, tutti ci guardammo e sentimmo con chiarezza il pianto del parquet, poi la contrarietà delle travi di ferro per via dei bulloni che schizzavano dagli alvei.

Quindi sentimmo gridare, e la sirena dell'allarme, e buio pesto, e passi, come di esercito marciante sul ponte.

Corsero eccome, e qualcuno bestemmiò, non io però: né corsi, né bestemmiai.

Solo pensavo al crollo di una casa, al secondo in cui ancora si regge e a quello che dice prima di cadere: Io lo so che la natura imporrebbe di opporsi, ma io crollo...

Io crollo.

Quanto pianto quella notte, per quell'anima che raccontava la sua pena.

La mia bambina è morta Gaví.

Lo so, l'ho visto... Me l'hai detto senza che sapessi di dirmelo, anima mia.

Volevo scriverti. La mamma se n'è andata, anche lei.

Sí, sí.

Ma tu dove sei?

Chi era stato in mare lo diceva: senza i segni di riconoscimento non si va lontano...

Ma, guarda, era parlare per dire l'opposto, come quando si dice: Vuoi vedere che piove? Come quando si guarda il cielo attenti, provando a leggerne gli inganni. Perché pare che sia proprio il cielo che non si convince; la terra, lei, si lascia calpestare, e accetta passi incerti.

Te lo dico: è come cambiar letto, prima lo si tasta con le mani, poi ci si siede e, infine, ci si distende.

La terra accetta il peso, il cielo no. Il cielo a Londra era un attaccabrighe che ti colpiva a tradimento. Io guardavo in alto e dicevo al mio amore: Guarda su! *Mira!*

Lui sollevava lo sguardo e scuoteva la testa come spesso fai tu. Il mio amore ti sarebbe piaciuto sorella, anima buona.

Come fai tu: Che cosa c'è? chiedeva. E io: Sembra vivo, dicevo, quanto è morbida la terra è duro il cielo.

Poi gli raccontavo che venivo dalla cura amorevole dell'azzurro per approdare alla fredda sollecitudine del piombo... Venivo dalla testarda terra dura per arenarmi nell'ammiccante terra molle. Quello fu come sbagliare le misure, comprare scarpe troppo strette per la pigrizia di provarle e poi fingere che non facessero male.

Quando vennero a prendermi il mio amore pianse.

Sono cittadino inglese, dissi. Lui confermò. E il soldato piú giovane mi guardò scrollando le spalle, aveva lo sguardo pensoso di chi fa qualcosa sperando di capirla.

Uscendo, ammanettato, alzai la testa verso il mare inverso che ondeggiava sulle nostre teste.

E allora pensai che forse era il caso di sfilarsi quelle scarpe che mi stringevano e riprendere a bestemmiare contro quel cielo come avevamo fatto in Barbagia prima di partire.

Io cosí, confuso dal frastuono dell'imbarco, nemmeno lo notai il colore della nave... E quelli che se ne intendevano, magari livornesi, magari orfani di porti mediterranei, loro dicevano che quel grigio lí, quelle pareti nude, senza contrassegni, non erano una cosa buona.

Non si va lontano, dicevano. Per me, considerato che la nave e il cielo avevano lo stesso colore, tutto questo era naturale: che fossi approdato in quella terra, che fossi accettato con riserva, che vi avessi trovato un amore segreto al mondo, che ne fossi espulso per sopravvenuta inimicizia... Dalle cabine di prima classe qualcuno di loro cantava *In diesen heil'gen Hallen*... E qualcuno di noi, dal salone delle feste, accompagnava con la fisarmonica. *Within our sacred Temple*.

Intanto la nave si lasciava alle spalle l'Isola di Man.

Sei tu quello? Sei tu?

Quando Marianna si svegliò mancavano ancora tre ore all'alba. Cosí si alzò, chiuse le tende e accese il lume. Poi seduta sul suo letto aprí il telegramma:

SEGNALAZIONE RICEVUTA STOP SPIACENTI COMUNICARE AVVENUTO RICONOSCIMENTO UFFICIALE CADAVERE RINVENUTO ISOLA DI COLONSAY STOP TRATTASI DI CHIRONI GAVINO CLASSE 1896 STOP SENTITE CONDOGLIANZE

Mi trovarono la mattina del 16 agosto, dopo aver navigato per quarantacinque giorni...

Che cosa racconti? Siete autorizzati a chiederlo: un corpo alla deriva, reso spugnoso dalla salsedine, che cosa può mai raccontare?

Ebbene: non sopravvissi alla battaglia... Quando capimmo che la nave affondava ci massacrammo per raggiungere le scialuppe – *oh colpi senza pietà* – come topi impazziti, ammassati nel salone delle feste del transatlantico tentammo una sortita alla disperata come un branco di capodogli spiaggiati, ci sollevammo a colpi di reni e corremmo verso le uscite travolgendo tutto...

In un sogno inverso si sarebbe detto che la nostra era la disperazione dei pesci portati in superficie dalle reti dei pescatori. Ma di fatto tentammo inutilmente di forzare le porte sbarrate, di superare le recinzioni che dovevano separarci in gruppi.

Non stateli a sentire se vi dicono che aspettammo in preda a un fatalismo impotente.

E certo qualcuno di noi sussurrò il rosario, *Ora pro nobis*.

E certo alcuni si concessero senza reagire all'orda impazzita, ma noi, i piú, che nella prima metamorfosi eravamo diventati nemici, ora eravamo bestie feroci...

La mattina dopo Marianna, porgendo il latte a suo padre, gli annunciò che l'uomo che aveva creduto Gavino nella foto sfocatissima riportata nella rivista che dava conto dei dispersi italiani del Victoria non era Gavino. Poi gli disse di uscire perché non lo voleva a ciondolare in casa tutta la mattina. Michele Angelo protestò dicendo che non riconosceva nemmeno i posti tanto stava cambiando tutto, e che in quei tempi grami il vino al tzilleri era metzano. Ma Marianna non voleva sentire ragioni. Perché aveva da fare e doveva uscire anche lei senza dare troppe spiegazioni al padre.

Dieci minuti dopo che protestando era uscito di casa, anche lei indossò il cappellino di commendatoressa e il soprabito buono.

Il funzionario in Prefettura le spiegò che il corpo di suo fratello era stato rinvenuto in un'isola al largo della costa scozzese e che una famiglia del posto gli aveva dato pietosa sepoltura. Bene, Marianna chiese l'indirizzo di quella famiglia.

A casa, stendendo con la mano un foglio comprato di fresco cominciò a scrivere:

Gentili anime,

con la vostra pietà avete dato un senso al nostro dolore: la stagione inclemente che ci hanno descritto, scoraggia, al momento, la partenza e ci impedisce purtroppo di raggiungere il nostro caro. Grazie, grazie ancora per la pietosa sepoltura… Speriamo non vi sia d'offesa l'assegno che accludiamo, è poca cosa davvero, ma vi chiediamo di portare per noi una corona di fiori sulla tomba del caro nostro caro congiunto.

Firmato, Serra-Pintus-Chironi Marianna

Poi soffiò sul foglio, lo piegò e lo infilò in una busta. Sulla busta ricopiò l'indirizzo difficilissimo che il funzionario della Prefettura gli aveva fornito.

La breve parabola di questa stirpe si è consumata. Chiusa e sigillata nella busta in partenza verso la Scozia.

Marianna sospira appena perché l'eternità sta per bussare.

Cantica terza - Purgatorio
(1943)

Scire.

Ti aspetterò. In piedi sulla soglia.

Accompagnato dalla feroce determinazione che mi ansima di fianco. Ma questa circostanza, questo aspettarti, affastella danni su danni. Dolori progressivi, per tutto quello che avrei potuto dirti e non ti ho mai detto. Per tutte le volte che ho creduto al tuo sorriso di cassetto aperto. Per tutte le volte che ho scambiato per complessità la fragilità dei tuoi pensieri. Qui, ti aspetto. In piedi. Con la calma del pittore invaghito delle minuzie febbrili del tratto, il nervo ritorto del canestro, il piumaggio bianco del riflesso. Che questa è opera d'una massaia che ha sprimacciato il ghiaccio come un soffice cuscino per fachiri. E ha battuto lenzuola e tappeti esposti al mezzogiorno, bianchi come una risata. Ti aspetto, certo. Ho in programma di dare un senso a quel ribollire di pignatta, a quella schiuma cristallina, a quel vapore turbolento. Ho intenzione di arrendermi a quel caos, ma non senza combattere. In piedi sulla soglia come a spiare la sposa emozionata che conta i tintinnii al suo brindisi di nozze, quando ogni mano è un calice levato, quando ogni felicità sembra possibile. Prima di rientrare nel quadro incerto del domani, prima di lasciarsi rapire dall'imboscata del bacio mattutino. Prima che ogni aspettativa sia definitivamente violata dalla vita. E quanti e quali pensieri produca questa violazione non è dato di saperlo, ché rimpianto, solitudine, felicità, amore, amore, sono nient'altro che colpi di luce e ombra di una natura troppo viva per bastare a se stessa, e già morta sulla tela. Qui c'è solo un'assurda resa di fronte a un destino in fieri che non ha un nome e, se mai l'avesse, non sarebbe nominabile. Il mistero del riflesso, il contrasto fra dicibile e indicibile...

Cosí venne il giorno in cui Michele Angelo trovò lo sguardo che stava aspettando. Era un uomo che capí perfettamente di conoscere. Aveva al massimo trent'anni, ma gli occhi erano quelli di uno che aveva una competenza del mondo molto piú lunga. Era un profugo, davvero malridotto, ma non piú di quanto fossero malridotti i tempi che si stavano vivendo.

L'anno della fame a Nuoro fu solo una crisi come un'altra in un processo cronico. Chi non aveva conosciuto mai l'abbondanza, non aveva paura della carestia. E comunque la contiguità con la campagna faceva tutti ruminanti e la presenza di bestiami faceva tutti abigeatari. Si diventava volpi per i pollai e persino pescatori d'acqua dolce.

Cosí accadde che una mattina, in cui Michele Angelo era solo in casa perché Marianna era uscita a fare commissioni, sentí bussare direttamente alla porta della cucina. Il vecchio era in piedi come se sapesse che qualcuno stava per arrivare. Oltre i vetri vide un uomo fatto, con indosso una giacca sdrucita, pantaloni troppo larghi, gibbosi all'altezza delle ginocchia, una camicia che era stata bianca. Ma niente è piú bianco in questi tempi metzani, pensò. Perciò aprí a quel giovanotto con la camicia sporca.

– Era aperto, – disse l'uomo come scusandosi, indicando il portale del cortile effettivamente spalancato.

Michele Angelo si fece da parte per farlo entrare. Dalla parlata aveva capito che doveva trattarsi di un forestiero e forse portava notizie di Gavino. Questo sperava Michele Angelo, ma non osava chiedere niente. L'uomo dal canto suo non pareva avere nessuna notizia da dare, taceva, ma non per imbarazzo, semplicemente come se stesse aspettando che si consumasse tutto quel frenetico dialogo muto che stava avvenendo fra loro.

Anche al vecchio fabbro sembrava che stessero parlando, perché quell'uomo aveva un silenzio bellissimo, tutto di sguardi, tutto di attese, qualcosa che, senza sapere perché, gli apparve familiare, come se fosse il sangue a respirare.

Marianna rientrò a casa proprio quando l'uomo stava per presentarsi.

E vide qualcosa che le mozzò il respiro. Si chiuse la bocca col pugno per non urlare, poi guardò il padre come a chiedergli: È possibile che tu non abbia capito?

– Hai lasciato il portale del cortile aperto, – disse lui rimproverando la figlia.

Marianna allibita si avvicinò all'uomo: – Chi siete, cosa volete? – chiese, ma lo fece come se piú che di una risposta avesse bisogno di una conferma.

Il padre la guardò come si fa con le bambine che fanno uno sgarbo: – Stavo pensando di riaprire l'officina, – disse Michele Angelo. L'estraneo lo fissò senza capire, in ogni caso l'importante era che capisse Marianna. Ma lei il padre non l'aveva sentito o, se l'aveva sentito, l'aveva registrato in una periferia estrema della sua mente.

– Ho avuto questo indirizzo dalla Prefettura attraverso la Capitaneria di porto, – dichiarò finalmente l'estraneo, a cui sembrò arrivato il momento di specificare che non si trovava lí per caso.

Quella voce fece rabbrividire Marianna, che non smetteva di fissarlo. Michele Angelo la seguí in quello strano percorso.

– Assomiglia in tutto e in niente, – disse lei al padre e gli parlò come se l'ospite nemmeno ci fosse.

Marianna aiutò suo padre a capire qualcosa che non aveva afferrato razionalmente: l'uomo aveva addosso quel tipo di familiarità che appare a tratti, d'improvviso. Un gesto, un modo di muovere la spalla, di portare il respiro prima di prendere la parola, di piegare il collo. Questo lei vide con certezza, e aveva

un nome. Lo stesso percepí Michele Angelo con la differenza
che proprio un nome non sapeva darlo.

Si guardarono a lungo. Lo sconosciuto a un certo punto si mise la mano in tasca e ne estrasse una busta che pareva contenere
qualcosa di grosso.

Michele Angelo lo fermò con un gesto della mano.

– Mangi qualcosa, – disse usando il «lei» come si fa coi continentali. Poi fece un cenno a Marianna che si diresse verso la
dispensa.

L'uomo e il vecchio ancora si guardarono. E tacquero finché
Marianna non tornò verso il tavolo e vi poggiò pane carasau e formaggio stagionato, ma anche fave e un moncone di salsiccia secca.

– È pane, – spiegò il vecchio all'uomo indicando le sfoglie
croccanti. L'uomo fece cenno di sí con un inizio di sorriso. Afferrò la salsiccia lasciando tutto il resto e l'addentò. Michele
Angelo lo incoraggiò con un gesto del capo. – È molto che non
mangia? – chiese.

L'uomo ingoiò. – Non lo so piú, – rispose, e afferrò pane e
formaggio.

Michele Angelo fece un cenno a Marianna. – Porta un po' di
vino figlia mia, – ordinò con dolcezza, come se stesse chiedendo qualcosa che lei per prima avrebbe dovuto fare senza bisogno
di stimoli.

Marianna si svegliò dall'incantamento. Ora che lo vedeva
mangiare quell'uomo le sembrò perfetto per la luce che riempiva la stanza, con i capelli sporchi che gli cadevano a ciocche sulla
fronte, le mani ossute, le unghie non curate e nere, i polsi forti
ma esili, come sono esili e forti certi maschi con le linee lunghe.

Quell'uomo stava esattamente in quello spazio come se fosse
uno tornato da dove era partito.

E invece capirono che era friulano e capirono che una rivelazione l'aveva condotto lí, seduto in quella cucina.

Erano preda e cacciatore, lo sconosciuto e il vecchio. Ma
ora la bestia guardava il cacciatore come se lo conoscesse bene.

Le storie raccontano tutto quello che spesso non è raccontabile. Proprio come una posta paziente. Bisogna aspettarle, anticipare le loro mosse, e scattare.

Il vecchio si fruga in tasca, poi guarda la figlia. Marianna capisce cosa sta cercando. Infatti sorride quando Michele Angelo posa sul tavolo le chiavi dell'officina.

A quell'estraneo Michele Angelo avrebbe raccontato quello che sapeva raccontare. Ora che ce l'aveva davanti lo sapeva molto bene, e capiva per quale motivo aveva saputo aspettare tutto quel tempo. Aveva capito perché, aveva saputo assorbire i colpi tremendi con cui il Fabbro aveva deformato la sua esistenza. Era bastato uno sguardo a quello sconosciuto e tutto, tutto, aveva acquistato senso e forma.

Come la prima volta in cui Gavino era entrato in officina per lavorarci. Era ancora la stagione delle possibilità, quando si pensava di aver accumulato abbastanza crediti da poter stare tranquilli. Era ancora la stagione delle certezze... Allora accadeva che nel corso del tempo le piante e le bestie crescessero e si moltiplicassero tra la primavera e l'estate, e si mettessero a riposo tra l'autunno e l'inverno. A tavola non si mangiava mai in meno di cinque e si poteva dire di aver comprato la punta del dito indice della mano benedicente della statua del Redentore. Certo Gavino dava i suoi problemi, ma in quel preciso momento quei problemi erano come la pelle delicata del pulcino quando perde il piumaggio, o l'istante in cui la biscia cerca due rocce accostate per liberarsi della pelle vecchia. Perciò, allora, con la lucidità e prosopopea dei tempi nuovi si potevano ipotizzare soluzioni.

Ecco, quando Gavino per la prima volta entrò in officina per lavorarci aveva lo sguardo di chi ha davanti il senso della propria esistenza e di chi con quella certezza deve fare i conti.

Anche allora Michele Angelo raccontò quello che sapeva raccontare.

Prima di tutto c'è saper osservare, toccare con lo sguardo, vedere anche quello che sarà prima che sia. Per questo figlio il fabbro vede al buio. Quando accompagna la barra nell'inferno della fiamma sta a guardare che colore assume il metallo: rosso, arancio, giallo... bianco. Ma c'è un momento, uno solo, in cui il metallo è pronto per la lavorazione, quando dall'arancio passa al giallo, come quando si passa dall'alba al giorno pieno. Per questo il fabbro vede al buio, perché sia possibile percepire con esattezza quell'attimo di passaggio, quell'istante assoluto.

Ma bisogna dare un nome alle cose: quella lavorazione si chiama forgiatura, figlio mio.

Forgiatura è quando sei tu che dai la forma. È quando devi combattere contro la materia e questa diventa piú docile quanto piú riconosce la mano del padrone. Fai conto di avere a che fare con un cavallo bizzarro, fai conto di insegnare l'obbedienza a un cane... Sempre è questione di farsi rispettare. Anche il metallo vorrebbe resistere, perché quando lo posi sul piano freddo dell'incudine è come se lo risvegliassi dal sonno. E allora è necessario che lui capisca che sei tu a comandare e che sei un padrone giusto, autorevole. Il metallo sa con chi ha a che fare fin dal primo colpo, capisce la mano che lo sta modellando e, magari, qualche volta, pretende di dire la sua.

Gavino annuisce. Dai suoi occhi, allora, poteva ancora scaturire la meraviglia del mondo. Ancora tutto era da fare.

Il ferro lo capirà e sentirà la fermezza del polso, la forza con cui impugnerai il martello, la potenza con cui sferrerai il colpo. Vedrà che l'esercizio è di modificare senza asportare.

Dal primo colpo sentirò che musica fa il tuo cuore quando il patto è sottoscritto.

Ma forgiare è tante cose insieme.

C'è la trazione, per esempio, che significa tirare, allungare la barra per sfinarla, ridurne lo spessore, appuntirla. Come il tuo sguardo, figlio mio, lo spirito acuminato con cui affronti le cose del mondo. Lí c'è la sapienza di sapersi fermare al momento giusto, la maestria di vincere senza stravincere. Uno scalpello sa ammansire il legno o la pietra solo a patto che sia stato, precedentemente, ammansito, tirato, ma non sconfitto. Lo sai anche tu che significa una parola di troppo, uno sguardo di troppo.

Gavino, ancora, annuisce.

Ed ecco la piegatura, che è un atto d'amore, perché devi sedurre il metallo, devi convincerlo, figlio, che l'affidarsi a te significherà per lui trovare la perfezione. Perché nella piegatura non sempre c'è resa, ma, qualche volta, evoluzione. Tu adesso puoi giurare che mai ti piegherai, eppure io ti dico che dovrai farlo, perché se non saprai farlo su te stesso, non saprai farlo fare alla barra incandescente.

Sarai triste. Sentirai addosso il peso dell'Universo come se fossi il solo a reggerlo. Ti sentirai schiacciato dalle responsabilità, eppure dalla sapienza con cui saprai imparare a volgere in bene questo male potrai dichiararti uomo. In officina la chiamiamo compressione, che vuol dire addolorare il metallo per addensarlo, come minacciarlo per ridurlo alla giusta compattezza. E vuol dire imparare a subire per fortificarsi, accettare le domande senza temere le risposte, concepire le vittorie anche attraverso le sconfitte.

Ti sentirai solo, quando il colpo in piú o in meno trasformerà un gesto nel tuo gesto. Eppure solo attraverso quella solitudine sarai in grado di sperimentare nella tua carne la forza del sentire, del percepire, del presentire. Sentirai la pressione di immagini ricalcate a matita su carta carbone, con le quali per sempre dovrai fare i conti. Un altro nome della compressione è, infatti, ricalcatura. Per dire che come il metallo anche il tuo corpo non è nient'altro che l'espressione di un concetto ribadito per sempre. Per sempre. Tu ricalchi me nel colore, e tuo fratello, tua madre. Tu ricalchi lei nel carattere e tuo fratello me. Per sempre. Tu sei largo di spalle e Luigi Ippolito sottile. Tu hai la mia consistenza e sprigioni la mia luce, tuo fratello ha la densità di tua madre e la sua profondità.

Io ho paura quando vedo in te le stesse mie inquietudini...

Poi mi calmo dicendomi che ricalchi me in tutto, dall'ampiezza dei piedi alla consistenza dei capelli, ma non nel carattere; e dicendomi che alle mie stesse domande saprai reagire con le risposte di Mercede.

Poi viene la punzonatura, che corrisponde a lasciare un segno, una depressione, un foro. Oh, sentirai ferite tremende, saette che ti trapasseranno la carne. Esporrai a chiunque il tuo cuore scostando i lembi del petto, per dire: Eccomi. Farai tutti gli errori che è necessario fare e anche qualcuno di più. Ognuno di questi errori ti lascerà un marchio. Allora, figlio, basterà che tu pensi che quelle non sono ferite, ma trofei, decorazioni. Segni della tua forza. Un'incisione che ti dirà che è passato un altro giorno in questo carcere terreno, e poi un altro, e un altro ancora. Così nel metallo: ogni segno si trasforma in un decoro se il fabbro ha la mano sicura e il senso dell'armonia. Egli può chiedere a una serratura di essere sobria per la cella o leziosa per lo scrigno, ma in entrambi i casi dovrà ingegnarsi a colpire il punto giusto e a lasciare l'incisione dove assolutamente occorre. Come un segno tribale. Una cicatrice rituale.

E dovrai aspettare molto, prima di riuscire a capire attraverso quali vie segretissime si possa intravedere il disegno complessivo, che la tua mente ragionerà pezzo per pezzo e ti tradirà come san Pietro tre volte e poi tre volte ancora. Ti rinnegherà, perché non sarai stato capace di concepire il totale, troppo impegnato a procedere nel parziale.

E questa, infine, è quella che si chiama combinazione: come il gioiello che è tua sorella Marianna, estranea a tutto eppure aderente in tutto, perfetta di una perfezione armonica, frutto di una fatica senza sussiego. Fatta bene come l'impasto nelle mani di una massaia che lo sa fare, che ne sente il calore e l'elasticità e capisce che è pronto.

Così la forgiatura è arte di combinare trazione, piegatura, compressione, punzonatura. È disciplina in cui è fondamentale capire quando bisogna fermarsi e quando bisogna avanzare. Proprio come sa fare tua sorella che riflette prima di parlare e non ha la tua insicurezza, o la presunzione di tuo fratello. Come fa lei, che osserva prima di giudicare e non ha la tua incapacità di decidere o l'irruenza cieca di tuo fratello.

Tutto questo dovrai imparare, figlio, ma non posso assicurarti che troverai la felicità nemmeno quando l'avrai imparato.

Sono preda e cacciatore, lo sconosciuto e il vecchio. Selvaggina e cane. Ma ora la preda guarda il cacciatore come se lo conoscesse bene. Sono seduti l'uno di fronte all'altro, persi l'uno nello sguardo dell'altro, solo il tavolo a separarli. Immobili, il segugio e il muflone, il cervo e la bocca del fucile...

Eppure, nonostante l'arma spianata, la preda non fugge ma va incontro al cacciatore e, come nelle favole, parla prima che sia lui a farlo.

Ha una voce pastosa, piena di suoni stranieri. Ma, pur emettendo quell'aria diversa, le sue labbra si muovono nel modo domestico che la genetica gli ha indicato.

Marianna guarda quelle labbra, incantata dalla perfezione con cui replicano chi le ha generate.

L'uomo ne avrebbe da raccontare, ma per ora si limita a dire di se stesso che scende dalla nave che da Livorno sbarca a Terranova. Si descrive al vecchio come un uomo piú giovane dei suoi anni, un giovane lungo, allampanato, con la pelle chiara, lo sguardo concentrato. Si descrive svettante tra la povera gente che lo circonda e cosí descrive quanto gli sta attorno: famiglie con pochi bagagli che guadagnano la banchina, soldati senza mostrine e senza scarpe, bambini radunati da suore o crocerossine. Lo sa bene che chi sbarca in Sardegna quel giorno ha un inferno terribile da lasciarsi alle spalle. L'ultimo orrendo rigurgito della guerra in atto ricrea l'Apocalisse in terra.

Cosí quest'uomo solo, fuggito dalla terra devastata, raccon-

ta della promessa fatta a sua madre: se lei fosse morta avrebbe
dovuto cercare la famiglia di suo padre. Lei, dal canto suo, promise a lui che dove andava non avrebbe patito fame e freddo...

Perciò, dice, appena sceso dalla nave si reca sicuro alla Capitaneria di porto per chiedere notizie su come si possa raggiungere *Nuòro*, che è il posto dove ancora vive chi è rimasto della
famiglia di suo padre.

Al vecchio mostra i documenti come aveva fatto all'ufficiale
di turno della Capitaneria di porto: «Chironi Vincenzo, di Chironi Luigi Ippolito e Sut Erminia, Cordenons 15 febbraio 1916,
paternità legalmente riconosciuta con atto notarile stilato il 6
Maggio 1916 presso lo Studio Notarile Plesnicar di Gorizia».

Poi, poi fu tutto chiaro. D'oro e porporina, prezioso come il piú prezioso dei segreti. Poi. Che sempre il *poi* ci attende mascherato nell'ostinazione precaria dell'ora. Nella brillantezza dell'oro. Nella densità liquorosa della preinfanzia. Quando ancora non siamo presente, ma condizionale. Adatti a ogni tempo, subiamo il ciclo completo di un'esistenza in prova, subiamo ogni singolo istante di secoli. Che poi siamo già qualcosa fuori dall'arbitrio delle possibilità. E ancora vortica il ciclo segreto delle precarietà. Proprio quando tutto sembra immobile, stabile di una stabilità complessa, proprio in quel momento, quando l'equilibrio pare immortale, quando pare che la stasi abbia preso il sopravvento, allora s'insinua il tarlo dell'incertezza, l'ansia sottile della durata, l'angoscia del tempo. Nella precarietà dell'equilibrio frontale c'è una storia che non è stata raccontata. Sí. Nella specificità di un senso compiuto permane l'irrealtà. Una porzione di verità che non ha parole per esprimersi. Alla stregua di una grande natura morta che è tempo fissato, incollato alla tela, sottratto al divenire. Soltanto nell'attesa, soltanto nell'attesa ci si può conciliare con quell'iconica fissità. Aspettandosi che il calice cada, che quel cristallo, finalmente, si frantumi...

E la fine non è una fine.

È una storia inventata, ma anche vera. Appena posso la ricomincio da capo.

Ringrazio Giancarlo Porcu per l'affetto discreto e la costanza. Marco Peano per la sollecitudine nel dimostrarmi che dietro ogni scrittore ci deve essere almeno un ottimo lettore. E, senza dubbio, ringrazio Dalia Oggero e Paola Gallo, stupefatto con me stesso per non averlo mai fatto prima pubblicamente.

M. F.

Nel tempo di mezzo

a mia sorella,
perché non la vince lui

Parte prima
12-17 ottobre 1943

Ogni uomo è in potere dei suoi fantasmi.
w. BLAKE, *Gerusalemme* (tavola 37).

L'alba delle cose

Non riuscí a pronunciare per intero il suo nome. All'impiegato che glielo chiedeva riuscí a dire solo: Vincenzo. L'altro sollevò la testa per guardarlo fisso, facendo un movimento improvviso che produsse un effluvio sulfureo. Vincenzo sostenne il suo sguardo: era quello di un uomo di età incerta, nella categoria di coloro che ce l'avevano fatta, chissà come, a scampare la chiamata alle armi e ora si trovava lí, all'Ufficio smistamento e controllo documenti della Capitaneria di porto.

– E poi? – gli chiese l'addetto.

Vincenzo sorrise appena, quindi tirò fuori dalla tasca un foglio ingiallito che, in quei tempi d'incertezza, si era dimostrato affidabile come la Bibbia o il Vangelo.

L'uomo ricevette il foglio con diffidenza, quasi si trattasse di qualcosa di sporco. In effetti non era nient'altro che carta cotta dal tempo e dall'essere stata a lungo custodita in tasca. Con la cautela che si deve a un'antica pergamena, l'uomo lo distese posando i quattro lembi sul tavolo e spianandoli come se fossero le porzioni di un panno caldo di stiratura.

Si mise a leggere.

Ora che si apriva un'alba pallidissima dal mare Vincenzo poté osservarlo con attenzione. Era piú giovane di quanto fosse sembrato a prima vista, aveva una testa grossa, grigia, fresca di rasatura. Sul cuoio capelluto bianco fosforescente, fra gli aculei dei capelli falciati da poco, si potevano intravedere i segni rossi lasciati dai pidocchi. Per questo, si disse Vincenzo, tutto

intorno a lui si avvertiva l'odore acre del petrolio e dello zol-
fo. Istintivamente si grattò la testa. Ritornò a chiedersi come
mai quell'uomo che, ora ne era certo, non superava i trent'anni, avesse scampato la trincea. Perché lui, di se stesso, lo sapeva che era stato esonerato in quanto orfano di guerra, la Prima.

Intanto l'addetto allo smistamento finí di leggere, ripiegò
in quattro il foglio e afferrandolo con la punta delle dita, come
avrebbe fatto un paleografo, lo restituí al suo legittimo proprietario.

– Chironi Vincenzo, – disse tra sé l'uomo mentre trascrive-
va. Vincenzo lo guardò capendo che era proprio di lui che stava parlando. – Lo considero valido solo in quanto documento
notarile bollato, e col disastro degli uffici bombardati adesso è
un lusso. Ma in altri tempi sarebbe stato solo carta straccia, –
specificò l'addetto con un accento pesante e una sintassi perfetta. – Ha un riferimento in Sardegna? – chiese subito dopo.

Vincenzo non capí la domanda. – Un riferimento? – ripeté.
Quell'eco, quella parola ripetuta, dimostrò che tra lui e l'uomo
dello smistamento c'era un mondo intero. Avevano pronunciato
esattamente la stessa parola eppure il suono risultava talmente
diverso da far sembrare differentissima quell'identità formale.
Detta dall'impiegato sembrava grossa e pesante, ripetuta da Vincenzo pareva sottile e leggera.

– Ma lei è sardo? – chiese infatti l'addetto allo smistamento.

Quella domanda e il sole sorsero insieme. Per la prima volta
Vincenzo notò che dentro al capannone verso cui l'avevano in-
dirizzato appena sceso dal piroscafo c'erano almeno un centinaio
di persone. O meglio: prese coscienza di qualcosa che aveva percepito nel buio dell'attracco, ma che ora vedeva con chiarezza.

Quello che stupiva era il silenzio. Donne, uomini, bambini, tacevano tutti di un mutismo che sapeva di stordita lode a
chiunque li avesse salvati dai flutti.

Il mare non era stato buono, avevano traballato per ore e
a un certo punto era parso persino che fosse necessario un ap-
prodo d'emergenza... Ma, intorno alle tre di notte, l'orda delle onde si era ritirata, spaventata – dicevano – dalla Corsica

rocciosa. Cosí sottocosta la pesantissima imbarcazione aveva potuto avanzare senza intralci. Eppure si era temuto il peggio, cosicché, nonostante la calma, ammassati, avevano proseguito su quel muto chi vive che non favoriva il riposo.

Ecco: quel mutismo gli era rimasto attaccato addosso come se dovesse durare tutto il tempo che occorreva alla terra ferma per smettere di oscillare.

Con la luce entrarono nel capannone odori che non appartenevano piú all'umanità. Era un profumo che Vincenzo non avrebbe mai potuto scordare. Questo lo sapeva.

– Allora? – intimò l'uomo dello smistamento.

Vincenzo ci mise ancora un attimo a riprendere il capo del discorso: – Mio padre lo era... Sardo, – rispose. – Chironi Luigi Ippolito... – recitò. Poi, temendo di non essere stato abbastanza chiaro, scandí indicandosi con l'indice proprio al centro dello sterno: – Chironi Vincenzo del fu Luigi Ippolito.

L'uomo fece segno di sí, aveva capito bene. Ma quello che non poteva sapere – e non era il caso di spiegargli – era il fatto che quel nome, Vincenzo, e quel cognome, Chironi, per la prima volta erano stati pronunciati insieme dalla bocca del suo proprietario. Certo l'uomo dello smistamento non sarebbe cascato dalla sedia a saperlo, non aveva l'aria di qualcuno che potesse sorprendersi di qualcosa. Erano tempi terribili. Oltremare, dicevano, ancora peggio di quanto si potesse percepire su quella zattera in mezzo al Mediterraneo che era la Sardegna...

La fine del mondo dicevano, qualcosa che non era nemmeno pensabile, come una specie di abisso del tempo e dello spazio. Categorie che la mente umana non era in grado di selezionare. Tutto al rovescio dicevano: inferno in terra, fuoco dal mare e dal cielo... Case distrutte. Lí gli uomini ritornavano al principio di se stessi nascosti nelle caverne, come i trogloditi dei libri illustrati, a mangiare gatti e sognare topi arrosto... Esageravano, come sanno fare quelli che sono troppo lontani da rischiare

qualcosa, dicevano che le città erano roghi, polvere e macerie...
Dicevano che per tutto quel 1943 non sarebbe caduta una goccia d'acqua. Il cielo sarebbe restato di un unico, ostinatissimo,
colore: come di cencio sfibrato dalla soda caustica, sciropposo,
con filamenti bavosi di nembi che andavano ad accumularsi in
quel tratto di mondo che il sarcasmo della Storia chiamava Pacifico. Dicevano che i frutteti avrebbero lanciato maledizioni contro quel cielo imperturbabile e che la crosta della terra avrebbe
imprigionato i semi, chiudendoli in un sepolcro inespugnabile
di argilla pietrificata. Sicché nel corpo stesso del terreno la vita
sarebbe abortita e feti pallidissimi di grano, frumento, segale e
mais sarebbero andati a morire arrancando verso la luce, in un
movimento che la natura stessa aveva stabilito fattibile e ora,
per mano dell'uomo, risultava impossibile.

Credevano di esagerare, ma non esageravano affatto.

Da lí, da quella roccia in mezzo al mare, la guerra era stata come ascoltare dei vicini che litigano, che rompono i piatti,
come origliare mentre un padre di famiglia allunga le mani sul
figlio maggiore che non lo ascolta, come appiattire l'orecchio
alla parete mentre una moglie insulta un marito infedele, o beo-
ne, o spendaccione. Cosí era stata questa guerra, che nemmeno
chiamavano guerra. Conflitto lo chiamavano perché la Guerra,
sa Gherra, era stata l'altra, la '15-18. Quella sí...

Fuori dal piroscafo quella piccola folla di scampati aveva visto un giovane uomo piú alto della media, secco della secchezza
sobria di quei giorni senza cibo, ma nervoso. Tutto suo padre,
gli avevano detto una volta, che indossava la divisa come un
figurino e faceva tremare le ragazze. Le ragazze come sua madre, pronte a innamorarsi dei sottoufficiali, e dei loro sguardi
e dei ciuffi nascosti, che venivano fuori, come conigli dal cilin-
dro di un mago, ogniqualvolta si sfilavano il berretto con la vi-
siera rigida. A conoscere bene tutta la sua storia, quei profughi
avrebbero potuto notare l'accenno di verde che permetteva ai
suoi occhi scuri di mutare colore alla luce diretta. Era il verde
dei Sut da Cordenons, dispersi, scomparsi, scampati in Slovenia

o finiti dalla padella alla brace, chissà... Per il resto Vincenzo
venne su Chironi in tutto e per tutto, forse troppo alto, piú alto di suo padre Luigi Ippolito.

All'interno dell'Ufficio smistamento della Capitaneria di porto, la luce si era insinuata in forma di flebile presa di coscienza.
Tutto intorno a lui si era palesato nell'indecente verità di gente
sfinita, sporca, affamata, silenziosa. Innaturalmente silenziosa.
Vincenzo sapeva bene, per averlo provato sulla sua carne, che
alcune di quelle persone mute accoglievano con fastidio la brillantezza incombente di un altro giorno che giungeva, perché,
dopo aver temuto di morire dentro al piroscafo squassato dalla
turbolenza della marea tormentata, a un certo punto di morire
proprio quella notte e di non vedere l'alba prossima ventura ci
avevano contato. Invece erano lí, ammassati nella Capitaneria
di porto a declinare le proprie genealogie, ammesso che esistesse
un filo tra quello che erano stati e quello che stavano per essere.

Per questo alla domanda «nome e cognome» Vincenzo era
riuscito a rispondere solo «Vincenzo».

Nessuna sorpresa dunque, tuttavia – appena pronunciato
quel nome e quel cognome – l'uomo dello smistamento non poté fare a meno di notare che dentro allo sguardo di Vincenzo
c'era quella precisa coscienza inconsistente che hanno i testimoni inconsapevoli, che permette di pensare solo a un mondo
rovesciato. Come poteva essere diversamente?

Compiuti i dieci anni, il rettore dell'orfanotrofio di Trieste
lo fa chiamare e gli annuncia nell'ordine: che esiste un documento, una lettera, e un piccolo lascito in denaro. Il documento
è un atto notarile di riconoscimento di paternità stilato nell'anno della sua nascita, 1916, in data 6 maggio, presso lo Studio
Notarile Plesnicar di Gorizia. La lettera è appena un biglietto
datato 1920, in cui prima di morire sua madre, che si firma Sut
Erminia, lo prega – non appena lasciato l'orfanotrofio nel quale
lei stessa l'ha ricoverato per salvarlo dagli stenti – di recarsi a

Núoro, in Sardegna, dove suo padre, eroe, ha parenti e beni. Per quanto riguarda il denaro, si tratta di 275 lire che valgono quello che valgono.

– Sí , sí… – fece l'addetto allo smistamento. – Ma se conta di raggiungere Núoro deve aspettare il postale fino a domattina… Oppure incamminarsi a piedi in direzione Orosei… – Fu allora che l'impiegato, facendo leva sulle braccia, si sollevò oltre il bancone come per controllare che le scarpe di Vincenzo potessero supportare l'ipotesi di una lunga camminata. E fu allora che Vincenzo poté vedere che il suo interlocutore non aveva le gambe. – E magari recuperare il postale lungo la strada… Lo vede e lo ferma, intesi? Orosei, capito? Glielo scrivo, – concluse l'addetto. E senza aspettare risposta stilò su un foglio la parola «Orosei» con stile ornato, e glielo porse.

Vincenzo afferrò il foglio e accennò di sí, sí per tutto: che aveva capito; che grazie al fatto che l'avesse scritto quel nome non se lo sarebbe potuto dimenticare; che le suole chiodate dei suoi scarponi sembravano abbastanza efficienti da poter calpestare ancora tanta terra.

Comunque Vincenzo fu fuori dall'area custodita del porto, col beneplacito dell'impiegato senza gambe, giusto in tempo per salutare la luce che si stava formando direttamente dal mare.

Questa terra che ora calpestava prometteva di riconciliarlo con se stesso, di chiudere quel cerchio che era rimasto drammaticamente aperto nel corso della sua vita. Eppure sentiva l'angoscia sottile dell'alba che si guarda intorno prima di esporsi totalmente al giudizio degli umani.

Era l'alba peggiore che si potesse desiderare in quei tempi maledetti di carnaio verminoso che ribolliva contro il cielo.

Eppure si trattava di aspettarla quell'alba, e segnare un'altra tacca nella parete della prigione della Storia…

Lo spazio intorno alla Capitaneria di porto non pareva area di guerra, niente a che fare col diroccato molo secondario di Livorno da cui il vecchio piroscafo che l'aveva portato in Sardegna aveva preso il largo. Oltre gli sbarramenti di filo spinato non cresceva piú nulla.

Come un lembo di cuoio capelluto aggredito dall'alopecia si apriva un'area vasta e spianata, una terra di nessuno da attraversare per poter scorgere le prime case, modestissime, del paese, Terranova o Olbia che fosse: in tempi di regimi i nomi hanno un senso indiscutibile per chi li impone e relativo per chi li patisce. Solo il piccolo agglomerato intorno alla chiesa aveva subito un assaggio del conflitto sotto forma di qualche casa abbattuta da incursioni aeree di passaggio verso Cagliari. Porto secondario, ma pur sempre porto di Olbia o Terranova che fosse, veniva visitato di tanto in tanto da qualche de Havilland Mosquito, o da un Messerschmitt Bf 110, o da entrambi che saettavano in aria come rapaci. La chiesa stessa dalla cupola a scaglie variopinte appariva puntellata su un lato. Ma niente a che fare con quanto, nel rigurgito della ragione, accadeva tutt'intorno, in altre isole, nell'altra sponda del mare.

A Vincenzo Chironi bastarono al massimo un centinaio di passi per superare la terra di nessuno, altrettanti per attraversare le stradine deserte dell'abitato ed entrare in un accenno di campagna spugnosa.

Si trattava di uno spazio semibrullo ricoperto di un muschio arido che scrocchiava sotto i piedi come pane secco. Qualche roccia rompeva l'assetto... Lí, fra la collina e il mare, il passaggio della luce era ancora incerto, perché un sole stordito, barcollante, si stava scrollando di dosso il giorno vecchio, che era ieri, il terzo di navigazione dopo venti di cammino da Gorizia a Livorno rischiando a ogni chilometro di passare per disertore. Non ricordava nemmeno piú quante volte aveva dovuto mostrare il congedo che aveva con sé in quanto figlio unico di madre vedova e orfano di guerra con padre decorato sulla Bainsizza. Quel congedo era la sua breve storia documentaria, insieme al foglio del notaio e alla lettera della madre. Ma ora, in piedi su una roccia, scrutando il punto esatto da cui nasceva il giorno, si disse che quella era l'alba di tutto. Con un balzo a piedi pari come faceva da bambino si riportò al suolo. Sorridendo si rimise in cammino. Aumentò il passo: doveva solo badare a tenere il mare alla sua sinistra. Che lo vedesse o solo lo sentisse l'unica cosa importante era che stesse da quel lato: «Verso sud mare a sinistra, verso nord mare a destra, su questo versante s'intende, perché sull'altro è esattamente l'opposto, capito?» aveva intimato il forbito addetto allo smistamento e poi gli aveva scritto «Orosei» su un foglietto perché ovunque si perdesse – lui era certo che questi continentali dicono che capiscono e poi non capiscono – potesse mostrare qual era la sua direzione. A Orosei, aveva detto, partivano i postali per la Barbagia, e quindi per Núoro, che poi era dove doveva arrivare lui.

Vincenzo il toponimo Núoro l'aveva letto per la prima volta su una cartina asburgica, del tutto affidabile ma troppo antica perché fosse indicato nel grassetto in cui erano segnalati i nomi di agglomerati di un qualche rilievo. Appariva giusto come località, terreno di tribú non identificate e di briganti sanguinari. Eppure era da lí che suo padre era partito nel maggio del '15. Se i conti erano giusti, Vincenzo – considerato che è nato settimino – fu concepito ad agosto di quello stesso anno. Dove? Chissà. Quello tra il sassarino nuorese e la contadina goriziana non è certo uno di quegli amori rubricabili nell'albo dei colpi di fulmine, o degli amori eterni. Era un amore di guerra. Dentro alla cartina asburgica, quei nomi: Chironi Luigi Ippolito da Núoro e Sut Erminia da Cordenons non sarebbero stati in grassetto. Comunque un qualche legame dovette sussistere se è vero che, lievemente ferito, approfittando di un congedo breve, Luigi Ippolito Chironi corse allo Studio Notarile Plesnicar di Gorizia per riconoscere il figlio appena nato. Atto unilaterale si direbbe, considerato che non esiste alcun riferimento della presenza contestuale in loco della Sut che pure è citata come madre naturale. Da chi avesse saputo che era diventato padre non si sa. È certo che qualcosa, dentro di lui, lo spinse a compiere quell'azione che dovette significargli riparare a un torto. Di fatto, successivamente al compimento del decimo anno del ragazzo, nel 1927, fu il notaio Plesnicar in persona a presentarsi all'orfanotrofio Collegium Marianum di Trieste per consegnare l'atto di riconoscimento.

Qualche ora dopo Vincenzo fu mandato a chiamare dal rettore dell'orfanotrofio, padre Vesnaver, che lo invitò a sedersi, perché aveva qualcosa di davvero importante da comunicargli. Fu lí che vide per la prima volta una cartina della Sardegna e fu proprio in quell'occasione che il rettore gli mostrò Núoro, il posto, indicandolo con precisione. Poi, leggendogli negli occhi una reazione angosciata piuttosto che entusiasta solo per l'idea di incamminarsi verso quel mondo estremo, quel nulla appena accennato, gli disse che non era costretto a decidere subito.

Ci vollero quindici anni per decidere. E ora quel nulla lo stava calpestando.

Dopo un'ora di cammino, col mare che dormiva alla sua sinistra e con in mano il foglietto sul quale c'era segnata in bellissima scrittura la direzione verso cui doveva dirigersi, Vincenzo si trovò in un ampio spazio collinare e rugginoso come una schiena di vacca. Nel totale brunito, vinaccia, della terra arata dagli ordigni che stancamente erano piovuti dai cacciabombardieri, sopravviveva qualche accenno di verde rassegnato, polveroso.

Seguendo una strada bianca raggiunse una specie di piccola oasi formata da quercioli giovanissimi. Si fermò ad ascoltare l'aria ferma del primo mattino che portava con sé mare e terra, sabbia e roccia, che sono poi la stessa cosa in forma diversa. In quel silenzio brulicante percepí il suono lieve di una fonte. Si guardò intorno per capire da dove precisamente arrivasse quel suono. S'inoltrò tra gli arbusti che lo superavano in altezza al massimo di una spanna, sentí il profumo contomoso, umido, della terra in ombra, e vide il rigagnolo che scaturiva da una roccia... C'era odore di ferro incandescente come se quella bava d'acqua, scorrendo sulla pietra viva, avesse innescato una qualche forma di calore; come se, nella frizione dei secoli, finalmente il granito si fosse improvvisamente deciso a cedere: fortezza che si sconfigge con l'ostinazione. Provò a raccogliere un po' d'acqua nel cavo delle mani, cosa non facile. Trovò una foglia larga e solida, la lavò dalla polvere finché non ritornò lucida e cerosa, aspettò finché non si accumulò abbastanza acqua lungo la valletta che si era formata a partire dal nervo centrale, e bevve. Poi scavò alla base della roccia e usò ancora foglie per impedire che il terreno assorbisse l'esiguo rigagnolo, quindi si sedette. Frugò nella borsa di cuoio che si portava appresso, ne estrasse una camicia malamente ripiegata, un astuccio rettangolare e un sacchetto ottenuto da una cerata impermeabile.

Per prima cosa si tolse la giacca sformata, poi il maglione che aveva dovuto indossare durante la traversata, quindi si sfilò, dalla testa, la camicia che aveva addosso, se la portò al naso per annusarla, infine fece lo stesso con quella che aveva estratto dalla borsa. Controllando quanta acqua si raccoglieva alla base della roccia estrasse dal sacchetto impermeabile qualcosa che sembrava un pezzo d'ambra. Non portava la maglietta di lana, per questo l'aria del mattino lo fece rabbrividire trasformando la sua pelle nuda nella buccia scabra di un agrume e rendendogli i capezzoli due noccioli di ciliegia. La scheggia d'ambra a contatto con l'acqua prese a profumare di canfora, lardo e cenere; quando cominciò a fare schiuma se la passò sotto alle ascelle, poi sul collo e all'interno dell'incavo delle orecchie. Quel rituale, per quanto limitato, lo mise in pace col suo corpo. Mentre si passava addosso il sapone quasi a secco gli parve di sfuggire dagli umani, di congedarsi dal fetore dei loro corpi come un Adamo, a cui, condonata la condanna della cattività terrestre, fosse stata concessa l'opportunità di ritornare, completamente nudo, puro di ogni purezza, nell'Eden.

Quando, a fatica, si fu risciacquato, prese a saggiarsi la faccia sentendo sotto le dita la consistenza ispida delle guance. Da molto tempo ormai si era abituato a rasarsi senza uno specchio, semplicemente toccandosi. Si era dovuto addestrare a una contezza di sé, della propria fisionomia, tutta tattile. In questo modo aveva imparato che i suoi zigomi erano alti e le mascelle forti; aveva imparato che il rasoio doveva per forza di cose lavorare di fino nella fossetta profonda del mento; aveva imparato a trattare i vortici che i peli facevano sul collo appena sotto l'angolo delle mandibole. Continuò a toccarsi il viso con la mano sinistra,

mentre col palmo dell'altra lavorava il sapone umido perché riprendesse a fare schiuma. Con movimenti rotatori spicci s'insa-
ponò le guance; il vecchio rasoio, estratto dal suo astuccio, aveva
bisogno d'essere affilato, tuttavia usato con dolcezza poteva ancora svolgere il suo compito. La cosa importante era non rasarsi
contropelo. L'importante era tendere la pelle, ma non troppo.
Tutto ciò che sapeva, riflettè, non l'aveva certo imparato da un
padre. Una constatazione palmare per un orfano che suo padre
non l'aveva nemmeno mai visto. Superò il vortice del collo passando e ripassando con gesti sempre piú veloci, come se dovesse
scuotere la lama. Aveva capito fin da bambino che la coscienza
di sé è una brutta bestia, che non vale la pena fare troppe consi-
derazioni intorno a quanto è, o pare, ineluttabile. Negli anni di
orfanotrofio si era conquistato la fama di bambino saggio, poi di
ragazzo saggio, persino studioso, tanto che, grazie ai buoni auspici di padre Vesnaver, gli fu proposto di proseguire gli studi
presso il locale seminario. Tutti si attendevano da lui che sentisse il richiamo, si attendevano di vederlo in abito talare. Quella
sembrava la giusta conclusione...
     Nonostante molte imprecisioni che al tatto risultarono evi-
denti, alla fine potè dichiararsi soddisfatto della rasatura.
     Aveva steso all'aria le camicie, indossò quella che puzzava
meno. Erano quei tempi in cui il mondo si era lasciato trasci-
nare, senza reagire, nella cloaca della guerra. Lui aveva sempre
pensato che il tempo di pace fosse come un fiume che scorrendo alla luce del sole irrora i terreni che attraversa. Ma ora
no: quell'acqua putrida si perdeva nel buio carsico del delirio
e infettava i campi, li faceva aridi.
     Si trovò smagrito. Dopo essersi sistemato per bene la camicia
annodò quello che restava della sua cintura di cuoio e si guardò
attorno. Finí di vestirsi, recuperò le sue poche cose, sentí a sinistra il respiro del mare, si mise in cammino.

     Stava attraversando un terreno duro e crostoso, come un im-
pasto di argilla cotta, che procedeva leggermente in salita, poco
piú in là un rigoglio di asfodeli sfioriti minacciava l'orizzonte.

Ora la luce si era fatta diffusa e calava sugli uomini come una nube di polvere. Ottobre inoltrato e si sudava.

Raccontavano che in quel particolare anno maledetto tutti i venti, caldi e freddi, scirocchi o tramontani, avevano cessato di soffiare. Tutto sembrava voler contribuire all'obbligo di fare silenzio. L'unico suono che accompagnava Vincenzo era il breve risucchio che la terra arsa faceva sotto al suo passo. La vegetazione era ridotta a un tappeto di muschi di un marrone quasi rosso, come il fegato di una bestia enorme posato su quello spazio in attesa del consulto di un aruspice titanico. Se alberi c'erano stati in quel tratto di cammino – lungo quella strada che non era nient'altro che un segno, un dislivello nel tutt'uno del seccume – ora non ce n'erano piú. Restava qualche tronco divelto, qualche cespo di radici che, ostinate, si aggrappavano all'alveo, ora farinoso, da cui un tempo avevano succhiato la vita.

Arrivato in cima a quel dosso Vincenzo poté constatare un giorno fatto che pure dava una sensazione d'incompiutezza, come una goffaggine d'intenti risolta in una luminosità vaga, indecisa. Dentro a quella vaghezza capí che quanto poteva sembrare un prolungamento infinito, propaggine di terreno che arrivava fino all'altra sponda, negazione evidente dell'isola, non era nient'altro che mare a perdita d'occhio, scialbo esattamente come il cielo che lo sovrastava, dello stesso color senape della terra che lo incalzava. A parte il boschetto che si era lasciato alle spalle, quello dove aveva potuto lavarsi, sul lato del sentiero non si vedeva vegetazione se non mirti non piú alti della sua spalla, cardi, apiacee... E nemmeno una casa. Forse, a guardar meglio, si potevano scorgere, proprio sul punto esatto dove terra e mare si toccavano, le dentature perfette di spiagge intonse, bianchissime. Forse oltre a quel turbinare vaporoso di tinte su tinte c'era qualcosa che poteva definirsi vivente, reattivo, perché, al momento, tutto pareva catatonico.

Decise di seguire il sentiero che ora procedeva in discesa verso una zona rocciosa e maleodorante. Dentro a quello spazio fittile ebbe la sensazione, anzi la certezza, che morire in quell'istante, proprio lí, sarebbe stata la giusta fine per chi, come lui, non era stato concepito per nessun altro motivo che fare dispetto alla solitudine, alla disperazione.

L'assenza d'aria diventava addirittura visibile in quello spazio in cui i graniti riverberavano il calore dell'estate appena morta. Come grosse spugne quelle rocce s'erano abbeverate di sabbia e salsedine e ora ne esalavano il fiato putrido. Tenne d'occhio il sentiero che si addentrava piú in basso, lungo una gola non piú larga dei lombi di un cavallo. Erano tre, quattrocento metri, eppure quel budello dentro al quale era stato risucchiato gli sembrò infinito. La temperatura era incredibilmente umida, come se quelle pareti di roccia non fossero nient'altro che due bocche che si sfioravano scambiandosi alito e saliva. Senza nemmeno rendersene conto accelerò il passo fino quasi a correre. Sfociò in uno spazio inaspettato: una piccola piana ricca di aceri con le chiome che già tendevano a virare verso l'arancio. Il sentiero pareva completamente sparito sotto a una coltre fittissima di erba, disseccata, gialla brillante. Quegli alberi, dopo l'alito fetido del tunnel di roccia, lo rincuorarono. Lo rincuorò il cielo infinito che aveva smesso di essere solo una striscia sopra la sua testa. Allargò le braccia e si sedette a terra. L'erba fece un crepitio di rafia sotto al suo corpo. Da lí non c'era modo di percepire il mare, ma era relativamente sicuro di aver mantenuto la rotta. Erano come passati secoli da quando l'impiegato della Capitaneria di porto gli aveva indicato il tragitto verso Núoro. Guardò il cielo per stabilire che ora fosse, ma da quel cielo non poteva arrivare alcun aiuto, nessun aiuto poteva arrivare da quella luce che quasi non tracciava ombre.

In quel vuoto improvviso sentí un suono di campana, come se chilometri piú a valle un sagrista solerte stesse richiamando alla funzione i parrocchiani. Scattò in piedi: se c'era una chiesetta, o qualunque costruzione umana, da lí non poteva scorgere nulla… Tuttavia lo scampanellio continuò, ora non sembrava piú qualcosa che provenisse da lontano: ora sembrava il segnale di una bestia che avesse perso il gregge. Voltandosi per seguire l'origine di quel suono vide scaturire dal budello fetido

delle rocce, da cui egli stesso era uscito poco prima, un caprone
e dietro di lui un uomo.

La bestia aveva avvertito la presenza di Vincenzo persino
prima di vederlo, e si fermò con gli zoccoli a pochi metri da lui.
L'uomo era un vecchio piccolo e secchissimo, completamente
cieco che restava in contatto con la sua guida stringendo un
ciuffo di lanugine al lato della coda. Un minuscolo Polifemo in
cerca di Nessuno.

La cecità non gli impedí di scrutare lo spazio in cui la bestia
gli aveva suggerito si trovasse un estraneo. Il vecchio puntò esattamente il viso di Vincenzo e disse qualcosa. Lui non rispose,
o meglio scosse la testa come a dire che non aveva capito una
parola. Il capro scosse la testa a sua volta. Il vecchio fece cenno
a Vincenzo di avvicinarsi. Egli obbedí. Ora che erano a meno
di un metro l'uno dall'altro poté constatare che il cieco gli arrivava sí e no al petto.

Era vestito di una camiciola lurida senza bottoni e di due
braghe ampie dello stesso tessuto, che gli facevano sembrare le
gambe ancora piú smilze. Al posto dei calzoni portava un gon-
nellino scuro di una stoffa spinosa compatta, composito – nella
correggia che gli correva sotto all'inguine – come la briglia di un
cavallo. Era completamente scalzo. Era Tiresia in persona, cosí
pensò Vincenzo. Ma portava la chioma arruffata di Assalonne,
malamente composta sulla nuca, quella stessa chioma che, im-
pigliandosi tra i rami, l'avrebbe imprigionato a un albero nella
foresta di Efraim mentre combatteva contro il padre Davide. E
aveva la barba lunga, saettante, che portava Mosè quando Dio
gli dettò i dieci comandamenti.

Che il vecchio cieco parlasse col sorriso sdentato sembrava
un buon segno, tuttavia, qualunque cosa dicesse, Vincenzo non
poteva capirla. Il capro assisteva a questo scambio tra umani con
la superiorità di chi sulla parola non ci ha mai fatto conto piú
di tanto. Il vecchio allungò la mano per cercare il viso di Vincenzo, con un sorriso constatò quanto in alto fosse. Per qualche
minuto ancora tentarono di capirsi: il vecchio chiedeva se aveva
fame e Vincenzo chiedeva se avesse qualcosa da mangiare. La

stessa cosa. La stessa cosa. Si parlavano come dovettero parlarsi
gli operai, gli schiavi, gli architetti, durante la costruzione della
torre di Babele. Il vecchio risolse la diatriba frugando nella sac-
ca che portava in spalle e tirandone fuori un pezzo di formaggio e della salsiccia. Si sedettero, Vincenzo mangiò e il vecchio
lo ascoltò mangiare. Il capro si mise a pascolare poco distante.

Con lo stomaco pieno Vincenzo si sentí incoraggiato ad az-
zardare un approccio piú diretto. Estrasse dalla tasca il foglietto che l'impiegato della Capitaneria di porto gli aveva scritto e
lesse a voce alta badando di scandire ogni lettera: – O... R...
O... S... E... I... – pronunciò come se avesse a che fare con
un sordo e non con un cieco. Il vecchio accennò di sí apparentemente senza motivo. Accennava ancora quando gli allungò
qualcosa da bere che aveva in una fiasca ottenuta da una zucca
seccata. Era un vino acido e liquoroso. Poi si mise in piedi, fece un verso gutturale al buio che abitava e il capro corse verso
di lui. Quando lo sentí alla distanza esatta allungò la mano e si
aggrappò al vello appena sopra la coda, quindi si mise in cammino. Senza nemmeno aspettare un cenno Vincenzo li seguí.

Stavano attraversando una piccola forra quando per la prima volta in quella mattina Vincenzo avvertí la presenza di esseri viventi sopra di lui. Piccole poiane saettavano sui picchi
delle colline rocciose, talmente vicine alle spiagge da eliminare
qualunque certezza a proposito del fatto che mare e montagna
fossero inconciliabili. Per lui, friulano, quell'inconciliabilità
era un postulato a cui adesso, da sardo, doveva rinunciare. Lo
vedeva con i suoi occhi come a breve distanza crescevano ginepri e abeti. In una concentrazione che costringeva la natura a
esprimersi sinteticamente, ma nella perfezione delle genetiche
che pure aveva stabilito per tutti. Il punto dunque non era che
volassero gabbiani lungo la costa e poiane sulle creste, ma che
lo facessero cosí vicini. Meno spazio a disposizione per mettere in moto gli stessi immutabili meccanismi, si disse Vincenzo.

Quell'ipotesi si dimostrò accettabile proprio in nome di questo evidente ridimensionamento: piccoli alberi, piccole forre,
montagne basse, uomini piccoli. Le terre quanto piú sono anti-

che tanto piú si concentrano, sono grumi calcificati nella Pangea; le nuove, ampie, terre invece, sono epidermidi sottili e delicate di neonati esposti a ogni trasformazione. Sono spazi dove il meccanismo, che ha tutto ancora da imparare, si fa cavilloso, non accetta l'insondabile, crede ogni avvenimento quantificabile e perfetto nella sua prevedibilità. È l'anzianità che smette di credere a questa perfezione, dimostrando in se stessa che non c'è niente di perfetto in un corpo che si consuma. Come in una terra che i venti e i secoli dei secoli hanno ridotto ai minimi termini. In fondo, a ben guardare, quell'illusione di invulnerabilità è il sentimento piú fugace che un uomo possa vivere: dura finché durano l'efficienza dei sensi, la risposta della carne, la velocità delle sinapsi. Poi, dopo, deve giungere la concentrazione a saturare con l'esperienza, con la coscienza di sé, quanto la macchina, usurata, comincia a togliere. Quella terra per Vincenzo era in tutto e per tutto simile al vecchio cieco che gli camminava davanti guidato da un capro, bestia mansueta che sacrificava la sua funzione primaria – la riproduzione – per una piú alta. Era un salto di qualità che in quel breve spazio, piú antico dell'antichità stessa, alla bestia ignorante era concesso di fare: e cioè trasformarsi da essere inferiore a mera funzione; da nulla a senso della vista per l'uomo che non lo possedeva. Tutto questo era possibile, perché in quel luogo, e questo Vincenzo lo capí immediatamente, avvenivano in un battito di ciglia processi millenari.

Cosí concluse che non era poi straordinario che il gabbiano e la poiana volassero a pochissima distanza l'uno dall'altra, con la contezza di chi sa misurare alla perfezione il proprio volo in quella miniatura di cielo.

La porzione rocciosa di quel territorio si risolse in un paio di chilometri sinuosi. Il piano ingannevolmente compatto era invece irto di piccoli burroni riempiti di rovi che il capro e il vecchio scansavano con la stessa perizia dei pipistrelli quando evitano un ostacolo nel buio totale. Vincenzo li seguiva pestando con gli scarponi esattamente lo stesso punto pestato dallo

zoccolo del capro e poi dal piede nudo del cieco. Cosí proseguirono senza parlarsi per due ore buone: zoccolo, piede nudo,
scarpone. La vita tutt'intorno si stava facendo frenetica sotto
forma di enormi corvi e di minuscoli roditori, di bisce striscianti
e piccoli cinghiali. C'era sproporzione evidente tra il movimento che si percepiva con le orecchie e quello che si poteva vedere
con gli occhi. Erano crepitii nel ventre dei cisti untuosi, o brevi
strappi sulle chiome degli olivastri e dei carrubi, o, ancora, sibili
tra le asparagine schiumose. Qualche carcassa di bestia dilania-
ta diceva che in quello spazio segreto avvenivano i quotidiani
esercizi di sopravvivenza. L'impuro vitale si esprimeva contro
il silenzio tombale della purezza. L'assenza aveva ripulito ogni
cosa, ridotto al silenzio gli uomini e la terra, cosicché sembrava
auspicabile ritornare al chiasso febbricitante della promiscuità.
Lí dove la vita si stava compiendo l'aria si era fatta di colpo re-
spirabile. Come se alla fine del percorso roccioso si fossero improvvisamente spalancati i cancelli della Terra.

Il mare comparve ostinato sulla sinistra, e Vincenzo sospirò
quasi fosse entrato solo in quell'istante nella casa del Padre. Da
quell'altezza l'acqua cominciava a prendere un colore consono,
virava al verde e azzurro. Da lí certo era evidente che l'andirivieni antichissimo di quelle onde aveva sfarinato i graniti fino
a produrre esili spiagge di una polvere sottilissima e sgargiante.
Non c'era piú niente di ostile in quell'esatto mare, sembrava finalmente ammansito e talmente a portata di mano che Vincenzo
allungò il braccio per accarezzarlo. Ma il vecchio fece segno di
no, che non era da quella parte che doveva andare. Facendogli
voltare le spalle alla costa sottostante, infatti, lo condusse in un
trattturo ombreggiato di rovi altissimi e del tutto privi di frutti
anche tardivi. Quel trattturo sconfinava in un sentiero piú largo che aveva l'aspetto di un percorso abitualmente battuto da
carri e bestie da soma. Si mossero lungo quella strada ancora
per poco, quindi si trovarono di fronte a un bivio.

Il capro si bloccò proprio al vertice della biforcazione, il vecchio fece lo stesso con lo scarto di un millesimo di secondo, giu-

sto il tempo di finire il passo che aveva già iniziato. Con grande
sorpresa di Vincenzo il cieco segnalò la strada che andava verso
destra in direzione delle colline, piuttosto che quella che conduceva verso sinistra in direzione del mare. La cosa lo lasciò
perplesso: aveva capito quel vecchio che lui doveva arrivare
fino a Orosei? L'altro dal canto suo sembrava assolutamente irremovibile: – In cue nono... – diceva scuotendo la testa e
puntandogli il dito secco verso il petto. Quel gesto, non certo
le sue incomprensibili parole, convinse Vincenzo a imboccare
la strada di destra, piú ripida, piú tortuosa. Cosí s'incamminò
in quella direzione sentendo lo sguardo del capro e l'udito del
vecchio che non lo abbandonavano, ma che controllavano che
quello sprovveduto istranzu facesse come gli era stato detto.
Voltandosi di tanto in tanto li vide assolutamente fermi dove li
aveva lasciati finché fu assorbito da una macchia di cisti e mirti.

La strada portava dritta verso una gariga d'euforbie che il calore e la siccità avevano trasformato in costole d'uccello e cannule
vetrose. Si mosse in quell'ossario frantumandolo a ogni passo.

Il paesaggio si faceva via via piú aperto, larghi campi conca-
vi erano come reti tese sopra l'abisso: attraversarli significava
lasciarsi andare tra le sterpaglie verso un dislivello che al centro
poteva raggiungere i due metri, e poi risalire verso il bordo opposto presidiato da qualche sughera vestita da un fogliame fitto
e immobile di ferrosmalto. Non riusciva a liberarsi dall'inquietudine di essersi lasciato il mare alle spalle anziché di fianco.
Ma un soffio sottilissimo d'aria, l'aroma dell'erba calpestata, e
qualche scampanio lontanissimo, l'avevano persuaso che là dove
stava andando la vita stesse lentamente risvegliandosi dal sonno comatoso che tentava di abbandonare. Senza mai perdere
di vista il sentiero ripiegò alla sua sinistra, dove il percorso cominciò a coincidere col perimetro di un podere delimitato da un
muretto a secco. Oltre quello sbarramento, non piú alto di un
metro, si estendeva un oliveto modesto, con piante non troppo
curate, ma cariche di frutti. Avanzò ancora per qualche metro
tenendo d'occhio il muro come chi segue la sponda di un fiume.

Quella visione d'acqua gli rivelò che aveva sete. Si fermò. Improvvisamente sentí la gola arsa e la propria solitudine, senza che le due cose avessero un legame reciproco. Tuttavia fu cosí che accadde: la salsiccia acida e il formaggio salato gli avevano lasciato la bocca asciutta, e quella sensazione di disagio tremendo gli stava raccontando della sua incredibile solitudine sulla Terra. Tanto che solo il ricordo del distacco da qualunque estraneo – l'impiegato storpio, il vecchio cieco, persino la massa informe di profughi inebetiti con cui aveva attraversato il mare – gli provocava uno strappo doloroso.

Ogni rumore sembrava interrotto. Un'attesa greve aveva pietrificato gli ulivi. Vincenzo si lamentò con se stesso come quando da bambino credeva ancora che il mondo intero potesse essere parte in causa rispetto al fatto che era cresciuto da solo. Quel sentimento non avrebbe dovuto sentirlo perché, per quanto si sforzasse di ricordare, non aveva alcuna memoria della sua primissima infanzia. Aveva immaginato, con l'esperienza successiva delle cose, che sua madre, incinta, fosse stata cacciata di casa. Erano faccende che, negli anni di orfanotrofio, aveva visto continuamente. «Sono sviste», sussurrava padre Vesnaver. Sviste, si capisce. Comunque il risultato non cambiava, non poteva cambiare: lui, Vincenzo Chironi, della propria storia aveva solo il nome. E anche quello era arrivato con un certo ritardo. Lui della solitudine sapeva proprio tutto. Di come si presenta sotto forma di qualcuno che alla stazione, o al corso, o al mercato, ti saluta da lontano e di come tu, pur non riconoscendolo, automaticamente rispondi. E di come, ancora, quanto piú si avvicina tanto piú ti accorgi che non si tratta di quella persona che credevi fosse. Cosí, proprio cosí.

Si rese conto che era restato in piedi, fermo in mezzo al tratturo come chi stesse cercando di ricordare qualcosa che gli era sfuggito dalla mente; fece appena in tempo a scuotersi che uno sparo poco distante lo costrinse a sobbalzare. Istintivamente si buttò a terra accucciandosi contro il muretto a secco. Un altro sparo riecheggiò, un'esplosione teatrale che aveva la baldanza di un'arma antica. Al terzo sparo Vincenzo decise di segnalarsi: – Ehi! Ehi! – cominciò a gridare. – C'è qualcuno qui!

Gli spari cessarono. Uno sfrigolio di fieni pestati anticipò la figura che arrivò di corsa, con la doppietta in mano e lo sguardo terrorizzato, dall'altra parte del muro.

Vincenzo mise le mani avanti per dire che non era successo niente. – È tutto a posto... Sto bene... – rafforzò.

L'uomo era poco piú vecchio di lui. Quasi non riusciva a parlare per lo spavento. – Giuro che in vita mia... – cominciò.

A Vincenzo scappò da ridere, conosceva bene quel tipo di goffaggine, ma anche i risvolti problematici della stessa. – Niente padre, – disse.

L'altro lo squadrò, con la coscienza di non avere addosso alcunché che potesse definirlo in quanto prete. Nonostante lo fosse. – Ci conosciamo? – chiese temendo nel ritorno di qualche parrocchiano di cui aveva perso contezza.

Vincenzo scosse la testa.

L'uomo attese qualche istante ancora. – Prete Virdis, – disse. – Lei non è di queste parti, – affermò instaurando quel «lei» che il Ventennio aveva inveterato anche in quel territorio, soprattutto quando ci si rivolgeva ai continentali.

– Sí e no, – rispose Vincenzo, con un accenno d'euforia.

Il prete non smise di squadrarlo, indossando la maschera che gli era stata mille volte utile per far confessare la sua malefatta a qualche monello del paese.

– Vincenzo... Chironi.

Prete Virdis adesso era veramente disorientato: – Chironi? – chiese. Vincenzo accennò di sí. – Chironi dei quali? – insistette.

– Chironi di Nuòro, – rispose Vincenzo con voce chiarissima. Ed ebbe la sensazione che una volta tanto quella persona che gli faceva cenni da lontano corrispondesse a qualcuno che conosceva benissimo. – Ma non sono nato qui, – completò.

Il prete fece la faccia di chi aveva capito anche se non aveva capito. E Vincenzo, a sua volta, sorrise come chi si accontenta di pensare che il suo interlocutore abbia capito, anche se è certo che non ha capito nulla.

– Núoro non è vicina, – informò il prete. – Ha parenti lí?

– Sí... credo di sí... – Improvvisamente i concetti si stavano mettendo a posto. – Se avesse da bere, le sarei grato... – sbottò all'improvviso. La borraccia al collo del prete era la prima cosa che aveva notato.

L'uomo si sfilò la borraccia e gliela porse senza neanche aspettare che finisse la richiesta. Vincenzo tentò di contenersi sorseggiando con calma, ma piú beveva piú si rendeva conto di quanto fosse assetato, piú accelerava il ritmo. Prete Virdis lo osservò con l'aria paternalistica che lo faceva definitivamente prete. – È acqua bollita... La malaria... Ha fatto bene a prendere questa strada per Núoro, l'altra in costa certo è piú veloce, ma pericolosa, l'epidemia non si contiene, il chinino arriva razionato... È stata un'estate lunga.

– Buona... – commentò Vincenzo restituendogli la borraccia praticamente vuota. – Grazie.

Prete Virdis non fece conto del ringraziamento. – Credo di aver preso una lepre... – disse indicando un punto impreciso all'interno dell'oliveto. – Non ha fame?

In una ventina di minuti arrivarono alla chiesa dedicata a Sant'Antimo. Non era piú grande di una cappella. Eppure la solitaria finitezza miniata dell'abside tondeggiante, il piccolo rosone rozzamente merlettato, il portalino con presunzione di portale, la campana solitaria incastonata dentro alla vela nell'apice del tetto, le dava un aspetto stranamente imponente. Poco piú in là si estendeva una teoria di casette basse, alcune delle quali abbandonate da tempo, che formavano un cortiletto concluso. Prete Virdis fece cenno a Vincenzo di seguirlo all'interno di quella che sembrava la casa piú intatta del gruppo.

– Sono tempi cosí... – affermò forzando il portoncino che non voleva saperne di aprirsi. Quando finalmente cedette proseguí. – Le indicazioni della Curia sono di non interrompere le proprie funzioni, ma sconsigliano di risiedere nelle plaghe malariche... La mia parrocchia non è questa, come può capire... – completò indicando un punto qualunque verso il mare. – E

laggiú è un disastro, i malarici non si contano e persino i nuovi
nati stanno venendo al mondo già malati. In un mese ho sepolto
sei parrocchiani e quattro neonati... Ecco come vanno le cose...
Gli uomini sono a morire chissà dove, i vecchi si consumano per
gli stenti o di febbre e i bambini nascono con la faccia da scheletro. È questo. Ci vuole tempra per resistere da queste parti.
Ma a Núoro no. Lí c'è aria buona, e un dispensario medico per
chi può permetterselo –. Vincenzo ascoltò senza replicare. – Mi
deve perdonare, parlo troppo eh? Ma sono mesi che non parlo
con qualcuno... Della vita intendo, non della morte... – sorrise
appena. Vincenzo rispose al sorriso. – C'è dell'acqua, – informò il prete. – Fuori, proprio qui nel retro, c'è un abbeveratoio,
non consiglio di berla, ma per lavarsi va bene... Io intanto mi
metto a cucinare... Va bene... – ripeté all'improvviso come se
temesse che la sua invadenza potesse mettere in fuga l'ospite.
Vincenzo l'incoraggiò con un gesto riconoscente e uscí.

Mangiarono in silenzio la lepre in umido con finocchietti selvatici. Prete Virdis masticava con lentezza assaporando il cibo
pezzo per pezzo; sul bordo del piatto aveva accumulato piccole
porzioni di muscolo e cartilagine. Quella carne umida aveva la
consistenza di un frutto di mare, ed era calda, constatò Vincenzo: quasi non riusciva a masticarla da tanto che si era abituato
a mangiare cibi conservati e freddi. Il rischio era di farla scivolare direttamente giú per l'esofago.

– L'assapori piano, – disse prete Virdis, come se stesse parlando a un suo chierichetto. – Lo sa che la prima digestione avviene nella bocca?

Vincenzo accennò. E pensò che quella doveva essere una
frase cara ai preti esattamente come la formula dell'eucarestia:
«Prendete e mangiatene tutti, ma masticate piano, assaporate
bene...» Accennò dunque, ma contemporaneamente rallentò il
moto delle mascelle come un bambino colto in fallo.

Il prete lo squadrò: seminudo come un san Giovanni esponeva la sua magrezza che tuttavia aveva qualcosa di massiccio,
come un'asciuttezza cesellata muscolo per muscolo. Lo stranie-

ro mangiava chino sul piatto col ciuffo scuro che gli faceva da
sipario. – Dev'esserci qualcosa della sua taglia, – disse prete
Virdis a un certo punto.

Vincenzo alzò la testa dal piatto, masticò ancora un po', deglutí facendo sussultare il pomo d'Adamo pronunciatissimo. –
C'è vento, – proseguí il prete. – La roba non ci mette molto
ad asciugarsi.

Poco prima di sedersi a tavola infatti aveva fatto il primo bucato vero da due anni a quella parte e ora due camicie, tre paia
di calzini, due pantaloni, due maglie, erano stesi come fantasmi
sui cespugli del cortile retrostante la canonica. E aveva potuto
lavare anche se stesso con una quantità d'acqua sufficiente a
farlo sentire pulito. E ora quel cibo caldo.

Non troppo distante dal tavolo, nell'angolo in ombra della
stanza, su un sacco ripiegato, sonnecchiava un grosso cane che
non aveva dato segnale di volersi occupare di tutto ciò che succedeva intorno a lui. Prete Virdis lo indicò con un movimento
del capo: – Murazzanu –. Scandí come una rivelazione. – Ha
quasi vent'anni, ci crederebbe? – Vincenzo scavò con lo sguardo nell'angolo buio dove la bestia respirava pesante. – Non sa
quante volte mi ha salvato la vita... Io sono cacciatore, l'ha
visto... – Aspettò un assenso dell'ospite prima di proseguire.
– Una volta eravamo nel mezzo di una battuta di caccia al cinghiale, be': non mi attacca una bestia dalle spalle? – Il prete qui
fece una lunga pausa enfatica, a Vincenzo venne in mente che
doveva per forza di cose interrompere qualunque attività prima che l'altro riprendesse. – Faccio appena in tempo a girarmi
quando vedo un bestione di centocinquanta chili almeno che mi
carica. Mai visto un cinghiale che carica? – Vincenzo fece cenno di no. – Insomma, mi vedo perso e mi rivolgo al Santissimo
e dico: «Va bene, se hai deciso cosí che cosí sia», quando, staccandosi dalla muta che si era dispersa nella macchia, ecco che
arriva Murazzanu. Era una bestia bellissima allora, come sono
belli i cani giovani della razza fonnese, di Fonni lí dalle sue parti... Insomma si lancia sul cinghiale che aveva una stazza doppia della sua e si attacca alla sua collottola... Proprio qui... – e

si afferrò la nuca con la mano. – Quello, che deve scuotersi per levarsi di dosso il cane, è costretto a frenare la corsa. Io riesco a mettermi al riparo, ma non c'è dubbio che possa prendere la mira: cane e cinghiale sono avvolti da una nuvola di polvere. Intanto accorre il resto della muta e il gioco è fatto. Però quando stiamo caricando sul carro il sirboni, che da noi vuol dire cinghiale... Da voi come si dice?

Vincenzo non era preparato a una domanda diretta, cosí per un attimo cercò nella testa la parola richiesta: – Sanglâr.

– Ah, strano, – commentò il prete.

– A me pare strano il vostro di cinghiale, – ribatté Vincenzo.

A prete Virdis gli scappò da ridere. – Comunque, – riprese, – stiamo caricando il cinghiale sul carro quando mi accorgo che Murazzanu è a terra. Oh, sventrato! – Prete Virdis attese una reazione ma da parte di Vincenzo, che cominciava a sentire addosso un certo freddo, non arrivò niente. Cosí proseguí pensando che quella storia la stava raccontando piú per sentire la sua stessa voce che per altro. – Insomma, è lí a terra con tutti gli intestini di fuori. E che cosa direbbe l'istinto umano in questi terribili frangenti? – sembrava una domanda ma non era una domanda, infatti Vincenzo capí al volo che non doveva rispondere niente. – L'istinto direbbe di uccidere quel povero magnifico cane per evitargli sofferenze atroci... E invece no. Ho fatto il cappellano in Libia, lo so come vanno queste cose. Io il cane moribondo lo carico sullo stesso pianale del cinghiale morto, con tutti gli altri compagni di caccia che mi danno del matto e dicono: «E fallo smettere di soffrire a quel povero cane!»; e io: «Lasciatemi fare! Che se arriva vivo in paese io salvo lui come lui ha salvato me!» Che razza di riconoscenza, stanno pensando tutti, me ne rendo conto. Eppure è piú forte di me, devo seguire una voce che mi dice di salvarlo... E infatti al paese ci arriva vivo, con le budella che ancora fumano e il respiro grosso. Conosco qualcuno che sa fare le cose: è il medico del paese, Dottor Muroni, che sa trattare uomini e bestie. L'abbiamo seppellito cinque, sei anni fa, pace all'anima sua, – disse facendosi il segno della croce. – Comunque, gli porto il cane e lui senza chiedere niente prende le viscere e gliele rimette nel cavo sotto al costato, poi prende i lembi lacerati del ventre e li tira forte uno verso l'altro, e quando riesce a farli combaciare mi dice di tenere forte. Murazzanu sta ciucciando l'aria come se avesse in bocca una cannuccia, povera creatura. Non ce la fa, penso, questa non la regge... Intanto Dottor Muroni, come un sarto, ha infilato in un grosso ago a uncino un filo chirurgico: «La bestia è sfinita, – mi dice per rassicurarmi, – ormai non sente nemmeno piú dolore, facciamo pure questa cosa, ma poi bisogna vedere se passa la notte». Faccio segno di sí, e lui comincia a cucire. La pelle tesa del ventre scrocchia a ogni puntura d'ago e sibila quando in quel buco scivola la correggia, il cane pare privo di sensi, respira pianissimo, di tanto in tanto uggiola, ma come se gli mancasse la voce. Dopo una ventina di minuti i lembi strappati sono ricuciti grossolanamente e le viscere sono ritornate al calore del corpo. Be', sono passati sedici anni da quel giorno...

La conclusione è che prete Virdis ha troppo parlato e poco mangiato, ma la cosa non pareva interessarlo piú di tanto. Infatti dopo aver spostato su una vecchia ciotola sbeccata gli scarti del suo piatto si alzò per portarli al cane. Si chinò verso di lui e gli accarezzò il muso con delicatezza, porgendogli i pezzi teneri, grassi e succulenti che aveva selezionato. Murazzanu saggiò quel cibo con la punta della lingua, poi, lentamente, cominciò a masticare. – Povero amico mio, – sussurrò il prete. – È completamente sordo e ha le cataratte agli occhi, ma se fosse un essere umano sarebbe ultracentenario, – disse ritornando a tavola. Vincenzo si leccava le dita per assaporare i resti d'unto e se stesso. Era sazio come da tempo non gli accadeva, sentiva un calore che promanava dall'interno. – Il punto non è tanto la fame reale, – stava continuando il prete procedendo in un discorso tutto suo, come un fiume sotterraneo che, dopo essere scorso per chilometri dentro alla pancia profonda della terra, sbocca improvvisamente in superficie. – Il punto è la fame... – Cercò una parola giusta nell'area appena circostante il suo viso. – Im-

materiale. La fame immateriale... Ecco, – concluse soddisfat-
tissimo come se il concetto gli fosse arrivato in bocca fragrante,
appena cotto. – La gente non pensa a Dio, pensa solo al bisogno
di Dio, perché Dio andrebbe accolto in una stanza apposita: è
un ospite per cui si tiene libero uno spazio, un letto, una sedia,
un tavolo, una lampada. Sa quello che si insegna, no? – Vincenzo non ritenne opportuno intervenire, si stava lasciando andare
a un languore sottile come una carezza alla nuca. – A proposito
delle vergini sagge, intendo... Ecco... – A Vincenzo si chiudevano gli occhi. Prete Virdis lo guardò come se lo vedesse allora
per la prima volta. – Sei stanco, – disse tranquillo e definitivo.
Da un corridoio di calma digestiva il giovane fece cenno di sí.

Quando si sveglia è buio pesto. Ha addosso una camicia non sua, larga, ma con le maniche troppo corte e le spalle troppo strette. Non ricorda di essersi coricato, ricorda solo la sensazione di aver posato la testa su un cuscino. Dopo qualche minuto che si è abituato all'oscurità ecco che può guardarsi attorno: è in una stanza semplice, c'è il letto in cui è disteso, una sedia colma dei suoi abiti frusti ma puliti e asciutti, un treppiedi con un catino e una brocca. C'è un crocefisso che fa sembrare la nuda parete di fronte al letto ancora piú nuda. E silenzio. O meglio, tutt'intorno, quando anche l'udito comincia a passare dal sonno alla veglia, Vincenzo sente con precisione la calma frenetica della campagna, il frinire, lo sfregare, il respirare, lo svolazzare della vita parallela di piante e bestie, di terra e aria, di mare e roccia. Lontanissimi, riverberi appena accennati, si sentono scoppi come vuoti d'aria. Ma in mezzo a quel nulla sembrano talmente distanti che quasi viene il dubbio che da qualche parte la terra sia un campo di battaglia. Oh, si stenta a crederlo. Dalla cima del paradiso semplice di un cibo caldo e di un letto pulito si dubita realmente di questo mondo rovesciato. Eppure è cosí che va.

Vincenzo ha fatto un sogno e in quel sogno era se stesso ma anche qualcun altro, tanto che poteva vedersi e giudicarsi. Ha fatto quel tipo di sogno di cui resta solo la nota dominante, come una canzone di cui si ricorda un accenno di melodia e nient'altro. Gli pare di poter dire con certezza che quanto ha sognato fosse

legato all'infanzia, ma non la sua, o forse sí, ma vista da un lui
ormai adulto, proprio come succede a quei temerari che entrano
nella macchina del tempo rischiando di incontrare se stessi ancora in fasce. Un sogno di albi illustrati, di esplorazioni sidera-
li. Di libri letti a lume di candela, con rare immagini in bianco e
nero tra un capitolo e l'altro. Immagini che danno corpo a eroi
altrimenti incorporei, con nomi difficili da pronunciare e avventure del tutto improbabili, ma bellissime proprio per quello.
Vincenzo sogna che la lettura l'ha salvato. E sogna che nella sua
breve vita ha per lo meno avuto l'opportunità di frugare in una
biblioteca, piccola magari, che era quel che era, ma piena di storie, come quella di padre Vesnaver a Trieste. E qui, quel sogno
apparentemente irrelato rivelava la sua insospettabile relazione,
solida come la dimostrazione del teorema di Pitagora: perché è
stato un altro padre – prete Virdis – a nutrirlo, a offrirgli quello
stesso letto sul quale ha potuto consumare il primo sonno vero
dopo mesi di semiveglia. Il primo sogno dopo mesi di buio. Cosí
è apparsa la piccola biblioteca triestina, tutta racchiusa in due
grandi credenze con sportelli a vetro poste proprio alle spalle della scrivania del rettore dell'orfanotrofio. Questo avviene: che le
cose si mescolano in un tutto che sembra slegato e poi, a sorpresa, si legano. Vincenzo, nell'oscurità di quella stanzetta che non
conosce, prova a sforzare la vista per afferrare particolari, come
quando da bambino si sforzava di guardare oltre padre Vesnaver
per leggere le costole brillanti dei libri racchiusi dentro agli sportelli tirati a lucido dalle suore addette alle pulizie, alla vigilanza
e alle cucine dell'istituto. Cosicché *L'isola del tesoro*, *Dalla Terra
alla Luna*, *Il Conte di Montecristo*, che erano quelli direttamente
raggiungibili dal suo sguardo, erano piú che libri, piú che storie:
indizi di un mondo altro, pronto da esplorare. Quando ne ebbe
il permesso furono i primi che volle leggere.

– Nemmeno il temporale l'ha svegliato, – sussurrò prete Virdis palesandosi dall'angolo piú oscuro della stanzetta.

Vincenzo ebbe un sobbalzo. Ora che stava per svegliarsi
completamente poteva dirsi con ragionevole sicurezza che il

prete era rimasto per ore a guardarlo dormire. – Quanto tempo ho dormito? – chiese, rendendosi conto all'improvviso di tutto: che qualcuno l'aveva rivestito con abiti non suoi e l'aveva portato in un letto.

– Saranno due giorni, – disse semplicemente il prete. – Ho anche temuto il peggio. In piú ha cominciato a tuonare e grandinare...

– Due giorni, – ripeté Vincenzo. Si mise a sedere sul letto portando le gambe fuori dalle coperte. – Ma io devo andare!

– Ma dove vuole andare, si va incontro alla notte...

Vincenzo si guardò attorno ancora una volta. – Due giorni. Due giorni...

Prete Virdis fece segno di sí con la testa. – Murazzanu è morto stanotte, – disse piú a se stesso che all'altro. – Povera creatura, – commentò accomodandosi accanto a Vincenzo. – Qui è tutto morto, tutto, e questa pioggia non aiuta: l'autunno non arriva, la temperatura non si abbassa, le acque non sono che un ronzio d'insetti... Ho temuto il peggio anche per lei vedendo che non si svegliava, ma poi ho sentito il respiro regolare e mi sono detto che evidentemente aveva bisogno di dormire –. Vincenzo si sentiva intorpidito, nemmeno la morsa gelida del pavimento sotto ai piedi scalzi lo aiutò a riprendere piena coscienza. – Ha grandinato che sembrava volesse buttare giú tutto, sono corso fuori a prendere la sua roba stesa, è asciutta adesso. Qualche tempo fa potevo contare su Filomena, che magari poteva darle una stirata, ma, povera donna, anche lei se n'è andata che sono due mesi...

– Ho sognato –. Affermò Vincenzo. E in quel nulla rarefatto di calma dopo il temporale, la sua voce risuonò imprecisa come qualcosa ancora da farsi.

Prete Virdis si alzò, aspettò che proseguisse, ma si rese conto che il giovane non aveva nient'altro da aggiungere. – Non sono tempi per sognare questi, – rifletté a voce alta per ottemperare a un qualche, sconosciuto, dovere di interloquire in un discorso non fatto. – Fame? – chiese dopo qualche secondo di silenzio.

Cosí seppellirono il cane. Era una mattina piatta, scura e scabra come un piano d'ardesia. Un'afa innaturale afferrava i bronchi nonostante l'alba fosse spuntata da poco. Vincenzo scavava una buca nella terra durissima dello spazio antistante all'abbeveratoio. Un lavoro piú faticoso di quanto pensasse, con la punta della vanga che scintillava a contatto con i sassi agglomerati nell'argilla cotta.

– Ecco, – constatò prete Virdis. – Ieri ha grandinato, l'umidità non lascia requie, eppure la terra è dura come il bronzo, non beve una goccia d'acqua... Ecco –. Lo disse come se volesse intendere che in quell'orrore che era diventato il mondo anche la terra diceva la sua, si ripiegava su se stessa, rifiutava la speranza.

Vincenzo, dando un altro colpo di vanga, pensò che quelle terribili conclusioni, quella bestemmiante assenza di speranza, specialmente nella bocca di un vicario di Cristo, non fosse nient'altro che dolore amarissimo per la perdita di una creatura molto amata.

La bestia, chiusa in un sacco di iuta, fu posata con dolcezza sul fondo della buca. A contatto con la nuda terra, piú scura di quanto fosse in superficie, il sacco aspettava d'essere ricoperto con la docilità ineluttabile del cadavere che non è piú corpo e anima, ma solo carne, strumento abbandonato dalle dita o dal fiato. Prete Virdis trattenne piú di qualche lacrima. Si alzò un vento lieve ma vorticoso come un bordone ostinato. Vincenzo sollevò gli occhi al cielo che si abbassava come se volesse raggiungere gli umani, velarli di un sudario untuoso. Non aveva dato l'ultima sistemata al cumulo sulla buca che cominciò a gocciolare. Rientrarono in casa appena in tempo per non essere totalmente investiti dal getto d'acqua.

Là fuori il vento si era fatto consistente e il caldo asfissiante. Come nella bottega del cerusico tutto profumava di ferro e oli essenziali. Di pelo bagnato e carogna. Di escrementi e piante officinali. Qualunque cosa contenesse quello spazio martoriato, qualunque cadavere di cervo o mufolone fosse rimasto incastrato sul fondo roccioso delle forre, qualunque essere vivente fosse stato colto dalla fine mentre cercava erbe selvatiche o mentre sfuggiva dal suo nemico giurato, qualunque umoroso amplesso si stesse consumando nel segreto della campagna, ora esalava vaporoso dal suolo. Dove fosse finita l'umanità era un mistero, marciva nell'attesa che altre superiori necessità cessassero, che nel frastuono circostante ci fosse un millimetro appena di spazio per tendere una mano a quella scheggia di mondo che pur non morendo di guerra, moriva di guerra tuttavia.

– Questa non è benedizione, – sentenziò prete Virdis, vedendo che fuori dai vetri la pioggia batteva senza sosta. – Ho detto messa a Budoni ieri... – s'interruppe rapito dalla resistenza fiera che le foglie di un melo cotogno opponevano al getto. Vincenzo non disse nulla. – Non è benedizione, – riprese prete Virdis. – È la festa delle larve. Ieri quattro morti a Budoni... E a Orosei, in tutta la Baronía dicono che è ancora peggio. Bisognerà capire da quale parte è piú opportuno passare, no? – Aspettò, poi vedendo che Vincenzo non coglieva: – Núoro, non è a Núoro che deve arrivare? – Come improvvisamente risvegliato Vincenzo fece segno che sí, che era proprio lí che doveva andare. – Bene, – riprese prete Virdis. – Allora sarà il caso di fare le cose come vanno fatte... Devo avere una cartina da qualche parte... Un atlante, – disse allontanandosi verso la sua camera.

Vincenzo lo seguí con lo sguardo, sentendosi improvvisamente trasportato indietro a sedici anni prima, a Trieste, nell'ufficio del rettore.

«Sedete, sedete… – gli aveva detto padre Vesnaver, rettore del Collegium Marianum. – Ci sono un po' di cose che dobbiamo discutere…» Vincenzo si era seduto e aveva abbassato la testa in attesa che l'altro proseguisse. «Riguarda il vostro passato e anche il vostro futuro. Ho qui due documenti che il notaio Plesnicar mi ha condotto di mano venendo direttamente da Gorizia. È lí che siete nato». Il prete si era fermato a osservarlo. «Non trovate interessante l'argomento? È di voi che si sta parlando. In quanto tutore autorizzato dal compito che rivesto in questo Pio Istituto, ho ritenuto mio dovere consultare il contenuto dei suddetti documenti prima di mandarvi a chiamare e infine mi sono risolto a mettervene a conoscenza. Andate per l'undicesimo anno…» E cosí dicendo posò sul tavolo un foglio dalle piegature intonse.

Secondo il riassunto del rettore, quel foglio affermava senza ombra di dubbio che il suo caso andava rivisto giuridicamente in quanto, dalle viscere di un ufficio notarile periferico, era spuntato un padre. Si trattava cioè di mutare status, di passare da «figlio di NN» a «figlio di…»

«Io non voglio cambiare», aveva sussurrato Vincenzo senza alzare la testa.

Padre Vesnaver aveva scosso la sua di testa. «Tu son un caiser… – aveva detto, ma senza metterci tutta la serietà che avrebbe voluto. – Testone! Un padre, capito? Ti chiami Chironi, Chironi Vincenzo, capito?»

Vincenzo aveva accennato di sí, ma poi aveva ripreso a contare le striature della mattonella fra i suoi piedi. Finché era stato seduto aveva fatto in modo di non toccare con la suola le linee del perimetro regolare di quell'unica mattonella e ora, con tenacia, cercava di tenere a mente un numero indeterminato di pennellate che la decoravano. Aveva accennato di sí dunque, ma voleva dire di no.

Dopo aver atteso una reazione che non fosse la fissità piú assoluta, padre Vesnaver si era alzato di scatto voltandosi verso una delle due credenze con sportelli a vetro che costituivano la sua libreria, e apertone una aveva estratto un volume largo, ma sottile. «Atlante», aveva scandito mentre posava il volume sulla sua scrivania.

La scrittura era come una cicatrice dorata sul piano di cuoio. Vincenzo aveva finalmente alzato la testa. Atlante il gigante che tiene il mondo sulle spalle, quello che fa la fatica per tutti noi di sorreggere questa terra che calpestiamo. Ma ora tutta la terra cognita era selezionata, fra le pagine spesse, in riproduzioni meravigliose. L'Italia tutta immersa nell'acqua di mare sottile come un pugnale, e apparentemente vicina, l'Isola Sardegna che oggi ne fa parte. L'indice di padre Vesnaver che indicava quell'isola sembrava quello di Dio che avesse deciso di affondarla... Lí vide il nome segnato appena di quel posto che non era nient'altro che un villaggio... «Nuòro, – aveva scandito il prete. – Qui». E aveva indicato uno spazio nel nulla in quel nulla... Quel nome si leggeva appena.

Il cuore di Vincenzo quasi aveva smesso di battere. «No», aveva azzardato tentando di non piangere.

Padre Vesnaver aveva sorriso per quanto gli fosse concesso dalla particolare, immobile, conformazione del suo volto. «Non dovete decidere adesso. Potete andare».

Questo ritorno lo mise in ansia. Ma l'atlante di prete Virdis aveva un'aria del tutto diversa da quello di padre Vesnaver:

quanto era compatto questo tanto era sottile quell'altro. Prete
Virdis lo consultò con una maestria insospettabile. Indicò strade
alternative a quella che gli era stata segnalata all'arrivo a Olbia
o Terranova che fosse. Vincenzo finse di seguirlo, non riusciva
a levarsi di dosso il disagio per quella sensazione di rifiuto che
segretamente gli stava risalendo dal profondo. Si sentí ritornare
quel bambino che fissava la mattonella. – Che succede? – chiese
prete Virdis. Vincenzo fece cenno che non succedeva niente,
proprio niente. – Ci sono nove chilometri di sentieri di campagna, poi si sbuca nella provinciale in direzione Lula, che a dirla
tutta non è molto meglio, ma è piú larga. Lí transitano i carri
e qualche camion se si ha fortuna. Di passare per Orosei non
se ne parla. Non è nemmeno detto che realmente la linea dei
postali sia ancora funzionante, la situazione è brutta da quelle
parti... Da Núoro mandano chinino e piretro, ma non basta.
Quindi il mio consiglio è di percorrere la cresta e non la valle,
– spiegò indicando la cresta col dito e coprendo la valle col palmo. – Strada brutta e lunga il doppio, ma sicura.

Nel pomeriggio si era palesata una striscia d'azzurro. Si era
aperta attraverso una fessura nel piano calloso delle nubi scure,
che si erano schiuse lentamente, scivolando oltre il mare come
gli sportelli di una botola. Prete Virdis in groppa al suo asino
aveva raggiunto qualche parrocchia non troppo a valle e ora ritornava in cima, verso casa.

Il cielo sopra la sua testa era stellato e luminoso. Impietosa-
mente bello, di una bellezza semplice e totale, come il sorriso di
una sposa, l'orgoglio del ragazzo che scopre di essere uomo, lo
sguardo di chi si ama. Era bellezza degli umani e non delle cose, come poco prima, sotto la pioggia fangosa, degli umani era
stata ogni bruttezza. Di notti come queste ce ne sono poche,
pensò il prete. E decise che di fronte a quella perfezione era arrivato il momento di riconciliarsi con chiunque avesse stabilito
la morte del suo cane adorato. Scese dall'asino mansueto, s'inginocchiò sul terreno umido, si segnò, pregò. Chiese a Dio di
tenere in conto il deposito infinito di cui era intestatario grazie

al credito d'amore inestinguibile accumulato nella banca dei giusti. Gli chiese di ricordare ogni singola volta che Murazzanu aveva guardato il suo padrone come prete Virdis, prete per vocazione non per obbligo, aveva guardato Lui. Gli chiese di poter perdonare, di addolcire l'amarezza, di ricucire lo strappo, di sostituire il battito del suo cuore col lucore pulsante di quel cielo. Fatto ciò risalí sulla groppa dell'asino e con dolcezza gli batté la natica perché si rimettesse in cammino.

Prete Virdis arrivò tardi a casa. Oltre la finestrella della cucina brillava la luce pallida di una candela accesa. *Come la vergine saggia.* Entrando avvertí l'odore di lardo fritto. Sulla tavola, coperta da un piatto capovolto, quella che sembrava una frittata soda di patate e formaggio. Si sedette e mangiò. Era ancora tiepida. Mentre mangiava si accorse che stava mettendo da parte sul bordo del piatto qualche boccone tenero per Murazzanu.

Si stabilí dunque per la partenza la mattina dopo, che ormai, in quella porzione di giornata, di pioggia scrosciante e di schiarite, di esequie e di ritorni, le ore migliori erano fuggite.

Vincenzo si mise in piedi che non era ancora giorno, la sua roba era pronta dalla sera prima. Si vestí e rifece il letto tentando di non fare rumore. In cucina scaldò un poco d'acqua. Si fece la barba con cura, guardando la sua faccia dentro allo specchio in cima al treppiedi. Ora che poteva vedersi gli sembrò di essere assolutamente estraneo a se stesso. Piú magro di quanto avesse intuito toccandosi quando doveva fare quell'operazione alla cieca. Il viso che lo guardava dallo specchio era avvolto nella penombra, cupo, pensieroso, saggio di una saggezza impensabile.

Aveva sognato di nuovo, ma non era importante ricordare cosa.

Il rasoio sulla pelle fece un suono di telina strappata. Sotto al bluastro della ricrescita c'era un'epidermide bianchissima, con una qualità fanciullesca che strideva con lo sguardo teso. Ora quei due visi, fuori e dentro dallo specchio, parevano quelli di un padre e un figlio che si guardassero. Se l'avesse conosciuto

avrebbe potuto constatare fino a che punto il cipiglio serioso di
Luigi Ippolito Chironi eroe del Carso e, per atto notarile, suo
padre naturale, gli si fosse attaccato addosso. E avrebbe potuto
constatare che quella paternità si era risolta con un calco perfetto d'espressione e forma: fronte, bocca e naso esatti; di segno
e disegno: sopracciglia e attaccatura del ciuffo esatti; di colore
e tono: pallore compatto d'avorio, capelli neri fino al blu. Ma
per il colore degli occhi no, quel verde luminoso, come anche
le orecchie leggermente staccate e i polsi sottilissimi, erano di
Erminia Sut da Cordenons, contadina, e sua madre naturale.

E gli venne in mente quello che aveva sognato. O forse fu
proprio la figura oltre lo specchio a raccontargli010.
È lui stesso bambino in braccio alla mamma che attendo-
no in cima a una torre, quando vengono raggiunti da un uomo
che è lui in tutto e per tutto, ma sporco, col capo avvolto da un
elmetto lucidissimo che gli ombreggia lo sguardo. Eppure lui
bambino riconosce se stesso adulto dalla mascella, dalla linea
del collo cinto dalla fascia d'ordinanza su cui spiccano i gallo-
ni brillanti. Ha sognato che si parlano, sua madre e se stesso
adulto, e l'uno dice all'altra che preferirebbe morire piuttosto
che vedere la rovina della sua famiglia, e lei risponde che non
morirà perché ha un figlio adesso. E nel sogno la madre chiede
al soldato – di cui si avvertono ormai solo i denti bianchissimi
– se voglia prendere in braccio suo figlio. E quello risponde di
sí. Cosí la donna allunga le braccia per porgere il bambino, ma
ecco che, durante quest'operazione, il piccolo scoppia in lacrime, terrorizzato dal padre senza volto. L'uomo, comprendendo
la paura del figlio, fa segno alla madre di aspettare e si sfila dal
capo l'elmetto per scoprire il volto...
Che era lo stesso che ora lo scrutava, pensieroso, dallo specchio.

Rientrò in cucina con un telo intorno al collo, prete Virdis lo
aspettava seduto nello stesso angolo in cui solo due giorni prima
sonnecchiava il suo cane. Quando Vincenzo finí di asciugarsi

il prete constatò che una rasatura finalmente accurata gli aveva tolto cinque o sei anni. Non aveva capito che fosse cosí giovane, disse. E aggiunse, passando da un discorso all'altro, che era molto buono quanto gli aveva lasciato da mangiare la notte prima. E Vincenzo fece di spalle dicendo che erano solo patate e formaggio, sí, insomma, che si era permesso di guardare in giro e aveva trovato qualche patata e un vecchio pezzo di formaggio... Era solo *frico*, un povero piatto che si fa dalle sue parti... Prete Virdis accennò di sí, che era buono, proprio buono.

Cosí, in breve, hanno consumato qualunque argomento. Resta da assicurarsi che Vincenzo abbia capito bene le indicazioni date la sera prima, sotto la pioggia scrosciante, a proposito del tragitto da fare per arrivare a Núoro senza entrare in contatto con le plaghe malariche. E resta a Vincenzo di rispondere che sí, ha capito ogni cosa e ha capito che quel tragitto sarà piú lungo, ma piú sicuro. Prete Virdis sbrigativo ribadisce che è meglio mettersi in cammino per tempo, che le ore del mattino sono preziose. Infatti Vincenzo è già pronto col volto verso l'uscio e la borsa gonfia di abiti finalmente puliti e qualche provvista per il viaggio.

– Lo imparerai, – disse improvvisamente prete Virdis.

Vincenzo, che stava per aprire la porta, si fermò. – Che cosa? – chiese senza voltarsi.

– Se vorrai diventare parte di questa terra, imparerai cosa significa strazio... È la maledizione e la benedizione delle isole: sempre andare e sempre tornare... con strazio.

A Vincenzo parve di capire perfettamente. – Sono tempi terribili, – disse aprendo la porta.

– Sí! – approvò il prete. – Varrebbe la pena di restarsene qui a far finta che l'umanità non esista, a illudersi che tutto quanto accade lí fuori non sia nient'altro che un tentativo malriuscito, un errore rettificabile.

– Ora è meglio che vada.

Vincenzo uscí senza richiudere la porta, per permettere allo sguardo di prete Virdis di restargli attaccato alle spalle fino a quando la sua figura lunga non sarebbe sparita oltre il muretto a secco, dove cominciava l'oliveto.

L'odore del mattino fu talmente improvviso che lo spaventò. Fu preso da un panico profondo, ma senza evidenza. Una triste turbolenza tranquilla gli avvolse il petto come un sudario bagnato. Per un attimo perse coraggio. Cosí, quando si rese conto di essere fuori dalla portata dello sguardo di prete Virdis, Vincenzo si fermò. Il cielo sopra di lui era piú rugoso e scuro della crosta di una torbiera. Un cielo impossibile, puzzolente fino alla nausea come la pelle di un pachiderma. Sollevò lo sguardo per fissare quell'ammasso sospeso sulla sua testa e si chiese come facesse a reggersi senza un pilastro che lo distanziasse dal suolo. C'era qualcosa di talmente elementare in quel farsi e mescolarsi di elementi gassosi, terrosi, acquosi, che faceva pensare alla notte dei tempi. Sembra il primo cielo della Terra, pensò Vincenzo. Perché era sicurissimo che ci fosse stato un tempo in cui un umano si era dovuto rendere conto di avere un cielo su di sé, un istante certo, ma non sono tutte *istanti* le cose che cambiano il mondo?... Ecco pensava a quell'istante, che sicuramente doveva esserci stato, in cui chi abitava la Terra passò dal non avere la minima esperienza di quanto lo circondasse a quando, troppo allibito per sorprendersi, alzò lo sguardo e scrutò il cielo. No che non lo chiamò cielo, non lo chiamò affatto, ma si disse che comunque era lí, era sempre stato lí, e sempre vi sarebbe rimasto. Sempre. Vincenzo rivisse quell'istante, quasi nascesse in quello stesso momento. Perché quel turgore infelice di nubi fangose, piú livide che scure, non erano nient'altro che l'espressione tangibile del suo procedere incerto. Ma di certissimo c'era che una cosa simile non l'aveva vista mai. Un cielo cosí, mai.

Il supplizio dell'acqua

Michele Angelo Chironi si alzò prestissimo. Era il giorno del suo settantaduesimo compleanno e il cielo era scuro. Aveva aperto gli occhi un'ora prima di alzarsi perché gli scrosci sul tetto l'avevano svegliato. Fuori, nel cortile, l'acqua si divertiva a suonare secchi metallici e barattoli di latta, ché la pioggia qualche volta ha il vezzo di esprimersi in discipline umane, o forse sono stati gli uomini a battezzare come umane discipline che appartenevano ad altre categorie.

Era fabbro Michele Angelo, lo era stato prima di capire che ostinarsi nel privilegio della confidenza con la materia gli aveva portato piú infelicità che felicità. O gliele aveva portate in parti uguali, ma felicità e infelicità, anche quando non differiscono in nulla – se posate sui piatti della bilancia – mantengono la loro bella differenza quando si attaccano alla carne. Cosí, davvero, era bestemmiare la buona sorte dire che in quei settantadue anni a casa di Michele Angelo Chironi, fabbro in Núoro, Barbagia, non fosse mai entrata la felicità, ma era altrettanto impossibile dire fino a che punto la morte di quasi tutti i suoi figli, di suo genero, della sua nipotina e la scomparsa sette anni prima di sua moglie, potessero bilanciare congruamente la sua straordinaria fortuna professionale. Per questo a un certo punto, restato solo con una figlia superstite, aveva deciso che i conti fra lui e la sorte si sarebbero chiusi soltanto con la serrata dell'officina da cui la sua felicità e la sua infelicità erano scaturite. Da cinque anni in quello spazio di fucine e incudini non era ammessa anima viva. Davanti all'entrata sbarrata, che dava sul lato destro del cortile, erano state disposte quattro piante di limone in vaso.

Eppure quello era stato un luogo di vita magnifica e operosa come può capitare solo nella retorica stessa di operosità. Era stato uno spazio di voci e di sguardi, di metallo incandescente che veniva sottoposto al supplizio dell'acqua per temprarlo, come Michele Angelo pensava di avere fatto con i suoi figli. Non deve essere stato un buon lavoro, si disse per darsi il buongiorno in quell'alba scura di pioggia a fiotti.

Stabilí che si era trattenuto oltre il lecito a ruminare cattivi pensieri a letto perciò si alzò. Aveva preso l'abitudine di dormire nel posto che era stato di sua moglie Mercede prima che lei decidesse di scomparire. E questo perché sapeva cogliere l'odore segreto della sua donna, lo stesso di cui, in quarantasette anni di notti insieme, i materassi si erano impregnati. Da quella posizione poteva ricordare il triste catalogo della sua stirpe disseccata. In quel lato del letto Mercede aveva avuto le prime e le ultime doglie. Su quel lato l'avevano distesa le prefiche del quartiere per piangerla come morta quando sembrò che la sua sopravvivenza fosse in alternativa con la nascita di Marianna, l'ultima figlia.

In quel lato del letto era andato a dormire quando capí che Mercede non sarebbe tornata piú e un sonno tremendo lo colse. Piú che sonno parve uno svenimento, come una parte di sé che avesse deciso di abbandonarlo lasciandolo a terra floscio come un sacco vuoto. Questo esattamente aveva sentito: l'abbandono della sua carne, la ferocia con cui i muscoli si staccavano dalle ossa, lo sfinimento di una battaglia silenziosa combattuta fra sé e sé. Fra sé e sé immediatamente perduta. E allora si era trascinato verso la camera da letto come un moribondo che raccoglie le ultime forze per illudere tutti i cari che lo circondano che, a differenza di quanto si crede, non sta per morire. Ma era riuscito ad arrivare a stento fino al suo letto, l'unico letto coniugale che lui e Mercede avessero voluto anche quando potevano permettersene uno migliore, uno da signori. Lí si era lasciato andare, planando con il viso sul guanciale fresco del suo amore.

E aveva riconosciuto il profumo dolce acre dei capelli ancora nerissimi di sua moglie, sfiniti dalla spazzola... Aveva riconosciuto la fragranza della curva che la nuca faceva all'origine del collo, dove scappavano i ciuffi giovani ogni volta che Mercede tendeva le ciocche sul cranio per arrotolarvi la treccia. Aveva riconosciuto l'orma del corpo esile di lei sotto il suo corpo, che non era nient'altro che un involucro senza peso.

Dissero che dormí ininterrottamente per tre giorni. E dormí nella notte atroce come il morso di una tagliola, senza un segno, senza un'indicazione, senza speranza. Vecchio centenario a sessantacinque anni, vedovo senza una moglie da piangere, perché che Mercede fosse morta non si poteva dire.

Nel momento esatto in cui Vincenzo, data l'ultima palata di terra alla sepoltura del cane di prete Virdis, si era messo a correre verso casa per evitare lo scroscio incombente, a Núoro Michele Angelo, davanti al caminetto spento, pensava a quanto serenamente crudele fosse stata la sua vita. Aveva sentito con chiarezza con quanta ostinazione quel vivere o sopravvivere si era attaccato alla sua carne.

«Il vostro problema è che state troppo bene», gli aveva detto un giorno Dottor Romagna parlandogli dalla strada verso il portale come al solito socchiuso del cortile.

Al che lui aveva risposto con una scrollata di spalle. «Che bene e bene su Duttò: ho dolori dappertutto».

Dottor Romagna aveva sorriso con la faccia di uno che deve per professione credere e non credere. Lui sapeva che i pazienti pericolosi appartenevano a due famiglie nemiche come i Montecchi e i Capuleti: da una parte quelli sempre malati e dall'altra quelli che non si ammalavano mai. Il che la diceva lunga sul luogo comune che la mente non avesse voce in capitolo quando si trattava di acciacchi.

Michele Angelo aveva tutta l'aria di uno che la malattia sapeva tenerla a bada, come aveva saputo tenere a bada ogni cosa nella sua vita. Anche il dolore. Anche dover assistere alla decimazione perfetta di tutta la sua famiglia.

A questo esattamente pensava Michele Angelo seduto davanti al caminetto spento, mentre fuori gettava e gettava e Marianna, a braccia conserte, taceva dietro di lui. Poi si era diretta verso la porta finestra che guardava verso il cortile, aveva scostato la tendina dell'anta e si era segnata, che quel cielo livido faceva paura sul serio. Non si dicevano niente. Potevano stare in silenzio per giorni interi padre e figlia in quella casa di fantasmi. In quella cucina dove Luigi Ippolito aveva annunciato che sarebbe partito per la Guerra, sa Gherra, la Prima, quella vera, non questa.

Battendo una manata su quel tavolo Michele Angelo aveva dichiarato conclusa la carriera scolastica di quel perditempo di Gavino, l'altro figlio. E ancora lí erano stati disposti vassoi di dolci e tazzine fumanti di caffè per il matrimonio di Marianna. Oh, per qualche ora persino le bare bianche dei gemelli Pietro e Paolo, raccolti a pezzi in una tuppa, erano state appoggiate su quel tavolo prima del funerale...

Tutti morti, pensava Michele Angelo. E lo pensava ogni giorno.

Proprio mentre Michele Angelo pensava queste cose a Vincenzo venne in mente che avrebbe potuto restare da prete Virdis, che quanto andava cercando a Núoro non era detto che ci fosse. Poi era trascorsa un'altra notte feroce, con gli aerei che passavano rasoterra e rendevano ancora piú paurosa l'ira dei cieli. E Michele Angelo aveva aperto gli occhi, maledicendo la coscienza vigilantissima che aveva trovato a vegliarlo accanto al letto. Poi si era voltato verso il lato del letto in cui aveva sempre dormito lui e, con sollievo, non si era trovato. Lui non c'era piú, il suo corpo era disteso sul calco di Mercede, e questo era tutto. Era tutto davvero. Perché in quell'improvviso non trovarsi c'era la soluzione che aveva cercato negli ultimi sette anni: sparire significava sottrarsi al dolore.

Michele Angelo si rese conto della sua scomparsa proprio quando Vincenzo finiva di preparare le sue cose badando a non svegliare prete Virdis, che era sveglio tuttavia.

– Il supplizio dell'acqua, – sussurrò Michele Angelo al silenzio che l'accoglieva. Quella condizione di stabilità che andava conquistata a patto di terribili cambiamenti. Lui lo sapeva, l'aveva visto bene il magma incandescente che, una volta immerso nel secchio, s'irrigidiva sbuffando e fischiando.

Questo era stato in fondo: era venuto al mondo come materia informe che l'amore aveva forgiato, quando il suo sguardo aveva incrociato quello di Mercede. Per anni il maglio aveva battuto sul suo corpo costringendolo a cedere. E lui non aveva ceduto, fino a quando Mercede non aveva deciso di andare via. Ma anche una volta andata via non si poteva dire che lui avesse ceduto. A dispetto di ogni realtà, di ogni constatazione, si opponeva allo specchio d'acqua che avrebbe potuto decretare un assetto definitivo. Cosí che Mercede fosse morta non si poteva, non si doveva, dire. Era uscita e poi non aveva ritrovato la strada di casa, ecco cosa era lecito dire. E occorreva sorvolare sul fatto che fosse uscita scalza e in camicia da notte e con i capelli sciolti; poi sorvolare sul fatto che qualche pezzo di tela strappata fosse stato trovato prima del trémene a Gorroppu; poi sul fatto che erano passati sei inverni e sette estati, che l'inverno appena trascorso era stato tremendo, con gelo senza requie, neve abbondante e piogge torrenziali; poi ancora che, se mai sarebbe stato superabile il freddo, non c'era nessuna speranza di sopravvivere ai cinghiali; e poi ancora e ancora, che Mercede, prima di sparire, non era mai uscita di casa e non aveva esperienza del mondo se non quella che si era fatta sulla sua carne; e infine che dopo la morte di Luigi Ippolito non era piú stata la stessa, ma aveva retto perché Marianna, la figlia femmina, aveva trovato un fidanzato importante, un podestà, e doveva sposarsi, e aveva retto ancora finché non seppe che Dina la nipote era morta anche lei!

Ecco, la qualità di quelle tragedie era commisurabile solo in rapporto al fatto che la fortuna era stata generosa con i Chironi, ma aveva fatto pagare cara quella generosità. Con altri la fortuna non lo era stata altrettanto, tuttavia le tragedie si erano susseguite lo stesso. Senza una qualche ostinata docilità tutto quel mondo pare ingiudicabile, insopportabile. A Michele Angelo venne in mente il sogno del faraone che ha visto sette vacche grasse e sette vacche magre, e l'interpretazione di Giuseppe che sentenzia: «Sette anni di abbondanza e sette anni di carestia». E ciò rimetterebbe a posto le cose: tenersi pronti per la carestia durante l'abbondanza. Ma quella è una saggezza talmente elementare che si frantuma al primo scossone della realtà. Che succede quando abbondanza e carestia dormono sullo stesso letto, quando c'è il cibo ma non ci sono piú le bocche da sfamare?

Succede che si perda la testa, e succede che l'amore non basti. Succede che se i fatti non si pronunciano vuol dire che non sono capitati. Lo stesso fiato che ravviva la fiamma permette alla vita di compiersi: il nome proprio Mercede e la parola Morte non possono mai essere pronunciate assieme a casa del fabbro; nessun respiro umano è autorizzato a comporre la frase «Mercede è morta»; nessuna mente è autorizzata a constatare che «Mercede non può essere sopravvissuta». È tutto.

Anche questa giornata inizia con Marianna che invita il padre a uscire e lui risponde che no. Non vuole vedere quello che c'è fuori dal cortile. Non vuole affrontare un paese che non conosce piú, tanto che già qualcuno comincia a chiamarlo città.

La tragedia dei profughi si è risolta in una qualche forma di prosperità per quella plaga altrimenti dimenticata. I bombardamenti delle cittadine di porto hanno condotto verso l'interno dei pelliti, verso le fauci dei trogloditi barbaricini, azzimati campidanesi e speculativi galluresi in tutto civilizzati. Gli uni vagamente equini, con la mascella castellana; gli altri chiari e toscaneggianti. Raffinati come possono, comunque evoluti dalle qualità delle piccole capitali: viceregia al Sud, dove ci sono palazzi e lungomare; vescovile al Capo di Sopra, dove impera il barocchetto. Qui, nella cattività barbaricina, bisogna avere pazienza: il posto è quello che è, la gente è quella che è, le case sono quello che sono, ma almeno rimangono in piedi. E, bisogna dirlo, c'è una campagna magnifica. Anche l'aria è buona, buono il formaggio, ma non sanno fare il vino che è pesante, inacidisce in un nonnulla, basta scuoterlo appena: nel trasporto s'intorbida di residui e per berlo bisogna farlo riposare. Cosí per tutto il resto, agli urbani del Sud o del Nord questi pastori dell'interno, del centro, sembrano in tutto cose rozze, rozzamente lavorate che però vanno trattate con estrema delicatezza, perché in un attimo si rabbuiano e basta niente: un errore involontario, una parola di troppo, uno sguardo sbagliato, un tono incontrollato, che si passa dalla gioia al dolore, dal riso al pianto.

La maggior parte dei profughi occupano case in affitto, vecchi stabili disabitati già dai tempi della recente, grande, edificazione mussoliniana. Case basse col tetto incannucciato, pensate per uomini e bestie insieme, con cameroni amplissimi e niente servizi, se non la campagna poco distante. Quelli piú ricchi hanno comprato e ristrutturato, alcuni hanno persino trasferito a Núoro le loro attività commerciali.

Intorno impazza lo spettacolo dell'orrore abissale, ma in quella specie di Svizzera rustica si ragiona di lottizzazioni, si concepisce un'espansione verso il territorio collinare di Istirítta e si programma la costruzione di una nuova, importante, chiesa dedicata alla Madonna delle Grazie.

In questo posto di intelligenti, di fascisti dal volto umano, di comunisti malinconici, lo spettro che agita il mondo è un'ombra appena. Nella recrudescenza che caratterizza l'agonia di ogni sistema, qui si pensa a un dopo imminente. Si capisce anche che, quando tutto sarà finito, non ci saranno vendette incrociate, o che saranno saltuarie, perché i massimi sistemi non sono talmente importanti da generare recriminazioni, qui le faide si impostano per un nonnulla. Appunto.

Da nove mesi la Soluzione Finale è in atto eppure il vecchio avvocato locale che nella contingenza si chiama podestà non sa nemmeno come siano fatti veramente gli ebrei. Per lui la Storia significa semplicemente cambiare colore di camicia ed essere additato, solo qualche anno dopo, quando passeggerà al Corso con la sua signora al braccio, senza malevolenza, anzi con una punta di affetto: fascistone.

Quello che si capisce è che è iniziata la fase calante. Solo dieci anni prima era tutto un turgore di manganelli, un teatro di gonadi e testosterone... Era tutto un circolare di balenti istituzionalizzati. Poi è bastata qualche guerra di troppo, qualche equipaggiamento mancante, e tutto quel gonfiore di petti si è miseramente afflosciato. In quanto all'autarchia ai nuoresi non si poteva certo spacciare per una pensata particolare. Da quelle parti non si era fatta nient'altro che autarchia dalla notte dei tempi. Si mangiava il proprio pane, il proprio formaggio, i propri legumi. E si beveva il proprio, terribile, vino. Appunto.

Sicché Michele Angelo aveva il terrore che il paese di Núoro si fosse trasformato in un'Itaca irriconoscibile. Perché sapeva che quello spazio non aveva potuto ancora farsi vanto della voce di un cantore che mediasse tra lui e la Storia. E intuiva che in assenza di quella mediazione non c'era verso di rendere immortali i corpi e i luoghi. Per quanto ne sapeva lui, per quanto poteva ricordare, Ulisse trovò intatta la sua isola dopo vent'anni di assenza. L'astuto Laerziade sulla riva in cui posò il piede non vide cambiamenti, non una casa che egli non avesse salutato partendo per le mura di Troia due decenni prima, non una coltivazione che prima non esistesse, non un capo in piú nel gregge di capre che pasturavano spingendosi fino alla battigia. Le voci di fuori, quelle che s'infilano nel cortile socchiuso di Michele Angelo Chironi, gli cantano una canzone diversa: di vigne scomparse, come quella al Ponte di Ferro o all'ingresso del paese nella collina subito sopra Seuna. Di strade nuove; di un nuovo mercato proprio dove c'era il frutteto del convento; di gente nuova, anche continentale, che ha aperto esercizi pubblici; di vinai che hanno chiuso le bettole e di altri che le hanno aperte; di case che si cominciano a costruire su terreni dove non si portavano nemmeno le capre a pascolare...

Tutto il contrario della poesia.

Per una qualche ragione che al fabbro sfuggiva, tutto, intorno a lui, sembrava voler rifiutare l'eternità.

Ogni volta che Marianna insisteva perché uscisse, lo invitava a rendersi conto di qualcosa che lui ostinatamente rifiutava: segherarsi, constatare con quanta ferocia i tempi nuovi si stessero divorando quelli vecchi. Se ci fosse stata ancora Mercede al suo fianco quel cortile sarebbe rimasto aperto, perché quella donna era la sola ragione per cui aveva sopportato, fin dentro la carne, ogni cambiamento. Ecco, senza capirla veramente lui, Michele Angelo Chironi, questa cosa l'aveva capita: fuori di lí, fuori dal cerchio del melo cotogno, dallo sgocciolio della fontanella, dall'angolo in ombra dove ingrassano le ortensie, avrebbe potuto trovare ogni cosa, buona o cattiva che fosse, ma non Mercede.

La porzione di cielo che sovrastava quell'orto concluso mutava a seconda delle stagioni, a seconda dei fogliami e delle fioriture, a seconda della luce. C'era una varietà infinita persino in quell'area ristretta, totalmente isolata dall'esterno. Era là che i rododendri e le dracene surculose producevano quel particolare profumo ombroso traspirando l'aria della sera. Là che si accumulava il languore triste emanato dalle pareti, smaltate di fuliggine spessa, dei camini; era là che ile non piú grandi di un'unghia prosperavano nell'incubatrice creata dalla perdita d'acqua del tubo per l'irrigazione; lí, accucciati sugli sgabellini di ferula, si spennavano i capponi e si sbucciavano le fave; da lí precisamente si poteva osservare il gran carro, o l'aratro che fosse, perché la rimessa in cui, finito il suo lavoro, veniva riposto era proprio in quella porzione di cielo nel centro esatto del cortile. E ancora era da quell'area immutabile che i pomeriggi di marzo spalmavano sonnolenza in casa attraverso il silenzio laborioso della cucina perfettamente riordinata; e fin dentro all'officina quando ancora c'era qualcuno a renderla viva, quando ancora ante di cancelli non finiti, pezzi di balconi, alari per camini, ringhiere occupavano quell'area che ora era occupata da quattro limoni in vaso, segno che nemmeno l'immutabile è davvero immutabile.

Era possibile coricarsi con un cielo settembrino tutto stelle, inebriati dal profumo appassionato delle notti perfette, e risvegliarsi in un novembre di nubi improvvise, ma con quello stesso, malinconico, profumo ancora attaccato alle narici. Non bisognava mai fidarsi del cielo, ma solo del proprio naso. Questo significava adattarsi a convivere col firmamento, cercando di trovare dentro se stessi un sistema per sopravvivere. A Michele Angelo pareva di non aver mai saputo nient'altro che questo: sbarrare le porte dell'officina, tener socchiuso il portale del suo cortile, non era stato in nulla perdere la speranza. Era stato concentrarsi, raccogliere le proprie esigue energie per dare un senso a una vita che rischiava di non averne. E poi perché solo in quella concentrazione, in quel raccoglimento, poteva dirsi al sicuro.

Il supplizio dell'acqua era stato un dolore acido, terrificante, istantaneo. Poco sotto la superficie dell'acqua gelida, per un attimo, aveva perso il respiro, ma ora temprato, sovrastato da un cielo che mutava immutabile, non temeva piú nulla.

– Perché non uscite a fare due passi? – gli disse Marianna da dietro alle spalle.

Non si aspettava che il padre rispondesse.

Infatti Michele Angelo non rispose.

Il ritorno di Ulisse in patria

Per tutta la mattinata camminò. Quanto piú si saliva, tanto piú il clima si faceva rigido. Non si trattava certo di scalare montagne, ma nemmeno di colline si trattava: in alcuni punti i tratturi erano semplici spaccature fra le rocce. Anche la vegetazione si era fatta piú spessa, non secca e crepitante, ma turgida e liscia, foglie senza un suono che scivolavano sul corpo resistenti e non si frantumavano a ogni tocco. Il passo di Vincenzo si faceva piú svelto via via che si scaldava. Per due ore non incrociò anima viva. Se si escludevano piccole famiglie di pernici dal collare rosso che, baccaglianti e sospettose, al solo rumore dei suoi passi acceleravano per raggiungere un riparo. Vincenzo pensò a quanto fossero strani quegli uccelli che avanzavano con l'urgenza di chi avesse tanto da fare, ma che, in fondo, non avevano nient'altro da fare che sopravvivere. E un poco si figurò che anche lui visto dall'alto dovesse fare l'effetto di qualcuno che ha un'urgenza inesplicabile scritta nel passo veloce, nello sguardo concentrato, nella diffidenza, nell'attenzione ai particolari.

Una serie di rumori secchi davanti a sé lo distolse da questi pensieri ampi. Esattamente come una pernice qualunque, accelerò il passo per ritirarsi fuori dal sentiero e controllare cosa stesse succedendo.

Seminascosta da un'ansa del tratturo una donna stava abbattendo una pianta. I colpi secchi che aveva sentito erano quelli di una lama che scalfiva la carne asciutta di un arbusto altissimo e carico di fiori gialli.

Vincenzo decise di farsi vedere. Come se camminasse in una stanza dove tutti dormivano avanzò guardingo. La donna parve non averlo nemmeno notato.

Quando sentí che l'estraneo era arrivato a pochi passi da lei, finalmente si voltò. Ora che poteva guardarla in faccia Vincenzo si accorse che era meno giovane di quanto pensasse.

– Buongiorno, – disse.

– Buongiorno, – rispose la donna, spiazzata da quella cadenza che faceva dell'estraneo un estraneo al quadrato. – Lei non è di qui, – constatò cercando senza volerlo di rifugiarsi in un italiano piú neutro possibile.

Vincenzo fece cenno che no, pensando a quante volte in pochissimo tempo quella stessa domanda, che domanda non era ma un'affermazione, gli era stata rivolta.

La donna ripulí la lama dello strano coltellaccio con cui aveva aggredito l'arbusto facendosela scivolare prima su un fianco poi sull'altro. Era vestita come Vincenzo poteva immaginare si vestissero le donne in quella terra, ma aveva in testa un fazzoletto che le teneva i capelli non molto diversamente da come lo portavano le contadine della sua, di terra. C'era un'inspiegabile domestica continuità nell'aspetto di quella donna che la faceva apparire straniera, ma familiare agli occhi di Vincenzo.

– Devo andare a Nuòro, – disse a un certo punto vedendo che la donna aveva ripreso il suo lavoro.

– Enula, – disse lei senza apparente costrutto. Vincenzo tacque. – Enula, – ripeté lei chiarendo che si riferiva all'enorme pianta contro la quale si accaniva. – Non c'è niente da fare, questa roba rovina il miele. C'ha fiori belli. Le api ci vanno e trascurano le piante buone... E il miele di questa pianta non è buono, non tiene e fermenta... non fa, – conclude la donna dando il colpo di grazia. La pianta s'inchinò a lei come a una divinità incontrastabile. La donna stette a fissarla come ad aspettare che esalasse l'ultimo respiro, poi l'afferrò con una forza notevole e la scaraventò al centro del tratturo.

Vincenzo si scansò per non essere colpito dalle fronde. La donna non sentí il bisogno di scusarsi perché quell'estraneo non si trovava dove era giusto trovarsi, ma si era messo proprio tra lei e l'area che aveva individuato per accumulare gli sterpi. – Vado giusto di qui? – domandò lui congedandosi.

La donna si assestò il fazzoletto sulla testa, poi agitando la mano armata gli indicò di proseguire.

Vincenzo se la lasciò alle spalle che aveva affrontato un'altra pianta fiorita.

Camminò per una ventina di minuti lungo una strada sterrata leggermente in discesa che andava pian piano allargandosi. Cespugli odorosissimi ne limitavano i bordi e, in qualche caso, occupavano parte della carreggiata. Un sole non accecante si era posizionato in uno zenit ipotetico e l'ombra che produceva si era ridotta a una macchia di bitume sul terreno. Vincenzo calcolò che doveva essere circa l'una. O forse fu il suo stomaco a dirglielo. Si guardò intorno per cercare un posto dove sedersi e mangiare qualcosa della piccola provvista che prete Virdis gli aveva messo a disposizione. Fu allora che sentí il rombo di un motore alle sue spalle. Si voltò di scatto: dalla curva, qualche centinaio di metri indietro, apparve il muso di un piccolo camion. Il veicolo raggiunse il giovane proprio mentre si scansava verso il lato della carreggiata. Solo quando l'ebbe affiancato Vincenzo si accorse che alla guida c'era la donna di poco prima. Il camion andò in frenata con un ronzio concentrato. – Io arrivo fino a Lula, – disse la donna senza smettere di guardare davanti a sé, serissima, altrettanto concentrata. Poteva sembrare un invito a salire anche se Vincenzo non ne era del tutto sicuro. Tuttavia la donna lo aspettò il tempo che gli occorse per passare dal lato del passeggero e aprirne la portiera. Appena entrato nell'abitacolo il passeggero non poté fare a meno di notare che l'autista teneva l'ampia gonna raccolta tra le cosce perché non l'intralciasse coi pedali. Vincenzo non fece quasi in tempo a richiudere la portiera che la donna partí. – Non tiene il minimo, – disse come se dovesse scusarsi ma non ne avesse voglia. Esistono questioni ineluttabili, cose per le quali non ha senso stare lí a scusarsi piú di tanto e una di queste era quel maledetto minimo che non teneva e che la costringeva a ridurre le soste col motore acceso, senza considerare i consumi del carburante eccetera. Insomma, era già tanto che, una volta avviato il mezzo, avesse concesso all'estraneo di salirvi. Tutto questo discorso non fatto rimase come terzo incomodo dentro alla cabina del camion a farsi sballottare insieme ai passeggeri. Vincenzo capí per istinto che quella non era una donna con la quale si potesse intavolare una discussione a meno che non lo decidesse lei. Cosí in silenzio si guardò intorno.

Dall'alto della cabina del camion quella terra sembrava piú morbida di quanto apparisse dalla strada. Piú che appassita la vegetazione faceva l'effetto di essere solida, mai docile in nulla. Morbida all'aspetto superficiale ma di fatto, nel profondo, ferrosa, immobile. Ci si aspettava che tintinnasse a ogni soffio di vento. A tratti si aprivano sul ciglio della strada, a malapena spianata, piccoli orridi schiumosi di sorbi. Tutto stava improvvisamente mutando in un tono di peltro, grigio calcareo. Il sole già pallido venne schermato dalle creste di un monte brillante, irsuto a valle e glabro in cima.

Percorsi ancora sei-settecento metri in salita si ritrovarono in uno spiazzo, una terrazza naturale che si apriva verso il paesaggio circostante. La donna sterzò senza troppa delicatezza e bloccò l'automezzo. Assolutamente muta scese e si sgranchí le ossa alzando le braccia e i pugni verso il cielo, come una sacerdotessa sulla cima di un monte sacro che volesse maledire chissà quale oscura divinità. Vincenzo aspettò qualche minuto prima di decidersi a scendere anche lui. Da quella posizione il suolo sembrava voler passare dallo stato solido a quello liquido: le rigide pareti carsiche dentro cui era stato scavato il tratto montuoso che avevano appena attraversato, la zona collinosa densa di corbezzolo e cisto della porzione pedemontana, una piana ondulante di fruttetti radi e un paese. Infine il mare.

Stettero in silenzio. La donna sembrava sempre sul punto di dire qualcosa ma ogni volta pareva cambiare opinione. Quando finalmente aprí bocca chiese: – Fretta c'ha?

Vincenzo la guardò stupito. – No, – disse. – Fretta no.

La donna approvò con entusiasmo. – Io qui mi fermo sempre, tanto poi è tutto in discesa e possiamo viaggiare in folle –. Vincenzo tentò un sorriso, la donna comprese subito che non aveva capito. – Lei sa guidare? – chiese con la solita schiettezza distante.

– No, – disse Vincenzo.

– E allora è inutile perdere tempo a spiegare che cosa vuol dire «in folle», – concluse lei ritornando a guardare il paesaggio sotto di sé.

– Be', – tentò Vincenzo, – in genere le spiegazioni si danno a chi non conosce...

– Anche questo è vero, – convenne la donna indicando l'autocarro. – Ma lei ne sa qualcosa di motori? Se io le dico che questo è un modello del 1924, un Fiat 505, e che eroga una potenza di trenta cavalli, a lei gli cambia qualcosa?

Questa volta fu Vincenzo a convenire, ma non fino in fondo: – Sono uno che impara volentieri, – disse.

La donna nemmeno lo ascoltò. Si diresse verso il pianale del camion dove teneva delle cassette di legno dentro le quali erano allineate file di barattoli. Ne estrasse uno. – Miele buono, – annunciò. – Ci si deve anche nutrire, no?

Mangiarono condividendo quanto avevano: lui pane vecchio e formaggio, lei miele e acqua. La donna per mangiare piú comodamente si era legata il fazzoletto dietro alla nuca, schiarendo il viso. Aveva al massimo una trentina d'anni. Le sue mani erano sporche di grasso, come quelle di un meccanico o di qualcuno che armeggiasse dentro ai motori. Era rimasta sola, disse a un certo punto, sola in una casa vuota in mezzo alla campagna, una vigna incolta, venti arnie e un autocarro. Suo marito era partito nell'estate del '41 per destinazione ignota da qualche parte in Russia. Che la Russia, lei si era documentata, era un posto davvero indicibile. L'ultima lettera era del novembre del '42 dal fronte del Don. Che è un fiume immenso a dispetto del nome brevissimo. Lo sapeva?

Vincenzo ascoltava senza parlare perché non era sicuro che fosse esattamente lui quello a cui la donna si stava rivolgendo.

Cosí s'era dovuta ingegnare in tutto, fare meglio quello che sapeva fare e imparare tutto quello che non sapeva. Guidare l'autocarro, per esempio, per portare il miele da vendere, o da scambiare fino a Lula; e s'era dovuta industriare in cose da maschi, perché se gli uomini mancano sono le donne che devono mandare avanti la baracca. Tanto figli non ne erano arrivati e semmai fossero arrivati Antonino, suo marito, era partito troppo presto per occuparsene. Da una tasca della gonna tirò fuori un astuccio di cuoio, ci frugò dentro e ne estrasse una piccola fotografia; per la prima volta si rivolse direttamente a Vincenzo: – Ecco, – disse, porgendogli il ritratto con complicità, come se lui fosse un suo amico adolescente. Pareva che in assenza di meglio avesse deciso di accontentarsi di quell'interlocutore che il destino le aveva fatto incrociare.

Vincenzo prese delicatamente la fotografia dopo essersi pulito la mano sfregandola sulla giacca. Quello che vide non era tanto di piú che un ragazzino con una testa di capelli lucidissimi di brillantina. Guardò il ragazzo stampato: aveva quella svagatezza che l'incoscienza mette nello sguardo delle persone buone. C'era da immaginarsi che mondo avesse avuto davanti a sé quel giovane nel momento stesso in cui l'immagine veniva impressionata sulla pellicola. C'era la sua donna forse, quella che si apprestava a sposare, c'era forse la madre che gli aveva comprato camicie linde col collo all'americana aperto a coprire quello della giacca. C'era l'ambiente esoterico dello studio cittadino di un fotografo spiccio.

Quel viso, colto di sorpresa, ragionava di un futuro semplice, niente di piú, non c'era complessità nella posa, né tanto meno espressione. Era quello che era Antonino: trasparente. Elementare come il disegno dell'imbuto, o dell'ape, nell'abecedario.

La faccia qualunque di quell'uomo, di quell'Antonino qualunque, aveva la qualità perfetta dell'ignoto disperso in chissà che burrone, sepolto sotto a chissà quanta neve; caduto mentre marcia con le scarpe leggere e i piedi paralizzati, tumefatti, dai geloni. In Russia dove c'era solo inverno, dov'erano capitate cose atroci, il posto da cui i soldati non tornavano. Lí, dicevano,

la guerra la faceva il tempo, il gelo perenne, il vento tremendo
che batteva incessante... E le donne voracissime, che irretivano
i nostri maschi nei bivacchi, o li raccoglievano moribondi fra i
cumuli di neve ai bordi della pista pigiata dai plotoni e battaglio-
ni, e li imprigionavano per l'eternità in piccoli paradisi tiepidi.

Erano davvero tempi terribili, i luoghi erano solo nomi di
luoghi. L'umanità era carne da macello.

Solo pochi giorni prima, per buona parte della traversata
verso la Sardegna, Vincenzo aveva potuto ascoltare l'orrido resoconto del martirio di Stalingrado. Nessuno su quel piroscafo
sapeva nemmeno dove, quella città santa, si trovasse esattamente. Se avessero avuto una cartina davanti agli occhi non uno dei
presenti avrebbe potuto indicare qual era il punto esatto... Si
sapeva solo che era in Russia, e questo bastava.

E il fatto stesso che si trattasse di Russia precisava la sostanza dei fatti: ci sono talmente tante cose in questo mondo, luoghi
impensabili, fatti inenarrabili... Stalingrado dunque si sapeva
che era in Russia e che certo aveva a che fare con Baffone...
Quella davvero era la macelleria dell'universo. Raccontavano di
figli, intirizziti nel gelo perenne dell'inverno dell'umanità, che
si mangiavano i padri morti. E anche di ragazze che partoriva-
no bambini generati nell'orrore, mezzi uomini e mezzi bestie. E
anche di soldati che badavano a tenere l'ultima, preziosissima,
pallottola per se stessi, per quando fosse diventato impossibile
resistere ancora. Tutta gente, comunque, che aveva tolto il sonno a Baffetto. In quel pezzo di mondo flagellato da venti che,
dicevano, erano in grado di spazzare via qualunque elemento
si frapponesse tra loro e quel posto sconosciuto dove volevano
arrivare, si dimostrava che un rifiuto era possibile, contro ogni
disperata rassegnazione. Ah, quei racconti! Col mare che dava
spallate alla carena della nave sembravano sussurri di povere
anime sballottate. E decantavano il centro di ogni centro, quel
punto dove si doveva arrivare, l'origine purulenta di quei giorni

feroci, in cui il diavolo in persona, con elmetto e stivali lucidissimi, si era trovato di fronte la schiera completa degli angeli, stracciati e scalzi: povere anime imprigionate dal gelo, dalle truppe amiche e nemiche, che mangiavano e bevevano escrementi. Come in un'anticamera dell'incubo o dentro all'incubo tutto intero, senza sconti. Chi racconta sa meno di quanto racconti, dietro ai fatti, dietro all'agonia immensa di quel popolo di cui si parlava, si nascondeva qualcosa che non era nemmeno raccontabile.

Dentro a questa trama infinita in cui una cosa richiama assolutamente un'altra, Vincenzo, avvolto da una bava di sonno, sentiva cose non dette, storie che avevano a che fare con la sua povera vita: di quando cominciarono a sparire i bambini ebrei dell'orfanotrofio per esempio; di quando soldati senza divisa venivano nascosti nelle cantine... Di quando si prese a saggiare la consistenza e la resistenza della carne fuori da qualunque ragionevolezza, come se l'anima fosse improvvisamente fuggita chissà dove. Verso la Sardegna, nel dormiveglia dell'oscillazione del piroscafo che lentamente si placava, Vincenzo diceva a se stesso che per ogni racconto grande di quella vacanza dell'umanità se ne potevano fare migliaia di piccolissimi, e che il raccontare in quei frangenti può diventare una maledizione. Che lui ne avrebbe avuto da dire a proposito della carneficina che si svolgeva dove le terre cambiano nome e cambiano lingua. Là da dove veniva lui, per esempio, nella culla in legno pregiato di quello che era stato Impero e ora era Caos, con la lingua appesa all'incertezza del significato... Come si racconta questo, eh? Come si racconta la sua storia minuscola di verme su questa terra? Padre soldato, eroe... Madre morta giovane... E, forse, un posto chissà dove in cui trovare dei parenti sconosciuti. Ora a ventisette anni, dopo dodici di orfanotrofio, sette di seminario e i restanti...

D'improvviso Vincenzo si rese conto che la donna agitava la mano perché le restituisse la foto. Lo fece immediatamente, come se fosse stato preso in fallo. Ora lei pareva pentita di essersi lasciata andare, e riprese a masticare in silenzio. Consumare confidenze con estranei non era cosa da farsi.

– Allora deve arrivare fino a Núoro, – affermò con noncuranza, quando il silenzio dovette sembrarle troppo pesante. Vincenzo ingoiò poi disse di sí. – Una volta arrivati a Lula il piú è fatto. Da qui ci saranno una quarantina di chilometri, forse qualcosa di piú. Io a Núoro ci vado poco.

Passò un pastore anziano che guidava un gregge esiguo di pecore smilze e grigiastre. Fece un cenno di saluto che parve bastare solo per la donna. Lei infatti gli rispose con un movimento della testa. – Non ci vado mai, no... E a fare cosa? – riprese quando il pastore si fu allontanato. Poi si alzò di scatto levandosi le briciole di dosso a manate ampie sulla gonna. – Da dove viene lei? – chiese all'improvviso.

– Friuli, – rispose Vincenzo con una punta d'ansia.

La donna lo guardò incerta: – È in alt'Italia?

– Al Nord, – confermò Vincenzo.

– Ma deve andare a Núoro, – riassunse lei, come se di colpo si fosse resa conto che dell'estraneo con cui aveva appena diviso il cibo non sapeva assolutamente niente.

– A Nuòro, – confermò di nuovo Vincenzo. – Ho dei parenti là... Chironi...

– Chironi, – ripeté quasi tra sé la donna. – Chironi dei quali?

Vincenzo scosse la testa impotente. – Il padre di mio padre è fabbro ferraio.

La donna s'illuminò. – Ah, Chironi di quelli! Michele Angelo Chironi, il maestro del ferro! Io l'ho conosciuto... È lui che ha fatto dei lavori per mio marito –. Ora le comparve in faccia persino un accenno di sorriso. – Glielo chieda se se ne ricorda, glielo dica: Antonino Podda e la moglie Giovanna che sono io. Quelli di Janna Murai, gli dica cosí, se lo ricorda? – Fece quest'ultima affermazione come se sentisse impellente la necessità di collocarsi nella storia che stava raccontando.

– Glielo dirò, – mentí Vincenzo.

Si stava preparando un pomeriggio greve. Durante il percorso in discesa Vincenzo capí senza ombra di dubbio che cosa significasse viaggiare «in folle». Un po' perché l'automezzo dava l'impressione di prendere velocità senza controllo, un po' perché Giovanna Podda spiegava in senso psichiatrico la faccenda. Mentre l'esterno scivolava sulla carrozzeria dell'autocarro la donna spiegava che «andare in folle» era come procedere senza una regola: – Come quando un cavallo ti prende la mano, capito? Come quando uno diventa completamente pazzo... Ma qui non c'è pericolo, – aggiunse vedendo che Vincenzo cominciava a diventare piuttosto teso. – In folle vuol dire che non metti nessuna marcia, liberi le ruote e lasci fare alla pendenza. Si risparmia carburante... Poi per fermarsi o si prende una salita o si accende il motore. Capito?

Dal parabrezza arrivavano rocce, cespugli, arbusti, alberi che la velocità crescente stava rendendo solo filamenti. Vincenzo si spinse indietro sul sedile piantandosi con i piedi contro il fondo dell'abitacolo. La donna lo guardò divertita. – Non è che soffre il viaggio? – chiese vedendo che il suo passeggero impallidiva. Vincenzo non lo sapeva se soffriva il viaggio o meno, nella sua vita non aveva avuto molte occasioni di spostarsi su un automezzo. Se fosse stato richiamato forse: nell'esercito s'imparano anche cose che con la guerra non c'entrano, si entra in guerra e se esci vivo c'è caso che hai appreso un mestiere... Ma a lui, a Vincenzo Chironi, non l'avevano arruolato per via del padre eroe decorato.

Sballottato, nonostante avesse cercato di ancorarsi al sedile afferrando il cruscotto davanti a sé, Vincenzo tentò di nascondere il panico che gli stava crescendo, finché il terreno diventato ghiaioso non fece vibrare l'autocarro al limite del controllo. La donna non sembrava preoccuparsi piú di tanto: erano arrivati, diceva con la voce che si frantumava a tempo con i sobbalzi dell'automezzo.

Con una sterzata improvvisa infatti imboccò uno stradello in salita. L'autocarro rallentò all'improvviso finché si acquie-

tò col muso in una piazzola naturale e il retro perpendicolare
alla carreggiata. Vincenzo scese senza aspettare. La donna lo
seguí per chiedergli se andasse tutto bene. Dopo pochi passi
si aprí ai loro occhi una vallata immensa, come una conca di
verde policromo ai piedi del monte d'acciaio che si erano lasciati alle spalle. Era un ottobre primaverile, la campagna si
estendeva come se del dolore del mondo lí non fosse arrivata
notizia. L'unico segno umano che si potesse percepire era un
santuario bianchissimo.

– San Francesco di Lula, – informò immediatamente la donna. – È lí che dobbiamo andare… Qualcuno che la porta a Núoro lí lo troviamo.

Trovarono un uomo di mezza età che stava caricando stoviglie e bicchieri sul sedile posteriore di un'automobile in sosta
proprio tra la chiesa e le casette dei pellegrini che l'affiancava-
no. Donne giovani e anziane l'aiutavano nel suo lavoro. C'era
l'atmosfera soddisfatta e malinconica di quando una festa è finita e si mettono via le cose.

Giovanna Podda si avvicinò al gruppetto e subito scattarono i saluti. Indicò l'autocarro dove aveva il miele da portare a
Lula e poi indicò Vincenzo; le donne all'unisono si voltarono
a guardarlo, gli tennero gli occhi addosso come si trattasse di
cosa rara, e in effetti i maschi giovani e attivi non è che si spre-
cassero da quelle parti.

Giovanna Podda parlò fitto con l'uomo in una lingua tagliente, e lui accennò di sí scrollando le spalle.

Quando la donna si staccò dal gruppo per raggiungerlo,
Vincenzo capí che la profezia di prete Virdis a proposito dello Strazio si era immediatamente materializzata. La donna
spiegò che si era appena conclusa la sagra in onore del santo,
e che quelle donne erano la famiglia del priore che pulivano
per la ripresa di maggio. Disse che l'uomo caricava le cose da
riportare a Núoro e poi sarebbe tornato per riprendere le anziane, mentre le giovani sarebbero tornate col carro. Vincenzo non l'ascoltò nemmeno, preso com'era a ricacciare in gola

un sentimento catarroso. Era proprio come aveva detto prete Virdis. Era cosí: ora l'avrebbero affidato a uno sconosciuto piccolo e corpulento e anche quel giorno sarebbe passato,
anche quell'incontro si sarebbe consumato. E ancora avrebbe
dovuto imparare ad accontentarsi di un presente senza futuro, come tutto intorno, come la vita stessa che, guardata da lí,
pareva persino vivibile. Una vita di donne, bambini e anziani,
certo. Quando Giovanna Podda allungò la mano per un saluto,
le labbra di Vincenzo sfiorarono il pianto: era chiaro che un
altro distacco stava avvenendo, un piccolo pezzo di vita stava franando, come se l'urgenza di sopravvivere costringesse a
formulare sempre nuove ipotesi.

Ed era, poteva darsi, il fatto stesso di trovarsi in quella terra
a determinare la malinconia con cui istantaneamente quanto si
andava costruendo doveva essere immediatamente abbandonato. Questo forse aveva voluto dire prete Virdis in preda al dolore per aver perso l'unico essere vivente che avesse mai davvero
amato: «Sei venuto nella terra dove tutto è antico, prendersi e
lasciarsi è solo il frutto dei millenni», questo aveva voluto dire.
«Il dolore è preciso, la felicità è svagata. Perché uno è guerriero
armato, l'altra è fanciulla».

Comunque salutò Giovanna Podda, moglie sterile di Antonino, e salí in macchina.

L'uomo al volante, con un italiano scolastico, mise in chiaro
che la strada non era tanta ma era brutta, perché se era vero
che da lí si scendeva fino a valle, per arrivare a Núoro bisognava salire, e quando si cominciava a salire erano sei-sette
chilometri di tornanti. Poi smise di parlare.

Dall'automobile il paesaggio ritornò incombente, anche se
le falde collinose che stavano attraversando risultarono incredibilmente spoglie.

– Bella campagna, – disse Vincenzo mentre s'iniziava la salita. E in effetti da quel punto i quercioli si erano fatti piú fitti,
quasi a generare un bosco.

– Dice che lei non è di qui, – affermò l'altro forse per do-

vere di conversazione. Vincenzo chiuse gli occhi. – Bella ma
troppo silenziosa, – aggiunse l'uomo all'improvviso. Vincenzo
si voltò a guardarlo. – Questa era zona di pecore, qui si sentivano i campanacci, e ora nulla… Con questa guerra non c'è piú
nulla. Mancano i pastori e non ci sono gli uomini per il lavoro.

A Vincenzo venne da ribattere, ma non lo fece soprattutto
per non rischiare un nuovo distacco.

Restarono in silenzio per un po' di tempo ancora, poi l'uomo, senza togliere gli occhi dai tornantini che gli scorrevano davanti fece una domanda: – Ma da dove viene lei precisamente?

Vincenzo si prese qualche istante per rispondere. Oltre il parabrezza cominciava a conformarsi un territorio ombroso, una
campagna alta. Aspettò che l'auto superasse un tratto oscurato
dagli alberi, che debordavano sulla carreggiata. – Friuli, – disse.

L'uomo fece un accenno col capo come se avesse capito: – E
dove rimane esattamente? – chiese invece.

Sulla bocca di Vincenzo si disegnò un abbozzo di sorriso. –
Molto lontano, – si limitò a chiarire.

Questa risposta dovette apparire piuttosto soddisfacente
all'autista, che prese a scuotere la testa con convinzione. Dal
suo punto di vista «molto lontano» doveva essere una categoria precisissima.

Cosí, mentre l'auto avanzava in salita e affrontava curve a
gomito in mezzo ai lecci, quella terra molto lontana apparve
improvvisamente vicina. A Vincenzo venne da sospirare, l'uomo lo guardò, poi: – Mi devo fermare? – domandò.

Vincenzo fece segno di sí. L'auto avanzò ancora per qualche metro, quanto occorreva per raggiungere un piccolo spiazzo
proprio sulla gobba di una curva.

Scesero, Vincenzo si scusò ma l'altro scosse le spalle per dire che non c'era da scusarsi. Chiarí che non mancava molto per
arrivare a Núoro, ma che quell'ultimo tratto per chi soffriva il
mal d'auto era effettivamente impegnativo. Vincenzo allargò
le braccia per dire che non era di quello che si trattava, ma non
riusciva certo a spiegare quale fosse il motivo reale della sua
repentina inquietudine. Eppure era stato come subire un col-

po diretto allo stomaco, e lui non era stato abbastanza pronto
per pararlo. – Il Friuli... – riprese senza una connessione apparente. – Dovreste conoscerlo, quanta gente ci avete mandato?
Dovreste sapere dov'è!

L'uomo colse solo il tono tra l'astioso e il disperato con cui
Vincenzo aveva ribadito quest'ultimo concetto. – Ci hanno
mandato, – rispose secco. – Nessuno di noi c'è andato perché
voleva. Se avessimo potuto scegliere...

– ... Non volevo offendere, – lo interruppe Vincenzo.

L'uomo in verità non pareva affatto offeso, ma sorpreso sí.
In un istante fu in grado di domandarsi se non fosse stato proprio quel «molto lontano» a determinare l'improvviso irrigidi-
mento del suo passeggero e fu anche in grado di rispondersi di
sí. Per questo allentò l'ostilità che naturalmente avrebbe espresso in altre circostanze, frugò dentro la macchina e ne estrasse
un fiasco di vino rosso.

Bevvero al collo, due, tre sorsi. Quel vino era pesante, den-
sissimo, ma faceva l'effetto richiesto.

– Guiso Giovannimaria, – disse l'autista porgendogli la bottiglia per la terza volta.

– Chironi... Vincenzo, – disse Vincenzo accettandola.

L'uomo fece segno di sí, che corrispondeva, che era plausi-
bile e allungò la mano. – Puoi chiamarmi Mimmíu, – concesse
passando direttamente al tu.

Avanzava un pomeriggio grigiastro, ma terso, come se tutto
fosse assolutamente sotto controllo, solo il cielo che, a quell'altezza, tendeva a scolorire.

Dove fosse di preciso il posto che stavano per raggiungere
era un mistero. Mimmíu sembrò leggergli il pensiero: – Non si
vede fino all'ultimo momento, – spiegò tornando al volante ma
senza riaccendere il motore. – Questo posto ti aspetta dietro un
angolo come un ladro, si va avanti per chilometri senza sapere
dove si finisce, poi, improvvisamente, dopo l'ultima curva eccolo lí. Non manca molto, comunque. Giovanna Podda mi ha
detto di lasciarti prima di Sa 'e Manca, che poi è il cimitero. Da
lí alla casa del fabbro si arriva in un niente: basta andare sem-

pre dritti fino alla chiesa del Rosario... Sempre dritti, questo è importante, poi il posto lo vedi subito: è un muro alto con un portale di legno. Possiamo andare?

Vincenzo buttò giú un ultimo sorso e sussurrò un sí.

I tornanti finirono dopo una zona meravigliosa chiamata Valverde e mai nome, per quanto apparentemente banale, gli sembrò piú calzante.

La prima che afferma di averlo riconosciuto è Palmira Serra, che i figli del maestro del ferro li aveva visti crescere tutti quanti. Eppure una cosa del genere faceva scaramentare. Lei esce dal cimitero e cosa vede per strada? Luigi Ippolito Chironi! Che Dio la fulmini se non è successo così. Lungo lungo e bello, con l'aria persa come se non si ricordasse nemmeno dov'è casa sua. A quelle a cui racconta questa storia Palmira pare una pazza: come faceva Luigi Ippolito Chironi, morto in guerra, la Prima, nel '17, a ritornare con i suoi piedi e per di più giovane come quand'era partito? Ajò che non è possibile, mí che ti sei sbagliata. E quella a insistere che no, che non se l'è fallita, che per essere sorda è un po' sorda, ma a vederci ci vede benissimo nonostante l'età.

E comunque: tutti che la prendono in giro ed ecco che l'oggetto dello scherno gli passa accanto, sperduto, con lo sguardo impreciso. Lui. Che torna come Lazzaro dal mondo dei morti e ha quel pallore stesso dipinto in faccia. Ragazzino, conservato nella tomba, risparmiato dai vermi, in nulla corrotto se non un lividore leggero sotto agli occhi.

Anche gli scettici si portano la mano alla bocca per trattenerci dentro una bestemmia. «Lui», dicono annuendo. Lui.

E lui, Vincenzo, sorpassa quel capannello di gente stupita senza avvertire alcuno stupore perché sta tentando di tenere a mente le indicazioni di Mimmíu che gli ha assicurato di averlo lasciato proprio in bocca al quartiere dove si trova la casa del fabbro, cosí come Giovanna Podda gli ha chiesto di fare.

Quell'ingresso del paese, direttamente dalla campagna, sembra suggerire che si sia rispettato un luogo franco tra la natura e l'uomo. La strada che ha attraversato finora è una cesura dentro agli orti, e a qualche vigna. Piú in là, alla sua destra, si eleva la muraglia del cimitero nuovo, isolato su un colle. Ma quando la vegetazione scema in piccoli giardini e qualche steccato per bestiame, ecco che dal nulla, dalla terra stessa, come cocciniglie che infettano un ramo, spuntano i ciottoli tondi della strada. Ai lati di quella strada, le prime case, o le ultime: bianche, addossate l'una all'altra; coi tetti su misura, senza sporto, ricoperti di strati di muschio che seguono l'ondulazione regolare delle tegole; con porte e finestre minuscole. Ovunque odore di letame e fuliggine. Ora si tratta di percorrere fino alla fine un tratto in salita e poi tirare diritto verso quel punto dove le case si fanno fitte. Piú in là infatti si vede qualche abitazione piú elevata, e muri compatti da cui debordano le cime degli alberi. Quanto a intonaci non si tratta che di calce viva gettata sulla pietra viva.

Incurante degli sguardi lui, Vincenzo, è andato ancora avanti senza mai voltare finché non si è trovato in faccia a uno slargo. E in faccia allo slargo, quando s'intravede il retro della chiesa che dev'essere quella che l'autista ha chiamato chiesa del Rosario, c'è un vicolo che è senza uscita, perché in verità non è un vicolo, ma la rientranza di un muro di cinta che protegge un cortile amplissimo. In cima a quella rientranza c'è il portale della corte e, oltre la corte, la casa che sta cercando.

Michele Angelo ha tenuto socchiuso il portale del cortile come al solito. Anche là fuori quell'autunno sembra estate. È agitato da una rabbia sottile, come un filo di seta tenacissimo che gli stringe il collo.

Prima di rientrare in casa butta un occhio verso gli alberi di limone che ostruiscono l'ingresso dell'officina e scuote la testa. Lo fa sempre, per togliersi di dosso il rimpianto. E per evitare di confessarsi una felicità che non è riuscito ad apprezzare, che certo è roba da poco, ma è tutto quanto possa permettersi.

– Poi ve lo dimenticate aperto il portale, e tocca a me andarlo a chiudere, – sussurra Marianna vedendolo rientrare.

– Non me lo dimentico, – risponde Michele Angelo. E basta.

– Di aprirlo non ve ne dimenticate. Ma di chiuderlo, se non ci penso io... – completa lei facendosi scivolare lo scialle dal collo alla nuca per uscire.

La conversazione si spegne in questo modo. Marianna sa bene che da sette anni, tutti i pomeriggi, il padre ha preso l'abitudine di andare a socchiudere il portale del cortile, e sa bene che dentro di lui quel gesto deve significare lasciar rientrare quanto è uscito. Gavino, magari addirittura Luigi Ippolito. O Mercede. Direttamente dal mondo dei morti.

Perciò, piuttosto che incaponirsi in una discussione totalmente assurda, tace, aspetta che il padre si sia ritirato per andare a dormire e va a chiudere il portale.

Il tempo passa cosí dentro alla cucina Chironi, in una pallida imitazione della vita, di quel che è stato. Si sentono dei sopravvissuti, padre e figlia, dentro a un purgatorio immobile di gesti sempre uguali.

Si parla di defunti, questo sí. Si parla di coloro che a turno lasciano questa terra per un posto che dev'essere assolutamente migliore. Qualche volta si parla di quanto avviene fuori di lí, oltre il cortile, anche oltre il mare, dove sta tuonando un'altra guerra. Sono notizie talmente sussurrate che sembrano scimmie della Storia, imitazioni anch'esse, boccacce fatte al destino.

Vincenzo è rimasto un tempo infinito davanti al portale. Ora che ha raggiunto la meta non sa che fare. È preda di pensieri contrastanti: e se chi abita quella casa si rifiutasse di riconoscerlo? Se lo prendessero per un malfattore, per un mentitore? Avrebbero ragione, riflette allontanandosi. Però ho i documenti, si dice subito dopo tornando sui suoi passi. Per fortuna quell'ingresso è fuori dalla portata degli sguardi, perché chi lo vedesse andare avanti e indietro potrebbe pensare che sia pazzo.

E pazzo si sente, sfinito e pazzo, come un pellegrino che abbia intrapreso un viaggio nella speranza di un miracolo per rendersi conto, davanti alla grotta benedetta, che i miracoli non sono di questo mondo, ma semplicemente di chi se ne convince.

La luce fievolissima di quella sera contrasta col temporale che ha in corpo. Vincenzo guarda in alto dove si allineano nubi a filamenti, corde impalpabili che si dissolvono in un attimo, ed è scosso da un nervosismo astioso, ma ce l'ha con se stesso e con le sue remore. Cosí, mentre le corde tese in cielo si spezzano, avanza deciso verso il portale e alza la mano per battere un colpo.

In quel momento avverte dei passi all'interno del cortile. Fa appena in tempo ad appiattirsi contro il muro di cinta che sente il portale chiudersi di schianto, a doppia mandata, quasi che qualcuno della casa avesse percepito la sua presenza e avesse capito che stava per bussare.

Poi piú nulla.

Resta totalmente immobile contro la parete, a riappropriarsi del respiro, fino al definitivo dissolvimento dell'ultimo filo di nube; quindi si stacca quasi a considerare le sue capacità di stare in piedi senza appoggiare la schiena.

E procede verso la campagna, Vincenzo, per ritornare esattamente da dove è venuto, solo che questa volta cerca l'assenza strisciando lungo le pareti dei vicoli.

Non è difficile raggiungere un punto alberato abbastanza distante da far sembrare preziosa persino la modesta illuminazione pubblica di quell'agglomerato appena visitato dalla modernità. Tuttavia la notte è ancora antichissima e gli si para davanti oscena, piena di stelle, impudica. Lí la verginità assoluta dello spazio si percepisce fino al punto di aspettarsi fruscii di bestie preistoriche e frutti di piante estinte. Ora capisce di essere talmente stanco da non riuscire nemmeno a provare delusione per il suo fallimento. Ha fame, ma non piú di quanta si sia abituato a sentire negli ultimi anni. Cerca un posto in cui passare quella notte, scura come può essere scuro l'abisso dell'incoscienza. E pulsante di un firmamento che pare piuttosto una vibrazione, un tremolio febbrile, instabile, come se tutte quelle stelle, e astri sospesi, vivessero nella precarietà e minacciassero di precipitargli addosso.

Si distende sulla sua giacca spianata: il terreno è morbido e muschioso, asciutto e freddo...

Si sveglia di colpo e ci impiega un istante a capire dove si trova, con fatica si mette in piedi. Come il primo uomo quando comprese che poteva reggersi su due gambe e sperimentò l'equilibrio, anche Vincenzo barcolla appena. Si sente inspiegabilmente agitato perché è come se si fosse risvegliato in una camera, su un letto che non riconosce. Si guarda intorno: la notte è svanita, le stelle sono andate a schiantarsi da qualche altra parte. Rimette la giacca dopo averla ben battuta e, nel fare questo, si calma. D'improvviso torna sereno. Senza costrutto, esattamente come aveva temuto il peggio, ora si convince che non ha niente da temere.

Cosí, per l'ennesima volta, ritorna sui suoi passi per raggiungere la casa di suo padre, e si accorge che l'anta del portale è socchiusa. Tentando di non fare rumore la spinge ed entra nel cortile.

Là dentro vede un tempo fermo. Il silenzio è una certezza ineluttabile, come se persino la linfa all'interno delle piante che affollano quello spazio avesse deciso di scorrere silenziosissimamente, e gli insetti di volare senza vibrazioni, di ronzare senza suono. Quel silenzio è un dono, pensa d'istinto Vincenzo. Gli sembra rassicurante che la sua casa, la sede della sua stirpe, sia nel silenzio. Quattro piante di limone in enormi vasi di terracotta ostruiscono l'ingresso di un edificio che occupa tutto il lato destro del cortile, e, per il resto, ogni spazio disponibile sembra stipato da altre piante, lucidissime, rigogliose, immobili. Muovendosi in questa vegetazione si giunge all'altezza di una porta finestra che conduce a quella che sembra una grande cucina.

Vincenzo bussa.

Quando sente bussare Michele Angelo ha un sussulto, si volta appena per dire alla figlia, senza parlare, di non starsene lí impalata, ma di andare a vedere chi c'è.

Ma Marianna non è in casa, lei è uscita presto per fare commissioni. Non passa molto che si sente ancora bussare, questa volta con piú decisione.

Michele Angelo afferra il fucile che tiene appeso di fianco al caminetto; è un fucile che non spara non si sa da quanti anni e che non è stato piú pulito, ma tant'è. Quando è pronto si avvia verso la porta con l'arma puntata.

Oltre i vetri vede un uomo fatto, con indosso una giacca sdrucita, pantaloni troppo larghi, gibbosi all'altezza delle ginocchia, una camicia che era stata bianca.

Ma niente è piú bianco in questi tempi metzani, pensa Michele Angelo.

– Era aperto, – dice l'uomo indicando il portale del cortile.

A Michele Angelo ci vuole solo un istante per capire. Cosí abbassa il fucile e apre la porta.

Quando Marianna rientra vede suo padre che è seduto a tavola con qualcuno che dà le spalle all'ingresso. Immediatamente incrocia lo sguardo del vecchio che ha come difficoltà a spiegarle il miracolo che si è palesato poco prima, davanti a lui, in carne e ossa. Ma l'incertezza dura un istante, perché a lei basta fare un mezzo giro intorno al tavolo e guardare lo sconosciuto in faccia per capire direttamente quella meraviglia che Michele Angelo non ha saputo spiegarle.

Cosí a Marianna viene in mente quell'aria da *Suor Angelica* che dice: «Com'è penoso, udire i morti dolorare e piangere!» Perché seduto al suo tavolo, nella sua cucina, adesso si è reincarnato suo fratello Luigi Ippolito morto in guerra e sepolto nel sacrario del cimitero. Fa fatica a non gridare, si chiude la bocca perché quello che ha da dire non è dicibile.

Sono preda e cacciatore, lo sconosciuto e il vecchio. Selvaggina e cane. Ma ora la preda guarda il cacciatore come se lo conoscesse bene. Sono seduti l'uno di fronte all'altro, persi l'uno nello sguardo dell'altro, solo il tavolo a separarli. Immobili, il segugio e il muflone, il cervo e la bocca del fucile...

Eppure, nonostante l'arma spianata, la preda non è fuggita ma è andata incontro al cacciatore e, come nelle favole, ha parlato prima che fosse lui a farlo.

E si racconta figlio settimino di un ufficiale sardo e di una contadina friulana che si incontrarono e si amarono. Vissuto in orfanotrofio per povertà e anche per orfanità.

Ha una voce pastosa, piena di suoni stranieri. Ma, pur emettendo quell'aria diversa, le sue labbra si muovono nel modo domestico che la genetica gli ha indicato.

Marianna guarda quelle labbra, incantata dalla perfezione con cui replicano chi le ha generate.

Michele Angelo si commuove a sentire di se stesso in tutto e per tutto. Gli verrebbe da pensare, se non fosse superbia, che la storia riprende esattamente come era cominciata. Anche lui era stato orfano e anche lui era stato strappato dall'orfanotrofio per essere donato alla vita.

L'uomo ne avrebbe da raccontare, ma per ora si limita a dire che dopo giorni di cammino si è potuto imbarcare sulla nave che da Livorno sbarca a Terranova o Olbia che sia. Si descrive al vecchio come un uomo piú giovane dei suoi anni, un giovane lungo, allampanato, con la pelle chiara, lo sguardo concentrato. Si descrive svettante tra la povera gente che lo circonda e cosí descrive quanto gli sta attorno: famiglie con pochi bagagli che guadagnano la banchina, soldati senza mostrine e senza scarpe, bambini radunati da suore o crocerossine. Lo sa bene che chi sbarca in Sardegna quel giorno ha un inferno terribile da lasciarsi alle spalle. L'ultimo orrendo rigurgito della guerra in atto ricrea l'Apocalisse in terra.

Cosí quest'uomo solo, fuggito da un luogo devastato, racconta della promessa fatta, in cuore, a sua madre: se lei fosse morta avrebbe dovuto cercare la famiglia di suo padre. Lei, dal canto suo, promise a lui, in cuore, che dove andava non avrebbe patito fame e freddo...

Perciò, dice, appena sceso dalla nave si reca sicuro alla Capitaneria di porto per chiedere notizie su come si possa raggiungere Nuòro, che è il posto dove ancora vive chi è rimasto della famiglia di suo padre.

Al vecchio mostra i documenti come aveva fatto con l'addetto della Capitaneria di porto: «Chironi Vincenzo, di Chironi Luigi Ippolito e Sut Erminia, Cordenons 15 febbraio 1916, paternità legalmente riconosciuta con atto notarile stilato il 6 maggio 1916 presso lo Studio Notarile Plesnicar di Gorizia».

Michele Angelo sorride, mentre si asciuga gli occhi.
– Vincenzo, Vincenzo Chironi... Chironi, – ripete.

Parte seconda
1946-1956

La mente è il suo proprio luogo, e dentro di sé
può fare dell'inferno il cielo, e del cielo un inferno.

J. MILTON, *Paradiso perduto*.

Il mondo visibile

Tutto il primo anno trascorse a mostrare in giro quel Chironi ritrovato. Marianna aveva ripreso a uscire rinnovando camicette e gonne che non indossava dai tempi in cui, in quanto commendatoressa, contava ancora qualcosa. Prima cioè che suo marito, il commendator Biagio Serra-Pintus, venisse ucciso in un tentativo di rapimento. Lei era una di quelle che veniva rubricata in quanto fascistona, ma come si fosse trattato di un peccato venialissimo. Finita la guerra poi era d'obbligo dimenticare, per chi poteva permetterselo. In ogni caso di quello che dicesse la gente sul suo conto a lei non importava, ora l'imperativo era mostrare questo figlio, questo nipote, questo fratello che li avrebbe ripagati di qualunque privazione subita.

Da quando la febbre del ritorno del Chironi straniero si era sparsa prima in casa poi nell'intero quartiere, la pace sembrava finalmente finita, tanto che Marianna cominciò persino a fingere di lamentarsene. A Michele Angelo parvero benedetti quei giorni in cui c'era qualcosa di cui lamentarsi.

Qui la felicità assunse i contorni misurati di coloro che, di fronte a una vincita colossale, non vogliono umiliare gli avversari.

Perché il ritorno a casa di un nipote insperato, sconosciuto, persino ignorato per tanto tempo, significava che tutto, tutto poteva ricominciare. Già si mormorava che di lí a poco il fabbro avrebbe riaperto l'officina e che l'impresa dei Chironi sarebbe passata al giovane continentale, che, dicevano, aveva studiato. In quanto alla somiglianza col padre morto in guerra si diceva che fosse una prova indiscutibile, qualcosa che non si poteva negare, e come tale, un premio alla modestia con cui i sopravvissuti di quella famiglia avevano accettato gli strali della sorte.

Vincenzo non tardò ad abituarsi all'adorazione silenziosissima con cui era costantemente osservato dalla zia. E all'incredulità che costringeva suo nonno a toccarlo, sfiorarlo, tutte le volte che gli passava accanto.

Tra padre e figlia nascevano discussioni a proposito del fatto che lei, la zia, trattasse come un bambino quel nipote che era un uomo fatto, e che lui, il nonno, facesse ancora fatica a rendersi conto che c'era. Qualche volta, con segreto senso di colpa, rimestava nel calderone del passato e si diceva che quell'opportunità, e cioè la vita che rinasceva in quella casa, non era nient'altro che uno scherzo del destino, e che sarebbe stata portatrice di ulteriori sofferenze piuttosto che di gioie.

Dal punto di vista di Michele Angelo, il purgatorio dentro il quale aveva vissuto con la figlia fino a quel momento era stata una benedizione di nulla di fatto. Una stasi, una sonnolenza, un torpore da cui, forse, non era stato positivo risvegliarsi.

Che guardasse con diffidenza il corso degli avvenimenti era comprensibile. Sarebbe stato comprensibile per chiunque tranne che per Marianna la quale, al contrario, considerava l'arrivo di Vincenzo una rinascita e un premio. Acqua per la radice disseccata e zucchero per mondare i tempi amarissimi.

Due anni scarsi erano passati a guardarsi e misurarsi come avrebbero fatto preda e predatore; certo non c'era dubbio che fosse amore, ma, alle volte, si manifestava come diffidenza. Vincenzo non capiva fino a che punto quel luogo, dove era arrivato per destino, fosse anche il suo luogo. Poi si diceva che un luogo vero e proprio lui non l'aveva avuto mai, a meno che non si considerasse casa l'istituto dove aveva trascorso gran parte della sua vita.

E Michele Angelo questo sentimento in particolare lo capiva, lo leggeva e sapeva interpretarlo. Lui stesso, all'età di nove anni, era stato portato via dall'orfanotrofio. Lui stesso aveva guardato intorno a sé nella casa di Giuseppe Mundula – l'uomo che lo aveva allevato e instradato verso il mestiere di fabbro – con gli stessi occhi con cui, ora, Vincenzo guardava casa sua. Ma Marianna come avrebbe potuto capire tutto questo? Lei procedeva come procedono le donne di questa terra, senza tentennamenti di fronte all'amore. E che Marianna fosse innamorata del nipote non c'era alcun dubbio.

Qualche volta si spaventava lei stessa del grado di furioso attaccamento con cui considerava quell'uomo fatto, quel ragazzo, quel bambino. Di volta in volta poteva vedere quante sfumature lo legassero al padre, suo fratello. Per questo gliene parlava ogni volta che poteva. E a tavola le capita di ricordare quel giorno in cui lei e «mamma», la nonna che Vincenzo non ha conosciuto e che oggi sarebbe troppo contenta del suo arrivo, insomma quel giorno in cui accompagnarono al postale suo padre Luigi Ippolito che allora era anche piú giovane di lui e se ne andava al fronte. Con la divisa perfetta e il viso assorto di chi va a fare qualcosa di meraviglioso e terribile insieme. Sí insomma, quella volta, quando lei non aveva ancora quindici anni. E si ricorda tutto, tutto proprio: la luce del mattino, l'odore di carburante, lo sguardo del fratello che era insieme deciso e incerto... Non so se capisce... E Vincenzo fa segno che sí, che è comprensibile. In fondo si trattava di qualche mese, neppure un anno, prima che lui fosse concepito... Cosí a Marianna si rompe la voce perché arriva al punto in cui devono salutarsi e Luigi Ippolito, meraviglioso in divisa, le dice di badare ai vecchi, e glielo dice con quella dolcezza ferma che aveva lui, quella specie di attenzione distratta, quello sguardo concentrato e perso. Perché suo padre aveva studiato e quanto sapeva lo faceva esistere lí e altrove contemporaneamente, non come gli ignoranti che si trovano in un posto per volta. No, lui è lí, ma è come se fosse già partito. E poi parla con una voce strana, che è la sua, ma allo stesso tempo è quella di un altro. Capisce? Vincenzo fa cenno di sí, con un sorriso. Marianna si entusiasma: ora, lo sguardo che ha

ora, è esattamente lo stesso di suo padre: lí e altrove. Proprio
adesso, con quella luce, se si guardasse allo specchio vedrebbe
Luigi Ippolito. Oh, come può non considerarsi una benedizione quest'opportunità che la vita le sta offrendo? Vincenzo obb-
bediente si alza e va alla porta finestra dove può specchiarsi nel
riflesso dei vetri, ma non vede nulla di diverso da quello che si
aspetta. Ha messo su qualche chilo rispetto al suo arrivo, ma
niente di che, è come una pianta succulenta che abbia ottenuto
finalmente il giusto grado di annaffiatura.

Oltre i vetri la piccola foresta nel cortile è diventata piú fitta, perché è primavera inoltrata, e tutto fiorisce sboccia cresce
a vista d'occhio. Da lí quella natura pare prepotente, restia a
qualunque moderazione: i gelsomini si contorcono e diffondo-
no un profumo violentissimo, le ortensie, che Marianna tiene
in ombra, debordano dallo spazio loro assegnato, una piccola
prateria di aspidistre, con enormi fiori che altro non sono se
non fiori di fiori; e cosí le invadenti siepi di passiflora che fanno
frutti ovali e fiori carnosi e che contengono in sé gli strumenti
del martirio di Cristo. Lo sapeva questo? Vincenzo fa cenno di
no. E Marianna corre in cortile, attraversa i sentieri che solo
lei conosce per raggiungere quei fiori e strapparne uno e portarlo al cospetto del suo principe. Lo vede? Ecco il martello e i
chiodi con cui il Salvatore è stato inchiodato alla croce, vede?
E questi peli azzurri, raggi celesti, intensi, sono il Paradiso dove i giusti saranno accolti. E tutto questo in un fiore, ci pensa?
Ci pensa a quanto perfetta sia la natura nel suo concentrare e
sviluppare? Nel segnalare se stessa in ogni cosa, nel suo immenso, costante variare partendo da pochissime cose? Sí, sí, certo
che sí. Lo sa bene Vincenzo che viene da un posto altrettanto
sobrio e altrettanto magniloquente. Certo, ha capito da subito
che concentrazione è la parola chiave di quel posto che ora lo
accoglie. Concentrazione nel senso che quanto avviene in piccolo produce immensità, improvvisamente. Visibile, non dispersa.
Potrebbero volare uccelli del paradiso e colibrí tra le fronde di
quel cortile; potrebbero riposare scimmie nane tra i rami delle
prugne di san Giovanni o dell'alloro; strisciare serpenti coral-

lo sulla terra battuta e arrampicarsi vigogne fino all'apice del muro di cinta. E sarebbe perfettamente logico. Tutto potrebbe succedere in quello spazio che è limitato e immenso insieme. E produce segnali come le file di formiche che si arrampicano lungo il tronco del melo cotogno per indicare che in cima, tra i germogli freschi, si sono annidati parassiti mellifori, sicché quegli eserciti in marcia, per la conquista del miele prodotto dagli invasori, indicano senza dubbio che l'albero, apparentemente rigoglioso, è, nei fatti, in preda al morbo, esattamente come il mondo fuori da quel cortile. Questo Vincenzo lo capisce. Ha studiato e lo capisce. Come la comparsa a frotte dei pipistrelli che volteggiano all'imbrunire in masse scure scattanti, segno che il delirio ronzante non si è placato, che, fuori di lí, dilagano le piaghe terribili di anofeli e dociostauri. Ora che la guerra degli uomini si è spenta per sfinimento, per impossibilità di trovare un senso, ecco che prosegue ostinatissima la guerra delle conseguenze: quella dei campi trascurati, del bestiame abbandonato, del banchetto degli insetti, appunto. Le zanzare a milioni di milioni hanno infettato le zone costiere attraverso febbri malariche che dilagano ormai da anni raggiungendo livelli di cronicità; ma non basta: spinte dal vento africano caldissimo sono arrivate, a cumulonembi talmente compatti da oscurare il sole, le cavallette.

Lui adesso, in piedi davanti a lei, è l'espressione dell'invisibile. Ciò che per anni ha covato sotto la cenere. Lui, adesso, è la dimostrazione che lei ha fatto bene a resistere per tutto questo tempo. Ha fatto bene a non cedere quando tutt'intorno impazzava la carneficina. C'erano tante cose che avrebbe potuto raccontare a questo nipote: quella sua vicenda personale che l'aveva fatta «fascistona» agli occhi della gente, per esempio. Per esempio provare a spiegargli di come gli avvenimenti convulsi del mondo circostante si fossero manifestati per lei sotto forma di «prendere o lasciare». Anche il destino di sposare un uomo che non si ama avrebbe potuto cercare di raccontargli; persino il miracolo di mettere al mondo una figlia e l'orrore di vedersela morire addosso.

A Vincenzo tuttavia quella vicenda l'aveva raccontata Mimmíu qualche tempo prima. Grazie a lui, grazie alla sua parentela certificata e per via della sua provenienza esotica, Vincenzo era stato accolto nella comunità dei nuoresi. Qualche volta aveva pensato che si trattasse di un club talmente esclusivo da considerarsi davvero fortunato a essere stato ammesso. Tuttavia era stato Mimmíu a dirgli della zia, del perché fosse «fascistona» e del perché, nonostante questo, fosse rispettata dalla gente.

Era capitato per caso, al bancone di un bar, quando un giovanotto poco piú che adolescente gli era passato accanto.

– Quello è Nicola Serra-Pintus, siete parenti di entratura.

Vincenzo aveva guardato Mimmíu con curiosità e una certa punta di sgomento da questo improvviso affastellarsi di parenti. – Parenti di entratura? – aveva ripetuto.

L'altro, dopo aver scrollato le spalle, si era versato da bere: – Suo zio era il marito di tua zia, – aveva detto con semplicità arcaica. – Loro erano gente importante, ma povera, si sono mangiati tutto... Non te l'hanno raccontato? – aveva chiesto. Vincenzo aveva fatto segno di no. – Insomma un matrimonio importante, famiglia importante e famiglia ricca. Perché voi siete ricchi davvero: te l'hanno detto? – Vincenzo si era limitato a fare una smorfia col labbro inferiore. – E comunque lui era amico dei fascisti, era podestà di Ozieri, ma a Ozieri non c'è mai arrivato –. E qui si era interrotto. Vincenzo aveva atteso che proseguisse, ma Mimmíu non l'aveva fatto. – Vado, – aveva detto invece a sorpresa, – che domani mattina devo alzarmi presto perché dall'Ispettorato agrario stanno cercando gente per la lotta contro le cavallette, hai sentito?

Vincenzo aveva sentito anche lui quanto stava succedendo.

Marianna trema al solo pensiero di vedere il suo giardino in preda alle cavallette. Vincenzo in piedi davanti a lei ne percepisce il tremore. – Tu hai avuto una figlia, – dice, e basta.

Marianna risponde col capo sperando che lui la veda nel riflesso dei vetri della porta finestra. – Avrebbe vent'anni adesso,
– sussurra, e basta.

Il silenzio diventa compatto, zia e nipote sono congelati in
una specie di discorso sotterraneo. In una fissità totale che si
spezza solo quando devono spostarsi per fare entrare in casa
Michele Angelo.

È stato in officina. Sono passati abbastanza mesi da accarezzare l'ipotesi che la vita possa ricominciare anche da quel punto di vista. Eppure c'è andato da solo, per paura che una simile
eventualità potesse essere fraintesa dal suo preciso interlocutore e considerata una sfida. Cosí, in silenzio, mentre Vincenzo e
Marianna, in cucina, parevano avere cose da discutere fra loro,
Michele Angelo ha deciso di rientrare in officina. Superando le
piante di limoni e assottigliandosi per occupare lo spazio tra il
vaso e la porta, ha infilato le chiavi, ha aspettato in quella posizione assurda un tempo lunghissimo poi, finalmente, ha aperto.

La prima cosa che ha percepito è stata l'odore. Lí, in quel
momento, la vista ha come abdicato finché i polmoni del vecchio
non hanno potuto accumulare tutto l'aroma asciutto e piccante
del ferro. La magia dell'olfatto si è sviluppata come un'immagine
istantanea di fornaci e sudore, di suoni, di squilli, di sfrigolii, di
soffi… E poi di freddo e caldo insieme, di gelo e incandescen-
za, di nerezza e luminosità, di morbido e duro.

Tutto vorrebbe in quel momento Michele Angelo fuorché
vedere. Perché sa che quando finalmente anche la vista inter-
verrà non ci saranno appelli. Infatti ecco, improvvisamente, la
vista, ed ecco che ciò che temeva si concretizza: è dolore feroce
per quella solitudine, per quel silenzio, quella stasi. La polvere
ha ricoperto gli attrezzi di una nebbia sottile, come se anche
lei volesse contribuire ad addolcire quella visione terribile di
forza che diventa inerte, di potenza che si è spenta, di vita che
è definitivamente morte.

Michele Angelo cade a sedere. Ora sa perché, per tutto quel
tempo, non ha mai trovato il momento adatto per parlare col
nipote dell'ipotesi di riaprire l'officina. Lo sapeva anche pri-

ma, lo sapeva da sempre, ma vederlo incarnato, quel motivo, ora fa male.

Nella postazione che era stata di Gavino, appoggiati a un cavalletto, ci sono ancora i suoi guanti.

Dell'altro zio, Gavino, quello che dalle fotografie appare piú massiccio e piú biondastro di suo padre, se ne parlava poco. Il meno possibile. Sí certo, Vincenzo sapeva che era morto in mare, mentre navigava verso l'Australia, ed era una cosa fresca, una ferita aperta, ancora sanguinante. Lui al fronte non c'era andato, ma la sua guerra l'aveva combattuta lo stesso, questo dicevano in casa, e questo doveva bastare.

Dentro a quei guanti abbandonati c'è lo spazio fisico delle sue mani, che erano forti e belle. Mani che si sono disciolte nel Mare del Nord al largo della Scozia, dicono. E ora quei guanti sono l'unico ricordo del passaggio di quell'uomo meraviglioso sulla terra. Di quello spirito addolorato, inquieto e gentile, forte e delicatissimo insieme. A Michele Angelo viene in mente della volta che Gavino pensò di portare la madre al mare, perché lo vedesse. Sí, fu sua l'idea.

Mancavano pochi giorni alla partenza di Luigi Ippolito per il fronte. Erano ragazzi, Gavino disse che, a tutti i costi, avrebbe portato la madre al mare. Proprio cosí: a tutti i costi. Luigi Ippolito l'aveva fissato come faceva lui, con quello sguardo che c'era e non c'era, e aveva detto che sí, dovevano portare la madre al mare. E Mercede, quanto aveva protestato all'inizio: che no, che era una sfacchinata, arrivare fin lí e per cosa poi... Poi alla sera, quand'era tornata a casa, aveva uno sguardo diverso. Oh, era innamorata dei suoi figli... Mercede, amore.

Michele Angelo cade a sedere sullo sgabello davanti alla forgia, quello stesso su cui aspettava il passaggio dall'arancione al bianco.

Lí dentro solo l'udito non ha soddisfazione, perché regna un silenzio che in natura non esiste, il silenzio afflitto di un posto che non è solo spazio fisico. Qualche lacrima lo coglie d'improvviso senza che possa fare niente per fermarla, ma non è esattamente piangere il suo. È piuttosto un'espressione dell'invisibile che torna alla luce. Come un segreto riposto che trova la voce.

Cosí, asciugandosi la guancia col dorso della mano, dà ancora un'occhiata intorno a sé, e constatando che niente, niente, si è mosso, decide di essere lui a rompere quell'assetto alzandosi in piedi e camminando verso l'uscita. Decide anche che non è arrivato il momento, che per parlare dell'officina bisogna aspettare, un poco, ancora un poco.

Tornando verso casa vede che Vincenzo e Marianna sono in piedi davanti alla porta finestra della cucina.

– Dove siete stato? – chiede Marianna per una specie di dovere di apprensione.

– Fuori, – risponde il vecchio.

– Dove vi siete appoggiato? – chiede la figlia. – Avete i pantaloni tutti sporchi.

Michele Angelo nemmeno risponde: si dà manate sul culo per togliersi di dosso la polvere dell'officina.

Restano in silenzio per qualche minuto.

– Domani mattina, se non ci sono problemi, pensavo di andare all'Ispettorato agrario, stanno cercando gente per la campagna contro le cavallette, – sussurra Vincenzo.

Marianna protesta subito: che non ha bisogno di fare lavori del genere, che, grazie a Dio, si può permettere di prendere tempo, che non lo sta inseguendo nessuno.

Michele Angelo la interrompe con un gesto dell'indice, come Dio che dà la vita ad Adamo. – A che ora ti dobbiamo svegliare? – chiede, e basta.

Mimmíu e Vincenzo fanno parte della stessa squadra, e anche Nicola Serra-Pintus ne fa parte. La zona assegnata è poco lontana. È contraddistinta dalla lettera D, e va dalla valle di Pratobello alla piana di Ottana. Si tratta di una regione interna, collinosa e pianeggiante. Nei focolai la desolazione non si coglie immediatamente, bisogna guardarci: a distanza la terra sembra dorata e fluida, come un campo di grano appena mietuto, accarezzato da una brezza sottile. Ma appena ci si avvicina, si vede bene che quelle che sembrano spighe decapitate non sono nient'altro che ammassi di cavallette brulicanti e allora, facendo avanzare lo sguardo a perdita d'occhio, non si vede nient'altro che quel monocromo vibrante. Ecco che la terra frinisce in modo assordante, basta stare a sentirla, adattare un suono a quella visione spaventosa. Sono un numero talmente spropositato, talmente ammucchiate le une alle altre, che non possono far altro che lasciarsi schiacciare dagli scarponi degli operai... L'avevano detto, ma esserci è tutta un'altra cosa. E un'altra cosa sentire sotto alle suole chiodate la febbre del terreno completamente sommerso di una patina semovente e lo scrocchio secco dei carapaci che cedono sotto ai passi. A pensarci sono esseri fragilissimi, croccanti, ma è il numero che fa la differenza, in quello spazio relativamente ristretto sono incommensurabili, come le stelle in cielo, di piú, di piú ancora... Ormai anche il profano riesce a distinguere tra il grillastro crociato che divora i cereali e il dociostaurus maroccanus che non disdegna i frutteti e le vigne. E qui a giudicare dall'oro imperante siamo in presenza della bestia levantina, che non ha avuto bisogno di arrivare in volo perché i bastimenti di ritorno dall'immensa campagna d'Africa l'hanno trasportata gravida in giro per il Mediterraneo. Come l'alito della peste quando si formò, nube cremosa e mefitica, e lasciò che il vento la trasportasse nelle terre emerse. Così le piaghe bibliche, che non sono per gli uomini a meno che non siano gli uomini stessi a dargli corpo col loro agire.

Dall'Ispettorato agrario avevano composto le squadre in rapporto ad alcune competenze. A Mìmmíu, che aveva la patente, fu affidato un autocarro che portava la scritta «Servizio lotta alle cavallette». Vincenzo poté scegliere di essere assegnato alla stessa squadra, sullo stesso camion, ma sul cassone dal quale, con paletta e guanti di gomma, doveva spargere sul terreno crusca e arsenito sodico all'uno per cento di cui le cavallette sembravano essere ghiotte. Prima di loro sulla piana erano passati gli esploratori e i capisquadra che avevano individuato colonie immense di capsule non ancora dischiuse, persino nelle fessure dei muretti a secco e all'interno delle domus de Janas. Dopo l'esplorazione gli stessi avevano potuto concordare una strategia: i seminatori, che spargevano la miscela velenosa, poi i piroforisti che col lanciafiamme uscravano le carcasse degli insetti agonizzanti, quindi gli operai che raccoglievano quanto restava e, infine, gli specialisti con i nebbiogeni. Per mondare un terreno senza il dubbio che qualche larva riuscisse a sopravvivere questo era il sistema.

Il primo giorno Vincenzo si trovò sul cassone del camion con un ragazzetto di Mamoiada che non smetteva di commentare a ogni lancio di crusca e arsenito: «Manicàe», esortava. «Crepàe!» concludeva, e questo migliaia di volte: tanti lanci, tante imprecazioni. A lui quel lavoro non piaceva, a lui piaceva il lanciafiamme perché al mondo non esisteva essere piú schifoso delle cavallette, diceva, niente, niente. Così probabilmente, per via della sua insistenza, il giorno dopo sul cassone con Vincenzo salí Nicola Serra-Pintus.

Era un uomo di taglia piccola, ma fatto bene, di quelli che

mantengono un'espressione diffidente qualunque sia la persona a cui si rivolgono. – Noi siamo quasi parenti, – disse bruscamente al nulla mentre lavoravano. Vincenzo si guardò attorno e constatò che, vista l'assenza di chiunque altro, quella frase doveva essere rivolta a lui. – Tu sei quello forestiero? – incalzò prima che Vincenzo potesse organizzare una risposta. Ancora una volta Nicola Serra-Pintus parlò come se avesse qualcosa da rimproverare. Ma questa volta aspettò che l'altro replicasse.

– Sí, – disse semplicemente Vincenzo. – Il forestiero, – ripeté.

Nicola fece di sí con la testa come se si dovesse complimentare con se stesso per quella brillante intuizione. – Allora siamo mezzi parenti, – concluse riprendendo il suo lavoro.

Andarono avanti per un po' in silenzio. – Vincenzo, – disse Vincenzo a un certo punto pulendosi la mano per allungarla al mezzo parente dopo essersi sfilato il pesante guanto di gomma.

L'altro fece lo stesso prima di allungare la sua: – Nicola, – disse. – Mio zio Biagio era il marito di tua zia.

– Sí, sí... – confermò Vincenzo.

– Una brutta storia, – fece l'altro, badando a non trovarsi sotto vento quando lanciava la miscela velenosa sul terreno. Vincenzo non disse nulla. Nicola interpretò male quel silenzio. – No, – chiarí infatti. – Non brutta storia il fatto che tua zia e mio zio fossero sposati, intendevo tutto il resto. Il tentato rapimento, e come li hanno uccisi a mio zio e anche a sua figlia.

– In casa non ne parliamo mai, – tentò Vincenzo, sperando che quell'argomento fosse considerato conclusivo.

– Una casa sfortunata quella, molti soldi, questo sí, ma sfortunati, – commentò Nicola che non sembrò accorgersi del disappunto crescente di Vincenzo.

Per fortuna Mimmíu batté dall'interno della cabina del camion, segno che stavano per fare una sosta.

Si lavarono le mani nonostante avessero portato i guanti e mangiarono pane, formaggio e vino. Il vino era caldo, anche se era rimasto all'ombra dell'abitacolo proprio sotto al sedile vuoto del passeggero. Mangiarono in silenzio, su un immenso tappeto di migliaia, centinaia di migliaia, di cavallette.

Quella sera Vincenzo tornò stanchissimo a casa. Marianna gli aveva fatto trovare una tinozza d'acqua fumante per il bagno. Gliel'aveva mostrata e poi, indugiando, si era allontanata per farlo spogliare.

Lavato e asciutto raggiunse la zia e il nonno in cucina. Aspettavano il suo bollettino e sgranarono gli occhi alla notizia che la situazione era davvero fuori controllo, bisognava fare in fretta e agire sulle larve piuttosto che sugli alati. Raccontò che il fronte non distava che sei, sette chilometri da lí. Ma che dal bivio di Mamoiada era un disastro, un deserto di terra denudata.

Marianna pensò alle sue piante, guardò in cortile oltre la porta finestra. Vincenzo le sorrise, la rassicurò dicendole che la disinfestazione, tramite le squadre locali, stava avvenendo da Nord verso Sud. Lei lo fissò interrogativa. Michele Angelo le spiegò che da Nord a Sud voleva dire che la disinfestazione era iniziata proprio nei territori piú vicini al capoluogo per poi spostarsi verso il Campidano. Questo avrebbe dovuto rassicurarla, ma non lo fece. Qualcuno le aveva detto che già a Marréri si erano verificate piccole invasioni di insetti. Vincenzo, dall'alto della sua autorità di disinfestatore, decretò che si trattava di casi isolati facilmente controllabili. Michele Angelo ripeté che erano casi isolati e che non stesse a preoccuparsi: nessuno sarebbe stato cosí crudele da mettere in pericolo le sue piante. Marianna sospirò e versò una minestra sostanziosa nel piatto dei suoi uomini.

A Marianna non c'era nulla che facesse paura di questo prosaico mondo visibile. Nulla. Era l'invisibile che temeva, l'imponderabile. Ora che le era stata data la possibilità di ritentare, non aveva alcuna intenzione di farsi sfuggire l'occasione di incidere in qualche modo. Lo sapevano tutti quale era stata la sua vita e quali le sue personali, non private, tragedie. Vedova in un attimo, e poi? Esiste un nome che definisca una madre che ha perso la sua bambina? Come si dice: orfana al contrario? Oppure semplicemente non si dice, perché non c'è niente di naturale, di visibile, in un mondo dove i genitori sopravvivono ai figli. Per questo nessun vocabolario, a nessuna latitudine, ha inventato un termine per questa specifica contingenza. Una contingenza che fa parte del mondo sommerso, quello che accoglie mostri che conosciamo assai bene, ma che dobbiamo fingere di non conoscere per puro istinto di conservazione. Ci diciamo che non esiste, eppure c'è.

Per esempio: in quale recesso del nostro inferno nascosto hanno inventato l'invasione delle cavallette? È nella Bibbia, quindi significa che è stato. Vuol dire che qualcuno ha pensato a quella particolare piaga, alla stregua dei rospi, della peste, della guerra, della morte prematura dei primogeniti. La disobbedienza chiama il castigo, questo pensò Marianna ragionando sul disegno che le aveva tolto tutto e ora, in parte, la risarciva con l'arrivo di questo nipote inatteso, di questo figlio per procura. Cosí quando Michele Angelo la rimproverava dicendole che stava troppo addosso al ragazzo – lui Vincenzo lo chiamava cosí: ragazzo – lei rispondeva che no, che non era un ragazzo e che lei non avrebbe mai, mai rinunciato a quanto le spettava come risarcimento per avere tanto sofferto. Disse che l'avrebbe aspettato in piedi se tardava, che avrebbe ribaltato Núoro e dintorni se solo lui avesse chiesto qualcosa che non si trovava; disse che l'avrebbe servito come si fa con lo sposo, ma, pensò, l'avrebbe fatto solo per impossessarsene, renderlo incapace, inetto, perché gli fosse impossibile spostarsi da lei che sola poteva dargli tutto, tutto, senza chiedere niente in cambio... Ecco cosa avrebbe dovuto fare con quel marito che, disobbedendo a tutto, si era limitata a sopportare. Ora sapeva quanto le era costata quella sua speciale disobbedienza, aggravata dall'essere stata volontaria e precisamente cosciente, in tutto. Questo disse e non disse. A Michele Angelo apparve chiaro quanto quella creatura aveva vissuto in silenzio con i fantasmi della sua vita infelice.

– Se ne andrà, – le disse a un certo punto, ma lei non voleva ascoltarlo. Pensava a Suor Angelica, quando la zia Principessa

va in convento a dirle che la sua sorella minore si sposerà e finalmente l'onore della famiglia sarà ripristinato, ma non per dirle
che il suo bambino è morto da due anni. Ecco, niente al mondo Marianna ha odiato come quella zia Principessa che sottrae il
bambino a sua figlia, la costringe in convento e poi considera una
benedizione il fatto che il frutto del peccato sia morto prematuramente. Lei quella storia lí non la può proprio sentire, perché nel
mondo visibile sarebbe, in tutto e per tutto, la suora e non certo
la principessa. – Dovrà fare la sua vita, – riprese Michele Angelo.
   – La sua vita è qui! Non rovinate tutto adesso! È qui!
   – È dove vorrà lui.
   – No, se parlate cosí lo incoraggiate a scappare.
   – Sei tu che lo farai scappare se continui a stargli addosso.
   – Non ha mai avuto nessuno che gli stesse addosso…
   – … Non va bene cosí, Marià! Perché non vuoi ascoltare
quando ti parlano?
   – Perché non voglio ascoltare.
   – E invece ascolti…
   – No. Vado a innaffiare, sta tirando vento e secca la terra…
E basta.

Il racconto di come hanno passato Ottana col lanciafiamme
casa per casa, pollaio per pollaio, chiesa per chiesa, prende buona parte della cena. Vincenzo è entusiasta di poter rivivere quel
momento in cui, entrati in paese, devono constatare che l'oppo-
sizione ferma dei paesani, che non smettono di battere con sterpi
secchi le pareti di casa, non ha dato frutti. Quello che descrive
è un inferno di cavallette che avvolgono gli edifici come sciami
d'api. L'arrivo dei pirofori è l'ingresso dei guerrieri luminosi della fede che scacciano le forze del male. Quei ragazzi col serbatoio in spalla sono meravigliosi ed eroici. La maggior parte di loro
è troppo giovane per essere richiamata in guerra, ma ha comunque avuto la sua possibilità: arma in spalla contro il nemico alato.
   Le fiamme leccano le pareti delle case con lingue incande-

scenti che ne liberano istantaneamente intere porzioni. Il crepitio e il fischio degli insetti che deflagrano al tocco del fuoco è
un suono straordinario, e straordinario è il profumo di crosta di
pane abbrustolito che ne scaturisce. Le cavallette carbonizzate
cadono a mucchi nei cortili e sui marciapiedi di Ottana. Nere e
lucide come scarafaggi, ridotte a tizzoni, spesso non ancora del
tutto morte, si agitano in cumuli scuri che le donne del posto
sono fiere di spazzare via. Ecco, quei mucchi possono raggiungere anche i due metri.

A Vincenzo piaceva arrivare fino a quel punto, quando doveva descrivere i cumuli immensi a cui, ancora una volta, veniva
dato fuoco finché non diventavano polvere volatile.

Cosí si alzava in piedi e sollevava la mano oltre il suo metro
e ottanta per specificare che i mucchi, anche quelli piú piccoli, lo sopravanzavano di almeno venti centimetri. Marianna si
tappava la bocca com'era suo solito quando voleva esprimere
stupore e Michele Angelo scuoteva la testa sorridendo: – Non
dirle queste cose, – rimproverava allegro il nipote. – Che questa stanotte non chiude occhio.

Qualche minuto dopo ecco che Vincenzo si prepara per uscire. Fuori è già scuro. Marianna lo guarda come se si aspettasse
una qualche spiegazione. Vincenzo non coglie o non vuole cogliere. Michele Angelo li osserva intenti in quella specie di battaglia di sguardi e non interviene. A lui piacerebbe finalmente
poter parlare di un lavoro vero per questo nipote, di un futuro
vero. Gli piacerebbe senz'altro parlare dell'ipotesi di riaprire
l'officina, il ragazzo è forte, può imparare presto. Tuttavia è
frenato dalla constatazione che Vincenzo non ha chiesto niente.
C'è qualcosa che il vecchio non riesce proprio a interpretare in
lui. Forse la vena continentale, un mistero che gli deriva dalla
parte materna. Tutto questo Michele Angelo lo pensa mentre
Vincenzo si alza e annuncia che uscirà.

Marianna aspetta che sia sulla soglia per chiedere come mai
esca a quell'ora. E lí Michele Angelo decide che deve intervenire, la zittisce come se fosse una bambina, le impone di farsi

gli affari suoi, che il ragazzo è abbastanza adulto per stabilire
a che ora deve uscire.

Questa scaramuccia scoraggia Vincenzo: – Non è indispensabile, – conclude, e fa il gesto di ritornare a sedere. – Domani
siamo di riposo, si pensava di vedersi tutti insieme, – si giustifica.

– Sí certo, – approva Michele Angelo. – Vai e lasciala cantare –. Poi punta gli occhi in quelli di sua figlia: – Ma a te quando
esci ti chiede niente nessuno?

Marianna, quando esce, va all'altra casa, quella in via Deffenu. La tiene pulita, nonostante da piú di dieci anni ormai non ci
viva nessuno. Eppure a vederla nel suo silenzio placido sembra
proprio che i suoi abitanti si siano assentati solo momentaneamente. Lei quando vi entra è come se fosse la teracca, come se
in quella casa, casa da podestà, intima e pubblica insieme, non
avesse niente di suo. E invece no. Lí è tutto intatto di tempo
immobile. Lí c'è tutto quanto deve coltivare perché non si rischi
l'oblio. Perché oblio significa, per Marianna, ricacciare nell'in-
cognito tutta quella porzione della sua vita che, invece, è stata.

Le pulizie sono feroci e minuziose, nel senso che quando la
polvere invade le cose è come se le nascondesse al ricordo niti-
do. La sua consolazione è ricordare tutto. La sua consolazione
è impedire a chiunque, a qualunque cosa, di frapporsi tra lei e
se stessa. Cosí, ogni volta, si tratta di pulire stanza per stanza,
angolo per angolo, oggetto per oggetto: l'ingresso ampio con un
tavolo centrale e due vasi ornamentali in stile orientale, dal quale
si accedeva allo studio del commendator Serra-Pintus, suo marito, tre sedie di artigianato locale di una certa importanza dove
attendevano coloro che dovevano parlare con lui; poi il cosiddetto disimpegno, null'altro che una zona cieca costituita da porte
chiuse: a destra per la cucina e la camera da pranzo, dritti per i
bagni e la lavanderia, a sinistra per le camere da letto.

L'enormità dell'appartamento era una consolazione, rappresentava uno spazio dato ma, allo stesso tempo, un luogo dove
era anche possibile perdersi. L'unico luogo che non amasse di
quella casa era lo studio perché, si diceva, in fondo rappresen-

tava la vacuità, l'insulsa vanità dell'uomo che aveva sposato. E magari, ripeteva a se stessa mentre spolverava i volumi intatti che ornavano la libreria in noce dietro la sua scrivania di rappresentanza, tutta questa chiarezza, questa pretesa limpidezza, questa ricercata nitidezza, non era nient'altro che un modo per punirsi di non essere stata abbastanza forte da dire no a quel matrimonio.

Nella stanza di Dina, la sua piccola, restava un profumo impalpabile di latte e borotalco. Prima di intraprendere qualunque azione in quella stanza aveva bisogno di stare seduta. E guardarsi attorno. Era cosí tutte le volte, perché per stare là dentro le occorreva una sorta di respiro supplementare, e rimanere seduta le permetteva di adeguare i polmoni al deficit d'aria che le pareva caratterizzasse quello spazio. E quando il respiro aveva raggiunto il giusto ritmo, eccola alzarsi e cominciare a spolverare il mobile bianco dov'erano riposte le meraviglie candide che la sua bambina aveva indossato. Nessun tempo aveva potuto ingiallirle: lí il tempo, semplicemente, non era ammesso.

Dentro a quella casa ci avevano abitato poco a dire il vero, ma era quanto aveva a disposizione: la realtà manifesta, tutto ciò poteva impedirle di illudersi che non era successo niente di quanto, invece, era successo. Tuttavia nella camera che era stata della sua bambina sentiva una disperazione supplettiva, una specie di arretramento della consolazione, come se ogni volta che vi entrava fosse costretta a rivedere il grado della sua capacità di rimozione. Ma non per questo faceva le cose superficialmente, anzi dentro quella stanza poteva intrattenersi per ore a togliere la polvere dalle bambole, a rinfrescare le tende, a cambiare la biancheria del letto, a sbattere il tappetino, a riporre le ciabattine, a piegare la camicia da notte, a osservare qualche capello della bambina ancora incastrato tra le setole della spazzola, a intravedersi con la coda dell'occhio nei riflessi degli oggetti, dei vetri e degli specchi, mentre, inclemente con se stessa, ingoiava l'angoscia e, allo stesso tempo, si esaltava al pensiero di farsi da carnefice, impedendo a quel mondo di rifugiarsi nell'oblio.

Ognuno alleva i propri fantasmi, e li chiama in modi differenti. Ricordi, a volte. Li chiama pensieri fugaci, cose che ritornano alla mente d'improvviso, senza che la nostra mente abbia potuto far niente per selezionarli. Li chiama ladri che si insinuano in noi, scassinando le porte blindate del nostro controllo. Marianna quelle porte le aveva lasciate del tutto spalancate.

L'unico rammarico vero era che la sua bambina non riusciva a sognarla e, qualche volta, ne perdeva i contorni. E poi c'era il fatto che della notte in cui lei era morta, col padre, non ricordava granché. Sí, ricordava di aver vagato nella campagna, e poi di essersi trovata in una caserma. Tutto qui. Aveva in mente un rumore secco, e ricordava l'auto risucchiata verso il basso mentre l'autista tentava di scansare il posto di blocco. E poi ricordava l'unico sguardo bello che suo marito le avesse mai fatto. Tutto qui.

– Ma a te quando esci ti chiede niente nessuno?

Vincenzo guarda Marianna come se pretendesse da lei tutta quell'apprensione che la sua madre naturale non aveva potuto dargli. – Con chi vai a quest'ora? – chiede lei infatti, capendo perfettamente il gioco che stanno giocando.

– Quelli della squadra, – risponde lui. – Un'oretta al massimo, giusto per fare due chiacchiere, – dice. E poi: – Nicola Serra-Pintus, – scandisce come un giocatore che butti sul tavolo l'asso di briscola.

Marianna non fa un gesto, ma ormai Vincenzo lo sa che quell'immobilità è l'atto estremo. Una parvenza di calma che nasconde nervosismo. – Ah, Nicolino, come sta? – chiede lei guardando fissa oltre il nipote. – Non lo vedo da quando aveva cinque, sei anni… Non so.

Vincenzo volontariamente non risponde. – C'è anche Mimmíu Guiso, – si limita a dire.

Marianna ha perso l'assetto, pare cerchi di contenere le lacrime, ma sta solo provando a ricordare in quale preciso giorno Nicola Serra-Pintus, figlio terzogenito del fratello di suo marito, sia venuto al mondo, sia passato cioè dallo stato della presunzione a quello visibile. Qualche giorno prima o qualche giorno dopo

la sua bambina? Avrebbero la stessa età, adesso. – Vai, vai...
– dice a Vincenzo d'improvviso. – Non fare troppo tardi però.
– Sí, – fa lui. – Ma non mi aspettate in piedi –. Lo dice anche se sa che è perfettamente inutile.

Appena il ragazzo esce i due discutono. Padre e figlia in genere tengono le parole in galera, sotto chiave, ma una volta che
decidono di aprire la cella, allora parlano.

A Michele Angelo non piace certo la prospettiva di limitar-
si alla parte del vecchio accudito dalla figlia, e a Marianna piace ancora meno quella della figlia che debba fare da infermiera
al vecchio padre. E allora? Di cosa stanno discutendo adesso?
Sono d'accordo, no? D'accordo su tutto: sul fatto che a questo
nipote bisogna lasciargli fare la sua vita; sul fatto che non si può
decidere per lui perché non è un ragazzino; sul fatto che hanno tanto tempo da recuperare. Lo sanno, lo sanno bene e sono
d'accordo. E allora? E allora il punto, la materia del contendere,
sono loro. Michele Angelo che non vuole piú subire privazioni
e Marianna che non capisce di quali privazioni parli suo padre.
Lei, tutta la faccenda, la vede assolutamente come un dono, una
specie di ultima possibilità. Lui come un altro, astuto, sgambetto della sorte. Perché – dice a se stesso – una volta che si è imparato a fare i conti con la propria esistenza non si può, d'improvviso, cambiare sistema, riprendere con le prospettive. Lui
in testa ha il fatto che l'esistenza è come un carico di pane o di
frutta che qualcuno deve incaricarsi di trasportare fino a casa.
Gliel'hanno raccontata come un percorso, una strada polverosa
dove si lasciano orme leggere e si sollevano sbuffi di terra secca. In fondo si vede una piccola casa con tetto e fumaiolo, e da
quel fumaiolo si vede sempre il fumo, qualunque sia la stagione: nelle storie, nelle parabole, le stagioni non contano. Perciò
eccolo in cammino; è scalzo, può vedere i suoi piedi infarinati,
la casa che sembrava vicina non lo è affatto, anzi sembra allontanarsi a ogni passo, e il carico comincia a pesare... Cosa lo faccia andare avanti è presto detto: quel carico. Se fosse libero di
scegliere, lui, verso la casa nemmeno ci andrebbe, senza niente

da trasportare, senza una materia da custodire, sarebbe leggero e libero. Ma libero di andare dove? Ci sono incontri, spazi
in ombra, buche, piccoli burroni, fonti cristalline, lungo quella
strada. In molti casi deve fermarsi, ingegnarsi, evitare di cadere
ma, allo stesso tempo, niente gli impedirebbe di riposare, libe-
randosi per poco del suo carico, per bere alla fonte e scambiare
qualche parola con i passanti.

Dal suo preciso punto di vista, questo nipote ritrovato non
è certo un rovesciamento delle sue prospettive, anzi è esattamente un motivo in piú per intrattenersi lungo il cammino,
senza fretta di arrivare. Perché, lui lo sa, nell'immagine che gli
hanno raccontato, arrivare a quella casa significa smettere di
camminare. Capito?

Ma appena ha finito di spiegare già si pente perché per Michele Angelo tutto questo parlare per metafore conta fino a un
certo punto. Per lui le cose sono le cose, è sempre stato cosí e
sempre sarà, amen! A Marianna vengono i nervi quando il padre taglia corto in quel modo, le verrebbe anche da gridare se
non avesse paura di lasciarsi andare piú del dovuto. Esiste una
specie di confine che non può essere superato nei litigi tra padre
e figlia, e sarebbe che litigare va bene, ma con rispetto. A dirla
tutta Michele Angelo quel rispetto rischia ripetutamente di farlo
saltare perché ha il coltello dalla parte del manico, e quando la
figlia perde le staffe può sempre zittirla con la formula: «Sono
tuo padre, ragazzina, tu a me cosí non mi parli perché io come
ti ho fatto ti sconcio! Cumpresu?»

A Marianna tutto questo almanaccare fa ricordare una storia recente, qualcosa che è avvenuto anni prima durante i bombardamenti di Cagliari. Cosí per lo meno l'hanno raccontata a
lei questa storia. E sarebbe che un tale ha uno zio ricco come si
può essere ricchi essendo poveri, ha cioè uno zio che possiede la
casetta dove abita. Il nipote è avido, vorrebbe sposarsi, e prega
che lo zio muoia perché finalmente possa impossessarsi di quella
casetta modesta. Tanto fa e tanto dice che comincia a frequentare l'anziano: lo accompagna, gli fa i servizi, insomma fa tutto
quanto bisogna fare per ottenere in eredità quella casa. Presto

però si rende conto che il vecchio non morirà tanto in fretta, ora che lo frequenta tutti i giorni può constatare che è sano come un pesce e che ci vorranno degli anni prima che quanto desidera con tutto se stesso si avveri. Perciò prende una decisione tremenda, sono i tempi che sono: la gente muore di tutto e, soprattutto, muore in modo tale che niente sembra strano. Si vive piú con la morte che con la vita: questo si dice il ragazzo quando decide di avvelenare il vecchio zio. Cosí si arriva al giorno del funerale, un rito in fretta e furia perché gli alleati hanno preso di mira la città e si prevedono raid aerei. Un *Pater Noster*, un *Requiescat*, e via. Il ragazzo può finalmente occupare la casa, che è sua, perché lo zio, riconoscente, qualche mese prima era andato dal notaio a certificare che, una volta morto, la sua casa, per piccola che fosse, andava a quel nipote generoso e disinteressato. Senza che nemmeno la bara sia interrata già quel ragazzo tanto disinteressato sta considerando quanto può guadagnare al mercato nero con la vendita delle poche cianfrusaglie del vecchio, escluse quelle che ha deciso di tenersi. E già prospetta la sua vita in quella casa con la donna che ama, e che sicuramente vorrà dargli tanti figli. Bene, la prima casa di Cagliari che viene distrutta dai bombardamenti è quella lí. Ma non è finita, perché quel raid tremendo ha colpito parte del cimitero, da cui la casa non è distante, e quindi sotto le macerie lo sapete cosa trovano? Zio e nipote abbracciati nella morte. Uno morto sotto le macerie, l'altro scaraventato dal cimitero a casa sua. Incredibile, no?

Marianna trema quando finisce il suo racconto. Michele Angelo allarga le braccia: – Benedetta figlia, e che cosa mi dovrebbe significare questa storia?

Non è nemmeno arrabbiato, solo sorpreso, perché a lui, la testa di Marianna lo sorprende, lo stupisce, lo atterra.

– Significa che se anche cercate di dirvi che le cose sono andate in un certo modo, poi non è in quel modo che sono andate.

– Ah, – tenta il vecchio. La spiegazione è peggio della storia in sé. – Quindi?

– Quindi quando fate finta che l'arrivo di questo nipote non cambi nulla, sbagliate, perché cambia.

E qui la sconfitta di Michele Angelo assomiglia a una capitolazione. Perché lui sa bene che la cosa migliore sarebbe in assoluto chiuderla lí, fingere di aver capito dove vuole arrivare la figlia, ma non ce la fa. – Quindi? – insiste.

– Quindi non è dicendosi che le cose non sono successe che quelle non succedono.

– E se la chiudessimo qui questa storia?

– Ecco come fate.

– Come faccio cosa?

– Ogni volta che avete torto fate cosí.

– Cosí, cosa!?

– Quello che state facendo adesso.

– O vado a dormire o ti ammazzo... Anzi no, non ti ammazzo, non si sa mai che mi arrivi dal cimitero al tetto di casa!

Anche a Marianna, quasi quasi, scappa da ridere. – Chiuso l'avete il portale in cortile? – chiede.

Michele Angelo nemmeno risponde.

Al Bar Nuovo si parlava solo del referendum imminente. E se ne parlava con la stessa apprensione con cui se ne percepiva l'importanza. Che quella nazione non sarebbe stata piú la stessa era chiaro. Vincenzo si limitava a osservare e ascoltare. La storia recente vista dai tavolini di quel bar sembrava la diatriba tra una madre e una figlia: da una parte chi non voleva abbandonare le certezze del passato, perché – per quanto terribile fosse stato – c'era qualcuno che cominciava ad affermare che non era giusto considerare tutta negativa l'esperienza fascista; dall'altra chi reputava sensato tentare un'altra via, e cioè quella di cambiare ogni cosa. Vincenzo percepí che il suo pensiero dipendeva da quello che aveva visto. Monarchia o Repubblica erano molto di piú che semplici idee del futuro, erano frutto delle esperienze dirette, personali o pubbliche che fossero. Quanti di questi giovani che si accapigliavano per una soluzione o per l'altra, si domandò, aveva a disposizione una visione? Sí: una visione, un'immagine. La guerra che aveva visto Vincenzo non era la stessa che aveva intravisto la maggior parte di quelli che ora pretendevano di dire la loro. In quel posto al massimo avevano visto qualche ufficiale di complemento del Battaglione Cremona. Ma non era questo in fondo il cambiamento vero, cioè la possibilità che chiunque potesse dire liberamente ciò che pensava? Ecco, lí Vincenzo si accorse che era un uomo adulto in un paese di adolescenti, e che aveva almeno sei anni di piú del maggiore dei suoi interlocutori. E forse a spiegare la guerra come l'aveva vista lui poteva bastare questa differenza.

Si aveva l'impressione che quanto del mondo circostante arrivasse in quella plaga non fosse che uno schizzo appena, un appunto. E se qualcuno affermava che il parroco alla messa invitava a votare per il Re, quello giovane, quello che si era appena insediato, ecco che quell'indicazione pareva frutto di un sentimento pallidissimo della Storia... La Monarchia, si ripeteva, non era nient'altro che un sistema, il resto lo facevano gli uomini. In fondo anche i Savoia avevano dovuto ammettere qualche errore di troppo e questo Re, giovane e prestante, al contrario del padre nano e pusillanime, aveva persino accettato di sottostare al volere popolare. Qualcuno rispondeva che se avesse aspettato ancora un po' non ci sarebbe stato piú un popolo a cui appellarsi, e che l'idea di far votare le donne non era pensata male, proprio no. A loro gli stessi preti dicevano che nella scheda gialla dovevano votare per il simbolo con la croce di Cristo, non certo per quello con la donna di profilo. Come nella scheda grigia, del resto, dove c'era un altro simbolo crociato da contrassegnare.

Marianna nemmeno discusse: – Cosa bisogna votare? – chiese al nipote, come se fosse del tutto logico stabilire una sorta di strategia comune. Dal suo punto di vista le famiglie dovevano essere famiglie in tutto.

Vincenzo rise. – Come sarebbe? – chiese. – Lo saprete voi cosa dovete votare, no? Il voto è segreto.

Marianna scosse il capo: – Sí, – disse ostinata. – È segreto, fuori da questa cucina è segreto –. Indicò con lo sguardo la stanza che li avvolgeva, e pareva volesse affermare un sistema che poco aveva a che fare col caso in questione, ma che si poteva, anzi si doveva, estendere e considerare una regola fissa della loro convivenza. – Tu cosa voti? – chiese a bruciapelo.

Vincenzo la guardò senza capire se parlasse sul serio o per finta. Marianna sostenne lo sguardo, segno che parlava sul serio. – Repubblica, – rispose lui a un certo punto.

– Lo sapevo, – commentò lei, senza una particolare inflessione nel tono di voce. – L'immaginavo, – completò. – Tu hai la faccia di tuo padre e la testa di tuo zio Gavino, Dio ce ne scampi.

– E sarebbe una cosa brutta? – domandò Vincenzo che, in qualche modo, cominciava a divertirsi.

– Né brutta, né bella, – tagliò Marianna rifiutando sul nascere una discussione che si spostasse dal piano normativo in cui lei l'aveva instradata.

– E voi votate Monarchia, no?

Marianna, che stava piegando dei panni asciutti sul tavolo di cucina, smise di colpo il suo lavoro. – E perché? – chiese. Quindi fissò Vincenzo con una tenacia tremenda.

Il nipote provò a sostenere quello sguardo per quanto poté. – Perché sí, – rispose dopo un tempo infinito. Marianna continuò a fissarlo. – Perché siete stata la moglie di un podestà... – tentò.

– Sí, tutto vero, e allora?

– E allora è possibile...

– ... che cosa?

– Lasciamo stare, – disse Vincenzo con una determinazione che aveva lo scopo di ripristinare una certa distanza tra lui e la zia. In fondo, si disse, che diritto ha di trattarmi come se mi conoscesse da sempre? Che ne sa lei di me? Che ne sanno tutti loro?

Marianna comprese le domande non fatte. Io ti conosco da sempre creatura, disse tra sé. Ti conoscevo anche quando ancora non sapevo che esistessi. – A che ora si deve andare a votare? – concluse.

Come prevedibile il piú difficile da convincere a uscire fu Michele Angelo. In quella mattina di giugno si diceva avvenisse la Storia, che casualmente passava anche a Núoro non come eco, ma sotto forma di «diritto che gli uomini e le donne di questo paese sono chiamati ad esercitare», come aveva declamato il futuro onorevole Santino Carta dal palchetto improvvisato in piazzetta del Popolo. In chiesa, dal pulpito, i parroci dicevano altrimenti: per loro la preoccupazione consisteva proprio nel fatto che anche le donne erano state ammesse ad «esercitare». E i parroci, si sa, conoscono per genetica e trattano per esperienza millenaria il nucleo stesso dei problemi. La cosa fondamentale era spiegare, durante la messa, che questo diritto alle quali erano ammesse sul piano civile, non le faceva diverse sul piano confessionale. Per fortuna a Roma avevano avuto la felice idea di reiterare, nel simbolo del Partito cristiano, la stessa croce che campeggiava nel simbolo della Monarchia, sicché non bisognava far altro che seguire la croce e confidare su quel simbolo.

Ma il problema di Michele Angelo era un altro: si era convinto che farsi vedere in pubblico potesse costituire un motivo ulteriore per far parlare di lui. E questo proprio non poteva sopportarlo.

Si convinse solo perché fu Vincenzo a chiederglielo, e perché zia e nipote si accordarono per recarsi al seggio prestissimo, prima che la gente uscisse dalla messa.

Si misero a nuovo. Pinti e linti. Esercitare quel diritto corrispondeva a partecipare al ricevimento della nazione che rinasceva. Perciò azzimati, pulitissimi, alle sei e mezzo del mattino i Chironi si recarono a votare.

Núoro era straordinariamente calma in quel frangente, l'aria ferma annunciava una giornata calda. Percorsero la discesa verso piazza d'Italia, dov'era stata montata una lunghissima ringhiera che Michele Angelo non aveva mai visto, come non aveva mai visto il distributore di benzina che era stato installato proprio in cima alla salita, o discesa a seconda che la s'intraprendesse da San Pietro o dal Dispensario. Michele Angelo si convinse che l'orrore poteva manifestarsi con l'apparenza di vita che prosegue nonostante tutto. C'erano, per esempio, abitazioni costruite di recente che portavano ai balconi inferriate non sue. E la stessa inferriata che camminava per centocinquanta metri sul bordo orunese dell'altopiano non l'aveva certo fatta lui. No, aveva tutta l'aria di un prodotto industriale, arrivato chissà da dove, fatto senza amore.

Cosí, affaticato da quella camminata insolita, ma saldo, preferí appoggiarsi al nipote piuttosto che usufruire di quel supporto fatto senza grazia, con qualche saldatura a vista come se si trattasse di un manufatto temporaneo e non di una ringhiera cittadina. Questi tempi nuovi si manifestavano anche in forma di piccole trascuratezze. Del resto, dicevano, c'era tutto da fare. Camminarono in silenzio in quel cantiere a cielo aperto che era la terra stessa che stavano calpestando: che fine avevano fatto gli orti a valle? E il frutteto di Bainzu Pes? Ora, era chiaro, si stava mettendo un argine alla campagna come se ci si vergognasse di conviverci, e questo doveva significare pretendere definitivamente di essere città. Dal punto di vista di Michele Angelo questo faceva la differenza: lui non era uno che sapesse immaginare la storia, l'evoluzione, le stratificazioni; per lui «moderno» era quanto poteva sussistere nonostante tutto. Eppure non era un conservatore, aveva la testa dell'artigiano, per lui valeva la regola che quando una cosa non riusciva bene bisognava buttarla via e rifarla, piuttosto che ostinarsi ad aggiustarla. Ecco: quello spazio, ai suoi occhi, era una cosa venuta male che qualcuno si ostinava ad aggiustare. Perciò subiva con inquietudine la frase «c'è tutto da fare» che aveva un'apparenza progressista e invece, sotto sotto, rivelava una pecca nel nascere: dichiarava che si poteva andare avanti a rifare senza capire che cosa non era riuscito bene precedentemente. Marianna quale fosse il rovello del padre lo capiva al volo, Vincenzo capiva un po' meno, ma afferrava un che di insoddisfatto nel modo in cui il nonno si guardava attorno. Nessuno comunque parlò, nessuno fece domande.

A Núoro il termine «ricostruzione» non si adattava proprio, a meno che non s'intendesse il rigenerarsi dalla povertà diffusa. Una povertà a tratti malintesa e quindi nemmeno tale. La condizione di periferia l'aveva salvata dalle bombe, ma anche dall'indigenza: si era trattato di procedere come se attorno non succedesse niente. E si era rimasti poveri esattamente come prima. Non piú di prima, che era già un risultato notevole, tale da esprimersi paradossalmente come sviluppo. Tuttavia, fu proprio quella relativa incoscienza a farne un luogo tanto speculativo. Perché rifiutare la realtà, qualche volta significa concepire alternative temerarie. All'apice del suo senso quel paese che non voleva essere paese – ma che non sapeva come

diventare città – era stato un centro di borghesi presuntuosi e
pastori intelligenti; poi il mondo si era rovesciato e quella storia minima che, per un secondo appena, aveva incrociato la via
maestra, se n'era andata per la strada: la piccola Atene sarda –
che un Nobel aveva proiettato nell'universo mondo, promossa
dal fascismo al rango di città, inerte mentre ovunque regnava il
sonno della ragione, un ninnolo sopravvissuto intatto al crollo
di un edificio – si apprestava alla normalizzazione. Lí era come
trovarsi in un tempo sospeso a metà, nel tempo di mezzo, non
moderni, non antichi, ma sensibili, esposti al contagio. Era in
quel territorio sospeso che si doveva inventare un senso, che si
doveva immaginare una prospettiva.

Questo, se avesse saputo dirlo, avrebbe detto Michele Angelo
in quel tragitto che lo conduceva al seggio elettorale. E invece si
limitò a commentare quello strano strumento rosso fiammante
con tubi e pompe che deturpava la vista verso le creste di Oru-
ne. Marianna scosse il capo come se non sapesse che lo sguardo
ha diritti inalienabili, ma lo sapeva.

Nessuno festeggiò per la vittoria della Repubblica, tanto piú
che arrivò imprevista, quando tutti avevano dato per vincente
la Monarchia. Si sussurrava di trucchi di Palmiro Togliatti, che
strizzava l'occhio ai russi, e del voltafaccia di Alcide De Gaspe-
ri che pur dichiarandosi cattolico si comportava da repubblica-
no, come se le due cose fossero in contraddizione. E infatti per
molti lo erano, perché dal loro punto di vista era come ritenere
lecito per un prete prendere moglie o per un comunista andare
in chiesa tutte le domeniche. Nei crocicchi e nei banconi delle
bettole le sfumature della politica appaiono solo come contrapposizioni grossolane, specialmente se ancora si ha fiducia nella
politica. Mimmíu Guiso per esempio, lui era un democristiano
convinto, nel senso che essere democristiano voleva dire essere
semplicemente quello che si era, con principî democratici e anche cristiani. Entrambi principî difficili da esercitare, ma non
per questo da rifiutare. Di Vincenzo non si poteva dire che fosse comunista, ma nemmeno democristiano, lui che in seminario

era stato educato, sapeva cosa significava essere credente. Sicché le contrapposizioni a quel punto erano solo il sistema piú logico di esprimere qualcosa che per almeno vent'anni era stato vietato esprimere.

Di questo e d'altro Vincenzo, Mimmíu e altri stavano parlando fuori dal Bar Nuovo. Quando, dalla cima del vicolo, comparve Nicola Serra-Pintus che li raggiungeva con al braccio una ragazza.

Ma lo sai chi eri tu prima?

Io? Prima quando?

Prima, prima di tutto.

Che cosa ci fai lí? Vieni a dormire.

Mercede in piedi nell'angolo in ombra della stanza fa segno di no. Di lei non si vede nient'altro che il candore della camicia da notte e la punta del piede sinistro. Michele Angelo lo sa bene che quando la moglie fa cosí è inutile insistere, dunque prova semplicemente a cambiare posizione. In genere basta questo per farlo tornare in un sonno incosciente, ma non stavolta.

Tu prima non eri che una bestia senza Dio, e prima ancora una pianta e, prima ancora, solo un pensiero.

Ancora lí sei? Dài vieni a dormire... È tardi, come mai ancora non stai dormendo?

E prima che pensiero eri Nulla, un nulla meraviglioso. Te lo ricordi tu quando eri nulla? Certo che no, perché quello è lo stato di grazia...

Michele Angelo si volta dall'altro lato, con una specie di maremoto di lenzuola dà le spalle a quell'angolo della sua stanza che non è raggiunto dalla lama di luce che il bagliore della luna ancora alta segna, passando attraverso la finestra socchiusa, sulla parete di fronte al letto.

... E prima di meritare quel nulla forse sei stato bestia o albero... Cacciato o bruciato. O pietra, roccia inerte, prosegue

lei ostinatissima, senza curarsi del disagio del marito. Queste
cose bisogna sempre dirtele, a te.

Basta, adesso, sussurra al vuoto Michele Angelo. Di' quello che devi dire o stai zitta.

Per un istante lunghissimo dall'angolo in ombra arriva solo
un sospiro leggero, ritmico. Michele Angelo si mette a sedere
sul letto, guarda la sveglia sul comodino: non sono ancora le due
di notte. Quando sente bussare pianissimo scatta col viso verso la porta. – Sí? – domanda, indeciso fra la realtà e il sonno.

Vincenzo entra in camera, ha addosso soltanto la biancheria. – Tutto bene? – chiede. – Ho sentito delle voci, pensavo...

– ... Tutto bene, – lo interrompe il nonno appoggiando la
schiena alla spalliera del letto. – Alla mia età ci si sveglia a un
certo punto e poi non si riesce piú a riaddormentarsi.

– Non solo alla vostra età –. Il sorriso di Vincenzo è disar-
mante.

Michele Angelo lo guarda a lungo senza parlare. Vincenzo
si lascia guardare. Non c'è ombra d'ansia in quel silenzio, anzi
dice tutto. Il vecchio scuote la testa.

– Che cosa c'è? – chiede Vincenzo in leggero imbarazzo.

– Niente, niente, – si affretta a rispondere Michele Angelo. – Pensavo a quanto assomigli a tuo padre, ma assomigli anche a tuo zio...

– Sí, questa l'ho già sentita.

– Com'è che non stai dormendo? Alla tua età facevo delle
dormite che nemmeno le cannonate mi svegliavano. Tua nonna
diceva che piú che sonno si trattava di morte...

– Non so, – mente Vincenzo.

– Sí che lo sai... – dice l'altro facendo spazio al ragazzo perché si sieda sul letto. Questa forma di intimità lo mette a disagio piú di quanto pensasse. In fondo si tratta di riprendere una
funzione che è stata vacante per tanto tempo, troppo tempo.
Tuttavia, quando sente il corpo di Vincenzo premere sul materasso si rende conto per la prima volta che è vivo, e si commuove fino alle lacrime. Mercede dall'angolo in ombra allunga
una mano. Vincenzo si volta di scatto per guardare nella stessa

direzione in cui pare guardare suo nonno e non vede nessuno.
Ma Michele Angelo continua a vedere il suo amore che gli sussurra: «Ma lo sai chi eri tu prima?» E vede se stesso, finalmente
della stessa consistenza impalpabile, che risponde: «Padre, – le
dice, – comunque padre, anche se fossi stato albero o pietra,
sarei stato padre, amore mio».

Vincenzo, nonostante ignori quanto stia succedendo al nonno, attende tranquillo che passi la visione.

Michele Angelo se lo trova seduto accanto all'improvviso,
tra sé e la risposta che ha appena pronunciato. Il vecchio sorride con la punta delle labbra come un bambino colto in fallo. –
Quando un ragazzo della tua età non dorme c'è di mezzo una
donna, – conclude.

A Vincenzo scappa da ridere. – Sí, – dice.

– Sí, cosa?

– Quello che avete detto voi prima.

– Una donna?

– Sí.

Ma non una donna qualunque.

Era successo qualche settimana prima. Subito dopo le votazioni. Sí, c'erano state altre occasioni, ma a Vincenzo quelle
altre occasioni non interessano piú: ora che ha aperto gli argini
non vuole parlare di niente che non sia la donna che non lo fa
dormire. È un istinto che potrebbe portarlo a fare cose incredibili, è di questo che ha paura. È un istinto reciproco, ne è sicuro, lo capisce da come lei l'ha guardato.

Michele Angelo sa bene di cosa parla. E capisce che la presenza di Mercede nella stanza, dove i due uomini stanno parlando
piano per non svegliare Marianna, è una specie di autorizzazione ad ascoltare senza temere la vicinanza. «Padre», ripete a se
stesso Michele Angelo mentre Vincenzo cerca le parole. E le parole sono che si tratta di una creatura talmente bella da togliere
il respiro, perfetta in tutto, nel sorriso, nei gesti… Michele Angelo lo ascolta senza interrompere, c'è qualcosa di meraviglioso

nel cognito che riprende forma; e una tenerezza immensa nella voce di quell'uomo, ragazzo, che ripete esattamente quello che tutti prima di lui hanno detto a proposito della donna di cui si stanno innamorando. Come se il proprio specifico sentimento fosse completamente sconosciuto all'intera umanità. Ma Vincenzo pare non rendersi conto di quanto normale possa essere ciò che racconta come straordinario. Se avesse visto la nonna Mercede in chiesa quando sollevò lo sguardo per osservare quel ragazzone che era suo nonno Michele Angelo mentre sistemava il turibolo grande a tre metri dal suolo, avrebbe potuto capire fino a che punto l'ostinazione, la coazione a ripetere dentro la quale siamo imprigionati, conti. E fino a che punto conti quella meravigliosa cecità che ci fa sparire ogni alternativa possibile.

Vincenzo racconta che la ragazza in questione ha diciassette anni appena, ma è una donna. Poi s'interrompe perché teme che il nonno possa fraintendere le sue parole. Ma Michele Angelo non fraintende, se c'è una cosa che capisce bene è tutto quello che sta sentendo. Certo la ragazza è giovane. Ma nemmeno tanto: le donne crescono prima dei maschi. Sí, sí, conferma Vincenzo, è proprio cosí: a vederla non si direbbe mai che ha solo diciassette anni e nemmeno a sentirla si direbbe, sa esattamente cosa dire e quando. Anche questo Michele Angelo lo capisce bene. Talmente bene che potrebbe raccontargli della sua prima notte di nozze, quando fu lei, sua nonna Mercede, a condurlo esattamente dove doveva andare, ma preferisce tacere.

Vincenzo non sa come è successo... Non lo sa davvero. Lei è arrivata in compagnia, erano fuori dal Bar Nuovo a fare le solite cose che si fanno, lo sa com'è fatto Mimmíu, con lui è impossibile annoiarsi... Insomma, sono tutti lí e lei arriva con Nicola Serra-Pintus: stanno a braccetto, e lui si è impomatato i capelli. La presenta a tutti. «Cecilia Devoto», dice lei guardando Vincenzo negli occhi. Ha un'iride che rivela quanto impossibile sia per noi, semplicemente umani, concepire la meraviglia della natura. Di che colore sono quegli occhi non si può spiegare, perché la definizione terrena direbbe grigi, ma grigi non è abbastanza, basta un colpo di ciglia per farli verdi, basta un cambio di luce per farli violacei. E chissà lei che pensa, perché mentre lui sta cercando di capire in quale abisso è scivolato, gli chiede se si tratti del «forestiero». E lo chiede come se volesse dire che era da tempo curiosa di conoscerlo. Cosí fa lei, spiega Vincenzo: dice anche le cose che non dice. Michele Angelo approva, come se anche questo non gli risultasse del tutto nuovo.

– Cecilia Devoto? – si limita a ripetere il vecchio. Vincenzo conferma, proprio lei. La conosce? – No lei non la conosco, ma della famiglia ne ho sentito parlare, sono qui da poco.

– Proprio quelli, – si entusiasma Vincenzo. – Sono arrivati come sfollati da Cagliari, ma hanno comprato qui… Ma…

– Ma?

– Sarebbe già impegnata, – dice d'un fiato Vincenzo.

A Michele Angelo quella formula risulta misteriosa nell'apparenza, ma ne percepisce fin troppo bene la sostanza. Si rabbuia: – Promessa.

Vincenzo lo guarda, non sa che rispondere, sa solo il modo in cui lei l'ha guardato. – No… – dice come se parlasse da solo. – Comunque sia…

Michele Angelo lo interrompe portandosi l'indice alla bocca. – Non dire cosí, – intima. – Ma l'altro è Nicola? – chiede a bruciapelo.

– Nicola Serra-Pintus, – completa Vincenzo tutto d'un fiato.

– Dio ne scampi che lo venga a sapere tua zia, e non lo dico per te, lo dico per lui –. Ora ridono piano entrambi per non farsi sentire.

Segue un silenzio piuttosto lungo durante il quale Vincenzo capisce che è arrivato il momento di congedarsi. Cosí fa per alzarsi, ma Michele Angelo lo ferma: – C'è una cosa che volevo dirti da tempo… – comincia, ma anziché proseguire tace. Vincenzo aspetta. – C'è quell'officina ferma, – dice serissimo alla fine. E ne parla come se parlasse di qualcosa che non lo riguarda, quasi che l'idea gli sia venuta lí per lí, ma anche col tono di chi sta semplicemente rinfrescando un argomento affrontato mille volte.

Vincenzo si alza in piedi: – Non so…

– Non devi rispondere adesso, – lo anticipa suo nonno.

– Sí, – fa lui. – Grazie, – aggiunge avanzando verso la porta.

Michele Angelo lo guarda sinceramente stupito. – Grazie? No... Che grazie?

Vincenzo arriva fino alla porta: – Proviamo a dormire, – dice. Nell'angolo in ombra Mercede ha un sussulto. Michele Angelo la guarda con la coda dell'occhio.

Ma Vincenzo non è del tutto scomparso verso il corridoio quando all'improvviso torna indietro, rimanendo sulla soglia come se una parete invisibile gli impedisse di rientrare con tutto il corpo nella stanza del nonno. – Ma dove va zia Marianna tutti i pomeriggi? – chiede da quel confine, quasi che quella domanda precisa gli frulli da tempo nel cervello e che anzi, sia il motivo principale per cui ha disturbato il vecchio.

– Nell'altra casa, – risponde Michele Angelo. – Conosci la storia, no?

– Qualcosa.

– Chiedi allora, senza temere. Fai parte di questa famiglia, devi sapere le cose –. E prima che Vincenzo possa rispondere il vecchio scatta in piedi. – Aspetta, – sussurra. – Aspetta –. E mentre lo dice si avvia verso il comò, apre il terzo cassetto e ne estrae una cartella. Prima di allungarla al nipote l'accarezza con una mano. – Questo l'ha scritto tuo padre, lui aveva studiato, qui c'è scritto da dove veniamo... Perché è certo che tutti, tutti, veniamo da qualche parte no?

Vincenzo prende la cartella che il vecchio gli sta porgendo, e fa appena in tempo a pensare che quello è il primo contatto fisico tra lui e suo padre. Certo gliel'hanno fatto vedere in fotografia, e ha capito la meraviglia che genera negli altri il fatto che lui sia venuto fuori talmente identico al soggetto impressionato in quelle foto. Qualunque cosa ci sia in quel plico che il nonno gli consegna lui sa bene che gli appartiene intimamente.

– Sistemiamo tutto, – conclude Michele Angelo fraintendendo la titubanza del nipote. Cosí, in piedi in mutande e maglia da notte, appare improvvisamente fragile, mentre il giovane in controluce sullo specchio della porta appare invece legnoso e solido come la statua di Cristo dopo lo schiodamento.

– Sí... E, con calma, parliamo anche dell'officina, – concorda Vincenzo.

Michele Angelo sorride. – Vincé, andrà bene... andrà tutto bene.

Cosí quella notte passa in bianco, a leggere. Dapprima si tratta di abituarsi alla scrittura, che certo è precisa come quella di qualcuno che si fosse messo di buona lena a ricopiare in bella i propri appunti scarabocchiati, ma è pur sempre scrittura fatta a mano, priva cioè di quella permanenza, autorevolezza, che invece si porta in dote la pagina stampata.

Quella è la scrittura di suo padre Luigi Ippolito, si dice. Cioè il risultato preciso del suo polso e del suo calcare sul foglio, ma anche l'espressione ordinatissima di un mondo invisibile che veniva portato alla luce. Quanto dica del padre quella scrittura non sa esprimerlo, tuttavia sa con certezza che in quei fogli c'è parte dell'atto creativo che ha generato la sua stessa carne. Ora sente quanto perfetta sia la sensazione che quelle pagine gli offrano il massimo di vicinanza con suo padre. Si china per annusare i fogli: sanno di quella particolare miscela che gli anni regalano alle cose, quel profumo che è insieme un sapore, come di sandalo e piccante insieme, come di giglio e dolciastro. Quanto al contenuto appare a tratti misterioso, forse un romanzo di cappa e spada, forse un tentativo di mettere nero su bianco la cronaca di un'origine leggendaria. Troppa retorica, un'enfasi adolescenziale.

Si tratterebbe della storia del cavaliere Quiròn che per punizione a causa della sua vita dissipata viene mandato in Sardegna, nel Capo di Sopra, come rappresentante del Banco Regio ad arrestare don Diego de Gamiz, inquisitore. Ora accade che l'arresto non vada a buon fine e che il cavaliere in questione piuttosto che il disonore in patria scelga di scomparire in quella terra maledetta. E accade che nel corso del tempo egli si accorga che quella terra l'ha mutato: l'ha preso Quiròn e l'ha trasformato in Kirone, per portarlo fino ai giorni nostri come Chironi. Tutto qui. Un piccolo delirio genealogico, si direbbe. Ma non privo, a tratti, di una certa sapienza. Il capitolo che descrive l'irruzione dei *fiscal* del Banco Regio all'interno del convento, e la strenua resistenza dei frati guardiani, è scritto con talento. Come visive e non retoriche appaiono le righe che riguardano il rapporto contrastato tra quel Quiròn e la Sardegna. Per il resto è quasi da buttare. Non c'è niente che abbia un senso in quell'accozzaglia in costume piú vicina alla filodrammatica che al racconto. Eppure il senso c'è, ma non sta nella scrittura, quanto nel motivo di quella scrittura: il primo Chironi che può contare su una stirpe è al cospetto di un Chironi che una stirpe ha dovuto inventarsela. Loro hanno avuto l'opportunità di vedere questo processo nel suo nascere, hanno avuto persino la sfrontatezza di inventarselo questo processo. A frugare bene nessun orfano è veramente orfano, neanche Michele Angelo Chironi per caso, né Mercede Lai per procura, i capostipiti. Anche loro sicuramente hanno avuto padri e madri. Basterebbe cercarli per confessarsi definitivamente che quel cognome che stanno reiterando è stato solo un incidente burocratico, una parola su un documento. Ma da qualche parte bisogna pur iniziare. Cosa conta, in fondo? Conta dare un senso a quell'incidente, ecco. Fare in modo cioè che tutto quell'affastellarsi di contingenze produca un significato. Per questo Michele Angelo ha dato a Vincenzo quei fogli: perché trovasse un significato, qualunque fosse, anche fuori da qualsiasi ragionevolezza. Volersi fare Chironi era stato un atto di fede, ma anche un sentimento pratico. Un modo di venire al mondo con le carte in regola. A pensarci tutto era andato in questo modo, e ognuno di noi è frutto di forzature precedenti. L'unica differenza era che quello che faceva di un Chironi un Chironi, era una forzatura recentissima.

A Núoro queste cose contano. Conta cioè la parentela col territorio. Si direbbe che conta il numero di passi che, generazione dopo generazione, hanno calpestato quella terra. I Chironi erano ricchi, erano sfortunati, erano anche nuoresi, ma erano ai primi passi. E, in piú, si erano rimessi in marcia grazie a un nipote forestiero, come dire partire dal via e ricominciare da capo.

La prima disobbedienza

Ci sono cose date per certe che, a suo tempo, furono casuali. Le montagne, per esempio, cosí come appaiono sembrano fatti ineluttabili. Uno si dice che sono sempre state lí esattamente dove si trovano e invece no, c'è stata un'epoca in cui quelle montagne non c'erano affatto. O erano altro, d'altra specie, persino morbide e fumanti come una zuppa appena cotta. È stato il tempo a farle quello che sono. L'incanto dove noi posiamo il piede, che chiamiamo paradiso di boschi, di fonti, di frutti, prima era inferno, materia incandescente, lava indistinta, brodo per batteri. Siamo il risultato di una disobbedienza, e che ce la raccontino sotto forma di frutto proibito poco importa. Perciò, almanaccava Vincenzo, è solo sul tempo che bisogna contare, farselo amico, farselo complice. Senza paura.

Questa determinazione aveva il nome di Cecilia, e aveva i suoi occhi. La ragazza non era sciocca, per quanto giovane, e quello che c'era da capire riguardo al «forestiero» l'aveva già capito benissimo. Tuttavia si negava, e mai accampando l'unica ragione che pareva lecita: il fatto che fosse già impegnata con Nicola Serra-Pintus. No, ogni volta lo faceva per motivi che definiva suoi, non certo per il fatto che avesse, piú o meno ufficialmente, un fidanzato. Se, per esempio, Vincenzo le chiedeva di uscire lei rispondeva di no, e se lui le chiedeva il perché, lei rispondeva semplicemente: – Lo so io –. Che voleva dire tutto e niente. «Lo so io» era una formula straordinariamente funzionale: chiudeva il discorso e non ammetteva repliche. Ma, al-

lo stesso tempo, era un sistema infallibile per lasciare socchiusa
quella porta da cui non si poteva entrare.

Ora, nonostante avesse superato i trent'anni, non si poteva
dire che Vincenzo Chironi fosse un uomo esperto di donne. I
pochi contatti che aveva avuto erano stati atti formali di ordinaria virilità, perché allora poteva accadere che le funzioni pretta-
mente fisiologiche si potessero espletare con poca spesa e senza
ricorrere al sentimento. Vincenzo una donna che avesse amato
sul serio non l'aveva baciata mai. E Cecilia Devoto non si lasciava baciare. Tuttavia egli sapeva di avere il tempo e la pre-
stanza dalla sua parte: era alto ed era bello. Anche se a giudicare
dall'atteggiamento di lei, di Cecilia, quelle qualità sembravano
piuttosto difetti. Ma dipendeva dal fatto che era cittadina, era
cioè una di quelle donne che conoscono da sempre le cose del
mondo senza bisogno che qualcuno gliele spieghi. «Quella è nata
imparata», dicevano a Núoro, il che significava riconoscere che
dietro alla sua bellezza, innegabile, c'era una profonda intelligenza. Ma significava anche un altolà per il poveretto o i pove-
retti che sarebbero caduti nella sua tela.

Per questo non si poteva dire che Nicola Serra-Pintus fosse il suo fidanzato ufficiale, e lei non lo diceva, nonostante lui
lo pensasse per via del fatto che lei gli concedeva di uscire al
suo braccio.

Vincenzo e Cecilia si riconobbero come d'altra specie. Capirono cioè che quanto li accomunava era questa condizione di
intima estraneità che li legava a quel posto: lei in quanto profuga, di lusso, ma profuga; lui in quanto Mosè, trovato nelle
acque quando la stirpe Chironi sembrava morta.

Una volta che avessero dato una consistenza a questa comu-
nione niente avrebbe potuto impedirgli di amarsi per tutta la vita.

A Cecilia era bastato un secondo per capire tutto questo,
il suo negarsi era un donarsi. Per Vincenzo ci volle piú tempo,
perché lui ragionava in termini di sguardo, mentre lei in termini
di respiro. Ne risultò una situazione strana in cui quanto piú lei
faceva finta che quello non esistesse, tanto piú lui si convinceva
che quella era la donna della sua vita.

Dopo l'incontro fugace fuori dal Bar Nuovo la sera della proclamazione della Repubblica si erano visti sí e no quattro, cinque volte. E ciò era accaduto solo perché lui l'aveva cercata e lei si era fatta trovare. Ma c'era stata un'occasione in cui lei aveva cercato lui, e l'aveva trovato senza che Vincenzo se ne fosse nemmeno accorto.

Ed era la volta in cui lei si era fatta riaccompagnare a casa proprio da Vincenzo, perché Nicola insisteva per restare. Cecilia era arrivata, come al solito, accompagnata da Nicola. Erano tutti in gruppo a prendersi l'aria dell'estate che finiva, ma a un certo punto della serata tra i due c'era stata una brevissima, frenetica, discussione, che lei aveva chiuso voltando le spalle a tutti e dirigendosi verso casa. Cosí Nicola aveva abbandonato bicchiere e discorsi e l'aveva seguita. Ma, ormai, lei non voleva piú essere accompagnata, non da lui. Era tornata indietro verso il gruppetto e, davanti a tutti, aveva chiesto a Vincenzo se voleva accompagnarla. Lui, d'acchito, aveva cercato lo sguardo di Nicola, al che lei aveva detto, secca: – Guarda che non devi chiedere il permesso a lui.

Allora Vincenzo senza rispondere si staccò dal gruppo e la raggiunse. Camminarono nell'imbrunire, col maestrale che sbuffava, verso casa di lei. In silenzio, a un passo l'uno dall'altra. Lei non parlava, ma lo guardava. Lui sentiva l'occhiata di lei attaccata addosso come se si trattasse di un formicolio diffuso. Di tanto in tanto, grattandosi la nuca, la guardava anche lui timidamente e tutte le volte poteva constatare che lei non aveva nessun problema a tenergli lo sguardo appiccicato. Poco prima che fossero arrivati al portone di casa lei disse: – Ma tu, nel posto da dove vieni, una fidanzata ce l'avevi?

– No, – rispose lui con quella semplicità che può derivare solo dall'estremo imbarazzo.

– No? Un ragazzo come te? – commentò lei.

Vincenzo si rese conto che, colto alla sprovvista dalla domanda di lei, aveva risposto senza pensare. – Non proprio, – aggiunse.

– Che cosa vuol dire non proprio?

– Non fidanzate vere e proprie.

Cecilia abbozzò perché non voleva che lui capisse che lei non aveva capito.

Dopo qualche secondo di silenzio arrivarono a casa di Cecilia.
Si guardarono finalmente faccia a faccia.

– Bene. Buonanotte allora, – disse lei.

– E tu? – chiese lui.

– E io cosa? – replicò lei anche se questa volta aveva afferrato
perfettamente.

– Lo sai.

– Lo so... cosa?

– Il fidanzato.

– Nicola? – chiese Cecilia come se lui avesse detto la cosa piú
incredibile del mondo. Vincenzo allargò le braccia e poi le lasciò
andare come chi si arrende. – Buonanotte, – concluse lei, allungando la mano. Lui ricambiò sfiorandogliela appena. Lei con gesto
repentino spinse il portone e sparí dentro casa.

Quella sera Vincenzo si ritirò presto, non aveva voglia di raggiungere gli altri dopo aver riaccompagnato Cecilia a casa. Quando
Marianna lo vide rientrare a quell'ora insolita cominciò a chiedere
senza chiedere. A lei bastava osservare, e quell'osservare era peggio
di tante domande. Cosí, quando raschiandosi la gola Vincenzo disse che si ritirava e si avviò verso la sua stanza, Marianna lo seguí.

– Non stai bene? – gli chiese prima che lui potesse aprire la
porta della sua camera.

Vincenzo fece segno di no, come se lei avesse detto un'assur-
dità totale. – Sono stanco, – disse.

Marianna lo osservò a lungo per stabilire con quanta sincerità le
avesse risposto. Vincenzo ebbe il tempo di ragionare sul fatto che
era la seconda volta in poco tempo che una donna cercava di fru-
gargli in testa. – Stanco, – ripeté con meno sicurezza di poco prima.

Marianna si aggrappò a quella leggera incertezza come se si
trattasse di una rocca sottratta al nemico: – Sarà, – sentenziò. E
staccò gli occhi dal nipote quel tanto che bastava perché lui potesse entrare in camera.

Stette qualche altro secondo davanti alla porta chiusa. Poi ritornò in cucina, dove Michele Angelo aspettava.

Cosa aspettasse era chiaro, quando Marianna aveva quella

faccia. Infatti lei si sedette alle sue spalle senza parlare. – Guardate che c'è qualcosa, – sibilò a un certo punto cercando di sedare il tremolio nervoso alla voce. Michele Angelo si guardò bene dal replicare in alcun modo. – Voi che cosa state aspettando con l'officina? Quanto tempo è che state dicendo che riaprite? – continuò Marianna. Michele Angelo sbuffò non visto, ma lei in qualche modo se ne accorse. – Eh, sbuffate, sbuffate... Ma non ve ne state accorgendo di quello che succede?

– E che cosa succede? – chiese lui senza nemmeno voltarsi.

– Succede che io a quella in casa non la voglio!

– Quella chi, per l'amor di Dio?

– Quella che dicono gli abbia messo gli occhi addosso a Vincenzo.

– Ah.

– Eh.

– E chi sarebbe di grazia?

– Lasciamo stare... Per carità. Una molto chiacchierata, non è nemmeno di qui. Una abituata male, sempre in giro, senza controllo... – A Michele Angelo scappò da ridere. – Eh, ridete, ridete...

Michele Angelo però rideva a denti stretti perché misurava la potenza dell'astio della figlia col fatto che quella nemica che si era affacciata nella loro esistenza non potesse nemmeno essere nominata. Ma era evidente, come al solito, che la gente sapesse, e riferisse, piú di quanto stava succedendo veramente.

– Prima di fasciarci la testa aspettiamo, – tentò.

– No che non aspettiamo! – ruggí Marianna. – Non è nemmeno di qui!

– E nemmeno Vincenzo è di qui per la precisione! – sbottò il vecchio. – Che cosa c'entra questo? Nemmeno io e nemmeno tu sei di qui! Cumpresu?

Marianna guardò il padre seriamente preoccupata. – Sono razza di Cagliari, – specificò perché riteneva che quell'argomento fosse definitivo. Ma Michele Angelo non fece una piega.

– Quando io m'innamorai di tua madre non c'era niente al

mondo che avrebbe potuto farmi cambiare idea. Questo lo capisci?

Marianna si coprí la bocca come se le parole del padre rap-
presentassero una rivelazione intima e impudica. – Non siamo a questo punto, Dio ne scampi… – sussurrò facendosi il
segno della croce. Perché in lei era precisissima l'ipotesi che
l'estranea avesse messo gli occhi addosso al nipote, ma non le
era nemmeno saltata in mente quella che lui potesse avere un
qualche interesse per lei. Dal suo punto di vista per i maschi
non era importante credere nell'amore: a Marianna era stato insegnato che la cosa fondamentale per una donna è quella
di scegliere lasciando credere di farsi scegliere. Ma ora il padre le rivelava il contrario, le spiegava a parole quello che lei
avrebbe potuto capire al volo solo osservando come Michele
Angelo aveva sempre guardato sua moglie Mercede. E allora
la sua resistenza le apparve in tutta la sua inutilità. Il nipote
era giovane, e aveva le sue esigenze.

Comunque per quella notte Vincenzo si accontentò di immaginare che il congedo fra lui e Cecilia fosse stato suggel-
lato da un bacio piuttosto che da un formale contatto di mani, nemmeno una stretta. E l'immaginazione produsse i suoi
frutti evidenti nel corpo. Si masturbò con violenza e finí in
pochi minuti. Poi si sciolse, ma senza calmarsi veramente.
Anzi alla fine, piú che sporco, si sentí agitato. Piú che pec-
catore si sentí inquieto, perché nonostante la carne fosse se-
data il respiro non riusciva a ritornare normale. Cosí si mise
in piedi e cercò qualcosa per pulirsi. Oltre la sua stanza la casa era abitata da un silenzio assoluto. Se la zia Marianna e il
nonno Michele Angelo erano ancora in cucina non parlavano
e non si muovevano. Era quello un istante talmente perfetto
che Vincenzo si vide costretto a raschiare la gola per capire se
dipendesse davvero da un'interruzione naturale o se fossero
le sue orecchie che avevano smesso di funzionare. D'improvviso il verso di un uccello notturno chiarí ogni cosa; dietro a
quel suono, come in processione, giunsero tutti gli altri: foglie

smosse dal vento, gatti in amore, cani guardiani che guaiavano distantissimi, tutto ciò sembrò voler contribuire a formare uno spazio, a definirlo.

Una volta pulito si liberò dei pantaloni che aveva tenuto abbassati fino alle caviglie, e si riinfilò le mutande, quindi finí di spogliarsi e si mise sotto alle coperte.

Ora che il silenzio era tornato rumoroso poté chiudere gli occhi. Ma certo quel gesto, anche se impercettibile, non significò raggiungere la pace; al contrario con le palpebre serrate il mondo gli sembrò un brulicare di carni come gli ammassi di dannati nudi, pronti da bruciare all'inferno negli affreschi delle cattedrali; oppure i soldati nei corpo a corpo dei sarcofaghi di marmo.

Tutto quel mondo immaginato, a pensarci, era distantissimo dal luogo in cui ora si trovava, che era un luogo di sospensione. E di silenzio.

Cecilia quella notte capí precisamente in quale incidente del tutto imprevisto fosse incorsa la sua ancora breve esistenza. Era abbastanza donna da sentire il pericolo dell'incontro con Vincenzo, ne comprendeva tutta la differenza con qualunque cosa avesse mai provato prima. Giurò a se stessa che si sarebbe tenuta molto distante da quell'uomo, ma già mentre giurava si vedeva contravvenire al suo giuramento.

Solo il giorno prima i Serra-Pintus si erano presentati a casa Devoto per confermare ufficialmente il fidanzamento tra lei e Nicola. Era stata una cerimonia strana, piena di silenzi, come accade tra persone che non si sono scelte ma devono comunque entrare in contatto. E forse è per questo che costoro si definiscono parenti d'entratura: come uccelli che per combinazione si trovino a sostare sullo stesso ramo, dopo aver obbedito all'istinto irrefrenabile di migrare. Quello stesso istinto che li porta a riposare li dispone fianco a fianco e li sostanzia, per la tappa successiva, come membri di un unico stormo. In questo modo crescono le famiglie, quelle benedette.

Si cominciò parlando dei propri ragazzi, del fatto che fosse importantissimo tenere conto di quanto piace a loro, ma anche del fatto che si scegliessero nel rispetto. I Serra-Pintus sono famiglia di ceppo localissimo, si direbbe autoctona; hanno, tutti interi e certificabili, quattro quarti di nuoresità, e la baldanza rustica che da ciò scaturisce. Sono detti i primi, prinzipales. Quelli che c'erano prima.

Questi Devoto invece sono cittadini, razza forse continentale, hanno abitudini levantine. Le donne di famiglia sono bellissime e vestono in borghese.

I consuoceri sembrano prodotti da due universi completamente differenti, quanto è compatto l'autoctono è sottile il cittadino; uno scuro di quella scurezza da sole di campagna, l'altro pallido di quel pallore da scrivania; l'uno spiccio, l'altro riflessivo. L'uno che si crede furbo, l'altro furbo lo è davvero.

A casa, terminata la cerimonia di fidanzamento, Fausto Devoto guarda negli occhi sua figlia Cecilia: – Questi non hanno niente, – sentenzia. – Ma hanno ancora un nome, e il nome da queste parti conta ancora qualcosa. Che intenzioni hai? – le domanda.

Cecilia s'incatena allo sguardo del padre come se fosse una prigioniera senza diritto di parola.

A svegliarlo fu la sensazione di un brutto sogno, come l'apice di una stanchezza infinita incredibilmente accumulata durante il riposo. Cosí aprire gli occhi gli sembrò ritrovare un equilibrio... Ma ancora per qualche secondo restò stordito in quel corridoio vuoto che è il passaggio tra il sonno e la veglia. Ora si rendeva conto che a strapparlo dal letto era stata una premonizione, come quando, nonostante la sveglia sia lí pronta a fare il proprio lavoro, tuttavia la mente agisce sulle palpebre prima che lei suoni, sicché ritornare al mondo pare un'impellenza senza spiegazioni di sorta.

Aveva freddo. Sentí qualche movimento familiare nel mondo dei vivi, in cucina. Era perfettamente passivo, in balia di una resurrezione dolcissima. Pensò che quando sarebbe arrivato il suo momento avrebbe voluto il privilegio di andarsene proprio in quel modo, senza lottare, senza soffrire. E pensò che quello non era un pensiero tanto particolare.

Marianna bussò pianissimo.

– Sí? – fece Vincenzo.

– Sono le dieci, – disse lei, senza una punta di rimprovero o altro.

– Sí, sí.

– C'è gente per te.

– Gente? – chiese Vincenzo attraverso la porta chiusa, ma Marianna non era piú lí a rispondergli.

Mimmíu parlava con Michele Angelo con quella sua voce pastosa. Quando Vincenzo entrò in cucina nemmeno s'interruppe per salutarlo. Solo scosse la testa come a dire che i signori possono permettersi di alzarsi a orari scandalosi.

– Non riuscivo a dormire, – si scusò Vincenzo. Ma erano scuse inutili perché nessuno le aveva richieste.

– Mimmíu mi stava dicendo della Campagna antimalarica, – specificò Michele Angelo. – Dice che usano un prodotto nuovo che stermina insetti e uova, tutto.

– DDT, – lo interruppe Mimmíu. – Dall'ERLAAS stanno cercando gente, e dicono che se hanno già fatto la campagna contro le cavallette è meglio. La paga è buona.

Vincenzo guardò Michele Angelo. Il vecchio guardò altrove: – Un lavoro se vuoi ce l'hai, – disse a un certo punto fissando le fauci oscure del camino. – E ce n'è anche per te, Mimmí, – aggiunse.

Seguí un silenzio carico di aspettative. – Il caffè è pronto o no? – sbottò Michele Angelo rivolto a Marianna. Lei fece segno di sí e si affrettò a servire perché quel silenzio fosse riempito da qualcosa.

Fuori dalla porta a vetri attendeva una luce mansueta che sfiorava le piante senza farle vibrare.

Marianna da quel piccolo mondo aveva imparato tutto: conosceva il sacrificio con cui la vita si nutre di morte e capiva, grazie a quelle piante, persino i moti irragionevoli della mente umana. Cosí sapeva interpretare quel preciso malumore di suo padre, che si aspettava dal nipote la risposta a una domanda che non aveva il coraggio di fare esplicitamente. Aggiunse un cucchiaino scarso di zucchero e fece tintinnare la tazzina prima di porgerla al vecchio. Lui lo bevve in un sorso e fece la solita smorfia che faceva tutte le volte. – Vuol dire che stai fuori casa? – chiese di repente a Vincenzo mentre aspirava il fondo dolce della tazzina, che era il punto dove voleva arrivare.

Vincenzo allargò le braccia.

– Come l'altra volta con le cavallette, – chiarí Mimmíu. – Di-

pende sempre dalla zona che ci assegnano. Io penso che a noi
da Núoro ci mandino in Baronía.

Michele Angelo ne convenne.

Si avviarono verso Marréri. Per strada parlarono della vera
ragione per cui Mimmíu era andato a cercare Vincenzo in casa.
E sarebbe che si stava mettendo nei guai per via del suo atteggiamento troppo intimo con Cecilia Devoto. Troppo intimo? chiede
Vincenzo. Eh, conferma Mimmíu, c'è qualcuno che non è molto
contento della faccenda e sta dicendo in giro cose poco piacevoli.
Poco piacevoli sul conto di chi? chiede Vincenzo. Mimmíu scrolla le spalle perché ormai ha capito che il trucco del continentale
è sempre quello di fare il finto scemo, quando gli conviene s'intende. Infatti gli dice subito che quel trucco con lui non funziona
e che quindi la smetta di fare il tonto perché il chi e il come li ha
capiti benissimo. A Vincenzo scappa da ridere, se c'è un particolare che accomuna senza dubbio i friulani e i sardi, sta pensando, è
che se la sanno raccontare; ma non nel senso che mentono, quanto nel senso che sanno rimandare, mettere in anticamera un certo
numero di verità scomode. Mimmíu ride anche lui e quasi avrebbe voglia di prendere a calci quel figlio di buona donna che se ne
approfitta del fatto che gli vuole bene. Cosí appare chiaro che la
Campagna antimalarica è anche un sistema per dare un fermo a
questa faccenda amorosa che rischia di diventare un vero problema.
Tuttavia Vincenzo insiste a chiedere quale sarebbe il problema. E
Mimmíu, questa volta un poco piú seccato di prima, commenta
che ci risiamo; Nicola, dice Mimmiú. E ripete scandendo: Nicola
Serra-Pintus. Vincenzo protesta: ma se è lei, Cecilia, la prima ad
affermare che tra loro non c'è niente. Mimmíu scuote la testa dicendo che magari questo chiarimento Cecilia Devoto l'ha fatto a
lui, ma non a quell'altro che ritiene di essere il suo fidanzato ufficiale. Ora Vincenzo può concludere che si stanno avviando verso
il terreno dell'assurdo con quel discorso, perché anche se Nicola
Serra-Pintus pensa di avere dei diritti su Cecilia Devoto non ha
che da dirlo, e lui si ritira in buon ordine. Lo dice, ma sa che non
è vero, infatti Mimmíu non pare affatto risollevato da quella af-

fermazione. Al contrario. Non gli ha tolto gli occhi di dosso, non ha perso nessuna delle sue smorfie impercettibili e ha capito che sta mentendo. Cosí Mimmiú si siede sul muretto all'imboccatura della strada di Marréri e invita anche Vincenzo a fare lo stesso, l'altro si guarda attorno per un attimo, poi lo raggiunge.

Si trovano nel centro esatto di un limbo che non è paese e non è campagna, un luogo dove l'uomo e la natura sono in fase di stallo e si controllano a vicenda. Lo stesso muretto a secco dove sono seduti è aggredito da un rovo che s'infila fra le pietre muschiose. Il che significa che la tregua in corso su quel fazzoletto di terra, dove le case e gli alberi impercettibilmente sfumano, è destinata a finire presto. In quel preciso punto l'impietrato che, immergendosi fra le case, conduce alla chiesa del Rosario, si fonde nell'erba come un rivo fangoso assorbito dal verde. Lí Núoro finisce fisicamente, ma proprio da lí – dalla rocciosità plumbea da cui si dipartono sia la strada di Marréri verso il fondo valle, che la mulattiera sull'Ortobene verso la chiesetta antica della Solitudine – da lí si può dire che inizi il suo significato. Questo Vincenzo lo capisce fin da quando era bambino. Fin da quando, cioè, dalle finestre dell'orfanotrofio triestino poteva vedere che la prigione si estendeva anche fuori dall'edificio in cui era rinchiuso. Le montagne erano una prigione, il mare, perfino, era una prigione. Quel confine, Italia che fosse o Austria che fosse stata, era una prigione. E ora qui, in questa zattera in mezzo al mare dove il destino gli ha dato un cognome, una stirpe, la stessa cosa: dove finisce l'uomo inizia il senso. Vincenzo è lí che si guarda intorno, che osserva il punto esatto in cui il selciato sparisce nel prato, mentre Mimmíu gli sta parlando.

– Tu devi ascoltarmi, – gli sta dicendo. – Lo capisci, no? – E Vincenzo fa segno di no, che non capisce. – Guarda che le cose da queste parti vanno diversamente.

– E come vanno? – provoca Vincenzo. – Che cosa avrei fatto?

– Niente, per il momento. E niente deve rimanere –. Poi si ammutolisce guardandolo. – Niente, no? – chiede all'improvviso Mimmíu in preda al dubbio, scrollando le spalle. Si alza un sussurro di vento che scompiglia l'assetto dei campi come la mano

del barbiere che arruffi i capelli tagliati di fresco. – Guarda che
Nicola Serra-Pintus e Cecilia Devoto si sposano tra venti giorni,
– conclude.

I cespugli intorno cominciano a grattare il silenzio. Vincenzo
sorride, amaro. – Quanto ci danno per questo lavoro in Baronía?
– chiede.

Dentro all'ufficio al piano terra dell'edificio comunale, proprio dove due volte alla settimana si svolgeva il mercato, campeggiava la scritta «Governo Italiano – UNRRA – Fondazione
Rockefeller». Entrarono e consegnarono i documenti necessari
per la domanda di iscrizione alle liste.

La settimana successiva la passarono a replicare per le zanzare quanto avevano imparato per le cavallette. Furono introdotti
ai fumigatori carichi d'insetticida e alle carte topografiche. Furono forniti di piccoli manuali, malamente ciclostilati, dai titoli poetici tipo *La cura delle acque*, o esoterici come *Il ciclo degli
anofeli*. Furono informati sulle specificità del piretro quale re-
pellente naturale ottenuto dai fiori piú comuni dei campi come
la scarlina, il fiorrancio selvatico o la margherita diploide. Les-
sero per esteso quella parola impronunciabile: para-diclorodife-
niltricloroetano, che tutti pronunciavano semplicemente DDT.
Vagheggiarono le sfumature del verde di Parigi che, a dispetto del nome, non era nient'altro che acetoarsenico di rame da
utilizzare contro i pericolosissimi stadi acquatici della zanzara.

Le giornate riprendevano ad allungarsi e «con l'estate nuvole
d'insetti si abbatteranno sulla popolazione col loro carico mala-
rico», questo paventava il manuale intitolato *Un fronte contro
l'epidemia*, che specificava quali zone della regione sarebbero
state interessate alla disinfestazione. Quelle zone le chiamavano
settori, erano suddivisioni dell'ampiezza di due chilometri qua-
drati all'interno dei quali squadre assegnate dovevano svolgere
la loro attività capillare di disinfestazione. Mimmíu e Vincenzo
chiesero, e ottennero, di far parte della stessa squadra. Partiro-
no all'alba del 7 aprile 1950, erano dodici giorni che Vincenzo
e Cecilia non si incontravano.

Se n'era appena andato un marzo piovoso incapace di portare tepore e l'aprile che seguí pareva altrettanto avaro. Una luce pretestuosa, appena piú fioca di quella della lampada sul comodino, indicò un altro giorno. Vincenzo nell'entrare in cucina si accorse che Marianna era già in piedi da tempo e gli aveva preparato sul tavolo latte caldo, pane e biscotti. E poi gli aveva preparato formaggio, salsicce e vino da portar via. Lui entrò senza dire niente e si sedette a consumare la colazione. Lei ruppe il silenzio solo per chiedergli se volesse del caffè, lui fece segno di no. E ricostruí quel silenzio che lei aveva appena rotto. Marianna in piedi stette a guardarlo, meravigliandosi ancora una volta dell'incantevole benevolenza con cui il Creatore aveva disegnato quel nipote, figlio suo, anima sua. A lui era stato offerto tutto e non aveva preteso niente, questo pensò soffocata dalla commozione che l'attanagliava quando era sola con lui. Vincenzo alzò gli occhi dalla tazza e le sorrise improvvisamente bambino, come rendendosi conto di quanto potesse definire apprendistato tutto quel tempo passato nella casa che era stata di suo padre. Sicché, alla soglia dei trentaquattro anni, non poteva dire di avere vissuto abbastanza da potersi dichiarare adulto. Quell'amore contrastato e oramai impossibile che lo rimescolava come se fosse un ragazzino, per esempio; quell'essersi illuso di avere trovato la donna della sua vita come si trova un quadrifoglio in un prato immenso, per esempio. Che cos'altro era tutto questo se non percepire una maturità senza aver-

la mai sperimentata veramente? Si disse che non sapeva niente
del mondo. Niente di niente. E si maledisse per aver accettato
la vita vera solo da uomo fatto. Sí, perché ora era lí dove tutto
era iniziato, ed era come se gli spettasse un tempo supplementare, un'altra partenza.

Mimmíu, oltre il portale del cortile, si segnalò con un fischio leggero.

– Fallo entrare, – disse con cautela Marianna. – Cosí si prende un caffè caldo.

Vincenzo vuotò la tazza, si asciugò la bocca e afferrò i pochi
bagagli e il pacchetto col pranzo. – È già tardi, – rispose dirigendosi all'uscita.

Quando fu davanti alla porta, prima di stringere la maniglia
si fermò. Marianna vide le sue spalle che si arcuavano mentre
aggiustava il respiro, come se là fuori lo aspettasse un impegno
gravosissimo. – Bae in bon'ora fizzu, – gli sussurrò.

Vincenzo si voltò solo per sorriderle, poi fece un gesto appena con la mano.

Per anzianità Vincenzo è stato nominato capo del suo gruppo. I territori assegnati alla sua squadra insieme ad altre due
sono Siniscola, Torpè, Posada, Budoni. Nella sua storia privata quei nomi risuonano familiari per sottrazione: sono i posti
che la buona sorte gli ha evitato di attraversare tempo prima,
quando all'inizio della sua nuova vita procedeva a passi incerti
verso casa. E ora ci torna, armato di fumigatore e DDT. Tifo e
Malaria sono amanti si dice, per questo nei paesi e nei villaggi,
fin negli ovili piú dispersi della campagna, lui e la sua squadra
vengono accolti come salvatori, con gli onori che si riservano
agli eroi, agli angeli. Ma non c'è tempo di rallegrarsi troppo: le
popolazioni «versano» esattamente in quelle condizioni estreme di cui hanno letto nei manuali ciclostilati che gli hanno consegnato negli uffici di Núoro. Con le cavallette era stato combattere faccia a faccia contro avversari corazzati rumorosi voraci; ma con le zanzare bisogna mettere in conto l'invisibilità e
lo spargimento di sangue. Sicché nel primo caso si era trattato

di vincere il numero con la volontà, l'ingegno e la resistenza, proprio come nel mezzo di un'arena dove si battono gladiatori urlanti; mentre ora, nel silenzio dei complotti, pare di dover sorprendere il nemico prima che si riveli, come quando si procedette all'eccidio degli Argivi.

Ovunque appaiano, i disinfestatori sono introdotti da nubi; avanzano impalpabili nel fumo, poi diventano guerrieri che stanano i voraci anofeli e tracciano scritte sui muri, come l'Angelo del Signore che segna col sangue dell'agnello le case dei probi e lascia che il flagello divino colpisca tutte le altre.

Si arriva fino al mare, dove i gigli infiorano la sabbia e gli oleandri saturano l'aria di un umore mandorlato e pungente. Quelli sono spazi negletti, assegnati alle femmine nubili, perché sulla sabbia non si può coltivare né si può pascolare null'altro che mucche, ma solo perché si rinfreschino sulla battigia; né si può bere l'acqua salata, né irrigarvi i campi seminati.

Ma anche lí vale la pena di combattere il nemico invisibile, perché, per quanto inutili, quei territori costieri possono diventare focolai pericolosissimi.

Vincenzo si è innamorato istantaneamente di quel mare, l'ha attraversato, poi l'ha osservato dall'alto e ora può toccarlo.

Due giorni fa si è spinto fino al sentiero tra gli oliveti in cui, anni prima, ha rischiato di essere colpito dai pallettoni della doppietta di prete Virdis. E ha raggiunto lo spiazzo oltre la chiesetta di Sant'Antimo dove piccole case si stringono in cerchio l'un l'altra come se ballassero. Con calma si è avviato verso il retro delle abitazioni, dove poté lavare i suoi poveri panni e dove, in un mattino carico di pioggia, seppellí il vecchio cane del prete. E poi si è fermato davanti alla casa in cui abitò egli stesso. La porta ha ceduto esattamente come fece sotto le spinte del suo ospite anni prima. Lí dentro niente sembrava cambiato, ancora invadeva lo spazio lo stesso identico odore, ancora l'angolo dove sonnecchiava il vecchio cane era occupato dalla sedia in cui prete Virdis attese la sua partenza.

Fuori da quella casa Vincenzo era stato raggiunto dai suoi colleghi che chiedevano come mai si fosse spinto cosí in alto rispetto al loro settore, e che motivo ci fosse di disinfestare in uno spazio decisamente pulito. Aveva risposto che lo sapeva lui perché, e che anche lí si doveva disinfestare con particolare cura.

Ma ora sulla spiaggia, nella prima domenica assolata d'aprile, si mette in disparte, mentre tutti gli altri si liberano delle scarpe e si sollevano i pantaloni fino al ginocchio per toccare l'acqua.

Vincenzo ha sentito come un mancamento improvviso, un senso di soffocamento. Da solo, come se niente fosse, cammina fino al punto in cui la spiaggia è ricoperta di alghe secche che si sono accumulate tanto da superare un metro di altezza, tanto da impedire la vista del mare, e si lascia cadere sulla sabbia.

Intorno a lui la primavera canta una canzone verde smeraldo. Pare impossibile che da quel corpo meraviglioso di pietra e terra, di cardi in fiore e ginestre, di macchia oleosa, di mirti ricchi di boccioli, di ginepri ritorti, si sia potuta propagare la febbre ronzante.

Come l'alito fiammante dei draghi di tutte le leggende, la malaria si è diffusa passando da sangue a sangue in stille minuscole, impossibili da concepire. Bastano gocce invisibili a occhio nudo per trasportare centinaia di plasmodi e immetterli nell'organismo. Allora si deve solo sperare nella terzana benigna, perché alla sua sorella maligna non si sopravvive. Sono come Abele e Caino: una buona e una cattiva. All'inizio pare che si scampi, uno dice a se stesso: guarda un po' vivo in una zona infetta, ma il mio corpo ha avuto la meglio. Poi si cade nella febbre improvvisa e nell'atroce alternarsi di caldo e freddo. Brividi e sudorazione a catena. Poi piú nulla per il tempo che occorre a sentirsi ancora una volta scampati, sopravvissuti. Il secondo attacco dicono sia il peggiore, perché sopravviene la certezza che non si è scampati come si credeva, e al dolore del corpo si associa quello dell'animo che si scoraggia. Nei bambini questa fase produce il pianto a fronte di una salda resistenza con cui paiono affrontare la malattia al suo manifestarsi. È pianto perché si credeva di aver vinto la guerra quando si era vinta solamente una battaglia. Allora interviene la disperazione sottile, i denti si spaccano a furia di battere e le lenzuola si bagnano per il sudore abbondantissimo. Dopo la seconda sosta, piú breve della prima, si manifestano i dolori all'addome. È come essere trascinati in un dirupo, come precipitare ed essere miracolosamente salvati da un ramo che poi a sua volta si sradica rimandandoci nell'abisso. È vero che in molti casi si sviluppa immunità o semi-immunità, ma ciò costa debolezza di reni e di fegato.

Sapere tutto questo aiuta Vincenzo a capire perché mai sia necessario prendere le distanze e concepire rispetto per tutta quella bellezza indescrivibile che lo circonda. E ancora una volta si dà del matto per non riuscire ad arginare i pensieri e le immagini che lo aggrediscono. Ecco, se mai fosse necessario determinare fino a che punto la sua infanzia gli sia rimasta dentro, inespressa, o non del tutto espressa, basta notare con quale sguardo osserva i cumuli morbidi di alghe marine che si sono formati nel tratto estremo della spiaggia dove ha deciso di isolarsi per consumare la sua inquietudine. Quelle colline soffici dicono siano il risultato di qualche burrasca che ha falciato le immense praterie subacquee. Perché dentro ogni bellezza pare alberghi violenza e malattia, e pare che proprio quel risvolto renda la bellezza cosí meravigliosamente delicata, significante in sé, non necessitante di alcuna spiegazione. Da dove viene lui lo sguardo deve contenere una magnificenza grafica, tersa, aguzza, ma qui – con i piedi scalzi immersi nella rena bianchissima, con i compagni di squadra che si attentano persino a immergersi piano nell'acqua limpida come una fonte tra le rocce, che lo chiamano a provare la scossa gelida – Vincenzo capisce che il suo sguardo non basta, perché questa è visione di minuzie, ampollosa e sfumata, dimessa all'apparenza, ma febbrile nella sostanza.

Mimmíu che gli arriva alle spalle lo fa sobbalzare: – Tranquillo, – lo canzona. Vincenzo scuote la testa. – Vieni là insieme agli altri, – gli dice l'amico. – Se no pensano che sei innamorato, – conclude.

Vincenzo lo guarda, poi gli tira un pugno di sabbia che l'altro scansa ridendo. – Che giorno è? – chiede.

A Mimmíu si spegne la risata in faccia. Si siede, lo guarda:

– Lo sai che giorno è, – risponde secco. – E adesso fammi il favore di cambiare discorso.

– È il giorno che Cecilia si sposa, – s'intestardisce Vincenzo.

– Appunto –. Il tono di Mimmíu vorrebbe essere aggressivo. Passa qualche istante di silenzio. – Perché la dici questa cosa? – chiede all'improvviso sinceramente sconcertato. Vincenzo lo guarda senza rispondere. – Che senso ha dire questa cosa, pronunciarla a voce alta?

– Che cosa?

– Quello che hai detto… Che cosa cambia se lo dici?

– Cambia che vuol dire che è successo davvero.

– No, – fa quell'altro. – Cambia che quando si dice è piú brutto –. Timidamente allunga una mano per toccargli la spalla. Vincenzo stringe le labbra.

Piú in là gli altri componenti della squadra hanno improvvisato un bivacco.

Mimmíu si alza in piedi: – Andiamo, – ordina.

Vincenzo lo guarda soffiandosi via il ciuffo nero che gli è scivolato sul viso: – Arrivo, arrivo –. Prende tempo.

Due mesi dopo, è giugno inoltrato, Vincenzo ritorna finalmente a casa. Non ha mai preso un permesso, si è limitato a mandare i saluti e gli abiti da lavare al nonno e alla zia tramite quelli della sua squadra che, al contrario, a casa ci tornavano almeno una volta alla settimana. In cambio di quei saluti Marianna restituiva cibo, abiti puliti e occhiate apprensive.

Quando entra in cortile vi trova Michele Angelo, Marianna non c'è, è andata all'altra casa. Si guardano, poi si dicono che sta arrivando il caldo come si fa quando si vuole riempire il silenzio. Lui e il nonno hanno in comune il fatto di non avere bisogno di ribadire quanto è chiaro da sempre. Potrebbero anche non salutarsi, potrebbero persino non vedersi per anni, ma questo significherebbe poco, perché tra loro tutto quello che c'era da dire è stato detto.

– Pensavo di vendere… – sussurra il vecchio a un certo punto. Col tono esatto di chi sta riprendendo un discorso interrotto un minuto prima.

– Vendere cosa? – chiede Vincenzo, anche se conosce benissimo la risposta.

– Tutto, – risponde Michele Angelo. – C'è tanta di quella roba là dentro... – aggiunge indicando l'officina con un movimento della testa.

– E perché volete vendere? – lo provoca Vincenzo.

Michele Angelo non risponde, ha in mente solo che ha lasciato trascorrere troppo tempo prima di affrontare il tema del passaggio di consegne, e anche che, con ogni evidenza, al nipote di riprendere in mano l'azienda di famiglia non interessa affatto. – Lo sapevo che tornavi, l'ho detto a Marianna che ritornavi –. Vincenzo aspetta che prosegua. – È andata a casa sua per pulire. Era preoccupata che non tornavi piú. Lo sapevo che non te ne andavi, – aggiunge, ma anziché proseguire si chiude in silenzio.

– Sono qui, – si limita a dire Vincenzo andandosi a sedere proprio affianco al nonno.

– Hai fame? Hai bisogno di lavarti?

– Sí, c'è tempo... Mi piace stare seduto qui, – gli scappa mentre fissa gli assurdi arzigogoli del gelsomino selvatico.

Michele Angelo guarda nella stessa direzione, la pianta flette la cima di un ramo come se sapesse di essere osservata: – Viene da chiedersi se questo è il modo in cui il creato risponde alla nostra presunzione, – commenta. Vincenzo sorride appena. – Hai spaventato a tua zia, – sussurra il vecchio. – Pensava che non volessi tornare piú... Dopo quello che è successo...

– Successo? Che cosa è successo?

– Come... – chiede Michele Angelo. – Non lo sai? – Vincenzo scuote la testa. – Il matrimonio, – specifica suo nonno. – Quella che ti piaceva...

– Cecilia? – domanda Vincenzo in ansia.

– Eh, lei: dice che all'ultimo momento ha sconciato tutto... Per questo tua zia s'era convinta che foste scappati insieme. Ma io lo sapevo che tornavi.

Sconciato tutto significa esattamente che Cecilia Devoto ha abbandonato Nicola Serra-Pintus all'altare. Ma non per finta, o per modo di dire. L'ha fatto per davvero. È arrivata davanti al prete, bellissima e minuta con l'abito bianco comprato a Cagliari che sembrava una sposa dei rotocalchi. Ha attraversato la navata al braccio del padre Fausto, tutto elegante. Indossava un velo di tulle ampio e rotondo che teneva nel braccio sinistro perché non l'intralciasse mentre camminava e che le faceva una nube compatta sulle spalle. Se si dovesse dar retta alle immagini si sarebbe detto che già in quel velo che diventa un fardello c'era scritto tutto. Cosí dicono che sia arrivata ansimante a passi decisi, col padre che quasi arranca dietro di lei per raggiungere Nicola all'altare. Anche lui per un istante le è parso un marito possibile, curato in tutto, con i capelli abbondanti sconfitti dalla brillantina e il doppiopetto grigio ferro con le spalle rinforzate. Vestito da uomo sembrava piú bambino. È esattamente la stessa domenica d'aprile in cui Vincenzo ha sentito la fitta violentissima, la necessità di scappare. Quando è caduto a sedere nella porzione di spiaggia in cui si sono accumulate montagne d'alghe marroni. La domenica mattina in cui Marianna si è spinta fino alla via principale per vedere il passaggio del corteo e si è segnata, ringraziando che quel pericolo era passato.

A Nicola pintu e lintu davanti all'altare Cecilia ha riservato l'unico sguardo innamorato che gli avesse mai fatto. Non si è tolta nemmeno il lembo di velo dalla faccia, eppure lui ha potuto osservarla con chiarezza e si è potuto spaventare.

È esattamente quella domenica in cui Mimmíu, raggiungendo Vincenzo alla fine della spiaggia, ha compreso dentro a quanta rassegnazione si può nascondere la sofferenza. Proprio quando Marianna si è accorta che alla vicina di casa degli sposi, che ha aspettato come lei il passaggio del corteo, non si è rotto il piatto augurale colmo di grano e dolci che pure ha lanciato con tutte le sue forze contro il selciato. Quel piatto è rimasto intatto e si è frantumato solo al terzo o quarto tentativo, tanto che il corteo ha dovuto fare una sosta, e tutto l'orgoglio beneaugurante della buona vicina alla fine si è trasformato in un pianto di impotenza e vergogna.

Senza troppi giri di parole la sposa si è voltata verso il padre, dando le spalle allo sposo. E ha cercato le parole, capendo che se non avesse approfittato di quel momento di disorientamento, di quell'istante irrelato, non sarebbe mai riuscita a fare quello che stava per fare.

È la prima domenica di sole in quella primavera che tarda ad arrivare, esattamente quando Marianna, aprendo le finestre di casa per dare aria, ha ringraziato la buona sorte che ha benedetto col bel tempo quella giornata. È la domenica in cui le truppe degli angeli guerrieri fanno una sosta e senza saperlo rendono grazie per quella meraviglia che stanno contribuendo a rendere abitabile. Proprio quando Michele Angelo, frugandosi nella tasca sinistra della giacca leggera, ritrova le chiavi dell'officina che credeva fossero da un'altra parte. Quella domenica in cui Marianna è corsa alla sua casa, pulita, intatta e l'ha messa sottosopra per lavare le tende, le mantovane e tutti gli asciugamani del corredo che nessuno ha mai usato.

A quel punto Cecilia si è levata con stizza il velo dalla faccia e ha guardato il padre, gli ha detto quello che si era preparata a dire: che si ritiene una brava figlia; che lo ama come padre tanto quanto basta per farle desiderare di morire piuttosto che dirgli quello che sta per dirgli; che l'ha sempre obbedito in tutto. In tutto, ma questa volta no. Che andarsene per non sposare un uomo che sa di non poter amare sarà la sua prima disobbedienza.

Il padre l'ha squadrata come dovesse ricordarsela per bene e le ha detto: – Avresti preferito morire piuttosto che darmi un dispiacere? Bene, il dispiacere me l'hai dato, e grande. Tu per me sei morta.

Il suo proprio luogo

Il primo bacio vero Cecilia e Vincenzo se lo diedero in pieno giorno. Era una mattina caldissima di luglio. Lui l'aveva cercata inutilmente finché lei decise di farsi trovare.

Quando si arriva all'incontro della mattina di luglio è solo perché Cecilia si è fermata a fare compere in un negozio non distante da casa Chironi proprio nel momento in cui sa che lí davanti ci passerà Vincenzo. E sa che appena lui la vedrà tirerà dritto come se non l'avesse notata, giurando che non cederà, e poi, trascorso qualche secondo, tornerà indietro maledicendosi per aver disatteso il suo stesso giuramento. E allora lei, uscita dal negozio, l'aspetta poco fuori dalla vetrina. Lo vede tornare indietro, cosí s'incammina fino a passargli accanto. Lo guarda con la coda dell'occhio e fa per tirare dritta, lasciando che lui esasperato la trattenga per un braccio. Tutto cosí: plateale, alla luce del sole, poco distante da casa di Vincenzo e con la padrona del negozio che li guarda dall'interno. Insomma lei si lascia fermare, lui la guarda fingendo una rabbia che non ha ma che dovrebbe avere. Perché, in effetti, è solo euforico. Gli è bastato toccarla, gli è bastato che si sia fatta toccare, e tutto quello che aveva spergiurato di dirle già non se lo ricorda piú. Ma, pur confuso, non si lascia andare. Lei non ha fatto nulla, si è solo fermata, e lo guarda.

– Che hai fatto? – le chiede lui. Non è una domanda vera, non ha neanche la parvenza di quell'effetto che dentro alla sua testa pensava dovesse avere. Niente distaccata autorevolezza,

niente virile distanza. Cecilia aggrotta le sopracciglia come se non
avesse capito quella domanda che pure è elementare. Se è possibile
si è fatta piú bella. Il suo viso è un alternarsi armonico, perfetto, di
chiari e scuri, di capelli corvini e fronte luminosa, di sopracciglia
come disegnate a mano e occhi grigi, di ovale assoluto e splendente e labbra quasi viola. Come si fa? Come si può? Se non fosse che
ha combattuto contro i flagelli biblici uscendone vincitore, ora – in
questo esatto istante – Vincenzo la bacerebbe. E lei si lascerebbe
baciare. Ha addosso un abito color vinaccia a maniche corte con
una gonna plissettata e svasata lunga quasi sino alle caviglie. Ha
un paio di scarpini sottili, poco piú che babbucce. Ha i capelli fermati sulle tempie da due pettini in osso che per il resto ricadono
liberi sulla schiena. Se ragionasse, Vincenzo capirebbe che non può
essersi preparata in quel modo solo per uscire a fare compere. Se
ragionasse. Ma non ragiona. Colto da un nervosismo furioso comincia a chiudersi i bottoni della camicia che erano rimasti aperti
sul collo, poi non sapendo piú dove mettere le mani se le caccia in
tasca. – Dove sei stata? – ritenta, ma la voce questa volta è peggio
di prima; esce come se avesse un fischietto in gola.

– A Roma, – dice lei. – Sono stata a Roma per un corso. Ho
degli zii da quelle parti.

– Un corso, – ripete lui.

– Sí, – ribadisce lei. – Puericultrice –. Poi tace, lo sa che quella
parola cosí nel nulla lo metterà in difficoltà e non ha nessuna intenzione di rinunciare al suo vantaggio. – Un corso per lavorare con i
bambini, – spiega quando è passato abbastanza tempo. – Inizio a
lavorare il primo settembre all'ONMI.

– All'asilo? – chiede lui.

– All'asilo, – fa lei accennando con la testa.

Silenzio. Dovrebbe essere arrivato il momento di congedarsi.
Ma non succede niente.

Tutto intorno comincia a materializzarsi il frinire delle cicale:
il vibrare assordante dei timballi indica a Vincenzo che il mondo
esiste ed è una stanza accogliente da cui lui deve fare in modo che
Cecilia non esca. – Tutto questo tempo senza mai cercarmi, – lamenta lui, ora ha il tono giusto.

– E perché? – chiede lei. – Quello che ho fatto l'ho fatto per me, mica per te, – completa guardandolo.

Cosí, solo a quel punto, lui l'afferra per le spalle e la bacia quasi volesse mangiarsela. La tiene stretta come se tentasse di appiccicarsela addosso per sempre, ma non avrebbe bisogno di nessuna forza, perché lei non ha la minima intenzione di scappare.

È pieno giorno, è luglio, fa caldo.

Quel bacio dato in pubblico, alla luce del sole, arriva in un baleno dentro al cortile dei Chironi. Marianna, informata da vicine solerti, quasi ne muore: ecco ritornare un male che pareva scansato, pensa. Eppure le stesse pie donne che con finto pudore sono corse a raccontarle della faccenda nei minimi particolari, di come si siano abbracciati tanto da non suscitare dubbi sul fatto che non si trattava di atti di cortesia, si dichiarano sue sorelle. Insomma, dice una, grande e grossa come sono non ho mai visto niente del genere, scusa se te lo dico. Ora capisco lui, dice l'altra, i maschi si sa come sono fatti, ma lei... E sospende perché sa che chiunque fra loro sta completando quella frase come dev'essere completata. Le versioni piú accreditate sono che lei, Cecilia Devoto, dopo aver preso in giro il povero fidanzato ufficiale, ha messo gli occhi addosso al povero nipote della loro cara amica Marianna. Loro da sorelle non potevano certo sottrarsi alla necessità di raccontare ogni cosa prima che lei lo venisse a sapere da estranei, perché la notizia stava girando dappertutto ed era impossibile arginarla. Marianna ascolta col volto dimesso ma non arrendevole di santa Cecilia, la quale fece voto di castità perpetuo e convinse il marito a rispettarla fino alla morte nella sua illibatezza. Ma questa Cecilia, cagliaritana, tutto l'opposto, lei era di quelle che ai maschi faceva girare la testa, e i maschi si sa come sono fatti. Senza contare il fatto che, dopo la vergogna del matrimonio saltato, l'avevano mandata in Continente da parenti. In Continente? A Roma per la precisione, dove c'è un fratello della mamma. Comunque sono i tempi che sono, ormai i giovani hanno perso quel senso del pudore che invece aveva contraddistinto la loro educazio-

ne. Marianna lo sapeva bene, era stata una donna importante
eppure discretissima e aveva sopportato con immensa pazienza
prove durissime. Un marito e una figlia persi in quel modo, am-
mazzati come bestie cosí davanti a lei. Eh... c'è da impazzire
proprio. E ora che anche per lei stava arrivando un po' di pace
ecco che si ricomincia con questo nipote.

Che i tempi stanno cambiando molto rapidamente non c'è
dubbio. La città sta mutando assetto con la velocità di un respiro. La libertà si presenta da subito come un privilegio che bisogna potersi permettere: dalle parrocchie in bidda nel '48 sono
arrivate valanghe di voti per la Democrazia cristiana, ma dalle
campagne stanno alzando la cresta i comunisti. I muri tappez-
zati di scudi crociati che a loro volta vengono ricoperti da falci
e martelli, che a loro volta vengo ricoperti da scudi crociati e
cosí via, raccontano di tensioni politiche esibite senza convinzione. La gioventú di fame e sacrifici non ne vuol sentire parlare, e come si può dargli torto. Vogliono vivere i tempi nuovi,
sentirsi anche loro dentro al corpo di una nazione, ma si sono
fatti i conti senza l'oste perché non si sono chiesti se anche questa nazione avesse voglia di sentirsi dentro al loro corpo. Ogni
passaggio deve considerare imbarazzo e coraggio. L'imbarazzo
è dei vecchi, il coraggio è dei giovani. Ora per esempio si dice
che Cecilia Devoto vogliano metterla a lavorare come un maschio qualunque. Perché il deprezzamento vero e proprio, per
quel senato di donne in imbarazzo, non sta tanto nel fatto di
lavorare – loro stesse hanno lavorato come muli – quanto nel rinunciare al proprio status di femmina. Come farà a comandare
fuori dalla sua cucina? A chi affiderà le sorti della famiglia, della
casa, del patrimonio, mentre lavora? Nel loro universo regna il
paradosso, perché sono state educate a comandare solo a patto
d'essere schiave. Questi tempi di donne che fanno i maschi e
di baci pubblici, ma anche di braccia scoperte e pantaloni, saranno pure moderni, saranno pure tempi continentali, ma di-
sorientano. Non abbattono certo, ci vuole ben altro... Eppure
una certa ansia Marianna la sente, perché va bene parlare delle
cose in generale, ma quando quelle cose in generale si riferisco-

no a qualcosa di particolare che colpisce la tua famiglia, allora, insomma, non sembrano piú cosí lontane da poterne parlare con disinvoltura. Le pie donne questo lo sanno bene, e infatti badano a dire che bisogna considerare una serie di faccende fondamentali: lei non è del posto, è stata educata chissà come, alla moda del Capo di Sotto, dove si sa che a certe cose non ci tengono; e anche lui, per quanto, per carità, non si possa negare che è Chironi tutto, dalla punta dei capelli alla punta degli alluci, è cresciuto come è cresciuto, lontano. Tutto quel commentare per Marianna è un brusio indistinto, una confusione di suoni come quando un'orchestra sta accordando gli strumenti. Lei ha in testa la calenzuola di *Suor Angelica*:

> Ecco, questa è calenzola
> col latticcio che ne cola
> le bagnate l'enfiagione;
> e, con questa, una pozione...

Mentre le pie donne specificano che quel viaggio in Continente di Cecilia Devoto è sospetto in tutto e per tutto, ma che adesso lei si fa vedere in giro come se niente fosse; come se lo scandalo che ha generato non la riguardasse in nulla. E Nicola Serra-Pintus? Eh, quelli, quasi parenti, Marianna li dovrebbe conoscere bene, e sapere che su quelli non c'è da contarci, visto come l'hanno trattata dopo la tragedia di suo marito e di sua figlia...

> Dite a sorella Chiara
> che sarà molto amara
> ma che le farà bene...

E il discorso si è spostato sulle sofferenze che bisogna subire in questa valle di lacrime: loro stesse che ne parlano sono segnate da stigmate profondissime di mariti morti, figli scomparsi, case cadute. L'unica felicità che riescono a concepire è questo riunirsi per raccontarsi un mondo come dovrebbe essere, non com'è. E s'immaginano un destino serio, affidabile, non certo il pagliaccio infantile che è stato finora, dando e togliendo a capriccio. Loro s'immaginano una pace fatta di nulla. Non vogliono niente piú di quanto gli occorra. Di questo stanno parlando, di quanto poco serva per essere felici: la salute, preferibilmente quella dei figli, il cibo in tavola tutti i giorni... Hanno sintetizzato in questo modo anni e anni di riflessioni. Hanno sentito la Storia sfiorargli appena la schiena senza nemmeno chiedersi quanto fosse stata maligna nel negarsi o benigna nel risparmiarsi. Ma Marianna no. Lei ha solo quel bacio in mente. Quelle pie donne, commedianti dello stupore, la guardano come se non sapessero che cosa affligge l'amica. Che succede Marià? le chiedono. Lei non risponde, le guarda sorpresa, fa solo un gesto con la testa per dimostrare che anche lei ha imparato a recitare il loro stesso stupore.

> E le direte ancora
> che punture di vespe
> sono piccole pene...

Cosí bisogna fare i conti con una pace che pace non è. Perché si diceva che la fine della guerra si chiamava pace. E invece i tempi nuovi, in quello spazio estremo, erano, se possibile, piú turbolenti degli anni del conflitto. Ora ci si baciava per strada, le distanze aumentavano perché i nonni guardavano nipoti senza padri e le madri corrispondevano a vedove in maniera esatta. Per Marianna la benedizione di quel nipote ritrovato si stava trasformando nella maledizione della vita che se lo prendeva...

> ... e che non si lamenti,
> ché a lamentarsi crescono i tormenti.

Con lo stipendio della Campagna antimalarica Vincenzo si comprò il Guzzi 500 Falcone. Il fatto che non sapesse guidarlo gli sembrò, al momento, ininfluente: Mimmíu gliel'avrebbe insegnato. Quel gesto dispendioso e gratuito insieme non credeva che l'avrebbe mai fatto. Neanche in quei momenti fantasiosi della sua infanzia – quando la febbre delle prospettive non lo lasciava riposare e la sua testa se ne andava a pescare ipotesi chissà dove – aveva pensato di potersi comprare qualcosa di tanto inutile. Cosí, mentre osservava Mimmíu che faceva un giro di prova, si sentí improvvisamente a casa, come non gli era mai capitato fino a quel momento. Era innamorato, aveva un tetto, un cognome, affetti. Tutto quanto era stato sottratto gli veniva, ora, restituito.

Ma, arrivato alla casa vera e propria, della moto non parlò per non impensierire ulteriormente la zia Marianna. Poi, quando si sedette a tavola, non riuscí a non fare almeno una rivelazione.

– Mi hanno chiesto se mi voglio candidare per le comunali, – disse a bruciapelo mentre tagliava un pezzo di pane.

– Ah, e chi? – fece Michele Angelo senza muovere un muscolo. Marianna cominciò a entrare in apprensione…

– Li conoscete, – rispose Vincenzo.

Michele Angelo posò il cucchiaio. – Fai come credi, – disse. – Io per conto mio dalla politica ho sempre cercato di tenermi lontano.

– Lo so, – replicò il giovane, ma senza alcuna ironia.
– Lo so come la pensate, comunque non ho detto né sí né no.

– Che dal loro punto di vista è già una risposta, – assestò
Michele Angelo. – Non è questo la politica?

– Ecco, – intervenne Marianna.

– Ho già capito, – si rabbuiò Vincenzo.

– E che cosa hai capito? – chiese Michele Angelo.

– Che la cosa non vi fa contento.

A Michele Angelo scappò una leggera risata. – Vediamo… –
disse sporgendosi verso il nipote. – L'ultima volta che sono stato veramente contento è quando sei entrato da quella porta. Io
per me sono a posto. Ti vuoi candidare? Liberissimo. Poi però
non venire a dirmi che la politica è una cosa sporca… Ma l'hai
capito con che gente hai a che fare? Qui la politica non si fa per
il bene di tutti, qui siamo tutti poveracci e ognuno si occupa solo
dei propri interessi. Siamo egoisti, figlio mio. Siamo poveracci
egoisti, – ripeté.

– Be', questo lo so bene. Specialmente ora che partono le
gare d'appalto. È anche di quello che vi volevo parlare –. Vincenzo sospese, attendendo che Michele Angelo si accomodasse
con la schiena sulla sedia. – Voi lo sapete no che hanno lottizzato tutta la zona sopra Istirítta? – Michele Angelo fece segno
di no, Marianna di sí convintamente. – Case popolari fino al
Nuraghe, – chiarí Vincenzo. Sul viso di Michele Angelo si disegnò una smorfia di stupore. – Ma la cosa piú importante è che
hanno liberato il terreno e finanziato la costruzione della nuova
chiesa delle Grazie, la fanno davanti al palazzo degli impiegati
al Ponte di Ferro, dietro a quella vecchia.

– Sí, sí, lo so dov'è il Ponte di Ferro. E allora?

– E allora quell'appalto, quello della chiesa in particolare,
vale parecchi milioni.

Marianna sussultò alla parola milioni.

– Sí, sí… e allora? – ribadí Michele Angelo, ma come qualcuno che sa bene dove sta andando a parare.

– E allora tra quattro mesi iniziano gli sbancamenti, e tra
tre mesi ci sono le comunali.

– Ah, – fece Michele Angelo.

– Eh, – sospirò Marianna.

– Cosí mi hanno chiesto se fossi interessato a candidarmi, – arrotonda Vincenzo come se ci fosse bisogno di specificare ulteriormente la situazione. – E io mi sono chiesto se fosse il caso di accettare o meno, anche considerato che dopo gli sbancamenti iniziano le opere morte.

Michele Angelo si drizzò a sedere come se fosse un pupazzo a molla.

Marianna li guardò preoccupata: – Che succede? – domandò.

– Niente, – tagliò Michele Angelo. – Ci siamo capiti io e lui.

– Che cosa ci vuole per i pilastri, zia? – le chiese Vincenzo.

– Ferro ci vuole!

– Ferro, – ripeté Michele Angelo. – Ferro.

I tre dischenti che spostarono dall'ingresso dell'officina le piante di limone si chiamavano Paddeu Erminio, Bosa Bartolomeo e Tanchis Giuseppe. Michele Angelo li avrebbe ricordati cosí, cognome e nome, fino alla morte. Con appena un soffio di vita in corpo, se gli aveste chiesto il nome dei tre ragazzi che spostarono le piante di limone dall'ingresso dell'officina lui avrebbe potuto dirli esatti, senza tentennamenti, per cognome e nome come a scuola, come nell'esercito. Gli interessati non sapevano del loro eroismo, non sapevano nemmeno di costituire il punto focale di una vicenda che ricominciava. Erano nati quando l'officina era già chiusa, ma ora la riaprivano, passando silenziosi dentro all'epopea discreta dei Chironi, maestri del ferro.

Si dovettero fare modifiche e spostamenti, comprare macchinari nuovi, liberare parte del cortile perché fosse agevole muovercisi all'interno. In questo mondo fatto di rinunce a Marianna non costò molto doversi liberare di qualche pianta. Perché sentiva intimamente che bisognava scostarsi e far passare la vita che stava ritornando dentro alla sua casa, anche attraverso lavori interni: si ristrutturarono completamente i bagni, e, in cucina, fecero la loro comparsa il forno a gas e il frigorifero.

Vincenzo e Cecilia continuarono a frequentarsi come si conviene a due innamorati discreti, cercando di non andare mai oltre i baci. E discreto fu il modo in cui Michele Angelo, capendo il sacrificio frustrante del nipote, una sera gli consegnò le chiavi dell'altra casa all'insaputa della figlia Marianna.

Sí, certo che lo spaventò quel gesto: al di là di quello che fosse realmente il suo significato Vincenzo l'intese come un lascito. E come un'implorazione, perché dagli occhi di suo nonno pareva scaturire una richiesta non fatta: gli porgeva le chiavi e gli chiedeva di dare un senso a quel miracolo che era stato il suo ritorno a casa. Perciò guardò il vecchio come se non potesse prendere una decisione.

– Tieni, – lo incoraggiò Michele Angelo.

– Non so, – tentennò Vincenzo.

– Tieni, – incalzò l'altro. – Se mi scopre tua zia, fatta a figlia, mi ammazza con le sue mani. Siate rispettosi.

Alla fine Vincenzo le prese non senza imbarazzo. Ma le prese.

Tutto stava ricominciando, pensò Michele Angelo, e allora che ricominciasse davvero. Dentro all'officina i tre dischenti: Paddeu Erminio, Bosa Bartolomeo e Tanchis Giuseppe, appena assunti, stavano ripulendo e sistemando i macchinari nuovi. E alle prossime elezioni Vincenzo Chironi, figlio di Luigi Ippolito Chironi, eroe del Carso, sarebbe diventato consigliere comunale, se non addirittura assessore, per il Partito comunista. Perciò, pensò il vecchio alla fine consegnandogli le chiavi di via Deffenu, ha diritto a capire cosa significhi amare veramente. – Se fai quel passo lí non potrai tornare indietro, – disse al nipote.

Vincenzo guardò il mazzo di chiavi. – Lo so, – rispose. – Lo so.

Perciò la prima volta che Cecilia e Vincenzo fecero l'amore fu come quando un contadino, o il pastore, guarda il cielo per capire se piove: deve far ricorso a quanto ha capito nello svolgersi della sua vita e fidarsi solo di ciò che sente. Cosicché la direzione del vento, l'altezza e la posizione delle nubi, il colore dell'aria, dicono cose che sente solo chi ha le orecchie buone, lo sguardo allenato, la mente sveglia.

Andò cosí: dopo un altro bacio ancora, lui le disse che, vo-

lendo, potevano andare alla casa di via Deffenu. E come un
contadino, o un pastore sapiente, lo disse fingendo di buttarla
lí. Lei lo guardò quasi non capisse dove voleva arrivare, perché non c'è sapienza maschile che possa sfidare quanto le donne sanno per genetica. Era rossa in volto e sul collo, ma fece la
faccia sorpresa come a chiedere: e a farci che, nella casa in via
Deffenu? Poi vedendo che lui taceva gli porse la mano come si
fa verso chi sta per annegare: – Sono sempre stata curiosa di
vederla, la casa di via Deffenu... – sussurrò.

Come la prese non avrebbe saputo dirlo. Era un uomo fatto
con gesti da ragazzino e goffaggini che lei trovava irresistibili.
Entrarono e già nell'ingresso austero razionalista, non fece in
tempo a posare le chiavi sul mobile in radica ed ebano quando
comprese che se non la baciava sarebbe morto. Cosí la baciò,
e lei intese perfettamente la qualità nuova, piú spinta di quel
bacio, come se ci fosse un dopo. Perciò all'inizio fu attraversata da un turbamento vicino al panico, impietrita dalla coscienza che si era arrivati al dunque. Eppure neanche per un
secondo ebbe timore di trovarsi in mare aperto, perché fra le
braccia dell'uomo che amava capiva di poter arrivare dovunque senza paura. No, aveva paura di se stessa e del fatto che
una volta accaduto ciò che stava per accadere non avrebbe
piú potuto rinunciare a quell'uomo nemmeno nella piú lontana delle ipotesi. Questo pensiero la faceva stare bene e male
insieme, la faceva sentire forte e fragile insieme. Ora che lui
pareva prendere l'iniziativa con piú vigore, lei lasciava fare
per dedizione, ma anche per riconoscenza: due sentimenti che
vengono prima, come le damigelle che annunciano la sposa e
sono solo il principio di quella complicazione impossibile che
è l'amore. Quando Vincenzo le afferrò il seno come non aveva
mai potuto fare si sentí improvvisamente bellissima. Quando
mai avesse dovuto ricordare quel preciso istante, era sicura che
nessuna sensazione di sé avrebbe potuto essere piú imperio-
sa. E che fosse bellissima glielo diceva il respiro di lui, l'alito
caldo, dolce, come di miele e mosto, che scaturiva dalle sue

labbra socchiuse. E che fosse bellissima lo dicevano i brividi
che lo attraversavano, alto e sottile com'era.

Lui provò a fingere di sussurrare qualcosa, come se ci fossero parole per esprimere quello che provava. La sentí piú arrendevole di quanto fosse mai stata e la vide pensierosa ma docile. Come se avesse capito, e accettato, che nel gioco delle parti
ora era arrivato il suo momento. E, anche se non sapeva esattamente quale fosse questa sua parte, si lasciò condurre dall'istinto avanzando con lentezza perché lei non si sentisse in nessun
modo aggredita. La camera da letto in cui si tolsero gli abiti era
quella dove Biagio Serra-Pintus e Marianna Chironi avevano
generato Mercede, che aveva preso il nome dalla nonna ma che
tutti chiamavano Dina. Forse persino le lenzuola, religiosamen-
te curate in tutti questi anni, erano le stesse. Ebbene, fu lí che
Cecilia Devoto perse la verginità e, in un certo qual modo, la
perse anche Vincenzo Chironi.

Generarono, ma non lo sapevano.

Si assopirono abbracciati, fin quando un tramestio all'ingresso non li svegliò completamente. Vincenzo scattò a sedere cosí
com'era, guardandosi intorno per cercare qualcosa da mettersi
addosso. Quando Marianna comparve davanti alla porta della
camera si accorse di essere completamente nudo.

La zia assunse lo stesso sguardo che l'arcangelo Michele doveva avere avuto quando fu mandato nell'Eden a chiedere conto della mela mancante. Cecilia sostenne quello sguardo esattamente come doveva aver fatto Eva millenni prima. Non c'era
altro da fare, Vincenzo si coprí i genitali con le mani.

– Non perdete tempo a rimettere a posto, – disse semplicemente Marianna. Poi voltò le spalle e se ne andò.

A casa non disse una parola nemmeno a Michele Angelo. Poi
quando, qualche ora dopo, Vincenzo rientrò, gli parlò come se
niente fosse successo. Durante la cena si discusse di faccende
inerenti la campagna elettorale e il fatto che ormai tutti chiedevano voti per tutti, che la faccenda era appena iniziata e già
non se ne poteva piú. A Vincenzo scappò detto che senza dub-

bio per lei, per sua zia, si stava meglio quando si stava peggio.
Ma lei ancora una volta, rispondendo come se non accusasse
alcun colpo, replicò che in tutta evidenza lui, suo nipote, non
aveva capito quanto lei aveva detto. Michele Angelo comprese
l'arcano di quella calma troppo apparente col ritardo che spetta ai mariti cornuti. Cosí guardò interrogativo Vincenzo senza
farsi notare e Vincenzo rispose con un'alzata di sopracciglia che
sí, che aveva capito bene. E l'altro aveva risposto con un'alzata di spalle come a dire: benedetta donna; che voleva dire: non
le si può nascondere niente. Marianna fece finta di non vedere
quel dialogo muto, ma faticava a reggere il nervosismo, cosí se
la prese con qualcuno che aveva distrutto le piante di basilico
passandoci sopra con gli scarponi mentre usciva dall'officina.
Finita la cena Vincenzo disse che sarebbe andato a letto.

– Non esci stasera? – domandò Marianna.

– No… non esco, sono stanco, – rispose Vincenzo facendo
un certo sforzo per mantenere il controllo.

– Lo credo bene, – replicò lei senza cedere di un passo.

– Sí, – confermò l'altro. E si avviò verso la sua camera.

Marianna, insospettabilmente, lo seguí lungo il corridoio.
– Quando vi sposate? – chiese prima che lui potesse sparire in
camera sua.

Vincenzo si voltò: – Scusa, – disse.

– E di che? – si schermí lei, ma con un certo dolore sotteso.
– Quella casa era comunque tua.

– No che non è mia. Avremmo dovuto chiederti il permesso.

– Lo sapeva tuo nonno, – chiuse lei. – Quando vi sposate?
– domandò ancora.

– Presto, – assicurò Vincenzo. Marianna si bloccò a guardarlo come se volesse tenere a mente per sempre quel momento e quella risposta. Poi voltò le spalle per ritornare in cucina.

Nei mesi che seguirono Vincenzo Chironi perse il seggio al Consiglio comunale per quarantasette voti, ma poté entrarvi Mimmíu. Si disse che nella mancata elezione avevano contato in ugual misura il fatto che quel Chironi lí fosse sentito dai nuoresi ancora come continentale e il fatto che i Serra-Pintus gli avevano messo i bastoni tra le ruote per via di Cecilia Devoto e lo scorno del matrimonio saltato col loro congiunto. Ma le cose, con ogni probabilità, andarono diversamente, perché i ben informati dicevano che i comunisti, minoranza consistente, già prima della vittoria certa della Democrazia cristiana avevano concordato i seggi e preteso un tornaconto. Una fetta negli appalti che pullulavano nel nuovo corso edilizio della città era il tornaconto, qualche seggio in meno era il prezzo. A Vincenzo, per cosí dire, sfilarono la sedia sotto il culo, ma assicurarono l'appalto della chiesa nuova da costruire.

Nel frattempo lui aveva imparato a guidare la moto.

L'officina dei Chironi fu resa febbrile dalla produzione dei tondini di ferro – presagomati, e non – che occorrevano per le fondamenta della chiesa. Quel cortile improvvisamente tanto trafficato faceva impazzire Marianna ma, allo stesso tempo, la entusiasmava. E l'entusiasmo era accresciuto dal fatto che Vincenzo aveva mantenuto fede alla parola data e pareva stesse impegnandosi davvero per organizzare un matrimonio in tempi brevi.

Ciò che Marianna ignorava era che quel matrimonio fosse

tutt'altro che scontato. Non certo per volontà degli sposi e dei loro parenti, quanto per l'impuntatura del parroco del Rosario che aveva saputo qualcosa che sia Vincenzo sia Cecilia avevano tenuto nascosto a tutti: che la ragazza fosse incinta. Infatti non lo sapeva quasi nessuno, ma quel «quasi» era stato fatale.

Quando i due si erano presentati come se niente fosse al cospetto del parroco, don Corràine, questi aveva aggredito verbalmente la ragazza. E Vincenzo a sua volta aveva aggredito lui, non verbalmente. Tutto qui. Ora si trattava di capire se era possibile aggirare l'ostacolo rivolgendosi a un altro prete o, addirittura, rinunciare al matrimonio religioso, cosa che se non sembrava problematica per lo sposo, era invece temutissima dalla sposa. L'unica certezza era che in tutta Núoro sarebbe diventato difficilissimo trovare un prete disponibile a sposarli. E questo nonostante fosse proprio quel Chironi a fornire il ferro lavorato per le fondamenta di una chiesa nuova. Il problema era stabilire quanto di quel paradosso spiegasse i tempi nuovi o santificasse quelli vecchi. Era impossibile non capire fino a che punto della modernità fosse stato afferrato il fascino piuttosto che il pericolo. Un fascino impudente, un pericolo segreto.

Cecilia aveva iniziato a lavorare e questo la rendeva doppiamente vulnerabile, senza contare che si mormorava che a Roma lei fosse stata mandata dalla famiglia non tanto per allontanarla dallo scandalo del matrimonio andato a monte, quanto perché era stato necessario sottoporla a un aborto...

Vincenzo sentí di doverla rispettare nella sua scelta di lavorare, vivendo però appieno la contraddizione interiore di sapere che avrebbe preferito averla a casa. Quanto alla faccenda dell'aborto, aveva potuto constatare che quando avevano fatto l'amore per la prima volta lei era vergine.

Capiva a sue spese in quale meravigliosa maledizione si era ficcato.

Il 29 agosto 1953, quando tutti i nuoresi erano distratti dalla Festa Grande dedicata a quel Redentore per erigere la statua del quale anche Michele Angelo aveva offerto, piú di cinquant'anni prima, una somma cospicua, Vincenzo si presentò in moto sotto casa di Cecilia. Mimmíu, poco distante, andava a prendere Marianna e Michele Angelo in macchina, con la scusa che Vincenzo aveva bisogno di loro. Qualche centinaio di metri piú in là due dischenti dell'officina facevano lo stesso con i Devoto.

Era stato un mese insolitamente stabile, di quelli che non si sporcano dopo Ferragosto. La giornata era caldissima. Vincenzo, con indosso un doppiopetto blu scuro, attendeva in sella al suo Guzzi – un piede sul pedale, l'altro a terra come puntello – che Cecilia scendesse.

Lei arrivò, vestita con un tailleur grigio brillante e la gonna attillata, a vederla si sarebbe detto solo che si fosse arrotondata e niente di piú. Si sedette al suo posto cingendo il suo uomo per i fianchi. Lui partí. L'aria sul viso gli portava via i pensieri. Imboccarono le curve di Marréri in discesa. Le querce nane ai bordi della carreggiata, oppresse dalla calura, cominciavano a spargere un aroma asciutto di cuoio. Inforcarono il bivio di Valverde dove c'era il piccolo santuario dedicato all'omonima Madonna. Vincenzo frenò la moto sotto l'ombra di un tasso e la inclinò per permettere a Cecilia di scendere. Lei si mise in piedi e automaticamente si sistemò i capelli. I tacchi a cipolla delle sue scarpine trafissero non poche foglie secche. Lui scese a sua volta dalla moto e diede dei colpetti ai calzoni per ripristinarne la piega, poi sfilò un pettinino dalla tasca interna della giacca e si sistemò il ciuffo.

Cecilia lo guardò senza sorprendersi piú di tanto: era lui, era Vincenzo, quello che quando tutti sono in festa, scappa. – Che cosa ci facciamo qui? – chiese comunque.

Lui finí di pettinarsi: – L'hai mai vista dentro, questa chiesa? – domandò. Lei fece segno di no. – Conosco qualcuno che ce la può aprire, – chiarí.

– E va bene, – disse Cecilia.

Lui le allungò la mano e lei la prese.

Il portalino della chiesa era aperto. Dentro era buio e fresco. – Io voglio morire piuttosto che vederti infelice, – le disse a un

certo punto, proprio quando lo sguardo cominciava ad abituarsi all'assenza di luce diretta e metteva a fuoco un interno scarno, semplicissimo; un altare senza ornamenti, e alcune, goffe,
statue di santi. Lei non guardava che lui. Cosí non si accorse
che un religioso li stava aspettando poco distante dall'altare.

Prete Virdis non sembrava troppo invecchiato. Solo smagrito. Due giorni prima, accompagnato in macchina da Mimmíu,
Vincenzo l'aveva cercato. C'era voluto un po' per trovarlo finché, dopo aver chiesto in giro, qualcuno non gli aveva indicato la strada per Torpè, dicendo che l'avrebbero trovato lí, alla
chiesa della Madonna degli Angeli.

– Hai portato tutto? – domandò il prete direttamente a
Vincenzo.

Lui fece segno di sí e si frugò in tasca, ne estrasse due fogli
piegati in quattro.

– Che succede? – chiese Cecilia, ma dal tono era chiaro che
sospettava qualcosa.

Di lí a poco infatti, accompagnati da Mimmíu, entrarono in
chiesa Michele Angelo e Marianna.

Erano persone che non conoscevano la parola stupore. La
zia si guardò intorno, vide che, in termini di pulizia e addob-
bi, ci sarebbe stato tanto da fare in quella chiesetta prima che
fosse adatta, dal suo punto di vista, ad accogliere il rito che si
stava per svolgere.

A Michele Angelo venne in mente che, in fondo, tutto quanto ricordava il suo matrimonio clandestino, poverissimo, di mattina presto col prete e i testimoni.

Dei Devoto, vennero solo la sorella piú giovane di Cecilia e,
di nascosto dal marito, la madre.

Vincenzo si accostò commosso ai suoi parenti: – Lo so che
non è cosí che l'avevate immaginato, – disse.

– Se va bene per te, va bene per noi, – emise Marianna so-
vrapponendosi a Michele Angelo. Quest'ultimo la guardò sorpreso, capendo quanto dovesse esserle costata quell'affermazione. Che fosse sincera o no, non contava nulla.

– Neanche a me aveva detto niente, – intervenne Cecilia.

– E sí che avrei dovuto saperlo, no? – tentò un sorriso forzoso
che si spense non appena sua madre e sua sorella entrarono in
chiesa accompagnate dai dischenti.

Comunque, nonostante le premesse, fu una cerimonia molto
bella. Semplice, piena di calore.

Anni dopo, nella circostanza che sempre ci obbliga a fare un
bilancio, Cecilia avrebbe dovuto ammettere che quel 29 agosto
del 1953 era stata in assoluto una delle giornate piú felici della
sua vita. Perché in quel giorno l'uomo che amava, e che avrebbe amato comunque, decise che era meglio rischiare una cerimonia scadente che un matrimonio scadente. Perché lei dove
voleva andare a parare il suo uomo l'aveva capito non appena
l'aveva visto dalla finestra, bellissimo, nel suo doppiopetto blu,
che l'aspettava in sella alla sua moto, sotto casa. Cosí in fretta
e furia si era sfilata l'abito a fiori e le scarpe aperte, e aveva indossato il tailleur grigio perla e le scarpe eleganti, e aveva messo in borsa una veletta bianca per la chiesa e i guanti di capret-
to. La commuoveva pensare che lui si era incaricato di mettere
la parola fine a tutte le dicerie sul suo conto, ma non perché le
importasse qualcosa di quelle stupidaggini, quanto per il fatto
che lui temesse il contrario.

Cosí Cecilia andò incontro ai suoi parenti e spiegò che era
incinta, e che lei e Vincenzo avevano deciso per quella cerimonia
frettolosa. Lo disse come sapeva fare lei: in modo che non ammetteva repliche. Spiegò alla madre e alla sorella che quell'uomo
l'amava a tal punto da non volerla mai e poi mai sottoporre al
supplizio della curiosità di tutti coloro che avrebbero assiepato
la chiesa per vedere se, una volta arrivata all'altare, davanti al
prete, con addosso l'abito candido e il velo, avesse voluto replicare lo spettacolo del gran rifiuto.

E non c'era niente da dire, lui si era caricato sulle spalle la
responsabilità di quella scelta, perché lei mai potesse dire ai suoi
figli di essersi dovuta vergognare davanti a tutti. Ma non sapeva
che Cecilia non si sarebbe vergognata comunque, che Vincenzo
era suo da sempre, anche prima che lo sapesse.

La cerimonia dunque fu rapida e silenziosa, non finí con

lanci di grano o schiere di vicine che aspettano il passaggio degli sposi con piatti carichi di dolci e petali di fiori per spaccarglieli sui piedi.

Mimmíu era il testimone designato dello sposo e Francesca, la sorella minore di Cecilia, la testimone della sposa. Nonostante la semplicità prete Virdis non rinunciò alla sua predica in cui ricordò di quando aveva rischiato di ammazzare un giovane che si aggirava presso un oliveto mentre lui cacciava, nell'anno della fame.

Vincenzo aveva comprato delle fedi corpose e bombate, aveva chiesto le piú care, e vi aveva fatto incidere sopra il suo nome in quella di lei e il nome di lei nella sua.

– Certo che quello è proprio un Chironi, – commentò a un certo punto Michele Angelo. – Quando si mette in testa una cosa... Com'è che non ci siamo accorti di niente?

– È un Chironi, – convenne Marianna. E questo effettivamente spiegava quanto c'era da spiegare. Poi pensò a quanta differenza ci fosse tra questa cerimonia e quella che aveva sancito l'unione tra lei e Biagio Serra-Pintus, nell'anno della marcia su Roma. In quella giornata sporca di maggio, col cielo che sembrava un foglio imbrattato di inchiostro e la pioggia che minacciava di rovinare ogni cosa. Eppure quello era stato un matrimonio vero a detta di tutti, uno di quei matrimoni memorabili, ancora qualcuna delle sue amiche ricordava la meraviglia del suo abito da sposa e l'acconciatura dei suoi capelli. A Marianna, la vita che ne conseguí, la costrinse a tentare di dimenticare...

– Fermi cosí! – gridò uno dei dischenti, mentre con una macchina fotografica per istantanee inquadrava il piccolo gruppo di partecipanti al matrimonio.

E tutti loro si fermarono, tentando di guardarsi da fuori come se il loro occhio fosse esattamente quello del ragazzo che li stava inquadrando. Provando a offrire un'immagine di se stessi che sopravvivesse a quel tempo di passaggio per essere sicuri di potersi rivedere, anni dopo, nello specchio di quella fotografia tali e quali: non antichi, non moderni. Piú seri che in posa, piú entusiasti che felici, piú fanciulli che adulti. Sapevano di volersi riguardare, successivamente, con affetto, e di volersi sorprendere di quanto, allora, avesse un senso preciso il termine *autentico*, cioè ancora resistente. Nelle facce serie di donne e uomini a metà tra se stessi e il mondo. Sapevano che le fotografie gli avrebbero rivelato la bellezza che stavano stolidamente abbandonando, e che avrebbero spiegato perché sentivano – anche se non avrebbero saputo dire in che modo – che stavano passando dall'orgoglio vissuto senza presunzione a quello conclamato per folklore. Cosí quella posa solenne andava ragionata perché conservasse il valore di quell'istante piuttosto che materiale per la nostalgia.

A ripensarci da vecchi quei momenti sono come solchi indelebili, come attimi che si colgono oppure si perdono per sempre. – Fermi cosí! – ripeté il dischente, e scattò.

Dopo la cerimonia andarono a mangiare dalle parti di Oliena.

E la sera a braccetto al corso Garibaldi, non piú via Majore, per farsi vedere, con tanto di fede brillante al dito.

Cecilia aspettò di sentirsi addosso gli sguardi di tutti i passanti prima di accarezzarsi la pancia con discrezione, perché chiunque fosse in grado di capire, capisse.

Quello stupore diffuso di tutti coloro che li vedevano passare fu l'unico festeggiamento pubblico che gli sposini si concessero.

Entrare nella casa di via Deffenu da sposati non fu semplicemente un atto piú formale. Marianna pianse lacrime amarissime mentre riempiva i cassetti della vecchia camera da letto con la roba di Vincenzo. Ma erano lacrime per se stessa, non certo per il nipote. Lui quelle lacrime aveva imparato a interpretarle: attenevano al destino di sradicamento che caratterizza ogni mutazione. Erano lo strumento di quello strazio sottile che accompagna ogni distacco, piccolo o grande che sia.

Passò comunque un po' di tempo prima che i neosposi potessero andare ad abitare insieme, perché c'erano da fare molti lavori all'interno dell'appartamento, e non si poteva certo pretendere che i nuovi inquilini sentissero quel luogo come un santuario. Sicché anche in questo caso i bagni furono rifatti, e fu rifatta per intero la cucina con tanto di elettrodomestici americani come nelle case viste al cinematografo. Fu trasformata persino la stanza che era stata della piccola Dina.

Cosí a Marianna apparve chiaro quanto mantenere intatta ogni cosa fosse stato inutile. Ma Michele Angelo no, per lui non era stato inutile: lui affermava che quel che lei aveva fatto non era stato nient'altro che custodire, permettere a chi sarebbe arrivato dopo di abitare un ambiente accudito, non abbandonato a se stesso. Era un dono meraviglioso che aveva mantenuto intatto per il nipote, sosteneva il vecchio. Ma a lei pareva di non aver fatto abbastanza. Perché, aggiungeva, tutto quello che si fa, si fa per chi viene, non per chi c'è. E insisteva a dire che il miracolo capitato a loro, cioè di vedersi arrivare a casa qualcuno di cui si ignorava l'esistenza, non sarebbe mai stato ripagato abbastanza. Loro erano come rami secchi, diceva, come piante infruttuose, che solo per incuria o per pigrizia non sono state divelte, e che d'improvviso producono una gemma, un segnale di vita, dove si constatava solo morte certa. Quel nipote perfetto era stato il germoglio che convince il giardiniere a salvare l'intera pianta quando ormai la credeva perduta.

Quando finalmente poterono entrare nell'appartamento finito Cecilia lo percorse tutto, spalancando le porte di ogni stanza. Nel fare questo scansò i tappeti lindi e si mise in punta di piedi come si fa in chiesa quando non si vuol far sentire il suono dei tacchi. I vetri alle finestre erano talmente puliti che sembrava nemmeno ci fossero, veniva da mettere la mano avanti per non rischiare di sbattere. Finalmente corse in cucina.

– Ti piace? – le chiese Vincenzo.

Lei fece segno di sí, quasi avesse paura di apparire troppo entusiasta. Lui la guardò e sorrise leggermente, per non farle credere che la stava prendendo in giro.

– È tutto cambiato, – constatò lei. La incantava la perfezione moderna della stanza, i fuochi, il forno. Soprattutto il frigorifero panciuto.

– Ce l'abbiamo solo noi quello, qui a Núoro, – informò lui. – Zia Marianna l'ha fatto arrivare apposta da Cagliari.

Cecilia sfiorò ogni cosa come se volesse mantenere un'impressione piú tattile che visiva. Vincenzo allungò una mano e lei lo raggiunse. – Grazie, – sussurrò la sposa.

– Di cosa? – chiese lui. – Grazie a te.

– Di cosa? – chiese lei.

Risero. Si abbracciarono. Là fuori, oltre i vetri assenti per perfezione, una brezza sottile spingeva negli angoli delle case e lungo i vicoli qualche foglia caduta anzitempo; il cielo, intanto, costruiva ragnatele filamentose di nubi sottilissime.

In quella stagione precisa, quando l'estate chiede all'autunno se può trattenersi ancora, e lui risponde che può, Vincenzo e Cecilia si baciarono.

Era passata qualche settimana che i fratelli Gavino e Luigi Ippolito andarono a trovare la sorella Marianna. La qual cosa non la sorprese affatto, considerato il senso di inquietudine che l'aveva afferrata fin dal pomeriggio; considerata la discussione col padre; considerato il fatto che nel suo calendario interiore era passato fin troppo tempo senza che quei congiunti morti sentissero il bisogno di dire la loro.

Sicché vedere Luigi Ippolito che sedeva sul bordo della sedia impagliata e Gavino in piedi contro la superficie lattiginosa della finestra, era persino un sollievo. Certo dalle loro facce avrebbe potuto capire che non si trattava di una visita di cortesia.

Cos'è successo qui? chiese Luigi Ippolito.

Abbiamo cambiato qualcosa... prese tempo Marianna. Luigi Ippolito fece un cenno col capo verso il fratello.

Come state voi? chiese lei.

Gavino la guardò come si guarda qualcuno cui si tenta, inutilmente, di risparmiare una brutta notizia.

Soffriamo per voi, rispose.

Marianna azzardò un sorriso: Noi stiamo bene, disse.

Creatura, rispose Gavino, poi guardò il fratello. Aspettò un segno da parte sua per continuare: Lo sai anche tu...

Marianna, senza rendersene conto, cominciò a fare no con la testa. Sono io? chiese speranzosa.

Gavino ci mise un po' prima di rispondere un no secco con un movimento preciso del capo. Luigi Ippolito si sistemò, nervosamente, il ciuffo che gli ricadeva sulla fronte. Anima, non sei tu, ribadí.

Quando? chiese la donna, con ancora un barlume di resistenza.

Adesso, rispose Gavino.

Luigi Ippolito accennò un saluto.

Marianna si precipitò fuori dal letto.

Si vestí di tutto punto.

Corse lungo il corridoio.

Entrò nella camera del padre senza nemmeno bussare... Il vecchio era totalmente immobile. Nel sonno appariva insospettabilmente docile, il volto spianato. La figlia cominciò ad agitarlo finché lui non si svegliò, balzando a sedere sul letto: – Che succede? – chiese con la bocca impastata di sonno.

– Oh, – fece lei. – Sia ringraziato il cielo!

– Che cos'hai? – chiese ancora Michele Angelo inquadrando la figlia.

Lei non rispose, ma cadde a sedere nell'angolo della stanza. – Dormite dalla parte di mamma? – domandò.

Michele Angelo scosse le spalle come a scrollarsi di dosso l'imbarazzo per quella stranissima sensazione d'intimità che si era improvvisamente creata. – E allora? – reagí. – Ma che è successo?

Ora Marianna cercava di affrontare il compito di avvertire il vecchio che il Nulla a lungo evocato stava finendo e che lo sguardo agghiacciante della sorte si stava di nuovo posando sulla loro casa.

Ma Michele Angelo capí ogni cosa senza che lei dovesse sforzarsi ulteriormente. Vide che era pronta, vestita come per andare alla prima messa. Si tirò giú dal letto mostrando, con un certo orgoglio, la vistosa decadenza che gli aveva reso le gambe magrissime e il ventre prominente. Indossò i calzoni sui mutandoni di lanetta come se fosse stato solo nella sua camera. Finí di vestirsi con una solerzia precisissima. L'unica cosa certa è che doveva farsi trovare pronto.

Con calma andarono a sedersi in cucina. Lei chiese al padre se voleva qualcosa. Lui rispose che no. Mancavano ancora un paio d'ore all'alba.

C'era un profumo che corrispondeva in tutto a una nuova stagione che giungeva, proprio quando amoreggiano le volpi; quando maturano le arance; quando il cielo trasuda profumo di cannella e braci.

Di lí a poco sentirono bussare convulsamente.

Quando Vincenzo era tornato a casa tutto era già successo. Cecilia, chissà come, era riuscita a trascinarsi verso il letto, e ora pareva assente. Lui si spaventò più per quello sguardo vuoto che per il sangue da scannatoio che aveva imbrattato le lenzuola, il tappeto, e tutto il pavimento fino al bagno.

– Ho freddo, – disse lei quando si accorse che il marito era finalmente tornato.

Lui ebbe l'istinto di abbracciarla, stringersela addosso, ma in quel momento si rese conto che era sporca di sangue e che il tessuto fine della camicia da notte ne era completamente zuppo. Cosí, istintivamente, tenne la distanza scansandosi dal letto e guardandosi attorno per la prima volta.

Aveva fatto tardi. Mancavano ancora un paio d'ore all'alba.

– Tu non c'eri, – stava dicendo Cecilia.

– Dobbiamo mantenere la calma, – sussurrava Vincenzo, ma più per convincere se stesso che la moglie. – Devo chiamare qualcuno, – continuò. Confuso, cercò di sfilare una coperta di lana dall'armadio, e quando ci riuscì gliela posò sulle spalle perché lei smettesse di tremare. Quindi si diresse verso il portone di casa.

Una volta fuori capí che doveva cominciare a correre. C'era quel buio tremendo che avverte la luce imminente. C'era un profumo di panificio e caffè tostato. C'era qualche cane randagio in cerca di cibo... C'erano solo sensazioni che si sovrapponevano fastidiosamente l'una all'altra, tentando di distrarlo dall'imperativo assoluto di arrivare nell'unico posto dove poteva ricevere aiuto.

Quando si trovò davanti al portale che esattamente undici anni prima aveva trovato socchiuso, bussò con tutte le sue forze.

Gli aprirono subito.

Fu necessario un ricovero. Dissero che più che un aborto spontaneo, trovandosi Cecilia nella ventiduesima settimana computata, si era trattato di parto prematuro per incontinenza cervicale. E dissero che, vista la copiosa emorragia che aveva caratterizzato l'evento, si era proceduto a un raschiamento e a una trasfusione.

Ci vollero ore per eliminare quel sangue dalle lenzuola, dalle tende, dai pavimenti, fino alle piastrelle del bagno. Dovettero occuparsene Marianna e Francesca, la sorella di Cecilia. Da quello che trovarono, e come lo trovarono, compresero fin nei minimi particolari ciò che era successo.

Cecilia raccontò che al primo sonno aveva sentito come un senso di umidità, quasi senza svegliarsi si era toccata tra le cosce e aveva constatato che effettivamente era bagnata. Cosí aveva tentato di mettersi in piedi senza riuscirci, perché una volta scesa dal letto le gambe avevano ceduto e solo allora, mentre cadeva, si era resa conto di essersi davvero svegliata. Poi aveva cominciato a trascinarsi verso il bagno puntellandosi sulle braccia, ma doveva fare i conti con un istinto terribile che la costringeva a contrarre il ventre come per espellere qualcosa di estraneo. Poi non sa dire: ricorda che sentiva le labbra fredde e insensibili e la testa leggerissima... Ricorda che era riuscita ad arrivare fino al bagno e si era afferrata al bordo del lavandino per tentare di alzarsi. Ecco, pensa che sia stato allora, in quello sforzo, che ha sentito qualcosa di inerte scivolarle giú, attutito dalla stoffa inzuppata.

Il resto non lo sa dire, piange e chi le sta attorno piange con lei.

Vincenzo, nei giorni che seguirono, non avrebbe fatto altro che spiegare a tutti il motivo per cui in quel frangente non si era trovato in casa. L'avevano bloccato, diceva, alla riunione della Federterra. Lo sapevano tutti secondo quali imbrogli stavano distribuendo le terre, per via del Piano di Rinascita e via discorrendo... Ecco, diceva, questo stava generando scontento perché, per quanto fosse finito da cinque anni, il fascismo non era finito per niente, e quelli che prima indossavano la camicia nera ora l'avevano semplicemente sostituita con la camicia bianca... Per questo, diceva, quella notte aveva fatto tardissimo: perché anche i suoi operai lí al cantiere della chiesa delle Grazie erano poveracci senza alcuna assistenza che, finito quel lavoro, si sarebbero ritrovati da capo, privi di qualunque garanzia, mentre chi conosceva la gente giusta si metteva in condizione di usufruire di ogni beneficio derivante da tutta quella massa di quattrini che sarebbero arrivati da Roma... Ecco, per questo, solo per questo... Finché qualcuno gli diceva: «Vincé, guarda che tanto non cambiava nulla, davvero, l'importante è che tua moglie si stia riprendendo». «Sí, sí... – si affrettava lui. – Si sta riprendendo».

E sentiva una straordinaria gratitudine per il suo interlocutore, chiunque fosse, che gli concedeva un momento di normalità nella sua tremenda inquietudine. Una sensazione atroce simile a uno stordimento diffuso, quasi avesse capito per la prima volta che tutto ciò che aveva ritrovato poteva essere perduto in un istante. Come una mano che gli stringesse la gola, ma senza premere, solo per specificare quanto lui fosse sotto tutela. Era lí pronto a tutto, e se aveva qualcuno con cui parlare, parlava di quella notte maledetta quando Cecilia era stata male, male davvero...

Durante il ricovero della moglie ritornò a dormire nella sua stanza da scapolo.

La seconda notte sentí bussare. Era Michele Angelo, portava con sé un album di fotografie, si sedette sul letto del nipote e glielo porse. Aspettò in silenzio che Vincenzo lo aprisse.

– Questi sono i tuoi zii, Pietro e Paolo, – spiegò indicando la prima fotografia. Era l'immagine di due bambini in groppa a un asinello. – Sono morti poco tempo dopo. Non ce ne sono altre, allora di fotografie se ne facevano poche.

Vincenzo si soffermò a guardare i particolari: quello seduto davanti sembrava stesse cercando di trattenere un sorriso; l'altro invece, seduto dietro, non nascondeva il broncio. – Quanti anni avevano? – chiese.

– Dieci.

– Erano gemelli...?

Michele Angelo confermò. Restarono cosí, in silenzio, fino alla foto successiva. – Tuo padre, – sussurrò il vecchio.

– Sí, – fece Vincenzo.

– L'avevi già visto.

– Ma non questa foto.

– Qui doveva avere al massimo diciassette anni –. Luigi Ippolito tentava di mantenersi in equilibrio su una roccia, dietro di lui s'intravedevano i filari di una vigna.

– Dov'è qui?

– Un posto che non esiste piú, – disse voltando pagina. – Questa foto di tuo zio Gavino invece è stata fatta proprio nel cortile, qua fuori.

A Vincenzo scappò da ridere: lo zio aveva assunto una posa da troglodita. Michele Angelo sorrise. – Le disgrazie arrivano in questo modo figlio, – disse diventando improvvisamente serio. – Guardali bene, tuo padre, i tuoi zii, e guarda qui... – prese a sfogliare l'album per cercare una foto precisa. – Questa è tua zia vestita da sposa –. Vincenzo staccò gli occhi dalla foto: dietro il nonno, come richiamata, era comparsa proprio Marianna.

– Incredibile, vero? – Michele Angelo si voltò di scatto verso la figlia seguendo lo sguardo di Vincenzo. – Che io sia quella, intendo... Davvero incredibile, – ripeté guardandosi felice e bellissima in quella foto. – E pensare che allora credevo di essere orribile cosí conciata –. Qui fece una pausa lunghissima. – Lo so cosa provi, – ricominciò rivolgendosi direttamente al nipote. – Ne ho avuti tanti di momenti come questi, in cui ho sentito di aver perso su tutti i fronti... E ho sentito che tutte le cose migliori mi stavano sfuggendo dalle mani... Non sprecare il tuo tempo a cercare ragioni, a fornire spiegazioni. Ecco... – sospese. – Lo vedi come finisce? Finisce che ti ritrovi a sfogliare un album di fotografie che ti ritraggono quando ti ritenevi brutta e invece eri bellissima, senza una ruga, con i capelli perfetti, magra... Ma finisce anche che ti rivedi quando ti ritenevi bella da morire, elegante come una regina e invece eri goffa, bruttissima... Tutte le cose sfuggono, Vincenzo, quello che credi di controllare ti sconfessa, senza pietà...

– Tu l'hai visto vero? Mio figlio...

Marianna scosse la testa: – Che c'entra questo adesso? – domandò a sua volta, sapendo che non avrebbe mai potuto raccontare di quel piccolo essere non piú grande di un pugno, ma perfettamente formato, che aveva dovuto raccogliere dal pavimento del bagno.

– Era mio figlio, – singhiozzò Vincenzo tentando con tutte le sue forze di trattenere le lacrime.

– Sí, – confermò Michele Angelo.

Marianna accennò verso il nipote, e attese come se quello che aveva da dire richiedesse una riflessione supplementare. – Ma lo vuoi capire o no che i figli non ti rendono piú forte? Ti indeboliscono invece, ti rivelano abissi di paure che nemmeno immaginavi! – disse in un fiato.

Seguí un silenzio tremendo. Tutto era cambiato: a guardarsi intorno nemmeno quella stanza sacra si poteva dire che fosse rimasta immutata, nonostante gli sforzi. Persino quelle fotografie, tanto vive, cominciavano ad appannarsi. Questa constatazione colse di sorpresa Michele Angelo e Marianna, che in quell'esercizio di rimembranza avevano sempre trovato consolazione e oggi, all'improvviso, vi trovavano solo ragioni per temere che tutto il dolore che li aveva forgiati stesse tornando, ostinato, nel suo proprio luogo.

Comunque si procedette. L'episodio dell'aborto parve archiviato.

Cecilia tornò al suo lavoro piú malinconica che triste, perché ora i bambini di cui si occupava erano solamente quelli degli altri. Si sentí letteralmente vuota: questo rispondeva a chi le rivolgeva qualche domanda. Le colleghe quando la guardavano passare le facevano un gesto di assenso, come se il suo solo procedere fosse una vittoria contro la malasorte; altre donne si sarebbero dichiarate sconfitte, non Cecilia. Non lei. Lei aveva addosso quella bellezza che non ammette sconfitte. La divisa bianca, come da infermiera, con grembiule e cuffietta, come da cameriera di lusso, la faceva, se è possibile, piú bella. La rendeva spettacolare piuttosto che modesta, perfetta in ogni singolo dettaglio, dalla piega della bocca alla forma del mento, dalla consistenza dei capelli alla curva delle sopracciglia. Comunque la si guardasse, c'era un particolare nascosto che si rivelava e sempre sorprendeva.

Solo Vincenzo un poco la impensieriva: si ostinava ad andarla a prendere tutti i pomeriggi, alle sedici e trenta, quando staccava. Lei usciva, si affacciava oltre il cancello dell'edificio e lui era lí, dall'altra parte della strada, a volte in macchina, a volte persino a piedi, come se si fosse trovato a passare da quelle parti. In tutti i casi la guardava mentre si separava dalle colleghe e gli andava incontro, sostando per un attimo prima di attraversare. Lei lo raggiungeva e lui, davanti a tutti, le cingeva

i fianchi con un braccio e se l'attaccava addosso, come un fratello siamese separato che avesse nostalgia della passata coesi-
stenza. E le colleghe la guardavano pensando che lei sí, lei era
stata fortunata a trovare un uomo che l'amasse tanto.

Eppure a Cecilia quella dedizione non sembrava del tutto
naturale. Non le sembrava naturale che lui volesse scortarla per
fare quei pochi passi che la separavano dall'ONMI alla loro casa.
Sentiva che in qualche modo il marito soffriva della sua presunta libertà. Ma era troppo intelligente per dirlo chiaramente.

Infatti durante il breve tragitto Vincenzo taceva.

Tanto il discorso andava a parare sempre sul fatto che tutte
le altre, le colleghe di lavoro intendeva lui, avevano meno problemi di sua moglie perché non erano sposate e non avevano
una casa da mandare avanti.

E c'era da giurarci che Vincenzo non dicesse quelle cose col
secondo fine di mettere in evidenza che Cecilia, al contrario,
una casa da portare avanti ce l'aveva eccome.

– Ti manca qualcosa? – chiedeva lei a quel punto.

E lui: – No, non ci siamo capiti...

– Ci siamo capiti benissimo, invece, – tagliava lei.

– Io lo dico per te –. Vincenzo buttava giú questa cosa che
non era chiaro fino a che punto fosse sincera, ma solo perché,
anziché affermarla, la sussurrava.

– Per me? – chiedeva lei, ma senza che quella che era palesemente una domanda sembrasse tale.

– Perché ti stanchi, – peggiorava lui.

A lei scappava una risata nervosa, che aveva tutta l'aria di
una risposta non data piuttosto che di una reazione diretta alla
sua frase. – Stai tranquillo, – gli diceva, mentre lui armeggiava
per aprire la porta di casa.

L'interno sapeva di mele cotogne, profumava di vita reale,
di aria nuova a furia di finestre spalancate, qualunque fosse la
stagione. Di sapone di Marsiglia passato sui pavimenti. Di lenzuola cambiate almeno una volta alla settimana. Un profumo
naturale, frutto di una costanza assoluta, senza deroghe, mai.
La domenica mattina come il sabato e come il lunedí. E mai che

la tavola restasse non sparecchiata dopo il pranzo o la cena, o
che la cucina non tornasse assolutamente perfetta come se nessuno l'avesse utilizzata.

Quell'interno, quel profumo, era la risposta che Cecilia non
sapeva come dare a Vincenzo. E lui certo capiva che quando
lei chiedeva «Ti manca qualcosa?» si riferiva, con esattezza, a
quella dedizione incriticabile. Sicché si poteva dire di tutto, ma
non certo che Cecilia per lavorare trascurasse la casa o il marito. Non si poteva dire e infatti non si diceva.

– Io mi chiedo come fai, come ce la fai… – rifletté Vincenzo
a voce alta mentre appendeva la giacca all'attaccapanni.

Cecilia aspettò che proseguisse, ma lui non proseguí. – È
per il lavoro? Ancora? – domandò per stanarlo.

– È per i figli degli altri, – disse lui finalmente. – Come ce
la fai?

– Non sono malata, – rispose semplicemente.

– Non volevo dire quello.

– Qualunque cosa volessi dire, non sono malata.

Questo ribadire di lei mise in agitazione Vincenzo.
– Vieni qui, – le disse. Cecilia lo raggiunse nello spazio fra il
tavolo, dove lui si era appoggiato, e il grosso frigorifero. Vincenzo la strinse. – Amore mio, – sussurrò. Era innamorato a tal
punto da non avere alcuna paura delle parole. Era innamorato
a tal punto da capire quanto lei aveva bisogno di sentirsi amata. Stettero cosí, abbracciati e basta. In silenzio per un bel po'.

– Mi dispiace davvero, – disse lei a un certo punto sfiorandogli il petto con le labbra.

L'autunno del 1956 arrivò, improvviso, il 20 di settembre. Vincenzo se lo sarebbe ricordato bene, perché si stavano armando le solette della chiesa nuova e gli operai erano passati dalla canottiera al maglione, e ai guanti, in mezza giornata. Non si poteva dire che fosse cambiata la luce, semplicemente il cielo si era fatto molto piú vicino alla terra, come se si fosse di colpo appesantito, diventato viscoso e gelido.

Dall'alto dell'edificio la città-cantiere appariva pietrificata da quell'aria solidissima. Ora il piano d'espansione riguardava tutta la porzione fra la ferrovia a scartamento ridotto e il versante sud-est, dove già pullulavano costruzioni ancora discrete, frutto dei contributi a pioggia che cominciavano ad arrivare. Era la stagione della consolazione, quando i dualismi secchi – pastori contro contadini, padroni contro servi, borghesi contro villani – subirono il primo, deciso, scossone. Qui la rivoluzione consisteva nell'illudersi che vi fossero le stesse opportunità per tutti. E bastò crederci per mettere in moto la macchina perversa del risarcimento. Quanto piú il paese cresceva, tanto meno diventava città. E, a patto che non ci si ingegnasse a inventarsene una, c'era pochissima Storia a disposizione perché se ne potesse tenere conto. E quella che c'era era talmente antica, talmente remota, da risultare definitivamente sfocata.

Quell'autunno improvviso, da un'ora all'altra, da un minuto all'altro, sancí un punto di non ritorno. Ora le anime semplici che avevano fatto palpitare quel luogo si guardavano intorno e non si riconoscevano. Stavano cambiando, ma non lo sapevano. L'istinto resistenziale si andava via via attenuando in vece di una presunta normalizzazione. Come dire che occorse guarire malati che non sapevano di esserlo, o che i tempi nuovi manifestarono patologie che prima non erano considerate tali. Certo si diventava piú ricchi, ma senza sapere davvero di essere stati poveri. E si diventava intransigenti nel pretendere quanto promesso. In quell'autunno precoce, si compí precisamente il passaggio dalla memoria attiva alla memoria passiva. Lo spiegava la furia egoista, il livore diffuso, profondo, che stava trasformando gli amici in nemici, gli ingenui in astuti. Sotto alla crosta vitale di gente che voleva esaltare la vita dopo vent'anni di lutto, covava l'immaturità di altra gente che quello stesso lutto non aveva strumenti, e nemmeno motivi reali, per elaborarlo. Pensavano di meritare pietanze da ricchi, ma non essendo mai stati invitati a nessun tavolo non si accorgevano che si stavano accontentando di briciole. I nuovi ricchi erano esattamente quelli vecchi, quelli di sempre, parevano nuovi solo perché avevano smesso di confondersi con i poveri, avevano smesso di portare le loro stesse pezze sui pantaloni. Erano tempi finalmente borghesi. Tempi esibizionisti. Si cominciavano a rigettare gli abiti locali come scorie di epoche remote e si barattavano mobili fatti a mano per tinelli industriali.

Dall'alto di quella chiesa in costruzione si poteva vedere con ogni evidenza l'avanzare di tanta pochezza. E tutta quella fulminea, violenta, trasformazione, fu come scoprire di avere bisogno di andare dal barbiere da un giorno all'altro: ci si corica con i capelli accettabili e ci si risveglia con una testa impettinabile. Segno che, a essere del tutto franchi, nemmeno quelli che sembrano cambiamenti improvvisi, improvvisi lo sono veramente. D'improvviso c'è solo il momento in cui ne prendiamo coscienza.

Vincenzo spaziò oltre la congerie di case nuove, già ammassate, appena nate eppure perfettamente declinate secondo il paradigma dell'infinito non finire. Rabbrividí perché quella mattina si era vestito troppo leggero: chi poteva pensare che sarebbe venuto freddo cosí di repente?

Mimmíu innestò la terza facendo grattare il motore.
– Non dura, – disse. – Te lo dico io che finisce male. Qui
si è fatto un passo avanti e due indietro: conta che a pari-
tà di assegnazione i terreni da queste parti rendono la metà, e trasformarli costa il doppio ai coltivatori... Non si possono fare le riforme senza considerare a chi si applicano,
mi spiego? – Vincenzo guardava davanti a sé senza rispondere. Era pensieroso. – Conta che qui pesa l'inesperienza,
se non bastasse la bassa produttività... Manca l'educazione Vincé, non c'è una direzione tecnica adeguata e manca la tradizione cooperativa, – disse affrontando una curva.
– Cosí a guadagnarci da questa cosiddetta riforma sono solo
gli appaltatori del Continente e chi già aveva qualcosa, che si
è visto aumentare il valore dei terreni senza l'obbligo di pagare le quote tramite i consorzi... Qui quando passa la sbronza
che tutto si può fare inizia la cagnara vera, Vincé.
– Si capisce, – rispose finalmente l'altro, puntellandosi con
entrambe le mani sul cruscotto per assorbire la frenata un po'
brusca dell'auto.
– Scusa, – disse Mimmíu staccando le chiavi dal cruscotto.
Si erano fermati davanti a una pineta giovane, non troppo compatta. Poco distante si sentiva il brontolio del mare.
Mimmíu scese dall'auto e fece passi. Si era ingrossato, ma questo lo rendeva ancora piú autorevole. Indossava pantaloni a vita
alta e una giacca autunnale color ruggine su una camicia avorio.
– Certo che sembri un figurino, – osservò Vincenzo.
– Eh bravo, prendi in giro, – brontolò lui. – Ho messo su
pancia. Il lotto è questo, – aggiunse indicando una porzione
precisa di pineta che si apriva verso una caletta racchiusa fra
due corni di rocce.
Vincenzo esaminò il posto. – È edificabile?
Mimmíu lo guardò come si guarda un bambino. – Al comune non interessa quello che ci fai. Se te lo compri è tuo,
fine della storia.
– E acqua, e luce, e fogne? – insistette Vincenzo.

– Tutto previsto, ma il punto è che l'amministrazione non si impegna se non ne vale la pena... Intesi?

– In pratica io compro alla cieca e loro guadagnano vedendoci fin troppo bene.

– Vincé, se non fossi sicuro che è un affare non te l'avrei proposto: so di gente che conta che ha già preso lotti grossi da queste parti.

– Ascò, io lo sai che ti seguo sempre, mi hai portato qui e io sono venuto, ma spiegami che me ne faccio di un pezzo di pineta sabbiosa, dài...

– Come sarebbe che te ne fai! Ti fai una casetta, il mare è bello da queste parti.

– Le conosco queste parti Mimmí, non piú tardi di cinque anni fa a questa povera gente gli abbiamo tolto di mezzo le zanzare.

– Guarda che ti stai sbagliando, qui le cose cambiano in fretta, la gente adesso ha bisogno di cose che non sembrava nemmeno esistessero poco tempo fa... Ho amici sindacalisti che dicono che al Nord, in Gallura, c'è già movimento di continentali, anche stranieri, che comprano al mare.

– E lasciali comprare. Se torno a casa e dico che ho buttato centomila lire per un pezzo di pineta jaju Michele Angelo non mi fa nemmeno entrare.

– Pensaci Vincé... Mí che te ne penti, te lo dico io...

– Ma tu che dici tanto, Mimmí, comprato te lo sei un lotto?

– Eh, magari mi compro proprio questo.

Vincenzo lo fissò a lungo, finché quell'altro non cominciò a guardare per terra come a cercare qualcosa. – Io un fratello non ce l'ho mai avuto, Mimmí... Tu sei mio fratello. E allora lasciatelo dire: è piú urgente che ti trovi una brava ragazza, lascia stare questa roba...

Mimmíu sorrise con la bocca un po' storta, poi si accese una sigaretta. Aspirò con gusto, era un pomeriggio esaltante perché l'umore dei pini dava alla brezza una consistenza sciropposa e pareva di berla quell'aria. Il mare poco piú in là sembrava una pezza di raso appoggiata sul tavolo del sarto pronta da sagomare, e la sabbia una manciata di cenere compatta. – Le brave ragazze sono finite Vincé, – constatò con una certa amarezza. – Ah, indovina chi si è sposato a Sassari? – Aspettò qualche secondo per lasciare a Vincenzo il tempo di tentare una risposta. Poi, vedendo che non arrivava: – Il parente tuo, Nicola Serra-Pintus, sistemato all'Ispettorato agrario senza nemmeno un titolo di studio. Eh?

A Vincenzo scappò da ridere. Ancora qualche tortora ritardataria si lamentava tra i rami dei pini. Gli aghi secchi a terra facevano soffice la superficie sabbiosa. Dal mare arrivava un sospiro lentissimo come l'agonia di un moribondo. – Cecilia è incinta, – rivelò a un certo punto. – Non lo sa nessuno, abbiamo deciso cosí. Lo sai tu, adesso... e il medico, si capisce...

A Mimmíu, istantaneamente, tremò il labbro inferiore. Trattenne il respiro come se si trattasse di controllare l'incontrollabile, strinse le palpebre fino a sentire la pressione dei bulbi oculari che cercavano di impedire lo sgorgare delle lacrime. Quindi riprese il controllo di sé, avanzò verso l'amico e lo strinse affondandogli la testa sul collo: – Sí, sí... – ripeteva. – Ben fatto!

Allo scadere del quinto mese dovettero annunciare la gravidanza. Innanzitutto perché cominciava a vedersi, poi perché si entrava nella fase critica, quella cioè che aveva provocato l'aborto precedente. Come si sentisse Cecilia è difficile da dire: non pareva ansiosa, ma nemmeno fiduciosa. A chiunque le chiedesse come si sentiva lei rispondeva che si stava preparando al momento in cui il medico avrebbe emesso l'ordine di stare permanentemente a letto, per impedire alla sua cervice lasca di rigettare il feto. Erano questi i frangenti in cui appariva docile come non era mai stata, disposta persino a sopportare l'inserimento di un anello metallico per tenere ben serrato l'apparato. Tuttavia si sentiva smarrita come se non capisse per quale motivo il suo corpo tendesse a rigettare qualcosa che lei desiderava in modo cosí spasmodico. Non era certo la paura che Vincenzo smettesse di amarla ad aumentare la sua angoscia. Sapeva bene che lui non conosceva la parola scoraggiamento, e sapeva bene che l'avrebbe accettata comunque, anche se fosse stata arida come terra desertica. Era stata fortunata a trovare quell'amore, e lui pensava esattamente l'opposto. Ma quello che era atroce veramente era la paura di avvertire qualche sintomo a cui la volta precedente per ignoranza non aveva dato peso. Il dolore continuo ai lombi per esempio. Era iniziato cosí anche l'altra volta? E la sensazione di torpore alle gambe se stava seduta troppo a lungo? E quella vaghezza di pensiero che le confondeva lo sguardo? O la sete notturna? O i bruciori di stomaco? Era tutto che tornava oppure no?

Tre mesi trascorsero nell'immobilità piú assoluta. Fuori aveva cominciato a nevicare piano, ma con ostinazione. Si diceva che l'intera nazione fosse attanagliata da un gelo mai visto, e sentito, prima. A Núoro nevicò ininterrottamente per due settimane. La temperatura era calata fino a nove, dieci gradi sotto zero. Una pace sovrana, un'immobilità assoluta governava ogni cosa. Tutta la vita si era assoggettata alla dittatura candida. Si dovettero chiudere scuole e uffici. Mai, a memoria d'uomo, si ricordava una nevicata del genere. Era in assoluto la prima volta che Cecilia vedeva la neve. Dalla finestra della sua camera poteva assistere allo spettacolo muto dei fiocchi che si accumulavano sul davanzale, e delle piccole stalattiti di ghiaccio che pendevano dalle grondaie. Passata l'euforia che aveva fatto uscire tutti dalle case per ritornare bambini si era scivolati nello stupore e nella quiete. I temerari che si avventuravano per strada dovevano superare cumuli alti fino a due metri. Dal caldo delle coperte Cecilia cominciò a temere che quel silenzio non sarebbe passato mai. E cominciò a temere che sarebbero rimasti prigionieri di tutta quella abbacinante chiarezza che faceva brillare persino le notti senza luna.

Vincenzo aveva fatto installare un telefono, e ne aveva fatto installare uno anche nella casa del nonno. Perché ci fosse sempre modo di restare in contatto.

Per Marianna il telefono in casa era un ritorno all'antico. Lei a Cagliari l'aveva avuto già nel '28, e sembrava una vita.

Perciò, mentre guardava gli operai che collegavano i fili e provavano l'apparecchio, le era capitato di pensare che la sua cattività aveva significato in qualche modo tornare alle origini. E che tornare alle origini era stato il suo sistema per salvarsi. Era passata da moglie e madre a figlia in un attimo. Era bastata una pioggia di piombini in piena faccia contro Biagio, suo marito, e un pallettone vagante nella fronte di Dina, la sua piccola...

Ora tutta quella neve là fuori la immalinconiva, la teneva inchiodata ai ceppi crepitanti del camino, senza farle desiderare nient'altro che quel silenzio non finisse mai. Nella cucina regnava una quiete assoluta. Michele Angelo si era fatto un sentiero attraverso il cortile dalla porta d'ingresso a quella dell'officina e se ne stava a costruire alari alla fiamma della fornace.

Quando Dina si sedette accanto a Marianna allungando le manine per scaldarsele lei la rifiutò d'istinto, tentò di scacciarla da sé per impedirle di parlare. Dina guardò la madre come se volesse rimproverarla, ma lei si era già alzata in piedi e ora si tappava le orecchie. Fuori dalla porta finestra il sentiero segnato poco prima da Michele Angelo era già coperto dalla neve fresca che continuava a cadere. Una certezza tremenda fece la tana nella testa della donna, ma lei ancora la spingeva dove fosse impossibile considerarla. Si sentiva debole, sola, triste. Provò ad accarezzare l'ipotesi di uscire per raggiungere la casa di Vincenzo. Poi si voltò verso il camino e vide che Dina non si era spostata, aveva capito che era inutile parlare. Da dove veniva lei le parole non occorrevano quasi mai.

Cosí provò a ragionare sul modo in cui poteva raggiungere via Deffenu. Forse indossando un paio di calzoni da campagna di suo padre, sempre ammesso che con le sue forze riuscisse ad aprire il portale del cortile quanto occorreva per spingersi fuori. E sempre ammesso che, una volta fuori, riuscisse ad avanzare in mezzo a tutta quella schiuma gelida che aveva invaso ogni cosa.

Fece quello che doveva fare, e siccome Dina non si opponeva si convinse che fosse la cosa giusta. Trovò i pantaloni adatti e anche un paio di scarponi troppo grandi per lei, che andavano infilati con almeno tre paia di calze di lana. Quando fu pronta

per uscire pensò che sarebbe stato meglio avvertire il padre, poi
si disse che prima doveva chiamare Vincenzo. Ma non appena
si mise la cornetta all'orecchio capí che anche per quella via la
strada era ostruita. Cosí decise di scrivere un biglietto, in cui
spiegava a Michele Angelo che era dovuta uscire e che nel forno c'era la cena pronta.

Vincenzo riattaccò la cornetta del telefono sbattendola sulla forcella. Il maltempo aveva interrotto le comunicazioni. Cecilia dormiva da almeno due ore. Un sonno accidioso da cui
sembrava impossibile risvegliarla. Ci aveva provato tre volte, e
per tre volte lei aveva protestato fin quasi a infuriarsi. Sotto le
coperte il suo corpo s'immaginava tiepido, dolce, meraviglioso e lievitato. Quel ventre teso, la vita che vi si stava formando all'interno, era il centro di tutti i suoi pensieri. Ma Cecilia
non si svegliava. Era pallida, aveva le labbra un po' contratte.
Ci riprovò: – Amore, – le sussurrò il marito. – Amore –. Lei
fece una smorfia, cercò di aprire gli occhi, ma inutilmente. Lui
tentò di afferrarla per le spalle, in modo da aiutarla a sollevarsi
leggermente, senza farle male, ma lei si oppose con una forza
impensabile. Vincenzo era troppo sorpreso per spaventarsi. In
un'altra vita, anni dopo, ripensando a quel momento, si sarebbe detto che era stata incoscienza. – Amore, – ripeté alzando la
voce. Quindi si voltò verso il corridoio dove era stato piazzato
il telefono. Lo raggiunse, prese a comporre il numero del dottore che conosceva a memoria; ritentò piú volte, nonostante si
rendesse conto che era un'azione del tutto inutile.

Oltre le finestre l'orgia del silenzio, la glaciazione annunciata, raggiungeva il suo apice. Da quel bianco sarebbe stato assolutamente impossibile tornare indietro. Vincenzo cominciò a
non controllare piú tanto bene il respiro. Un dubbio sottile gli
stava crescendo dentro, con lo stesso andamento lieve e ostinatissimo di quei fiocchi di neve che non cessavano mai di cadere. Raggiunse Cecilia con terrore, lentamente spostò le coperte
e vide quello che temeva sopra ogni cosa. Perciò la ricoprí e si
disse che tutto ciò non poteva essere, che era davvero crude-

le che quella natura maledettissima avesse progettato tutto per impedire un aiuto per suo figlio.

Era in piedi in mezzo alla stanza da letto. Cecilia continuava a dormire corrucciata come se stesse facendo un brutto sogno. Sentiva come un bisogno di gridare, ma era trattenuto dal timore che anche Cecilia capisse che cosa stava capitando, o era già capitato. Cadde a sedere sul tappeto, ma solo per costringersi a pensare meglio e in fretta, per cancellare ogni dubbio, per consolidare ogni certezza, per ricordare ogni ricordo, per lamentare ogni dimenticanza, per definire la sostanza delle cose, per consolarsi di ogni dolore, e pregare ogni preghiera. Così si accorse che, nonostante la sua vita, non aveva mai davvero imparato a pregare, e capí che era imprigionato in una farsa senza costrutto. Si rivide bambino all'ultimo banco, quello con l'inginocchiatoio senza cuscino, s'intenerí per il dolore alle rotule che accettava di subire pur di non stare nei primi banchi. Ricordò lo sguardo tagliente di padre Vesnaver quando lo invitava a pregare come sapeva e basta. Così ai piedi del letto, dove sua moglie dormiva un sonno innaturale e dove con ogni probabilità stava capitando il peggio senza che nessuno potesse fare niente, Vincenzo cominciò a biascicare l'unica preghiera che avesse mai imparato:

> Pare nostro che te sta in zel
> che fussi benedido el tu nome
> che venissi el tu podèr
> che fussi fato el tu volèr
> come in zel cussí qua zo.
> Mandine sempre el toco de pan
> e perdònine quel che gavemo falà
> come noi ghe perdonemo a chi che ne ga intajà.
> No sta mostrarne mai nissuna tentazion
> e distríghine de ogni bruto mal.
> Amen.

Il silenzio che seguí era tremendo, senza alcun rimedio.
Poi Vincenzo sentí bussare.

Non si sa come ma Marianna, vestita in modo irriconoscibile, è riuscita ad arrivare fino alla casa del nipote ed è persino riuscita a trascinarsi dietro il medico, non meno coperto di lei. Quando entrano in casa sono due ammassi informi di abiti e sciarpe. Una volta fuori da quei bozzoli si fanno condurre da Vincenzo alla camera da letto dove Cecilia dorme ancora. Il medico sente il polso e la temperatura, ma Vincenzo ha fretta di sollevare le coperte perché vedano quello che ha visto lui.

Quello che ha visto lui è sangue, non tanto, appena un cenno, un filo che ha attraversato il tessuto sottile delle mutande e ha sporcato il lenzuolo. Il medico prende a toccarle la pancia e ci mette pochissimo a capire.

– Dobbiamo svegliarla, – dice guardando solo Marianna. Lo sguardo di Vincenzo lo rifugge. – E occorre dell'acqua calda, – aggiunge.

Marianna, che ha capito piú di quanto vorrebbe, gli fa comunque una domanda muta, sollevando il mento. E il medico risponde scuotendo appena appena la testa perché Vincenzo, che sta correndo a prendere l'acqua dal serbatoio della stufa economica in cucina, non si accorga che non c'è piú nulla da fare. Si capisce che il punto è farle espellere il bambino morto e bisogna farlo con quello che c'è in casa, perché di portarla fuori con le strade in quelle condizioni non se ne parla.

– Non pensavo, non pensavo proprio, – sussurra il medico.

Intanto Vincenzo arriva con un catino fumante. Ora che non

è piú solo pare volenteroso e pieno di aspettative. Lui sa bene, da qualche parte dentro di sé, che la reticenza del medico, quel suo particolare sottrarsi, non promette niente di buono, ma si dice e si ripete che non bisogna pensare al peggio, che l'impossibile si è concretizzato solo per il fatto che la zia è riuscita ad arrivare fin lí...

– L'acqua, – annuncia.

Il medico sta chiamando Cecilia per nome, la sta schiaffeggiando piano. – Cecilia, su da brava, svegliati...

Ma è come se quel sonno la salvasse, come se lei lo ritenesse fondamentale per la sua vita. – No! – ruggisce lei sentendo che il dottore, a differenza di Vincenzo, non si arrenderà. E quel «no» è emesso con la voce di qualcuno che ha voluto fare uno scherzo: che sia stata lucida da sempre e abbia fatto finta fino a quel momento?

– Dobbiamo procedere Cecilia, – insiste il medico. – Da quando è successo? – chiede.

Vincenzo lo osserva perplesso, avanza come se di fronte a lui ci fosse una scogliera altissima, Marianna si chiude la bocca per bloccare la pena che vorrebbe uscirle dal corpo. Allunga l'altra mano per toccare il nipote mentre passa.

– Il feto non ha battito, – spiega il medico, finalmente guardando Vincenzo negli occhi. – Ho motivo di credere che sia... morto da ore, direi, – chiarisce.

– Ma non mi sono mosso da qui, – si giustifica lui, quasi che il medico l'avesse accusato di qualcosa. – Oh, morto? – domanda poi.

Il medico fa segno di sí, non deve essere uno di quelli che si lascia andare, ma il viso di Vincenzo è talmente addolorato che per un istante anche il suo sguardo sembra incrinarsi. – Non possiamo tenerlo là dentro, – dice modulando la frase in modo che non sembri definitiva. – Bisogna farla partorire prima che diventi nocivo per la madre.

– Nocivo, – ripete Vincenzo.

– Sí, prima che gli anticorpi non comincino a classificarlo come corpo estraneo. Se la sente? – chiede l'uomo rivolgendosi a Marianna.

– Perché dorme? – insiste Vincenzo.

– Perché l'ha capito, – risponde il medico.

Il dolore del mondo ora è una donna assopita, intorno a lei la quiete assoluta nel lutto bianchissimo della terra. Lo stupore dei rami che devono saggiare la loro resistenza. L'oscurità tombale del seme che anela alla luce tramite il germoglio. È una compieta dimessa, quasi una preghiera sussurrata, questa liturgia del dolore rifiutato...

Era un maschio di quasi due chili. Vincenzo chiese di vederlo, ma Marianna gli si inginocchiò davanti come se fosse san Francesco reincarnato perché rinunciasse.

Erano le sei del mattino e gli occhi di Cecilia erano spalancati. Ora si guardava intorno come se avesse qualcosa di molto serio da dire. Eppure taceva. Non voleva essere toccata. Non voleva che Vincenzo la toccasse. Fu accompagnata all'ospedale per un nuovo raschiamento e non volle che il marito la seguisse.

Dieci giorni dopo Cecilia poté tornare a casa. A Marianna che era andata a prenderla disse che voleva camminare, tanto erano davvero due passi. Cosí lentamente, ben coperte, si avviarono. L'aria era rimasta gelida, invitava a parlare poco.

– Vincenzo? – domandò Cecilia.

Marianna scosse le spalle, Cecilia sapeva che non era certo una a cui scappassero di bocca parole inutili. – Ha dormito a casa in questi giorni, – si limitò a informare come se non avesse capito che la donna aveva chiesto perché suo marito non si trovasse lí. – Come ti senti? – chiese constatando che Cecilia rallentava fino a fermarsi.

– Sto bene, – rispose l'altra puntuta. – Vincenzo? – domandò di nuovo, con piú precisione questa volta.

– I maschi si prendono paura di queste cose, – sentenziò Marianna. – Non è stato un buon periodo per lui.

– Ah no? – ironizzò Cecilia. – Io ero in vacanza, invece.

– Era meglio se venivo io, voleva venire lui, ma era meglio di no.

– E perché? Perché lui è troppo sensibile? Poverino. Bene, allora diteglì che non si faccia vedere nemmeno a casa.

– Figlia, – prese tempo Marianna. – Le cose prese in questo modo peggiorano, lasciatelo dire. Non state facendo una cosa ben fatta: nessuno dei due. Quando è successo quello che è successo, e tu gli hai detto che non volevi che venisse in ospedale, è quasi impazzito.

– E io? – Piú che una domanda sembrò un'esclamazione. Marianna guardò Cecilia. – E io non sono quasi impazzita, eh?

– È quello che volevo dirti, figlia mia, i mariti alle volte sono peggio dei figli, peggio...

– Mi perdonerete se non ho avuto modo di fare confronti, – tagliò Cecilia. Poi riprese a camminare piú veloce, tanto che Marianna fu costretta ad accelerare per starle dietro.

La casa era straordinariamente in ordine, senza un angolo, una fessura che fosse stata trascurata, esattamente come sapeva fare Marianna, pensò Cecilia. E, pensò subito dopo Cecilia, per l'intero periodo del suo ricovero Marianna aveva potuto fare in modo che tutto tornasse come prima, quando Vincenzo era solo suo nipote e quella casa era solo sua.

– Ti preparo il letto, – disse Marianna.

– Sto bene, – rispose Cecilia, mettendosi a sedere.

– C'è abbastanza caldo? – incalzò quell'altra.

– Va bene.

Il pomeriggio sembrava un cencio sporco, aveva smesso di nevicare e tutto il candore si mischiava alle miserie del mondo: allo sterco delle bestie, alle foglie marce, alla terra battuta, al fango, alle impronte nere... Le due donne restarono sedute l'una di fronte all'altra, come vedove sospiranti davanti alle lapidi dei coniugi.

Quando si sentí la porta aprirsi Marianna ebbe un sussulto. Cecilia non si mosse.

Vincenzo aveva l'aspetto di uno che si fosse appena svegliato da un coma. Sul viso gli si leggevano i segni di un sonno artificiale. Certo, come gli aveva ordinato Marianna, era sbarbato e ben vestito, e portava persino dei fiori.

– C'hai gli occhi gonfi, – si limitò a dire Cecilia.

Lui per reazione abbassò la testa e un ciuffo compatto, imbrillantinato, si staccò dalla massa perfettamente liscia dei suoi capelli. Ora sentiva tutto l'imbarazzo di trovarsi lí con quei fiori in mano. – Ho portato questi, – disse agitando il mazzetto.

– Sí, – confermò lei, senza la minima intenzione di aiutarlo a sentirsi a suo agio.

Tacquero. La luce si stava affievolendo oltre i vetri e quel pomeriggio, senza preavviso, stava diventando sera.

Cosí Marianna si levò in piedi. – Io è meglio che vada, – annunciò. – Che babbo poi si preoccupa.

Uscí senza che nessuno le rispondesse.

Una volta solo con la moglie, Vincenzo si arrischiò a posare i fiori sul tavolo. – Se hai fame, c'è tutto pronto, – disse.

Cecilia continuò a fissarlo, fin da quando era entrato non gli aveva staccato gli occhi di dosso. – Hai bevuto, – constatò semplicemente, senza incertezze.

Vincenzo fece sí con la testa come un bambino colto in fallo.

– Io posso sopportare tutto, – disse lei alzandosi. – Tutto, – ribadí. – Ma non gli ubriaconi.

– Scusa, – uggiolò Vincenzo seguendola in cucina.

Ma come se si fosse imposta di tornare alla normalità a tutti i costi, Cecilia prese ad apparecchiare la tavola. – Troppi ne ho visti di alcolizzati dove lavoro, e ho visto le mogli e anche i figli. Soprattutto i figli, ho visto!

– Non sono un ubriacone, – tentò lui. – Mi sentivo confuso.

– E bevi? – lo aggredí lei.

– È successo, va bene?

– Non sei venuto in ospedale un solo giorno!

– Tu non mi volevi!

– Io cosa?

– Tu non mi volevi!

Cecilia lo guardò davvero impressionata. – Ma chi sei? – chiese. – Che cosa sei? Che razza sei! Io non ho piú una famiglia per colpa tua, e tu ti permetti di dire queste cose!

Non si può dire che Vincenzo mentisse mentre guardava la moglie seriamente disorientato. – Credi che per me sia stato facile? – domandò, ma come per riempire un vuoto.

A Cecilia scappò una risata preoccupante. – Siamo a posto cosí: scusa se sono stata ricoverata mentre tu stavi passando un brutto momento.

– Non volevo dire quello, – cercò di tamponare lui.

– Guarda, è meglio che stai zitto. Zitto, capito? – Vincenzo stava per replicare, ma la moglie ancora una volta lo precedette. – Zitto!

Lui la fissò allibito perché tutto si sarebbe aspettato, ma non quella rabbia, quel livore. Sapeva che non sarebbe stata una passeggiata, ma non avrebbe mai pensato che sarebbe stato cosí difficile. Cosí quando lei gli intimò di nuovo di stare zitto, e lo fece andandogli incontro e puntando al cielo l'indice, lui ricacciò dentro qualunque risposta, tentò di sferrare un pugno al tavolo poi abbandonò la cucina.

Cecilia lasciò andare le lacrime che stava trattenendo da troppo tempo solo quando sentí sbattere la porta d'ingresso.

Alle tre di notte osò telefonare a Mimmíu. E gli spiegò che Vincenzo non era tornato. L'altro le disse di non preoccuparsi, che aveva fatto bene a chiamare e che sarebbe uscito lui a cercarlo. E che appena l'avesse trovato avrebbe richiamato.

Richiamò mezz'ora dopo. Tutto a posto, Vincenzo lo portava a dormire da lui.

Il pomeriggio seguente Vincenzo aspettava la moglie fuori dall'onmi. Non si era nemmeno cambiato. Lei lo raggiunse come sempre. Non si salutarono, ma si guardarono come si guarda il proprio destino, qualcosa da cui non si può piú tornare indietro. Era come se un sasso lanciato casualmente avesse intaccato il punto sensibile di un vetro. Dicono cosí, no? Che esista un punto preciso attraverso il quale è possibile frantumare in un secondo anche i vetri piú solidi.

– Non ci potevo credere che eri già tornata a lavorare, – disse lui.

Lei non rispose. Si avviò, lui la seguí un passo indietro. Ora pareva esattamente che un puntale infitto con forza avesse fatto correre una ragnatela di crepe su una superfice ghiacciata. Arrivarono fino a casa. Entrarono. La cucina era in disordine come la sera prima quando lui l'aveva lasciata.

Ecco, pensò Vincenzo, quanto poco ci vuole a rovesciare il mondo. – Che cosa facciamo? – domandò.

– Fai quello che vuoi, – disse lei.

Senza preavviso lui l'abbracciò da dietro. Lei si divincolò come se fosse l'ultima cosa che desiderasse. – Tu non mi tocchi piú, – disse. – Ti ho preparato il letto nell'altra camera.

Al disgelo seguí la certezza che sotto al lenzuolo bianco, che aveva nascosto ogni cosa per quasi un mese, ci fosse il colore. Era stato come aerare una stanza disabitata da tempo, liberare il mobilio dai teli candidi che lo ricoprivano. Era stato un pallore mortale che via via si stemperava lasciando percepire l'epidermide, facendo vedere il rossore.

Il terreno saturo spurgava dalle fonti. La campagna germogliava riconoscente. Giunse un tepore precoce e qualche mandorlo si fece ingannare, indossando troppo presto l'abito fiorito.

Quel marzo fu come l'euforia dopo il lutto.

Fu come una consolazione dopo il terrore.

Vincenzo e Cecilia si adattarono alla loro nuova vita, fingendo che anche loro facessero parte di un meccanismo temporaneamente interrotto che ora tornava alla normalità.

Lei, smagrita ma forte, continuò col suo lavoro, dove per contrappasso le capitava di occuparsi di bambini nati in famiglie talmente in difficoltà da aver desiderato piuttosto di non averli. Sicché li consegnavano alla pubblica assistenza. Erano figli di madri povere e padri assenti, o alcolisti, o semplicemente ignoranti. Quel lavoro anziché rattristarla, per una qualche sconosciuta ragione, l'aiutava. Forse perché le permetteva di non rimanere in casa, forse perché riusciva a trovare consolazione in quella maternità differita.

Quanto a Vincenzo, neanche a lui sembrava sorridere piú

di tanto l'ipotesi di tornare a casa dopo il lavoro. Aveva preso l'abitudine di far tardi, e spesso gli era capitato di alzare il gomito piú del dovuto. Non era raro ormai che qualcuno lo segnalasse nel bar tale o nella bettola talaltra perché se lo andassero a prendere per portarlo a dormire, visto che con le sue gambe non sembrava in grado di farlo. E piú di una volta Mimmíu o Marianna stessa avevano dovuto fare il giro delle sette chiese per capire dove si fosse sbronzato.

Che cosa lo spingesse a reagire in quel modo era chiaro, sarebbe stato chiaro a chiunque avesse avuto un po' di compassione. Ma la compassione è un sentimento a termine. Perciò si mutò ben presto in riprovazione.

Vincenzo Chironi aveva avuto tutto, questo si diceva. Si era frantumato per l'unica cosa che non era riuscito a ottenere, e ciò non aveva niente a che fare con l'essere uomini. Bello com'era si stava trasformando: ventre gonfio, occhi pesti. E andava stempiandosi.

A casa sua non voleva tornarci, non in coscienza, ecco perché beveva.

Non aveva la sbronza violenta, piuttosto si sarebbe detta malinconica. Nessuno temeva che, depositato davanti al portone, una volta rientrato, picchiasse la moglie o cose simili. No, messo piede nel suo appartamento coniugale assumeva un contegno con cui pareva voler dimostrare di essere in assoluto padrone di sé, solo barcollava appena, e aveva una contrazione particolarissima delle dita della mano destra, dalla quale si poteva capire quanto si stesse controllando per apparire sobrio.

Cecilia non gli diceva niente, spesso gli faceva trovare la cena ormai fredda sul tavolo, che lui, nella maggior parte dei casi, evitava.

Eppure il lavoro procedeva, sostanziando in tutto e per tutto la maledizione dei Chironi che dovevano soffrire nell'abbondanza.

Infatti per quanto fosse inaffidabile di sera, dopo due o tre bicchieri di troppo, Vincenzo era perfetto al mattino, acuto ed efficiente. E mai una volta aveva mancato di andare a prendere sua moglie fuori dall'ONMI alle sedici e trenta di ogni santo giorno, perché anche chi sapeva vedesse che comunque loro erano una cosa sola.

Un modo strano di amare, dicevano tutti. Poi, quando si passò dalla comprensione alla contumelia, gli stessi pensarono che quella bestia sapeva recitare molto bene la parte del marito attento.

Ma ci furono periodi in cui lui riusciva a mantenere fede al giuramento quotidiano di smettere di bere. E quei periodi corrispondevano agli entusiasmi di nuove intraprese. La costruzione di un'officina in un terreno agricolo poco fuori città, per esempio. Uno spazio ampio attrezzato con tutti i macchinari di ultima generazione, e lavoro per venti operai. Vincenzo era il primo dei Chironi che si era occupato dell'impresa di famiglia senza aver mai dovuto prendere un martello in mano. Era quello che poteva definirsi un padrone onesto. Un uomo retto.

E aveva in corpo un dolore inestinguibile.

Parte terza
24 dicembre 1959

Il mio mondo era in frantumi
come se un verme lo avesse corroso.

NOVALIS, *Tra le mille ore felici...*

Tempora

Tre anni dopo avvenne quello che avvenne.

Era stato un periodo relativamente calmo, la vita sembrava rientrata in una forma di tregua perenne. Vincenzo aveva compiuto quarantatre anni, Cecilia trenta. Mimmíu aveva trovato Ada, una moglie con un nome semplice, che nel maggio del 1958 l'aveva reso padre. Marianna, solida come una roccia, continuava a parlare con i suoi morti. Michele Angelo entrava nei suoi ottantanove anni.

Le cose cambiarono senza che nessuno avesse voluto, o potuto, far nulla per fermarle.

Furono tempi esigui.

Cristo e i mercanti

C'è una frenesia contenuta oltre le finestre. Vincenzo Chironi sta indossando un soprabito, fuori si sta preparando un Natale talmente tiepido che pare non ci sia bisogno del cappotto. Il soprabito è autunnale, cade sulle spalle come un incoraggiamento discreto, non è l'abbraccio solenne e protettivo del cappotto. Comunque Vincenzo è pronto per uscire ma non è troppo contento, è stato fuori tutto il giorno, è stanco. Però ha ancora qualcosa da comprare per il cenone, qualche regalo rimasto indietro, e poi Cecilia da andare a prendere. È stata dal parrucchiere fin dal primo pomeriggio per la permanente, ma gli ha lasciato una lista di cose «da concludere», come ha detto per significare che il piú era già stato fatto da lei, e ora se si concedeva qualche ora dal parrucchiere se lo meritava proprio, no?

Anche per guidare la Millecento il soprabito è meglio del cappotto, molto meglio. Ma Cecilia non fa in tempo a salire in macchina, con in testa un arzigogolo da matrona romana, che subito chiede a Vincenzo se non abbia freddo con solo quello addosso. Il che significa che non approva la sua scelta, e anche che per quanto lei si sia sempre sforzata di fargli avere un aspetto decente tuttavia non appena lo si perde di vista lui ritorna lo sciatto che era.

– Che «ero» quando? – chiede Vincenzo guardando il corso cittadino luccicante.

– Quando ti ho conosciuto, – risponde lei scrutando l'effetto dello smalto per unghie che la manicure le ha messo poco prima.

Il grande abete addobbato nella piazza davanti alla nuova chiesa delle Grazie ha crisi di brillante epilessia. Chissà, pensa Vincenzo, di quale foresta faceva parte quell'albero. E prova a calcolare in quanti anni cresca un abete di quelle dimensioni. Piú vecchio di me, stabilisce.

– Preferirei, – inizia la moglie dopo aver guardato in silenzio il viale che scivola sotto ai copertoni dell'auto. Quasi si sente la strada scorrere al contrario a sessanta centimetri dalle suole delle loro scarpe e le gomme che ragliano. – Preferirei, dunque... – Poi pausa.

Vincenzo nemmeno toglie la faccia dal parabrezza: – Che cosa preferiresti? – chiede un po' secco.

Cecilia sospira. – Quando arrivano Mimmíu, la moglie e il bambino, Vincenzo, fai uno sforzo, – dice tutto d'un fiato.

Poi basta.

Il Natale è una sordida accozzaglia di vetrine, un torbido svolazzare di smancerie. Che tutti sorridono a se stessi. Oh sí. A Natale si vorrebbe essere talmente forti da non lasciarsi imprigionare nel vischio dell'affetto a comando, nel miele della bontà periodica. Neanche le permanenti a Natale dovrebbero essere permesse, e nemmeno le mogli troppo mogli.

Arrivati a casa a Vincenzo viene in mente l'avvertimento della moglie. – Passo la vita a fare sforzi, Cecilia, – dice infatti, cosí, al nulla. E nient'altro. Per lui la notte della vigilia significa solo che non può indossare le pantofole, né strapparsi dal collo la cravatta.

Sono le sette di sera. E il rammarico alle sette di sera ha il sapore dolciastro e amaro di un vecchio sciroppo alla noce. Come se la bocca dello stomaco per una volta ingoiasse una biliosa malinconia dimessa.

E poi c'è Michele Angelo che ha quasi raggiunto i novant'anni, che non vuole muoversi da casa sua e fa impazzire Marianna. Si è fatto testardo nel tempo, e si rabbuia ogni volta che pensa che la sua longevità non sia nient'altro che una sottile vendetta di chi vuole che lui assista alla fine esatta della sua stirpe. Ora, protetto dall'età, guarda male persino Vincenzo che non si è dimostrato all'altezza. Marianna s'infuria tutte le volte che lui dice queste cose e lo minaccia di chiuderlo in un ospizio. A Vincenzo fa specie l'idea che suo nonno debba passare la vecchiaia in un posto dove c'è un Natale perpetuo di finto, e interessato, affetto. È l'unico a credere che Marianna parli sul serio.

– Non è che prima o poi lo fa davvero? – dice appendendo il soprabito all'attaccapanni.

Cecilia scuote la testa: – Eh, – dice, – povera donna, avrebbe bisogno di qualcuno che si occupi di lei, non è piú una ragazzina... Hai preso qualcosa per l'ingegnere?

– Un dopobarba, – risponde Vincenzo, soprappensiero. – Davvero pensi che possa farlo?

– Ma no, figurati, – taglia lei.

– Ai bambini ci hai pensato tu? – chiede lui improvvisamente. Si riferisce al figlio di Mimmíu e alle gemelline, figlie della cognata.

Cecilia fa cenno di sí mentre va in cucina.

Lui la guarda andar via come fosse l'ombra di Euridice che sparisce nel buio del corridoio infernale. Ha la consapevolezza di essersi infilato in una vita stretta. Sembrano passati millenni da quando pensava che sarebbe morto se non poteva sentirla vicina. Eppure è assolutamente sicuro di amarla quanto l'amava allora, solo il come è cambiato. Sono entrati in un'abitudine calda, non belligerante, che ha facilitato le cose. Si potrebbe dire che hanno affrontato con intelligenza il loro problema, senza affrontarlo. Semplicemente di figli non se ne parla piú. E non si parla piú di alcuna intimità. Ma questo in fondo non significa certo che abbiano cessato di amarsi, è solo che si amano diversamente. Anche di piú. O, forse, non piú.

Comunque la tavola è apparecchiata a puntino nel tinello, con le stoviglie tutte uguali e i piatti piani, e fondi, e da antipasto, e anche i calici da vino e i bicchieri per l'acqua e i flûte per il prosecco – da parte, sul mobile in cucina, le coppe per lo spumante – e anche la tovaglia rossa con i tovaglioli messi a ventaglio.

Michele Angelo, vestito come se dovesse essere ricomposto da un momento all'altro, maledice, fra sé e sé, Marianna che l'ha azzimato come un damerino. Entra in casa facendo la vittima: troppa strada, troppe scale e poi lí non ha le sue cose. C'è una poltrona per lui davanti al camino.

Ora che ha tolto l'apparecchiamento dalla testa i ricci di Cecilia sembrano una pila di piccoli cannoli alla crema, ma è sempre bella.

A Mimmíu pesa soprattutto il pensiero di dover fare confronti. Lui lo sa che anche senza volerlo durante tutta la cena sarà un rimuginare sull'essere genitori, o sul non esserlo. Vincenzo e Cecilia sono due persone per cui farebbe di tutto, eppure l'idea di festeggiare da loro portando il bambino lo mette a disagio. Per fortuna che Domenico è un bambino calmissimo. Alla moglie Ada non dice niente di tutto questo, si è fatto un punto d'onore d'esser sempre franco con lei, ma su «tutto questo» tace, perché non ha le parole adatte. Lui, al sindacato, con le parole ci campa. Quando deve dire a un avventizio che non verrà riconfermato alla fresatrice e gli vede nel volto un dolore quasi allegro; quando deve dire alla segretaria di un'azienda che la gravidanza è un ostacolo e le legge nelle labbra un insulto impronunciabile e mai detto; quando deve allargare le braccia per rispondere a chi glielo chiede che quel lavoro qualcuno deve pur farlo; quando ritira la gratifica natalizia e deve trovare ogni anno le parole giuste per mostrare la sua gratitudine.

Niente al mondo spaventa Ada come la povertà. Niente, proprio niente le fa la stessa paura. In parrocchia per esempio, quando chiedono le offerte per i bambini africani che non hanno da mangiare lei pensa che non è una buona cosa parlare di queste miserie in chiesa, specialmente sotto Natale che Natale è poesia, è infanzia, è caminetto crepitante, è piumino d'oca e camicia da notte di flanella, Natale è il cenone della vigilia…

– Mi raccomando Mimmí, – sussurra Ada mentre si allaccia la fibbia di una scarpa. Sembra una gru sghimbescia: piuttosto che piegarsi in avanti per chiudere la fibbia, sottile e lucida come l'aspide di Cleopatra, solleva la gamba verso l'esterno.

Lui si strofina il petto con un asciugamani.

– Mi raccomando con l'ingegner Bernardi, – ripete temendo che lui possa imbarcarsi come al solito in una discussione politica.

Mimmíu, per tutta risposta, le accarezza una natica con la mano piena. – Dài, smettila, – dice lei. – Sei ancora cosí? – chiede. – Preparo Domenico, sbrigati e non mettere la camicia grigia che col completo marrone sta male, – ciarla mentre raggiunge la camera del bambino. Mimmíu, frustrato, si guarda l'erezione.

Lui volentieri starebbe a casa a fare l'amore, ma Ada pensa che non sia una bella cosa parlarne, nemmeno pensarci al sesso a Natale, che Natale è candido e verginale, Natale è casto come una novizia, Natale è coccole da orsacchiottino...

Dentro alla divisa del maschio ultratrentenne arrivato, dentro all'involucro del giovane padre e marito, Mimmíu si sente come gli pare consono sentirsi. Lui non lo sa se star bene significhi veramente fare quel che si vuol fare o fare quello che si deve fare. Ma gli piacerebbe saperlo, e un giorno poterlo insegnare a suo figlio.

Quando esce di casa non pensa al Natale là fuori. Chiudendo la porta mentre Ada chiama l'ascensore col bimbo in braccio, pensa all'appartamento tutto pagato che stanno, momentaneamente, lasciando.

– Certo Mimmíu non pare un padre troppo affettuoso, ma è la sua natura, – commenta Vincenzo quando gli ospiti stanno per arrivare.

Cecilia lo guarda malissimo: – Com'è che ti è venuta in mente questa cosa?

Vincenzo scrolla le spalle: – Mi fanno male i piedi con queste scarpe, e quando mi fanno male i piedi mi vengono in mente cose del genere.

– Dici tanto di lui, ma tu saresti stato un padre affettuoso?

– chiede lei a secco. È chiaro che non gli perdona di aver introdotto quell'argomento.

– Non possiamo saperlo, – scandisce lui.

– No, – conviene lei.

Quella cena in verità dovrebbe essere un riavvicinamento fra Vincenzo e Mimmíu, perché le faccende della vita li hanno allontanati: l'affetto tra loro è immutato, ma hanno meno tempo per vedersi.

Ed ecco Mimmíu e Ada che, arrivati davanti alla casa in via Deffenu, tirano un sospiro. Ada regge bene i pacchi in modo che non le cadano, il piccolo Domenico sente qualche risata oltre la porta. Ada guarda Mimmíu, Mimmíu si scuote di dosso quel pensiero amaro come un cane che si asciughi il pelo, poi preme sul pulsante del campanello.

Quando Vincenzo si ritrova davanti Mimmíu ha un'impressione come di caduta. Si pente istantaneamente di essersi lasciato convincere a quella farsa. Quell'impressione è come quando si sogna di cadere senza cadere davvero durante il primo sonno, quello tremendo, quasi una scimmia della morte. Intanto una parlata ventriloqua gli ripete ossessivamente «Che cosa ti impedisce di abbracciarlo? Che cosa ti impedisce di abbracciarlo?»

L'ingegner Bernardi è già arrivato anche lui. Siede in poltrona come se quella fosse la sua poltrona, ma dipende dal fatto che lui appartiene a una generazione di padroni. Lui è lí per onorare l'amico Chironi e saldare una collaborazione a proposito degli appalti edilizi che li vedono compartecipi. Compartecipi, per l'appunto.

E adesso Mimmíu avanza in salotto seguito da Ada e dai pacchi, piú indietro ancora, attaccato alla gonna della mamma, Domenico. E adesso Mimmíu va a salutare l'ingegnere chinandosi fino a quasi raggiungergli il polso con la fronte. Vincenzo in piedi dietro di lui aspetta. Quando Mimmíu si rialza si guardano, una pozza melmosa e un senso di caduta: «Buon Natale».

Michele Angelo urla che ha fame ed è stanco.

Per ultimi arrivano Francesca, la sorella di Cecilia, e il marito. Ma non possono trattenersi, sono venuti solo per un saluto perché le gemelle non stanno bene. Tuttavia gli dispiaceva non passare nemmeno per cinque minuti, cosí, giusto il tempo di fare gli auguri.

E dopo cinque minuti esatti eccoli andare via: esiste ancora gente seria al mondo.

A tavola scorrono le portate, Domenico si annoia, Ada fa vagare il capo come se volesse ascoltare tutti contemporaneamente. Si discute del fatto che Madre Teresa non è indiana come sembrerebbe, ma albanese.

All'ingegnere questo sembra davvero buffo: – Volete dire che Madre Teresa di Calcutta sarebbe Madre Teresa di Tirana?

– Potrebbe dipendere dal fatto che la geografia celeste non corrisponde alla geografia terrestre, – commenta Vincenzo, ma la sua frase è arrivata in un momento di assoluto silenzio.

Cosí a Mimmíu scappa da ridere. Vincenzo lo guarda, è limpido come l'acqua di fonte. Ada comincia a lanciare occhiate strane.

Poi si discute di Marianna che vuol mangiare in cucina per conto suo... A Natale.

L'ingegnere può dire in coscienza che i sardi sono fatti cosí: lui, che ormai vive qui da quasi un anno, ne ha conosciuti parecchi in azienda.

– Straordinario! – scappa detto a Mimmíu. L'ingegnere lo fissa perplesso. Mimmíu aspetta che Vincenzo lo autorizzi con un gesto del capo. Vincenzo lo fa. – Straordinario che ci siano tutti questi sardi in Sardegna, – conclude serio. Ora a guardarli male a quei due «bambini» ci sono Ada e Cecilia, ma senza esagerare perché se a qualcuno scappa da ridere è finita davvero.

Sentendosi nominata, Marianna fa capolino dalla cucina per guardarli ancora peggio, poi se ne ritorna al suo piatto di brodo sorridendo a se stessa. Dal tinello-soggiorno sente la voce di Cecilia.

– Fatemi un esempio di qualcosa detta da Cristo e non valida al giorno d'oggi, – sta chiedendo a tutti. – Aspetto di sapere, – sfida i commensali che si protendono verso l'agnello fumante nel piatto.

– Be', – riflette Ada, – al giorno d'oggi non si può essere tutti poveri.

Cecilia finisce di servire: – Ma cara, la povertà a cui si riferisce Cristo è ben altra cosa dall'economia.

– Per fortuna, – sghignazza l'ingegner Bernardi.

Vincenzo chiude gli occhi per un attimo. Mimmíu cerca Domenico con lo sguardo.

– E allora fatemi capire, a quale povertà si riferirebbe? – chiede Vincenzo all'improvviso.

Ada si asciuga la bocca.

Cecilia sostiene lo sguardo del marito: – Lo spirito per esempio? – Fa la domanda come fosse un'affermazione.

Michele Angelo sonnecchia. Marianna, comparsa dal nulla, lo sposta verso la poltrona che tanto non mangia piú, e gli sistema per bene la testa sulla spalliera.

– Certo certo, lo spirito, – approva l'ingegner Bernardi.

Vincenzo fa sí con la testa, ha davanti una pozza melmosa e i piedi gli dolgono e la cravatta lo soffoca.

– Lo spirito, – conferma Ada.

– Sono proprio curioso di sapere se è la ricchezza di spirito che ha pagato il conto del tuo parrucchiere, Cecilia –. La voce di Vincenzo è di una calma terribile. Ada ha come un sussulto. Cecilia scuote il capo.

A tavola il silenzio si è fatto pesante. L'ingegner Bernardi rompe il ghiaccio: – Ve l'ho mai raccontata la storia del tipo che voleva assolutamente un prestito?

Per fortuna è il momento dei regali.

Cecilia guarda Vincenzo freddamente: – Oh, la pentola a pressione, come l'hai capito?

– Molto distinto il cappello di feltro con la tesa floscia...

La sciarpa per nonno Michele Angelo è rimasta impacchet-
tata, la vedrà domattina. C'è anche il frullatore e la cravatta
regimental e le scarpe da tennis e un quadretto della Madonna
di Fatima. E poi un'altra cravatta, una colonia, un dopobarba
– «Oh non doveva» – e un fermacarte, e pastelli, un libro di
avventure, e poi una pinza per arrosti, uno scaldavivande e poi
un foulard di seta, una pista smontabile, e poi... Poi Marianna porta il suo regalo per il nipote. È un quadro, una cosiddetta riproduzione d'arte di un dipinto di Caravaggio: *San Matteo
e l'Angelo*, raffigurante l'angelo che detta il Vangelo al santo.

Panettone o pandoro? Il dilemma si dilegua presto.
– Io sceglierei il pandoro che pur essendo buono come il panettone è tuttavia piú leggero, – comincia l'ingegnere.
– Mah... – riflette Cecilia. – A me questo pandoro mi sembra una diavoleria... Insomma voglio dire... La tradizione.
Vincenzo pensa che è straordinario constatare quanto un
argomento inutile possa essere utile.

Il tavolo è pieno di bicchieri sporchi, Marianna ha fatto
sparire i piatti unti e si aggira furtiva per rimettere ordine senza che Cecilia la rimproveri. Gusci di noce invadono il campo,
macerie di un piacere consumato a forza.
La tavolata ha cominciato a scoordinarsi. Domenico muore di
sonno, Vincenzo ha allentato la cravatta e slacciato il primo bottone della camicia, Mimmíu e l'ingegnere discutono di politica.
Tra pochissimo bisognerà organizzarsi per la messa di mezzanotte. Ma senza Michele Angelo perché Marianna lo porta a casa.

– No, no, – sta dicendo Ada mentre tenta di mettere il cappottino al figlio. – Vuoi dormire proprio stanotte che nasce
Gesú? Non si può andare a dormire proprio stanotte. Ora si va
tutti insieme a vedere Gesú che nasce.
Domenico fa no con la testa. – Lascialo stare, – dice Vincenzo entrando nella camera. – Sistemalo nel letto degli ospiti,
resto io qui con lui.

– Non vieni in chiesa? – si stupisce Ada. Sta per cedere e quasi posa il cappottino sul bracciolo della poltrona.

– Vestilo! Finisci di vestirlo! – ordina Mimmíu arrivando in quell'istante.

– È stanco, – insiste Vincenzo senza nemmeno voltarsi. – Lascialo qua, sto io con lui mentre andate in chiesa.

– È generoso da parte tua, ma…

– Generoso?

I due uomini si fissano senza aggiungere altro.

Ada si guarda attorno come a cercare aiuto, in cima al corridoio verso l'ingresso Cecilia e l'ingegnere scherzano e si stanno vestendo. Ada si sente l'eroina di un film dove il suo ruolo è quello della schiava indiana incatenata al cospetto di una tigre feroce.

– Non intestardirti senza motivo… lascialo qui a dormire, – ritenta Vincenzo, ma senza quel tono tranquillo che avrebbe voluto.

Giusto perché la risposta sia eloquente Mimmíu si piega verso suo figlio come un Baldassarre adorante. – Gesú Bambino ti aspetta, – sussurra.

Dalla cima del corridoio Cecilia chiede se sono pronti.

Cosí accade, e l'arma spesso è un sorriso di resa. Se solo riuscissi ad abbracciarlo, sta pensando Mimmíu. Ma continua a fissarlo. E Vincenzo vorrebbe solo che cedesse.

Accade a quel punto che Mimmíu afferra il cappottino di Domenico. – Alzati subito! – Ha un tono che non lascia possibilità di replica. Quel tiro alla fune di sguardi si deve spezzare alla fine.

– Basta! – prova a imporsi Ada. Ma nessuno l'ascolta.

– Che succede? – chiede Cecilia arrivando dal corridoio. – Non sei ancora pronto? – domanda al marito. – E voi che aspettate? – continua rivolta a Mimmíu e Ada.

Vincenzo immagina Cristo che con furia sorridente si avvicina al venditore di profumi. «Che cosa hai fatto di me?» chiede il Messia. E l'altro, dal suo banchetto, lo fissa con lo sguardo di chi non sa che rispondere. «Faccia la fila», immagina che dica un signore col cappotto... «Che cosa avete fatto di me?» continua a chiedere il Figlio del Padre... «L'abbiamo fatto per amore», gli risponde qualcuno. «L'abbiamo fatto per riconoscenza...»

– E avete perduto voi stessi, avete ridotto il mio tempio a un covo di ladri... Vi siete pasciuti di tutto l'amore del mondo e gli avete dato un prezzo... – scandisce Vincenzo all'improvviso, nel silenzio.

Cecilia lo guarda malissimo: – Amore, amore... L'hai sempre pronunciata a sproposito quella parola. Che ne sai tu dell'amore? – Vincenzo abbassa la testa. – Vieni alla messa con noi? – gli chiede quindi, secca.

Solo questo.

– No –. Nella voce di Vincenzo c'è il rantolo del moribondo.

– Bene, – fa lei togliendosi il cappotto. – Allora non ci vado nemmeno io –. E poi: – Cominciate ad avviarvi! – grida agli altri che stanno aspettandola nell'andito.

Gli altri si avviano.

Restano soli. Ritornano soli.

Per un po' nemmeno si parlano. Da qualche tempo il silenzio è diventato un peso quasi insostenibile, altri tempi quando si parlava per ore senza aprire bocca. Cecilia non sa nemmeno per quale motivo abbia deciso di stare a casa anche lei, l'ha fatto e basta, agendo d'istinto, forse nella speranza di dare fastidio al marito. Perché sono arrivati al punto da ritenere una vittoria la sconfitta dell'altro.

Quando lei rompe il silenzio è come una liberazione: – Che cosa si fa? – chiede.

Vincenzo, che sta guardando fuori dalla finestra, nemmeno si volta: – Si dorme, – dice. – Non è cosí che fai tu?

A lei scappa un suono strozzato, come se lui l'avesse pugnalata in pieno petto. – Mi riferivo a noi due, – quasi non riesce ad articolare.

– Anch'io, – fa lui, secco.

Cosí Cecilia lo raggiunge alla finestra: – Bestia! – sussurra come se dovesse trattenere il pianto. – Bestia! – ripete in crescendo. – Bestia! Animale!

Sembrano passati secoli da quando invocavano la morte piuttosto che offendere l'oggetto del loro amore.

– Va bene, – commenta lui. La vede sul riflesso della finestra mentre alza il pugno. Si volta di scatto per bloccarle il polso. Restano cosí: lei col braccio alzato minaccioso e lui che l'afferra. – Io ero lí, – scandisce Vincenzo. – Io c'ero e tu dormivi!

Lei viene colta di sorpresa da un singulto tremendo che è l'espressione dello sforzo che sta facendo per non piangere. Ha davanti suo marito. Lo può guardare negli occhi e sentire che non c'è incertezza nel suo livore. Tenta uno strattone per liberare il polso, ma capisce che lui non ha nessuna intenzione di abbandonare la presa, anzi l'attira a sé. – No, – dice lei, prima solo con la testa, poi con la voce: – No!

Ma lui nemmeno l'ascolta: freddo, preciso, la stringe piegandole il braccio. Alto e corpulento com'è la spinge contro la parete. Si appoggia a lei con tutto il corpo facendole sentire quello che vuole. – No! – insiste lei. Ha paura davvero perché lui non parla, solo continua a palparla come fosse una donnaccia. Quando lui artiglia le mutandine sotto la gonna lei comincia a piangere: – Perché? – sta chiedendo. Ma è chiaro che Vincenzo non sa rispondere se non col corpo, con la frenesia impassibile dei suoi gesti, con la violenza cieca. È chiaro che vuole solo offenderla nel modo peggiore che conosce. È chiaro che ci sono tre anni di silenzio in quella furia fredda. Ora le farà male davvero perché vuole farlo, le lascerà addosso lividi e contusioni, la scoperà. Lei capisce che ha passato il confine: – Non cosí, – tenta. Ma lui la scaraventa verso il divano torcendole il braccio per costringerla ad abbassarsi, le ha strappato la gonna e ora armeggia per liberarsi dei pantaloni. E quando ce la fa la penetra senza troppi preamboli. Lei grida, perché quell'abisso non ha senso. Poi tace, ma lui comunque, inutilmente, le preme il palmo contro la bocca perché non parli. È pesante, ansima, eiacula trattenendo un lamento ferocissimo, poi si accascia.

Per alzarsi in piedi deve toglierselo di dosso. È un corpo

morto ormai, e c'è da credere che senta su di sé tutto il peso di quanto ha fatto.

Lei prova a sistemarsi i lembi strappati della gonna, ha il labbro inferiore che le sanguina, un livido circolare sul braccio, il collo le fa male.

Barcolla verso il bagno. L'immagine del suo viso stravolto e della sua permanente intatta va ad attaccarsi subito alla superficie dello specchio appeso alla parete sopra il lavandino. Chiude la porta a chiave.

La coscienza di lui sembra risvegliarsi quando la sente piangere. Con lentezza si alza in piedi per rimettersi in ordine, poi si avvia verso il bagno per raggiungerla, non ci prova nemmeno ad aprire la porta: lei piange come non l'ha mai sentita prima, con una specie di raglio rabbioso. A Vincenzo non ci vuole tanto per stabilire in che cumulo di macerie abbia trasformato la sua casa, in che putrida cloaca abbia trasformato il suo amore. Ma è troppo tardi per piangere. Cosí, senza fretta, attraversa il corridoio, stacca il soprabito dall'attaccapanni dell'ingresso, lo indossa. Aspetta ancora qualche secondo prima di aprire la porta.

Adesso a lui piacerebbe raccontare una storia diversa, qualcosa che non sia avvenuto realmente, ma che comunque possa aiutare a spiegare l'inspiegabile. Gli piacerebbe per esempio che ci fosse qualcosa che non è mai stato detto a proposito di Cristo e i mercanti, e cioè che dopo la furia Cristo stesso ha aiutato i mercanti a recuperare le loro cose e poi magari sono andati tutti insieme a bere e mangiare. Tanto perché capissero quanto può essere impressionante la potenza del perdono.

Ma dal bagno il pianto è diventato un'ostinazione di mantice azionato a pedale.

E non c'è piú nulla che possa essere perdonato.

Esce.

Nulla

Dicevano che aveva smesso, ma non era vero. Io lo so che, anche se di nascosto, beveva eccome. Io mi domando come si fa, una persona cosí distinta, perché accidenti a lui, rimaneva un bell'uomo, alto imponente, con una bella testa di capelli che s'ingrigivano. Tutto Chironi, eh. Si era dato al bere perché non siamo mai contenti, anche quando non ci manca niente sembra che ci manchi tutto. Mai contenti davvero. Adesso ditemi che cosa poteva volere di piú questo cristiano, i soldi non gli mancavano, la casa, e che casa, nemmeno…

La casa era di quella fascistona della zia. Lei per questo nipote era impazzita, non vedeva altro. Cosa non era quell'uomo per lei! Non si ha idea di cosa è successo quando lui non si trovava. Dice che avevano passato una bella serata la notte della vigilia, tutti a cena. Non so quanto avevano speso solo di regali, perché quella è gente che non deve fare sacrifici. Eppure vedi, anche quando sembra che non manchi niente qualcosa manca. Poi, resti tra noi, questo matrimonio con la moglie che è fuori casa dal mattino presto al pomeriggio, che matrimonio è? Va bene che i tempi stanno cambiando, per carità mica dico che bisogna fare le schiave per il marito, ma non so, un minimo di attenzione in queste cose ci deve essere, perché se un marito non te lo tieni, quello ti scappa e poi hai poco da lamentarti della malasorte. Eh? Ditemi voi che bisogno aveva di lavorare questa cristiana? Non è che gli mancasse il pane, grazie a Dio di roba ne avevano. Ma succede sempre cosí: chi ha troppo e chi ha nulla, se sapessi i sacrifici che devo fare io con quattro figli...

Insomma lo cercano dappertutto, mí che non dev'essere una bella cosa. All'inizio pensavano che fosse tornato a casa del nonno, ma lí niente. Cosí lo cercano in giro per i bar e le bettole, che qui non mancano. Niente. Non l'hanno nemmeno visto. La macchina non c'è, quindi c'è qualche possibilità che se ne sia andato fuori Núoro. Per quale motivo non si sa. Ma dice che con la moglie le cose stavano andando male. Io credo che dipendesse dal fatto che lei voleva fare la moderna e questo marito lo trascurava. Con tutta la buona volontà non si può fare una cosa e l'altra. Voi lo sapete cosa significa fare tutto quello che c'è da fare in casa, e allora ditemi se è possibile riuscire...

Ohi che lavoro e lavoro, lui era diventato un bumbone, tutto qui. Quando si preferiscono gli amici e le bettole alla famiglia succede cosí, ve lo dico io! Lui c'aveva troppi interessi, troppi affari in giro, era uno con un'altra testa, si vede proprio che non era stato allevato da queste parti. Guardate che queste cose contano, a lungo andare una testa diversa fa la differenza. Era attaccato ai quattrini come sono i Chironi, su quel punto era proprio di razza. Per carità, lavoratori, non è che si può dire che abbiano rubato in giro, quello che hanno fatto l'hanno fatto col sudore della fronte. Però la situazione era metzana forte: pensate che per due giorni dopo che era uscito di casa nemmeno si sono preoccupati piú di tanto, perché lo faceva spesso di assentarsi negli ultimi tempi. È il terzo giorno che è sembrato strano. Comunque chi era al cenone quel 24 dicembre, prima che uscisse di casa, dice che sembrava del tutto normale, sempre un po' nervoso, ma non piú di tanto. Lui era cosí, era un Chironi da quel punto di vista, uno serio, uno che non è che desse confidenza. Perciò, escluso questo, sembrava del tutto normale. Dice che hanno cenato abbastanza tranquilli...

Tranquillissimi, posso confermare, una serata impeccabile. Ci siamo intrattenuti a tavola molto amabilmente... Se ho notato nervosismi? Mi pare di no... Direi di no... Vincenzo Chironi ha avuto la delicatezza di coinvolgermi in un rito privato sapendo che io ero solo a Núoro... Sa io non sono di qui, ma il mio lavoro mi ha portato qui. E il Chironi, col quale intrattenevo rapporti di lavoro, io sono nel campo edilizio, mi ha invitato a trascorrere la vigilia con la sua famiglia. Un signore per me, un vero signore, una moglie squisita. Non posso davvero aggiungere altro, la circostanza della sua scomparsa mi coglie del tutto impreparato. Allibisco davvero, non so spiegarmi...

Al terzo giorno cominciano a preoccuparsi davvero. Anche la zia, la fascistona, si mette in giro per cercarlo. Poi dice che se n'è tornata a casa e se lo trova in cucina seduto come se niente fosse. Tzia Marianna è in quella situazione che se avete perso di vista un bambino capite subito. Insomma, è lí a metà tra il sollievo e la rabbia. Cosí d'istinto lo piglia a voci: che non sono cose da fare, sparire in quel modo! Che ha fatto impazzire tutti! Che Mimmíu è finito chissà dove per cercarlo! Ma lui nemmeno risponde, abbassa la testa come sentisse il peso di una marachella un po' troppo grossa. Cosí lei lo raggiunge al lato del tavolo dove si è seduto e si accorge che è vestito con lo stesso doppiopetto blu del giorno in cui si è sposato, e che ha tutti i capelli neri come la pece, ed è asciutto come un figurino. Non vi dico altro...

Lo trova Mimmíu. In un posto dove nessuno l'aveva cercato. Ma questo è successo solo perché Vincenzo Chironi era uno che faceva tutto di testa sua. A vederlo si capiva che c'era qualcosa che non andava, ma non si poteva dire esattamente cosa. Quando sei cresciuto in un istituto, in Continente, non puoi venire su come un essere qualunque. Comunque al quarto giorno che lo cercano a Mimmíu gli viene in mente che Vincenzo ha accennato a un'officina che ha acquistato, una specie di costruzione mista tra un garage e un capannone proprio verso Predas Arbas, dove hanno fatto le case dell'ERLAAS. Non sa dove si trovi esattamente, ma, pensa tra sé, non ce ne saranno molti di capannoni da quelle parti. Infatti non ci mette troppo a trovarlo, e capisce che l'ha trovato perché vede la Millecento parcheggiata fuori. Il posto è chiuso dall'interno, ma non si tratta di una chiusura inespugnabile: dopo due, tre strattoni cede. C'è buio. Mimmíu avanza e chiama: Vincé, Vincé, ajò non fare lo scemo... Vincé ci sei?

Lui c'è, in una specie di stanzetta che nel progetto doveva fungere da zona servizi dell'officina. Si è appeso per il collo all'inferriata di una finestrella alta...

Dice che il suo amico è caduto a terra come se gli fosse arrivato un pugno in pieno stomaco. E dice che è rimasto seduto a guardare l'impiccato immobile con i piedi a un metro dal pavimento e le scarpe lucide. Vedete com'è che il nostro sguardo si posa sui particolari per ignorare il generale, volontariamente. Quando lo sguardo non vuol vedere non c'è nulla che si possa fare. Cosí dice che Mimmíu si fissa lí, sulla punta lucidissima di quelle scarpe che, chissà da quando, hanno smesso di oscillare. All'inizio neanche pianto ha. Solo gli è sembrato che respirare diventasse sempre piú difficile, che l'aria si era fatta di gomma. Poi gli è venuto in mente che per quanto si resista a un certo punto bisogna cedere, e gli è venuto in mente che, in quella solitudine, poteva piangere senza testimoni e maledire la terra e ogni creatura, e magari per farsi piú male, poteva ricordare il giorno che Giovanna Podda gli aveva chiesto se poteva portare a Núoro quell'uomo troppo alto. E lui maledetto aveva detto di sí. Che quello era uno di quei sí di cui ti penti per tutta la vita. Ma pentirsi di Vincenzo? No, si dice. Pentirsi della creatura piú addolorata di questa terra?

Fuori regna la notte piú silenziosa che si sia mai vista. L'inverno ha stordito qualunque forma di vita, ha frantumato ogni tentativo di resistenza e ha ridotto qualsiasi cosa a un mutismo che instupidisce. Quel corpo appeso ha raggiunto la stabilità. È possibile che, nella solitudine, giorni prima, ore prima, abbia oscillato in modo convulso, poi sempre piú lentamente, fino a fermarsi, come se la vita esteriore avesse preferito esercitare il suo potere contro la vita interiore che se n'era andata col respiro. Che fece

Mimmíu? Semplicemente decise di piangere e pianse, da solo, col suo amico, con l'uomo piú affamato d'amore che avesse mai conosciuto, con quella bestia troppo taciturna che non si capiva mai cosa avesse in mente davvero...

Quando Mimmíu arriva a casa per parlare con Marianna, lei sa già tutto. E ve la racconto come l'hanno raccontata a me: lui entra e lei lo guarda in faccia e lo anticipa prima che apra bocca. Gli dice che proprio nella sedia dove è seduto lui, solo il giorno prima, c'era seduto Vincenzo, ritornato bellissimo, perché brutto Vincenzo non è stato mai. E pare che Mimmíu abbia confermato ogni cosa, ogni circostanza. Ha gli occhi asciutti come uno che ha finito le lacrime. Ora non resta che avvertire Cecilia. Marianna lo informa che, tanto perché le cose non vengono mai sole, proprio Cecilia è caduta in casa, l'ha vista: è livida in faccia e sul braccio, dove dice che ha tentato di appoggiarsi cadendo. Lei ha da fare adesso. Quando Mimmíu chiede come bisogna procedere, raccontano che lei abbia semplicemente alzato le spalle: Marianna Chironi, fu Serra-Pintus, è una a cui le tragedie non fanno piú né caldo né freddo. Ha negli occhi un'impassibilità straziante. L'unica cosa, dice, è che a Michele Angelo non bisogna dire nulla. Nulla! Intesi?...

Perciò cercano di nascondere le circostanze della morte di Vincenzo e provano a far passare quel suicidio come incidente. Smuovono mari e monti. Dicono che Mimmíu in persona si sia recato a Torpè per portare a Núoro lo stesso prete che sette anni prima aveva celebrato il matrimonio fra Cecilia e Vincenzo. Il funerale fu di quelli nuoresi, e non dico altro. Durante la predica quel prete che aveva conosciuto Vincenzo nel '43 racconta di quando era morto il suo cane e insieme l'avevano seppellito, era l'anno tremendo dell'infezione di malaria, quella stessa che Vincenzo aveva contribuito a debellare. E poi racconta che senza dire niente ad anima viva, Vincenzo aveva fatto ricostruire a sue spese il tetto della chiesetta di Sant'Antimo e tutte le cumbissie, dove, appena arrivato in Sardegna, era stato accolto...

Sul fatto della messa si sono messi d'accordo solo perché prete Virdis pare che una volta a Núoro si sia recato dritto in vescovado dove conosceva monsignor Melas, per spiegargli che quello che, tecnicamente, poteva sembrare un suicidio, di fatto era l'ultimo atto di un uomo schiavo dell'alcol che non aveva nessun controllo sulle proprie azioni. Implora l'amico perché si metta una mano sul cuore generoso e conceda il perdono e il nulla osta per quell'anima sofferente e per quelli che restano che sono figli cari di Madre Chiesa. Cosí, solo grazie a questa intercessione, concedono a Vincenzo una messa e un perdono che non aveva chiesto...

Quando lo interrano mancano esattamente quarantotto ore al 1960. Cecilia coperta come una prefica arriva al cimitero insieme alla sorella e al cognato, poi sopraggiunge Marianna che la bacia in fronte davanti a tutti. Sulla tomba di famiglia si lavora per il nuovo inquilino, insieme a Pietro e Paolo, i gemelli, e a Giovanni Maria e Franceschina, nati morti, e a Gavino che non è presente in corpore perché sepolto da qualche parte in un'isola del Mare del Nord; anche di Mercede, la nonna, ci sono solo la foto e il nome inciso, perché scomparsa ventiquattro anni prima e mai ritrovata; Luigi Ippolito, suo padre, riposa nel Sacrario degli Eroi poco distante.

Quando la lapide chiude la pratica Chironi Vincenzo, Cecilia vi posa sopra una foto del marito che sorride. L'ha fatta stampare su ceramica e incorniciare su un supporto di marmo sul quale ha fatto incidere, in caratteri tutti maiuscoli, la parola PADRE.

Parte quarta
1972 e 1978

Indifferenti al fato, come addormentati.
F. HÖLDERLIN, *Il canto del destino*.

Prima persona

Pare che io venga da una famiglia antica. Una stirpe spagnola che ha cambiato nome e costumi per destino, o per scelta, anche questo non è chiaro. I Chironi si chiamavano Quiròn, questo diceva mio bisnonno Michele Angelo. Mio nonno Luigi Ippolito e mio padre Vincenzo non li ho conosciuti, ma dicono che si assomigliassero in tutto e per tutto.

Quanto al mio nome io sono Cristian, Cristian Chironi.

Ora perché mi abbiano dato questo nome è una storia a parte, che fa da sola un racconto: posso dire che per i dottori del reparto ostetrico non avrei superato la notte, e che mia madre volle darmi un nome che non intaccasse la lista dei Lari. Sprecare un nome per un neonato moribondo può sembrare un cercarsi la malasorte.

Ma andando con calma, devo partire dal fatto che due mesi dopo la morte di mio padre, mia madre si accorse di essere incinta. E magari lo sapeva da sempre, dal momento stesso in cui è successo voglio dire. Le donne queste cose le capiscono al volo.

Prima di me mia madre era rimasta incinta due volte, e tutte e due le volte era andata male perché pare che lei avesse un problema che non portava a termine le gravidanze. Cioè il feto cresceva fino a un certo punto, poi era come se avesse fretta di nascere, solo che troppa fretta non va bene in queste cose. Cosí quando si accorge di essere incinta è come se insomma le fosse data un'altra possibilità, ha appena perso mio padre...

Mia madre lavora all'ONMI, fa la puericultrice, io lo so perché sono cresciuto con lei, ho fatto l'asilo dove lavorava lei. E lí,
quando lei era incinta di me, c'erano medici pediatri che si occupavano dei consultori. Uno di questi, si chiamava Dottor Gabbas, un giorno dice a mia madre che siccome è chiaro che lei soffre di incontinenza cervicale bisogna prevedere l'imprevedibile e
che quindi, arrivati al sesto, settimo, mese di gravidanza, si deve
forzare la mano alla natura, tenere il feto dentro fino a che si riesce e poi farlo nascere prima che sia il corpo stesso della madre
a ucciderlo. Le spiega che le cose in pochi anni sono cambiate,
che nel campo dell'ostetricia si sono fatti passi da gigante, che
si può tentare di tenere in vita anche un feto prematuro grazie
a nuovi strumenti che si chiamano incubatrici, che poi non sono
altro che uteri artificiali.

Perciò passano sette mesi. Dottor Gabbas dice che non si deve
aspettare piú, che vada come vada il parto va provocato in quel
momento. Mia madre viene immediatamente ricoverata all'ospedale San Francesco di Núoro, dove nasco io, settimino e anche
podalico. Non è un parto semplice, ma io vengo fuori vivo. Non
per molto, dicono: tutto insufficiente, i dati vitali non promet-
tono niente di buono. Questo neonato non passa la notte, dicono. E allora arriva il cappellano dell'ospedale a chiedere a mia
madre se quella creatura la vuol far morire in grazia di Dio o no.
Occorre un battesimo in articulo mortis, dice. Cosí si organizza
la cerimonia. Mia madre non vuole che si avverta nessuno, allora una suora del reparto accetta di farmi da madrina. Quando si
tratta di decidere che nome darmi sorge il dilemma. Mia madre
ha vissuto abbastanza con i Chironi per sapere che noi siamo razza intera, enfatici come pittori di battaglie, e sa bene che in quel
preciso momento deve prendere una decisione importantissima.
Cosí si arriva al punto in cui lei è combattuta tra darmi un
nome di famiglia, magari Luigi, magari Gavino, oppure no, con-
gedarmi con un nome qualunque perché nel paradiso dei neonati
qualcuno sia in grado di chiamarmi in qualche modo.

Decide per questa seconda opzione. E decide per Cristian, che è un nome che non si può sentire, ma è quello del parrucchiere che le ha fatto la permanente proprio il giorno della vigilia di Natale in cui sono stato generato. Io voglio pensare che mia madre volesse collegarmi con quel nome a qualcosa di dolce, a un sentimento di felicità come quello che lei deve avere provato quando si sentiva bella, a posto, con i ricci compatti… E mio padre era fuori, in macchina, che l'aspettava.

L'incidente non previsto è che io non sono morto quella notte. Anzi piú passava il tempo e piú le mie condizioni, dentro all'incubatrice, miglioravano.

Sette giorni dopo la mia nascita, il 29 luglio 1960, sono a casa. Mia madre non può allattarmi e con tutta probabilità dovrà subire ben presto un'isterectomia, ma io ci sono, sarò un figlio dei tempi nuovi, crescerò col latte artificiale.

Quando mia prozia Marianna scopre che sono già stato battezzato e che mi è stato dato il nome Cristian, succede il finimondo. Quel nome proprio non esiste, perché non vuole dire niente, niente di niente! A lei non basta il miracolo della mia sopravvivenza, lei vuole che le cose ritornino al loro schema naturale. Cristian è qualcosa che sembra partorito da un rotocalco, un esotismo insopportabile, peggio che essere morti. Tzia Marianna è diventata cosí per il troppo soffrire, pensano tutti. Dura come il ferro, tremenda, impossibile da convincere. La mamma qualche volta ha detto che se non fosse stata cosí sarebbe già morta da un pezzo. Invece si è fatta piú tenace di qualunque morte. Lei allo scheletro con la falce gli fa le boccacce. Non teme niente. E allora, considerato che la creatura è nata, ed è maschio, bisogna per forza di cose cambiargli il nome. Fine delle discussioni. Perciò appena mi portano a casa nemmeno mi guarda, si sistema per uscire e se ne va in chiesa. Lí spiega al parroco come stanno le cose, e gli chiede di ripetere il rito e cambiare il nome. L'altro le risponde che il battesimo impartito in ospedale è valido a tutti gli effetti e che quel nome non si

può cambiare: si può, alla meglio, celebrare un rito di ringraziamento e magari aggiungere, dopo una virgola, altri nomi di
buon augurio.

Mia prozia Marianna pensa che quel risultato è meglio di
zero. Si procede al rito previsto e dopo la virgola mi danno il
nome di Luigi Vincenzo Giovanni Maria.

Da allora, per decreto di mia prozia, nessuno a casa è autorizzato a chiamarmi Cristian, ma Luigi o meglio Gigi.

Quel nome mi ritorna addosso il primo giorno di scuola.
Alle elementari quando sento per la prima volta il mio nome
Chironi Cristian, quasi ho un attacco di panico: è come avere
perennemente un altro seduto accanto a me, che non conosco.

Sono stato un bambino molto amato. Mia madre mi ha portato all'asilo con sé finché non le è stato impossibile continuare
a farlo. Cosí dai cinque anni in poi ho vissuto con la mia prozia
e mio bisnonno Michele Angelo.

Lí ho imparato quelle cose sulla mia famiglia che dicevo prima: il fatto che veniamo da lontano, che siamo una stirpe or-
gogliosa e discreta.

So di mio padre che ha lottato contro le cavallette e la malaria, che ha fornito il ferro per costruire la chiesa nuova della
Madonna delle Grazie. E che se anche non era nato qui tuttavia mai nessuno lo considerò estraneo perché nel corso del tempo, nell'inferno felice di epoche in cui tutto sembrava finito, fu
proprio mio padre, sardo e friulano, a far ricominciare tutto:
l'officina, l'impresa, la stirpe.

Io e mio bisnonno guardavamo la televisione come se avessimo la stessa età, e forse era cosí: quando io avevo nove anni lui
ne aveva quasi novantanove ed era dritto come un palo, niente
che facesse pensare a tutto il secolo che aveva addosso. Aveva
la mano grandissima e coriacea, quando teneva la mia era come
se un'aquila stringesse fra gli artigli un coniglietto.

Io ho amato mio bisnonno con tutto me stesso. Non ci dice-

vamo nulla io e lui, guardavamo la televisione: quando uccise-
ro Robert Kennedy, quando gli astronauti arrivarono sulla Luna che lui diceva che non era vero, che era tutto un imbroglio
e mia prozia invece diceva che quelle cose non si fanno, che il
creato va lasciato nella sua intangibile segretezza perché se no
a noi umani quella presunzione ce la fanno pagare.

La televisione l'avevano messa dove prima c'era la cucina
economica e ora invece c'era il mobile letto dove qualche volta mia prozia Marianna faceva sistemare mio bisnonno per non
farlo affaticare. Io a casa di mio bisnonno avevo la camera dove
ha dormito anche mio padre. Che era una camera quasi vuota,
con due letti e un piccolo tavolino.

A casa mia, in via Deffenu, invece, la mia stanza era piena
di giocattoli e di libri. Sopra il letto era appeso un quadro dove
si vedeva un vecchio che si chiama san Matteo che ascolta un
angelo. L'angelo arriva dall'alto e sembra che conti con le dita,
come facevo io alle scuole elementari. Questo a me e alla mamma ci faceva sempre ridere.

Poi c'era lo zio Mimmíu che io chiamavo zio anche se non
era zio, ma il padre di Domenico che io dicevo che era mio cugino anche se non era mio cugino. Le cugine vere che avevo
erano due gemelle che però vedevo poco perché si erano trasfe-
rite a Cagliari con la loro famiglia, che poi era la sorella di mia
madre e suo marito.

Io ho pianto veramente solo quando è morto mio bisnonno Michele Angelo. Avevo dodici anni. Lui centouno. Guardavamo la televisione, una trasmissione in cui si spiegava come fanno le api a costruire l'alveare e poi a depositarvi il miele. Lui guardava e faceva sí con la testa, come a dire che era proprio cosí che si faceva. Perché lui sapeva un sacco di cose, aveva costruito i balconi piú belli che ci sono al Corso. Insomma, è lí che guarda l'ape regina che se ne sta tutta comoda mentre le altre operaie si dannano per onorarla come pretende il suo rango. E lui fa sí con la testa, poi a un certo punto semplicemente non lo fa piú. Dice che se ne vuole andare in camera dove c'è la moglie che lo sta aspettando…

È, come deve essere, una stagione immobile, prevista. Ogni corpo in cammino verso l'anima, ogni peso che procede verso la levità, ogni carne che avanza verso la dissoluzione, ogni oggetto consono che si appresta a diventare incongruo, ogni vicenda che sta per trasformarsi in ricordo: ognuno ha bisogno della sua stagione, perché la metamorfosi avvenga.

Michele Angelo cammina piano, ma cammina ancora. Mentre raggiunge la sua camera e si avvicina alla sua Mercede, sente l'odore denso, amaro, degli oleandri. E capisce che a lui è stato assegnato quel preciso passaggio tra la primavera e l'estate, quando le piante respirano con un leggero affanno per il caldo incipiente e rimandano aromi sussurrando. Quando le spiagge sono modellate solo dal vento, e i cardi di mare assediano i gigli. Ha contezza assoluta di ciò che gli sta accadendo e si sente sereno proprio quando credeva che si sarebbe agitato. Ora che si sta avviando ripensa a quello che ha detto mille volte: solo alla morte non c'è rimedio. Infatti non ce n'è, ma sorprendentemente questa certezza non lo spaventa per nulla. Non sa come spiegarselo: l'unica cosa certa è che allo stesso modo in cui è venuto al mondo, ora se ne sta andando. Respira a fondo, pensa all'ambiguità del volo che non si sa mai se derivi da una spinta dal basso o piuttosto da una presa invisibile dall'alto. Si godrà tutto quello che resta, l'aria è tiepida grazie a Dio. Avanzerà senza correre.

Cosí, mentre cammina verso la stagione degli oleandri, Michele Angelo si guarda le mani e pensa che sono tutto quanto ha di veramente immortale. Fra quelle mani stringe la sua vita restante sotto forma di cardellino che palpita. Da quelle mani sono scaturiti pensieri pesanti, trame di ferro leggerissime: cancelli, balconi, ringhiere, inferriate, alari. Tutti esercizi di sopravvivenza, come una poesia perfetta. Come un ricordo sfiorato di nascosto, per apparenza di fortezza che invece, dentro, urla una magnifica debolezza. Come un preciso progetto di rivalsa contro ogni solitudine. Aprendo quei cancelli, appoggiandosi a quei balconi, accarezzando quelle ringhiere, afferrandosi a quelle inferriate, chiunque può ascoltare il calore di quelle mani che le hanno prodotte. Le sue.

Ecco là casa Lostia: il ferro è come filo di cotone ritorto, pare ricamato al tombolo; è una trama indiavolata di filamenti sottili, un merletto che si apprezza controluce, una rete che pare sensibile al vento. Quella balconata è posata sulla base come se non avesse un sostegno vero e proprio. Ora che avanza Michele Angelo può rivederla per bene, e capire fino a che punto la sua visione ha superato le sue competenze; fino a che punto le sue mani hanno pensato al posto della sua testa. Ora sa tutto, conosce ogni singola voluta, può vedere ogni colpo di martello che l'ha prodotta. Era la stagione bella in vita, il paradiso in terra: i gemelli erano appena nati. Tutto iniziava in quella sorta di caos meraviglioso che la sua felicità aveva creato.

Poi la casa Tangianu: le inferriate panciute che ne sbarrano le finestre al piano terra come femmine incinte, enormi, pronte a sgravarsi. Per quella facciata ha forgiato tre guardiane immobili senza sussiego: solo linee curve, dense come una colata di piombo. È un sipario grigio che ha messo contro il destino che sopraggiungeva senza bussare. Mercede aveva subito un aborto. E chiunque si affacciasse a quelle finestre avrebbe potuto concepire l'amarezza nauseante della fitta dopo l'incanto: proprio come quando si incrina il cristallo. Quando si spezza un sorriso. Quando si delude un'aspettativa.

Tutta la sua esistenza era trascorsa in questo imprimere tracce, lasciare segni, dare vita all'inanimato, senza sosta. Perché all'atrocità di qualunque domanda sapeva rispondere col coraggio, con

l'ostinazione cieca di chi si arrischia ad affrontare quello che non
conosce.

Gli alari di casa Mastino, che l'avvocato in persona riconosce
come opere d'arte e li mostra agli ospiti che trasecolano, ospiti
cittadini, che hanno visto Roma e Parigi, ma mai, mai, il ferro
lavorato come fosse una stoffa, ritorto e ricucito come se non
avesse resistenza, quasi snervato, senza nessuna rigidità neanche
dopo la tempratura.

E ancora la ringhiera di casa Triscritti, nera come l'ultimo
giorno dell'umanità per il metallo intriso di fuliggine a caldo, che
brulica come un cesto di anguille, fluida e lucida, viscosa e spi-
raloide, sempre in movimento per ogni brezza che rimanda sulle
spire il chiaroscuro dell'ombra delle fronde. Impossibile da fermare perché ogni variazione la smuove. Sensibile oltre ogni possibile aspettativa, vibrante come una corda d'arpa.

E l'inferriata del palazzo comunale, divelta per far spazio a
un edificio moderno con infissi d'alluminio? Come spiegare con
quanta tenacia abbia tentato di resistere alle macchine che avevano il compito di sradicarla, quasi fosse un filare di pioppi aggrap-
pati al terreno? Era una teoria di sbarre squadrate a mano, una
per una, la linearità interrotta da un bulbo centrale fuso a caldo
e poi limato fino a che le due carni, quella della sbarra e quella
del bulbo, non diventassero una carne sola.

Ecco ora, con la luce finalmente giusta, può attraversare le sue
sconfitte senza rimpianti. Il cardellino fra le sue mani ha smesso
di tentare battiti d'ali, ma ancora resiste.

E di casa Chironi che si può dire? Casa caduta. Col cancello
immenso dell'officina rimasto sbarrato per anni, come succede
quando posti pieni di vita esalano l'ultimo respiro. E penetrano
dentro al buio del silenzio assoluto. Erano voci che avevano costruito quel cancello, le risate dei suoi bambini, di Pietro e Paolo, e poi Gavino e Luigi Ippolito, quelle stesse che ora si erano
definitivamente spente. Michele Angelo l'aveva pensato come
una pergola di vite: foglie, grappoli e riccioli. Mentre prosegue
nel suo andare può osservarlo per bene: è talmente bello, anche
cosí, aggredito dalla ruggine, assalito dai rampicanti. Ha chiuso

fuori la stagione della luce quel cancello, ha permesso che impazzasse l'inferno, l'inferno infinito.

Perciò ritornare alla dimenticanza da cui è partito gli pare decisamente un premio. Lo consola il fatto che, per quanto si sforzi, non riesce a ricordare il primo pensiero di sé di cui ha avuto coscienza. In questo tentativo può spingersi al massimo fino ai corridoi dell'orfanotrofio dove Giuseppe Mundula, fabbro e vedovo, l'ha preso, a nove anni, perché avesse una famiglia e un mestiere. Prima nulla.

Ed è a quel prima che sta tornando.

Ma lo sai chi eri tu prima?

Io? Prima quando?

Prima, prima di tutto.

Che cosa ci fai lí? Vieni a dormire.

Mercede in piedi nell'angolo in ombra della stanza fa segno di no. Michele Angelo deve sforzarsi di mettersi a sedere.

Guarda che cosa mi fai fare Mercede Lai, femmina testarda, le dice lui, ma senza un minimo di astio. Ho male a tutte le ossa, specifica. Ma lo sai quanti anni ho?

Lei gli sorride. È tornata giovanissima, come quando lui l'aveva vista per la prima volta dall'alto della scala in chiesa mentre aggiustava il turibolo grande.

Lui vorrebbe spiegarle che se uscisse da quella stanza sarebbe sorpresa dal numero di cambiamenti che sono avvenuti intorno a loro. Oggi siamo moderni amore mio, le direbbe. Esiste la televisione. Le direbbe anche che per miracolo ha un bisnipote che tutti chiamano Gigi ma che si chiama Cristian, che è un nome moderno.

Tu prima non eri che una bestia senza Dio, e prima ancora una pianta e, prima ancora, solo un pensiero. E prima che pensiero eri Nulla, un nulla meraviglioso. Te lo ricordi tu quando eri nulla? Certo che no, perché quello è lo stato di grazia... insiste lei.

E lui comincia a capire, erano anni che non si sentiva cosí bene. Sente le gambe salde e le braccia forti.

Con un balzo è fuori dal letto, può persino correre per raggiungerla.

Fra le cose di mio bisnonno Michele Angelo trovammo una lettera:

Io sottoscritto Chironi Michele Angelo,

dichiaro e non permeto che i miei parenti quando io muoio che si vestano di nero niente lutto. Il lutto Cari non mi fa niente il lutto è nel cuore. Unaltra avvertenza non voglio messe solo quelle corpus presente. Non mi voglio messo in tombino in terra come mio Nipote mio Figlio e tutti gli altri. Non voglio orfanelle no, messe se pottete una e l'elemosina guardate a chi la date. Vi prego non voglio di chiudere il televisore, no? Solo per 8 giorni, non è un divertimento è uno svago per Giggi. Vi prego siate buoni e rispetosi senza darmi un dispiacere in vita neanche in morte. Vi ringrazio di vero cuore tutto l'amore e l'affetto che mi avete dato sono stato preso come un bambino. Ringrazio il Signore per avermi dato una famiglia tanto buona il Signore ve lo dia a voi in salute e fortuna come io ve lo auguro. Trattatevi bene con tutti, tanto cosa ne abbiamo nel mondo? Se qualche persona vi fa male, voi se potete fategli piú bene. Se io non ho la fortuna di ringraziare io, ringraziate voi a tutti quelli che sono venuti a visitarmi. Rigrazio di tutto di vero cuore, niente fiori un mazzo nella bara.

Io Chironi Michele Angelo,

24 Aprile 1967

Tocca a te

Mia madre Cecilia fu ricoverata all'ospedale oncologico di Cagliari nell'agosto del 1978. Era un ospedale importante allora, tanto che lo chiamavano clinica, le stanzette erano piccole e avevano persino la televisione a colori. Avevo diciotto anni io e la televisione a colori non l'avevo vista mai.

Cosí sapete qual è stata la prima cosa che feci? Accesi la televisione. Mi chiesi com'era che non ci fosse il volume, poi vidi il filo delle cuffie, posate sul mobile, a tre-quattro passi da me, collegato all'apparecchio. Ma ero troppo stanco per alzarmi a recuperarle, cosí semplicemente mi misi a guardare senza ascoltare. Guardavo immagini mute. Dallo schermo scaturivano silenzi frenetici. E mi sentivo come doveva essersi sentito l'apostolo Matteo, prima che stabilissero la sua santità. Prima di tutto: della conversione, della stesura del Vangelo secondo lui, del martirio in Etiopia.

Prima, prima di tutto questo.

Ma dopo che Cristo l'aveva prescelto nonostante lui stesso.

E gli aveva detto: Tocca a te.

E lui: A me?

Ecco, cosí mi sentivo: prima di tutto il resto, ma non prima che il Messia l'avesse guardato e gli avesse detto che toccava a lui. Cosí mi sentivo. E c'era, presumo, lo stesso silenzio che anticipò l'intervento dell'angelo allo scrittoio, nel preciso momento in cui, nell'estremo della riflessione, all'apostolo usuraio fu rivelato che quanto andava cercando, quanto andava almanaccando mentre fissava la pergamena intatta, era proprio lí, semplicemente, dentro al suo petto.

Come lui mi sentivo, davvero, e nemmeno mi stavo a chiedere come mai il destino mi avesse reso tanto familiare quell'immagine di vecchio alle prese con la sua immensa fragilità. L'angelo lo sbatté a terra e gli camminò sul torace frantumandogli il costato. Infatti presi a sentire un peso terribile fra la gola e lo stomaco e, per un istante, mi parve di soffocare. Avevo acceso la televisione a colori, non so nemmeno perché, e ora guardavo scene mute di carneficina. Loro guardavano me, per la precisione. Io guardavo il sussurro fumoso che ancora sorvolava la stanza. Guardavo il sussurro che era stato appena pronunciato.

Come dovette capitare quando il vecchio fu costretto, a furia di colpi, ad ammettere la sua piccolezza. E quando, una volta sfinito, atterrato, a un passo dalla fine, sentí perfettamente la carezza del sussurro che gli ripeteva: Tocca a te.

E lui, accennando, arreso: A me.

Poi si alzò, non senza fatica, conquistò un assetto stabile nonostante i dolori che gli bloccavano il respiro, nonostante sentisse nel petto un malessere languoroso, come di infanzia ritrovata, come di speranza rinata, e si avviò allo scrittoio. Ecco, senza pensare, intinse la penna nell'inchiostro...

Oh non sono mai stato speciale, ho amato le cose che amano tutti: il silenzio mattutino, le lenzuola fresche di bucato... Ho amato di innamorami. Ho amato di essere amato. Ho amato di trattenere il pianto e anche di piangere. Mai stato speciale, no. Ho amato il pane fresco e la perfezione di certe forme. Ho amato d'amare. E odiare, qualche volta, certo: non sono speciale.

Neanche adesso, che è notte fonda.

Non sono stato un figlio speciale, ho abbandonato presto la casa dove sono nato, subito dopo la morte di mio bisnonno.

Non sei speciale, ma a tuo modo lo sei. Questo l'hai detto spesso, mamma. Ma forse dipendeva proprio dal fatto che eri mia madre e che non volevi dichiararmi, dichiararti, un fallimento. Ma forse no, forse davvero pensavi a tutto quello che avrei potuto essere e che, disperatamente, non ero affatto. E davvero vedevi dentro di me qualcosa che nessuno aveva mai visto, che nessuno poteva nemmeno lontanamente immaginare.

Mi hai tolto da me. Hai posato sul mio petto il palmo aperto della tua mano. Con un gesto preciso. E adesso credo di capire che volevi indicare uno scrigno, un posto segreto, un tesoro.

Poi dopo, quando ho capito, mi sono alzato in piedi all'improvviso, e sapete che ho fatto? Ho acceso la televisione. Era a colori, incredibile, in quel posto di sofferenza. Cosí improvvisamente la penombra della stanza venne illuminata da immagini mute di un quadro che conoscevo fin troppo bene: ritraeva san Matteo nell'atto di ricevere, dall'angelo, l'ispirazione per il suo Vangelo. Ecco, mi dissi, e guardai senza nemmeno la forza di recuperare le cuffie posate lí accanto. Tuttavia c'era davvero poco da ascoltare se non una leggera aritmia che mi affaticava il respiro come se, improvvisamente, il peso di qualunque rivelazione mi si fosse riversato addosso.

Capii che Matteo Levi, in quel preciso frangente, quando gli dissero che toccava a lui, dovette sentirsi immensamente vecchio, quasi vicino alla morte, debole di una debolezza tremenda.

Quelle immagini guardavano me con precisione. E io guardai loro. Hai diciotto anni, mi dissi. È notte fonda, mi dissi. Cercando di gustare quel nuovo silenzio che dipendeva dal dissolversi velocissimo dell'ultimo sussurro.

Tocca a te.

A me.

Non sarebbe corretto dire che il vecchio fosse già santo nel momento in cui l'angelo lo raggiunse. Noi giudichiamo dopo cose accadute prima. E ci facciamo vanto di aver previsto quello che, al contrario, ci ha colto alla sprovvista. Ci sembra minore il pericolo avvertito che quello clandestino. Ci sembra piú sicura la categoria del sapere e piú incerta quella del non sapere. E invece accadde che nell'angoscia della sua missione, il vecchio dovette subire l'imboscata. E per quanto, dentro di sé, si vantasse di possedere tutta l'esperienza sufficiente per non stupirsi davanti a niente, quando l'angelo gli camminò sul petto ebbe paura, ma non tanto di morire, quanto che quella pressione tremenda lo costringesse a liberarsi di tutto ciò che, nel corso della sua lunga vita, vi aveva custodito. Perciò anch'io, credo, ho fatto quel che ho fatto: nella notte, dopo aver teso l'orecchio verso il nulla di sonni indaffarati che proveniva dal profondo della corsia, dopo, ho acceso la televisione. A colori. E nello schermo è apparso lo sguardo corrucciato del san Matteo di Caravaggio, quando ancora non sapeva di essere santo e non immaginava minimamente che avrebbe potuto scrivere un Vangelo.

Poi mi sono reso conto che quell'immagine non aveva musica, non aveva voce. E ho capito che quanto piú pensavo di guardarla, tanto piú era lei che mi stava guardando. Quasi sapesse che c'era un motivo preciso per commiserarmi. Hai diciotto anni, diceva: Tocca a te.

Ecco, non è che non lo sapessi, ma nell'attimo che passò dall'avvenire delle cose al comprendere che erano avvenute, trascorse, prosaicamente, tutta la mia vita. Quando l'erba colorava le mani; quando vidi me stesso sul seggiolino a forma di pony del barbiere mentre la mia pelle conosceva la freddezza del rasoio; quando senza che avesse un nome, potevo tuttavia già sperimentare quello che poi mi abituai a chiamare strazio della separazione; quando la felicità perfetta si palesava sotto forma di risata convulsa. Tutte quelle illusioni, quelle finte conclusioni, si vuole mantenerle in petto come forme di perpetua, inconsapevole consapevolezza. Perché è giusto provenire da qualche parte, e in qualche parte andare a morire. Da qualche parte andare dopo morti. Dopo, appunto.

Ve l'ho detto cosa feci. All'inizio nemmeno mi resi conto che da quelle immagini non sgorgasse nessuna voce, solo mi parve naturale aspettare un tempo perché il suono scaturisse, ma niente. Cosí vidi che lo spinotto delle cuffie era collegato all'apparecchio, e davvero non mi sentivo abbastanza in forze per alzarmi e andare a prenderle a pochi passi da me.

Certo avrei dovuto capire che in quel posto di silenzi nessun apparecchio televisivo possiede una voce, un suono, ma una luce propria sí. Una scia che vira nell'azzurro e che vanifica qualunque ipotesi di stabilità. Tocca a me? A te. Proprio a te.

Eppure sembra non debba succedere mai. Una notte come questa è l'esito estremo. Pensate un po', io che lotto contro il mio angelo, o il mio demone che sia. Lui che mi affronta senza mostrare armi, tendendo i palmi come per invitarmi a un abbraccio innocuo, palesandosi da un non luogo, ma rivelando carne, ossa e peso. Cosí è fatto l'angelo con cui mi tocca combattere. O il demone, non lo so: un tempo erano esattamente la stessa cosa. Non sono uno speciale, ho ricordi vaghi della tassonomia celeste. So che i serafini hanno nello sguardo l'estasi di perdersi in Dio mentre i cherubini sono sfrontati e luminosi. Ma oltre non vado.

In ogni caso quello che ho davanti non porta armi, ma è esattamente come se fosse armato fino ai denti. Lui mi guarda e a me tocca subire ogni fendente, perché questa è una lotta che non è una lotta, senza un rituale, senza rispetto: è l'oscenità della morte. È cosí che succede, no? A ciascuno toccherebbe di guardare in faccia la propria madre che sta morendo. Poi certo capita che qualcuno non si presenti a quell'appuntamento. Capita, certo.

Oh, non voglio giudicare, queste sono cose che non si possono decidere finché non avvengono, come i cardi: che non li vedi finché non ti hanno punto. Non si possono decidere. Eppure tu stai facendo tutt'altro, stai fingendo che niente possa capitarti, magari sei a cena fuori, o sei lí che stai strigliando un sottoposto, o subendo gli insulti del tuo capo; magari stai aspettando che il tuo bambino finisca l'allenamento, e ti sembra cosí esile, ti sembra che a differenza di tutti gli altri lui abbia ancora bisogno di te. Magari stai facendo l'amore, o magari la posta a una moglie che credi infedele. È giorno forse, o pomeriggio inoltrato. Potresti essere dentro all'incertezza infingarda della luce serale, assalito da un battito di malinconia. O in pieno sole, mezzo nudo, esposto agli sguardi mezzi nudi altrui. Questo semplicemente: la tua vita sta scorrendo. Hai aperto la porta finestra della cucina per farvi entrare luce e aria buona quando una lucertola ti s'infila in casa, e va a rintanarsi sotto al frigorifero. Hai sistemato il vano garage e ti ritrovi a guardare vecchie fotografie di quando pensavi di essere assolutamente mostruoso e invece eri accettabile, persino bello, con tutti i capelli in testa e neanche un filo di pancia; poi, proseguendo in questa scarnificazione, trovi le foto di quando eri certo di essere bellissimo, irresistibile, elegante, e capisci che, al contrario, c'era semplicemente da vergognarsi. Insomma sei lí che consideri fino a che punto le cose ti sfuggano, quanto ciò che credevi di aver tenuto sotto controllo di fatto sia definitivamente andato per la sua strada, ed ecco che ti arriva una telefonata.

Non ti preoccupare, mi dice. Ma quella voce che sento, quel suono lontanissimo, già mi sembra avviato per un viaggio senza ritorno. Come quando la tua bambina si volta per salutarti prima di entrare a scuola. Come l'attimo prima che tu ti decida a strapparti dalla carne un cerotto attaccato alla crosta della ferita. Non ti preoccupare. E io certo non mi preoccupo. Perché dovrei? Ho qui davanti una figura inerme che mi mostra i palmi nudi. Non c'è niente che possa farmi pensare che la mia incolumità sia a rischio. Niente. Eppure, a pensarci bene, quelle mani avanti sono terribili come quella frase al telefono: Non ti preoccupare.

Per la precisione qualche giorno prima ci fu un messaggio nella segreteria telefonica: Sono la mamma, qui va tutto bene. E lo disse come se avesse motivo, o ragione, di credere che io pensassi il contrario. No che non lo pensavo. Esattamente come capitò al vecchio apostolo quando non poteva sapere che sarebbe diventato santo, e quindi non poteva dare un senso allo sguardo preoccupato dell'angelo. E fu colto totalmente di sorpresa quando si rese conto che quelle sue mani nude, offerte, mostrate, nel loro incorporeo candore, potevano fendere la carne come una lama affilatissima. Quando capí, nella sua polpa, che la spada infuocata era solo un'immagine del calore d'inferno che quelle palme angeliche emanavano. Dunque l'angelo lo guardò e gli porse le mani, come a dirgli: Non hai nulla di cui preoccuparti, vecchio. E lui lo guardò a sua volta per dire: E di cosa mai dovrei preoccuparmi? Ma un istante dopo, precipitato a terra in seguito a un fendente terribile, cominciò a guardarlo con terrore. E quando quell'altro, che pareva poco piú che un ragazzo, prese a saltargli sul petto, comprese fino a che punto possa far male prendere coscienza di tutte le cose che abbiamo custodito dentro di noi. E quanto, quanto, i tempi nuovi si prendano licenza di aggredire i tempi vecchi...

Rivelazioni terribili scaturirono da quell'agguato: di quando l'avidità prese il sopravvento; di quando, artatamente, indossò lo stesso sguardo ingenuo che provava e riprovava dentro di sé per i debitori insolventi da pignorare; di quando barò sul peso del metallo o sulla percentuale del cambio; di quando, senza mai perdere il sonno, tradí e tradí ancora...

Fu costretto a rigurgitare tutte le scritture e le letture che aveva in petto; ingoiate certo, ma mai digerite. Perché, diceva il ragazzo maledetto – cereo, morbido, ma freddo e incorruttibile come marmo –, il suo vecchio corpo, la sua carena, doveva lasciar posto a letture e scritture piú alte, piú nutrienti di quelle che avesse mai fatto.

La maledizione è percepire. Peggio che sapere. Peggio che ignorare. Avere dalla propria parte l'esercito delle parole e delle connessioni: Sono la mamma, qui va tutto bene. E il tono di voce dove lo mettiamo? Certo magari alterato dalla pessima qualità della registrazione, certo colmo di imbarazzo per dover parlare intimamente a un nastro magnetico. Lei era fatta cosí: la maggior parte delle volte, appena sentiva partire la segreteria telefonica, riattaccava. Quindi decidersi a lasciare un goffo messaggio rassicurante, superando ogni evidente imbarazzo, era già, di per sé, un messaggio inquietante.

Certo c'è tutta la giostra delle premonizioni, quando dici a te stesso che non eri impreparato. Avevi fatto un brutto sogno – per esempio d'essere travolto da un fiume in piena mentre tenti di attraversarlo in macchina, ma quale macchina? Sei stato tutto il giorno di malumore senza un motivo ben preciso; la giornata si era annunciata tremenda da subito – brutto tempo anziché sole, la camicia che avevi deciso di indossare è indelebilmente macchiata; il bar di fronte a casa è chiuso per turno; non c'è nessuno che ti guardi con amore, anche il piú sconosciuto dei passanti ti osserva come se sapesse in quale abisso stai per cadere. Alla mia prozia Marianna tutto questo premonire sembrava logico.

Ecco, torni a casa, con questa ridda di connessioni forzose, stai per dire che una volta tanto ti sei sbagliato... E c'è un messaggio nella segreteria.

Sono la mamma, qui va tutto bene. Scandito come farebbe una bambina alla prima recita dell'asilo: silenzio, imbarazzo, sospiro, poi la prima parte di getto, Sono la mamma... Ancora silenzio, perché, si sta chiedendo lei, quando non è in casa semplicemente non risponde? Perché devo subire quest'onta di parlare al nulla come se fosse lui a rispondermi? Cosí, in quel silenzio, c'è quasi il tentativo strenuo di riattaccare. Ma poi, si dice ancora, se riattacco si preoccupa e magari pensa chissà che cosa... Qui va tutto bene. Perfetto, riattacca.

Nel giorno delle precognizioni per esempio a Matteo capitò di sentire l'ennesimo messia, uno dei tanti che avevano dichiarato buone novelle dalla scalinata del Tempio. E questo diceva qualcosa in merito al fatto che era venuto in Terra per inimicare il padre e il figlio, il fratello e il fratello, il sangue e il sangue. Passando di lí, Matteo Levi scosse la testa perché sentiva quelle cose terribili dette con voce tranquilla. E fu proprio quella discrepanza di tono e contenuto che gli fece paura. Però tirò dritto e non si voltò, ma sentí comunque lo sguardo di quell'ennesimo messia su di sé, tanto che per un istante temette che si trattasse, dài e dài, di quello vero.

Qualche tempo dopo, quando poté guardarlo, diede una consistenza a tutto quell'incerto che pure aveva cosí ben capito mentre passava davanti al Tempio. Avvertí in pieno la maledizione di percepire. Questa coscienza mi porterà alla morte, disse. Non sarà piú lo stesso, disse. E lo disse come se fosse una constatazione talmente palese da non ammettere alcuna incertezza. Con voce calmissima lo disse, sperimentando, esattamente, quell'atroce separazione del sé da se stesso. Cosí si parlò, e gli sembrò che qualcun altro gli parlasse.

A questa condizione non c'è rimedio: tu vedi che accade, poi accade a te. Tu lo dici a qualcuno e poi, qualcuno, lo dirà a te.

Tocca a te.

A me.

Tocca a te. A me tocca, in questo momento, fingere qualche sorriso. Contornare il dolore sordo con un'alzata di spalle per chiarire che quanto non ci si dice è lí che urla. Sto morendo? mi hai chiesto, a un certo punto. E io ho scosso le spalle, come se quella domanda fosse la piú lontana delle ipotesi che si potessero mai ipotizzare. Eppure la morte, l'agonia, erano lí acciambellate ai tuoi piedi come un gatto che non si riesce a scacciare. Questo accade una notte: che dopo giorni e giorni di mutismo, finalmente, con una voce nuova nuova, chiedi: Sto morendo?

Ma l'angelo fece no, non stai morendo vecchio, stai rinascendo.

E io? Io ti risposi che morendo stiamo tutti. Provando a sorridere.

Cosí tu mi hai guardato e io mi sono accorto che quegli occhi velati dal liquido ascitico erano, improvvisamente, ritornati chiari e liquorosi come nella foto dipinta a mano che da sempre era appesa in camera da letto.

E che donna meravigliosa eri stata: che donna meravigliosa eri. Anche adesso, ridotta a una bimba, con la pelle buttata alla rinfusa sopra lo scheletro. Con i capelli spenti, ma ancora tanti.

Vai a dormire, mi dici.

E io che no, io a dire che se non dormi tu, non dormo neanche io. E tu: Dormirò a lungo tra breve.

Senza capirlo capisco che tutto sta cambiando. Ora sei vigile, rispondi a tono. Hai la mente pronta. La battuta giusta.

Per un istante mi rincuoro, poi mi accorgo che l'angelo maledetto mi sta coprendo gli occhi. Ha fatto brandelli del mio corpo. Ha schiacciato il mio amor proprio fino a farmi desiderare un dolore in affitto, dentro all'appartamento della mia carne. Mi ha obnubilato fino a farmi temere qualcosa che è assolutamente inutile temere.

Infatti, improvvisamente, con chiarezza, come se fossi io a morire e tu a vegliare, mi dici: Non aver paura. Mi dici che sono un bambino, che sono dovuto crescere troppo in fretta.

L'angelo fa cenno al vecchio perché si sollevi. E lui si rende conto che, a differenza di quanto pensasse, è in grado di alzarsi, cosí leggero com'è diventato, senza il peso dei suoi segreti, dei suoi anni. Davvero sembra rinato. Davvero la fiamma che gli scorre addosso gli incendia i capelli, e le ciglia, come una vampata da cui ci si sia ritratti in tempo.

Ecco, per un istante non ho piú paura: tutto sembrerebbe ritornare a quell'armonia che questa notte, lunghissima, pareva voler spezzare. Il tuo viso è di nuovo piano, disteso. Per cinque minuti parliamo fitto fitto. Abbiamo ricordi in comune che non combaciano affatto. Tu ricordi del primo giorno all'istituto Ferdinando Podda, di quando io piangevo perché non volevo entrare in classe, e io invece mi ricordo di te che piangevi, cercando di non farti notare, quando mi lasciavi nel cortile della scuola. Io ho ben chiaro che la faccenda della mia «sparizione» non era stata nient'altro che allontanarsi per pochi minuti dal raggio di controllo del tuo sguardo; e tu invece ricordi che mi cercaste per ore. Che risate, ora, madre e figlio, siamo al punto estremo della compenetrazione, all'apice della sovrapposizione. Non capiterà mai piú che noi due, fuori da qualunque anagrafe, ritorniamo ad avere esattamente la stessa età; non capiterà mai piú che i nostri ricordi abbiano pari dignità. Ci siamo portati esattamente dove siamo.

Da ora tu rinasci e io, a poco poco, muoio.

Stirpe

Dallo schermo a colori un particolare dello sguardo di san Matteo, cosí come l'ha immaginato il pittore: è il momento in cui, finalmente arreso, ascolta con grande attenzione l'angelo mentre enumera la genealogia di Gesú Cristo...

... Abramo generò Isacco, Isacco generò Giacobbe, Giacobbe generò Giuda e i suoi fratelli, Giuda generò Fares e Zara da Tamar, Fares generò Esròm, Esròm generò Aram, Aram generò Aminadàb... E cosí via sino alla constatazione che da Abramo a Cristo passano per due volte quattordici generazioni, la prima da Abramo fino alla deportazione a Babilonia, la seconda dalla deportazione a Babilonia a Cristo...

Tieni il conto, vecchio? E Matteo fa cenno di sí che ora è tutto chiaro e che, con i numeri e i conti, lui ci sa fare. Ma non deve essere in alcun modo distratto. È attento come uno scolaretto e ha perso qualunque sicumera, quell'angelo l'ha ammansito a dovere. Passato il momento dell'azione arriva quello dell'ascolto, e poi ancora, per sempre, viceversa: dall'ascolto all'azione, e poi...

Nel ragionamento celeste siamo poco piú che bambini a cui bisogna ripetere all'infinito lo stesso concetto. E dentro quella ripetizione c'è comunque la variazione, cosicché noi si possa pensare di vivere in esclusiva qualcosa che è di ognuno. A furia di ripetere, da vecchi, scopriamo d'essere meno speciali di quanto abbiamo mai creduto di essere. Scopriamo che tutti ugualmente si muore e questo ripetersi infinito non è nient'altro che negazione dell'evidenza.

Ripeti, dice l'angelo al vecchio, ora tocca a te. E lui ripete: Abramo generò Isacco, Isacco generò Giacobbe, Giacobbe generò Giuda e i suoi fratelli, Giuda generò Farès e... Va bene, va bene, lo interrompe il ragazzo.

Qualche volta ci capitava di incontrare qualcuno che tu affermavi io dovessi conoscere. E io sempre negavo la circostanza. Anche questa volta, tu riconoscesti bene quel passante e io affermai di non conoscerlo, ma solo perché avevi ripreso a sorridere. Per tanto tempo ti eri limitata a guardare un angolo della stanza con le sopracciglia aggrottate. Sembrava che in quell'angolo invisibile accadessero cose straordinarie e che tu non volessi distrazioni... Sembrava che tu seguissi un filo e sentissi una voce. Sembrava che stessi lí ad assistere alla tua storia che si compiva: Michele Angelo e Mercede generarono Pietro e Paolo, Giovanni Maria e Franceschina, Luigi Ippolito, Gavino, Marianna; Luigi Ippolito e Erminia generarono Vincenzo, Vincenzo e Cecilia generarono Cristian...
Cristian e Maddalena genereranno Luigi Ippolito...

Va bene, si ricomincia.

È possibile che nel corso di questa storia vi siate imbattuti in combinazioni veridiche di nomi, cognomi e circostanze: sono solo combinazioni.

M.F.

Luce perfetta

Ai resistenti

«Tu digli che, per quanto sia andato a vivere in un posto di mare, niente va bene e nessuno può essere salvato...»
Mia madre, in sogno

Ero in attesa che succedesse qualcosa, e quel qualcosa era l'attesa...

T. MALICK, *The Tree of Life*

Parte IV
Ancora dopo

Gozzano, gennaio 1999.

Secondo quale disegno Maddalena Pes fosse riuscita ad arrivare esattamente dove si trovava, non sapeva dirlo.

La mattina precedente, con un bagaglio leggero, si era imbarcata sul traghetto che collega Porto Torres a Genova. Il che aveva significato alzarsi prima dell'alba per raggiungere il porto, su una macchina a noleggio con autista, e passare tutto il giorno ad aspettare la sera per salire a bordo. Pericolosamente, durante quel tempo morto, si era lasciata andare persino alla tentazione di desistere. Ma era una donna che aveva dovuto imparare la tenacia. Nel corso dei suoi quarant'anni si era adattata ad attese ben peggiori. Da Genova aveva poi raggiunto Torino in treno, esperienza totalmente inedita per lei che di treni, in Barbagia da dove veniva, non ne aveva mai frequentati. Infine da Torino con mezzi locali, un interregionale e un pullman, era arrivata a Gozzano, quel posto di cui sapeva scrivere perfettamente l'indirizzo e che, ora, si manifestava, nella sua realtà effettiva, sotto forma di un palazzotto di costruzione piuttosto recente. A dirla tutta c'era in quell'edificio, dove stava per entrare, un'aura da clinica. Da scuola di preti. Da seminario, appunto. Tutto il paese intorno aveva un'attitudine sussurrante, di onesta sobrietà. Una fredda compassione che si adattava perfettamente al gelo da cui era attanagliato. Gennaio mostrava le zanne. Maddalena Pes capí di essersi vestita troppo leggera. Sospirò, premette due volte il pulsante del campanello, la serratura scattò, il portone si aprí.

Nel corridoio deserto imperava l'odore di cera per pavimenti, quella che le perpetue sanno stendere alla perfezione. Alle pareti qualche immagine di raccapricciante ingenuità, qualche poster sulle missioni, qualche mensola con vasetti e centrini di quel gusto infantile che hanno certe suore, o donne anziane, quando, per avventura, devono occuparsi di comunità maschili.

Maddalena avanzò di un paio di passi, superò una porta chiusa alla sua destra e poi un'altra ancora. Prima che raggiungesse la terza questa si aprí: ne uscí un uomo che non dimostrava piú di venticinque anni, piuttosto alto, vestito di grigio. Nel vederla fece un sorriso che non poteva definirsi di circostanza, ma nemmeno di entusiasmo.

– Lei è la madre di Luigi Ippolito, la stavamo aspettando, – disse. Maddalena accennò col capo. – Dia pure a me, – intimò il giovane uomo con una dolcezza nervosa afferrando la piccola valigia. Maddalena lasciò fare: era stanca e aveva freddo, nonostante il tepore diffuso nell'ambiente. – Al momento Luigi Ippolito è di turno con i ragazzi, ma arriverà tra poco, – la informò con la gentilezza sussiegosa di chi ha fretta di concludere per tornare alle proprie faccende.

Maddalena impostò un sorriso. L'uomo non ricambiò, ma la precedette in un salottino modesto con poltrone in pelle marrone, tumefatte, sopra le quali, all'altezza della spalliera, erano stati appoggiati pizzi a uncinetto multicolori, grossolani, di quelli fatti con i rimasugli di lana. Posò il bagaglio di Maddalena su una sedia e si bloccò, quasi stesse attendendo la mancia. – Adesso arriva, – disse invece, dopo aver guardato l'orologio al polso, e si rimise sull'attenti, le mani incrociate dietro al sedere come se il suo compito fosse quello di scortarla e farle la guardia fino all'arrivo del figlio.

– Abbiamo saputo, – sussurrò l'uomo a un certo punto. – Sono cose brutte, ma il Signore ci aiuta a superarle, – assicurò.

Maddalena lo guardò bene per la prima volta: era un ragazzone veramente alto, ben fatto, molto curato. – E che cosa avete saputo? – gli chiese all'improvviso.

– Luigi Ippolito ci ha detto del papà… Sí insomma… Della disgrazia… – arrancò l'uomo.

– Lei è un prete? – incalzò Maddalena.

– Frequento il noviziato. Sto finendo il mio percorso... Se Cristo mi vorrà accogliere lo sarò presto. Tutti pensano che siamo noi a decidere, ma la decisione spetta solo a Lui.

– A Cristo? – chiese Maddalena per essere sicura di aver capito.

– A Cristo, – confermò il novizio.

Seguí un silenzio colmo di rumori. Maddalena notò solo allora che quella stanza assomigliava in tutto a quello che Marianna Chironi, buonanima, avrebbe chiamato «tinello»: non salotto, non cucina, non studio, non anticamera. Una cosa che è in quanto non è, insomma. Da dove veniva lei gran parte della modernità si era insinuata nelle case attraverso il tinello, che era il motivo principale per cui i mobili pregiati erano stati dati via per pochi spiccioli o riciclati in legna da ardere. Ed era stato proprio da quello spazio che la televisione aveva preso possesso degli ambienti. Anche in quel tinello campeggiava un apparecchio televisivo, antiquato, spento da sempre, addobbato con gli stessi pizzi delle poltrone, ma piú piccoli, sormontato da un vasetto con due garofani finti.

Dopo qualche minuto d'attesa senza che nulla accadesse, Maddalena decise di sedersi. Tra la poltrona e la sedia scelse la seconda. L'uomo approvò con un abbozzo di sorriso, come a dire che mettersi comoda era proprio la decisione giusta.

– Cosí Luigi Ippolito vi ha detto della disgrazia, – disse di punto in bianco Maddalena.

Enfatizzata da quella donna, la notizia pareva piuttosto una delazione. – Era impossibile non capire quanto fosse colpito, a volte le parole non occorrono, – dribblò il novizio.

– Immagino, – approvò Maddalena, ma con una decisa punta di sarcasmo.

– Luigi Ippolito ha pregato molto, – assicurò lui.

– Certo, è logico. Voglio dire, qui si prega no?

Il novizio s'irrigidí. – Sí, proprio cosí: qui si prega, – rispose come se avesse deciso di mettere da parte i convenevoli per accettare la sfida. – Qualche volta si prega anche per chi non lo fa, – aggiunse.

Maddalena lo guardò: il viso perfettamente sbarbato, il taglio dei capelli impeccabile, gli occhi di un verde autunnale, gli zigomi alti, il collo sottile. – Lei è un bell'uomo, – constatò a voce alta, ma senza riuscire a nascondere che voleva dire «troppo bello per conservarsi in questa vita di castità». Cosí come capita ai clienti di certe prostitute a cui scappa di dire «sei troppo bella per questa vita».

L'uomo allargò le braccia per sottolineare che quell'aspetto non l'aveva certo scelto lui. – Luigi Ippolito non dovrebbe tardare ormai, – informò.

Non tardò. Arrivò leggermente trafelato. Fece qualche passo verso la madre senza che quell'avanzare significasse un abbraccio o una stretta. Cosí fu lei ad afferrarlo per il viso e portarselo al seno per baciargli la fronte. L'altro si congedò sbrigativamente per lasciarli soli.

– Hai conosciuto Alessandro, – disse lui per dare una ragione pratica al fatto che si era svincolato dalla stretta materna.

Maddalena fece un gesto generico. – Ti trovo bene, – osservò con una malcelata delusione, come se si aspettasse di trovarlo deperito, o sciupato.

– Sto bene infatti, – confermò Luigi Ippolito.

Maddalena rifletté sul fatto che, se non fosse stato per qualche centimetro in meno, si sarebbe detto una copia del novizio che, ora aveva imparato, si chiamava Alessandro. – Hai tagliato i capelli e hai messo su peso, stai bene, – ribadí.

Il figlio fece un cenno di approvazione.

La brutta stanza, i centrini multicolori, alcuni calendari con cani e gatti, le poltrone obese come veneri fenicie e persino il vasetto con i garofani di plastica parevano spiarli.

– Tutti qui dicono che sembri mia sorella, – disse a un certo punto Luigi Ippolito, preoccupato del silenzio che si stava creando fra loro.

– Tutti chi? – Era sorpresa di essere stata vista senza che lei avesse notato nessuno, a eccezione del giovanotto che l'aveva accolta.

– Tutti gli altri, – chiarí il figlio, come se fosse una risposta sufficiente.

– Io non ho visto nessuno –. Nel tono di Maddalena si stava insinuando un certo fastidio: lei non era donna da accettare situazioni di cui non aveva l'assoluto controllo.

– Ma loro hanno visto te, – chiuse Luigi Ippolito quasi che non ci fosse niente di piú da dire che quello.

– Dobbiamo rimanere qui? – chiese allora Maddalena. – Voglio vedere dove stai. Dove vivi tu, intendo.

Quel che intendeva era chiaro. – Non è niente di che, – glissò Luigi Ippolito.

– Fa lo stesso, – insistette lei col ritmo secco di quando voleva comunicare al figlio che, per quanto fosse nato per resisterle, tuttavia non ce l'avrebbe fatta.

– Un letto singolo, una scrivania, un armadio. Cosa vuoi vedere? – chiese lui sciorinando quell'elenco atroce e banale.

– Un letto singolo, una scrivania, un armadio, – ripeté lei pedantemente, tentando addirittura di replicare l'inflessione del figlio.

– Avevo pensato di portarti fuori per cena, – tagliò corto lui.

– Ed è permesso? – Non era pensabile che lei avesse fatto quella domanda con sarcasmo.

Luigi Ippolito si rifiutò di pensarlo. – Possiamo uscire, – confermò.

– Ma la tua camera non vuoi farmela vedere. Cosa sarebbe questo, un parlatorio? – aggiunse facendo un gesto che doveva comprendere tutta la stanza.

– Non ci ho mai pensato, – confessò Luigi Ippolito guardandosi intorno, – ci sono venuto raramente a dirla tutta.

– Poche visite vuoi dire.

– Voglio dire quello che ho detto, mamma –. A giudicare da quanto Luigi Ippolito stringeva le labbra, la tattica di Maddalena, anticipare e ritirarsi, cominciava a dare i suoi frutti. L'aveva fatto fin da bambino, di stringere le labbra in quel modo tutte le volte che cercava di mantenere il controllo. Tutte le volte che doveva ingoiare un diniego o un rimprovero. Tutte le volte che qualche cosa non andava come lui aveva previsto. Era stato un bambino difficile.

– Non voglio rimanere qui, – sbottò Maddalena. – Dovevi portarmi a cena, no?

– Sí –. Ecco che lo sguardo di Luigi Ippolito si fece immobile come quel gennaio feroce che mordeva le montagne e le frantumava quasi fossero schegge di cioccolato.

– Dovrò passare alla pensione prima... – disse lei. Fuori dalle finestre si era fatto scuro. Un'oscurità imperscrutabile, estranea, ostile. – Ho l'impressione di esserti di peso, – confessò dopo una breve pausa.

Luigi Ippolito s'inventò un sorriso che peggiorò le cose piuttosto che migliorarle, ma non rispose.

– Non dici niente? – chiese Maddalena come se lo implorasse di contraddirla.

– Che cosa devo rispondere? Come disse babbo: a paragulas maccas uricras surdas, – scandí in un sardo lineare, scolastico, quasi per buttarla in scherzo.

– Sulle «orecchie sorde» tu sei sempre stato un campione. E io, probabilmente, lo sono stata per le «parole sciocche».

– Scherzavo, – stemperò Luigi Ippolito. – Non accetti piú una battuta?

– No no, figurati... – concluse Maddalena abbottonandosi per uscire.

Luigi Ippolito la precedette nell'andito, poco prima del portone d'ingresso afferrò una giacca imbottita blu da un attaccapanni.

Il gelo se li divorò in pochi secondi. E non erano le sei del pomeriggio. Passarono alla pensione dove Maddalena poté lasciare la valigia e accettare una sciarpa di lana che la padrona le offrí.

– Hai fame? – chiese Luigi Ippolito quando furono finalmente seduti uno di fronte all'altra al tavolino da due della trattoria che, forse non a caso, si chiamava Osteria del Prete. – Qui fanno roba semplice e buona. Di cosa hai voglia? – incalzò.

Maddalena cercava di non dimostrare l'impaccio che l'attanagliava, a lei di mangiare fuori casa non era mai piaciuto. Era una di quelle che considerava il cibo alla stregua dell'igiene, qualcosa di estremamente intimo. Tuttavia le scappò un sorriso pensando a quelle volte in cui suo marito aveva cercato di convincerla ad andare fuori a pranzo o a cena. – Ci volevi tu per farmi andare al ristorante.

– Ristorante è una parola grossa, – smussò Luigi Ippolito. – Il cibo è ottimo e i prezzi sono competitivi.

– Come sono i prezzi? – chiese lei prendendolo un po' in giro.

– Competitivi, – ripeté lui, prima di rendersi conto che la madre lo stava provocando.

Risero insieme. Come quella volta, molti anni prima, quando avevano organizzato quello scherzo a nonno Giuseppe, che tutti chiamavano Peppino, in cui Luigi Ippolito doveva fingere di essere stato lasciato solo in casa… Che ridere vedere con quale furia era corso a raggiungere il nipote nonostante stesse sempre lí a lamentarsi che gli facevano male le ossa… Che ridere guardarlo correre goffo, ma pericolosissimo, come un grosso cinghiale infastidito. E questo faceva pensare che c'era stata una stagione, breve, in cui madre e figlio erano stati complici. E poi costringeva a constatare quanto presto quella complicità fosse finita.

All'Osteria del Prete facevano i dolci di castagne e Luigi Ippolito sapeva quanto piacessero alla madre: l'aveva portata lí apposta. Apposta aveva affrontato un tragitto piú lungo nonostante il freddo. Cosí Maddalena poté gustare i migliori marroni canditi che avesse mai mangiato. Qualche volta si dice molto scegliendo una trattoria piuttosto che un'altra.

– Lo sai che volevo tornare, vero? Per il funerale –. Ora era palese che Luigi Ippolito aveva atteso il momento perfetto per dire quanto gli premeva di dire dal primo istante in cui si era presentato davanti alla madre.

– Ma non l'hai fatto, – osservò lei pulendosi l'angolo della bocca da un frammento di dolce. Poteva aspettarsi ogni cosa da quella creatura che era stata generata nel suo grembo, e che ora pareva voler sancire ogni possibile estraneità rispetto a lei. Quella che i figli chiamano crescita, le madri la chiamano, nel segreto di se stesse, abbandono.

– No, è evidente che non l'ho fatto, a un certo punto non me la sono sentita –. Improvvisamente fu chiaro a tutti e due che il loro «volersi bene» si era trasformato in una guerra di posizione. Cosí, mentre ancora Luigi Ippolito si sforzava di sembrare qualcuno che non avesse niente di cui giustificarsi, gli venne in mente di quella volta in cui Domenico, suo padre, gli aveva detto: «Tu non hai nessuna pietà». E gliel'aveva detto come se stesse parlando con un uomo fatto, non con un bambino di nove anni. Non aveva pietà, questo era certo: se ne avesse avuta, non sarebbe mai stato capace di affrontare quanto gli stava capitando.

– Sí, cioè: è evidente... – lo interruppe la madre, che aveva ascoltato ognuno dei suoi pensieri.

– ... Avevo pianificato tutto... Ma sai come si dice qui?

– No, come si dice?

– «Se vuoi far ridere il Signore raccontagli i tuoi piani».

Maddalena, per quel figlio, aveva chiesto un miracolo. Aveva chiesto, nello specifico, che smettesse di essere tanto ostile. E, se anche pensava di conoscere bene l'origine di quell'ostilità, tuttavia fingeva che si trattasse solamente del fatto che come i figli non possono scegliere i genitori, cosí i genitori non possono scegliere i figli. Lei aveva bene in mente l'istante esatto in cui si era capito, oltre ogni possibile dubbio, che con Luigi Ippolito sarebbe stato un combattimento costante. Era stato il travaglio stesso a farglielo pensare, perché dalla rottura delle acque alla nascita erano passate dodici ore. Ed erano state dodici ore di lotta pura, come una trattativa violenta tra Stati canaglie, colma di minacce e rettifiche, fatta di ricatti e ripensamenti. E quando alla fine quella creatura era stata costretta a venir fuori, e Maddalena ebbe potuto guardarla, il figlio aveva fatto in modo che la madre capisse tutto. Si era trattato di uno sguardo terribile, di profondo livore. La bocca di lui si era serrata contro il capezzolo, fuori da ogni istinto. Nel caso della nascita di Luigi Ippolito, la parola travaglio aveva avuto un senso pieno. E Maddalena aveva dovuto ammettere dentro di sé, che con quel figlio ogni singola parola avrebbe avuto, da quel momento in poi, un senso pieno.

– Non mi chiedi nemmeno perché sono venuta fin qui, –

considerò mentre se ne tornavano verso la pensione. Per una stranezza atmosferica, ora che era calata la notte, pareva fosse diminuito il freddo.

– Sapevo che bastava aspettare, – rispose Luigi Ippolito.

– Ho riflettuto parecchio dopo la morte di... Domenico, – poi le scappò da ridere, perché anziché dire «tuo padre» aveva optato all'ultimo secondo per «Domenico».

A Luigi Ippolito non era certo sfuggita quell'incertezza. – Babbo, – puntualizzò. Maddalena stette in silenzio finché suo figlio non riprese: – Hai riflettuto parecchio...

Maddalena accennò col capo. – Ma tu te lo sei mai chiesto perché ti chiami Luigi Ippolito? – domandò a bruciapelo.

Lui prese qualche secondo: – Amici cari, la famiglia Chironi, – tentò.

– Sí, certo, – confermò Maddalena.

– Ma questo che c'entra?

Le luci del paese vibrarono nell'oscurità rocciosa della valle.

Maddalena si sistemò meglio la sciarpa di lana sulla nuca. Se ne andavano per le strade deserte come fidanzatini, lei al braccio di lui. La madre col suo abbigliamento inadeguato e la sciarpa in prestito, il figlio con addosso volumi grigi e blu, inappuntabili.

– Certo che per essere futuri preti, all'aspetto sembra che ci teniate parecchio... – buttò lí lasciando che la riflessione precedente prendesse la sua strada.

– L'ordine non tiene all'aspetto piú di quanto ci tenessi tu con me, mamma. Da quel punto di vista, per quanto mi riguarda, è cambiato poco e niente –. La risposta di Luigi Ippolito aveva un sapore affettuoso, ma distante.

A Maddalena quella distanza fece male. – Non è colpa mia vero? – chiese.

Luigi Ippolito, che aveva capito benissimo quella domanda apparentemente incongrua, si bloccò per poterla guardare negli occhi. – Tu sarai la prima persona a cui dovrò chiedere perdono, – scandí.

Ripresero a camminare.

– Durante il funerale tutti mi chiedevano di te, lo sai come succede a Núoro... Qualcuno ha persino pensato che ci fossero delle questioni fra noi.

– Figurati se non lo capisco, – approvò Luigi Ippolito badando a non perdere il vicolo che bisognava imboccare per raggiungere la pensione dove la madre era alloggiata. – Ma tu hai lasciato correre spero, in questi casi spiegare troppo o nulla sono la stessa cosa.

– Eh, figlio mio, lo sai come sono fatta... Qualche rispostina se la sono presa...

– A me interessa che l'abbia capito tu perché non sono venuto. Ho pregato perché tu lo capissi!

Maddalena replicò con un gesto delle spalle. Il che era un modo di mentire, senza necessariamente mentire. Un sistema per dire che lei poteva capire solo in quanto madre; solo in quanto persona che l'aveva amato, e che lo amava, di piú al mondo. Si rese conto che era diventata madre troppo presto, ma anche del fatto che quella precocità le aveva donato piú tempo per sperare che quel figlio fuggiasco tornasse da lei.

– Sali un attimo. C'è qualcosa che vorrei farti vedere, – gli disse quando furono arrivati all'ingresso della pensione.

Luigi Ippolito ingoiò una boccata di gelo, poi scosse la testa. – Domani. Hai bisogno di riposare. Ne abbiamo bisogno tutti e due, – rispose come se avesse a che fare con uno dei ragazzi di cui faceva il custode in seminario.

E Maddalena capí che sarebbe stato del tutto inutile cercare di colmare la distanza che quel rifiuto semplice, quasi dimesso, aveva generato fra di loro. – Va bene anche domani, – conciliò badando a non apparire in alcun modo delusa. – Quando ti liberi mi trovi qui.

– I dintorni sono molto belli, – disse lui, – comunque per mezzogiorno ti vengo a prendere, ho promesso al Padre Rettore di portarti a pranzo da noi verso le tredici, cosí mi fai vedere quello che vuoi...

– Non vorrei farti perdere tempo.

– No, certo, che dici? – abbozzò lui, ma con una totale assenza di energia, quasi che la frase appena pronunciata non fosse nient'altro che la copia di una copia.

– Ho capito, – fece lei, sbrigativa.

– Tutto bene? – chiese Luigi Ippolito.

– Tutto bene, – ripeté la madre, come le accadeva ogni volta che non voleva denunciare il fastidio che la mordeva. – Allora vado, – disse facendo un passo verso il figlio. Luigi Ippolito, colto di sorpresa da quello che considerò un tentativo di abbraccio, fece per indietreggiare, consigliato dall'istinto. Maddalena trasformò quell'abbraccio abortito in un saluto goffo, come quello di chi fa un cenno a qualcuno che sta su un treno in movimento.

Luigi Ippolito non si mosse finché non la vide scomparire oltre la prima rampa di scale. Poi si avviò verso il seminario.

La notte si fece sapida, un gelo acido gli asciugò il palato. Aveva affrontato l'indicibile, aveva superato se stesso. Luigi Ippolito si accorse di sudare, e poi si rese conto che per tutta la sera non era mai riuscito a rilassare le spalle. «Controllo», sussurrò, come quando da bambino aveva dovuto constatare fino a che punto fosse difficile stabilire se si sceglie o si è scelti. Senza saperlo allora si era detto: «Controllo, controllo…», e poi: «Sono qui, se mi vuole mi prenda…» La presenza della madre gli aveva dato coscienza di quanta forza era servita per raggiungere quella forma di tenace arrendevolezza. I suoni del mondo, vagando nel catino generato dalle montagne, erano nelle sue tempie archi tesi, frinii di meccanismi in moto, scatti di molle oliate: quella notte non era affatto silenziosa, nonostante in apparenza niente si muovesse. E il gelo non era nient'altro che una campana di cristallo su un vecchio orologio decorato. Ora il punto era non ricadere nel gorgo delle rimostranze, accettare il proprio destino di ferocia. «Tu non hai nessuna pietà», gli aveva detto suo padre.

«Io ho sempre ignorato la pietà. Fin da quando mi ricordo. Tutto quello che sono, tutto quello che sono diventato, credo dipenda da questa verità assoluta: ho sempre, sempre, ignorato la pietà. Quella nei confronti dei miei genitori, ma anche quella nei confronti di me stesso. Per il resto c'è poco da dire: coltivo il dubbio, mi dimeno – senza darlo a vedere – dentro al fango delle mie ossessioni. Per esempio l'ossessione della bontà, e l'idea che alla fin fine sia piú utile per chi la esercita che per chi la riceve. Non è superba la bontà? Supponente? Se fosse un sentimento normale perché avrebbero inventato i Santi? Che poi non sarebbero nient'altro che i professionisti, i campioni, quelli talmente superbi nell'esercizio dell'altruismo da annullare se stessi, e quindi innalzarsi attraverso gli altari fino all'alto dei cieli. Del resto Lui che pietà ha avuto quando mi ha abbandonato nel delirio di me stesso? Avevo forse nove, forse dieci anni, e c'era un cielo da impazzire e dappertutto, stordente, il profumo delle ginestre spinose. Che pietà quando, d'improvviso, mi ritrovai al centro del vortice, di quelli di cui si racconta nelle agiografie tutte le volte che il divino si manifesta? Oh, ero innocente, cosí aprii le braccia per offrire la mia carne molle al fendente».

Luigi Ippolito scandí queste parole rivolto al niente resistente del selciato sotto i suoi piedi, come se parlare con se stesso a capo chino significasse arrendersi a ogni evidenza, tentare un ennesimo esercizio di umiliazione per sanare l'immensa superbia che era occorsa, solo undici anni prima, per raccontare ai genitori che cosa gli era capitato, o cosa credeva che gli fosse capitato.

Quel giorno, a casa, a tavola, si era sentito parlare con una lingua sconosciuta, come ispirato dalla fiamma della Pentecoste; aveva descritto con dovizia di particolari cose che non avrebbe dovuto conoscere. E aveva raccontato di lui, del cielo, del profumo, del fendente. In quel preciso mezzogiorno ogni suono si era interrotto: il tempo scandito dalla pendola, lo sgocciolio del rubinetto, il frinire delle cicale, il respiro di sua madre.

Il padre lo aveva ascoltato senza fiatare, aspettando che finisse, poi aveva taciuto a lungo. «Tu non hai nessuna pietà», aveva detto infine.

Dentro al budello tiepido del corridoio che lo conduceva alla sua stanza gli parve di star meglio. Senza una ragione precisa, l'odore invadente di cavolo stufato, proveniente dal refettorio, lo rese allegro. Una volta nella sua stanza corse a sdraiarsi sul letto senza neanche svestirsi, senza neanche sfilarsi le scarpe. Come un morto pronto da inumare.

Il mattino dopo si avviò verso la pensione, mancavano dieci minuti a mezzogiorno. La giornata era bellissima, smaltata e netta. Niente pareva lasciato al caso: punte e spigoli, tetti e antenne, grondaie e comignoli, apici d'abete e cime imbiancate. Come in una tavola fiamminga l'acuto sovrastava qualunque possibile rotondità. E pareva consigliasse di mirare in alto verso il turchese compatto del cielo, senza un sole che potesse sbiadirlo, né un volo d'uccello che potesse macchiarlo.

Ma giunto a destinazione scoprí che Maddalena era partita qualche ora prima, col pullman per Torino. Alla padrona della pensione sua madre aveva lasciato un plico con la preghiera di darglielo appena si fosse presentato, cosa che l'anziana signora fece con solerzia. Luigi Ippolito afferrò la busta spessa che gli veniva consegnata come se si trattasse di qualcosa di estremamente pericoloso. Tenendola stretta al petto si affrettò a rifare a ritroso la strada verso il seminario. Finché, raggiunta la sua stanza, poté vederne il contenuto: erano fogli in parte scritti a mano in parte battuti a macchina.

Parte I
Prima

Núoro, febbraio 1979.

Solo un istante dopo sembrò tutto impossibile. Cristian balzò a sedere sul letto come se l'orgasmo appena consumato, anziché rallentarlo, l'avesse reso piú energico. Maddalena lo osservò mentre cercava di afferrare le mutande abbandonate sul tappeto e poi le indossava come se, in quel momento, non gli interessasse altro che di mettere fine alla sua nudità. Con la biancheria addosso, infatti, sembrò calmarsi.

– Non possiamo fargli questo, – disse Cristian all'improvviso.

– Peccato che ti venga in mente sempre dopo e mai prima, – rispose lei, senza nemmeno tanta enfasi.

– Domenico è un fratello per me, – continuò lui, – non è una cosa fatta bene.

Stettero in silenzio, era uno di quei momenti in cui Maddalena aveva una precisa competenza di quanto Cristian avesse bisogno di lei. Lo sentí pensare, lacerarsi nel dubbio se alzarsi e scappare, oppure restare. E poi risolversi a non fare assolutamente nulla. A Maddalena piaceva lasciarlo cosí, debole, esposto come un serpente che ha appena fatto la muta. Seduto sul letto le dava le spalle. Aveva la pelle del colore dell'argilla ben cotta, un piccolo neo sporgente poco sotto la vertebra del collo, la nuca spaziosa. Lei sapeva benissimo quanto fosse suo ogni millimetro di quella pelle, perché per quell'uomo nutriva qualcosa che non era semplicemente attrazione, o amore: era fame. Ecco, se alla fine di quel pomeriggio clandestino, col grigio acciaio che sferzava gli alberi nudi fuori dalle finestre, le avessero chiesto cosa provava per Cristian, non avrebbe avuto dubbi a rispondere: fame. E per quell'altro? Per Domenico? Affetto. Affetto avrebbe detto.

– E allora parlaci con questo fratello, – disse Maddalena allungando la mano per accarezzare la schiena di Cristian.

Lui ebbe un brivido, ma si guardò bene dal sottrarsi. – E che cosa gli dico? Che cosa gli dico? – ripeté. – È tutto pronto, lo sai anche tu.

Maddalena, senza preoccuparsi che lui non potesse vederla, accennò con la testa: – Insomma, – sbottò, – non vuoi che gli parli io, ma non vuoi farlo neanche tu. Così è meglio secondo te?

– Non è facile, – provò lui con la coscienza di dire qualcosa di assolutamente scontato. – Domenico ti vuole bene...

– Sí, – ammise Maddalena, – con Domenico ci siamo voluti bene, ma le cose sono cambiate... No?

Cristian si prese la testa tra le mani. – Maddalé, – disse a un certo punto. – Se fosse capitata a me, una cosa del genere... – e non finí la frase.

– E allora lasciamo stare le cose come le abbiamo trovate, – tagliò lei.

– Non volevo dire quello, – si confuse lui. – Voglio dire, è tutto pronto: festa di fidanzamento e tutto... come si fa?

– Si fa che bisogna parlargli prima, cosí si fa, – disse, definitiva, Maddalena. Poi tacque di colpo e si alzò in piedi, a raggiungere la finestra. Indirizzò lo sguardo verso l'esterno, oltre i vetri appannati, dove un inverno crudele stava affilando i rasoi, ma con la coda dell'occhio non perse di vista la schiena nuda di Cristian, compatta e forte come la corazza di cuoio di un legionario, e il suo movimento lento di mantice.

L'altro, dentro di sé, si ostinava a reclamare l'innocenza, ma l'innocenza era finita già prima che toccasse quella donna per la prima volta. L'innocenza era finita nell'istante esatto in cui aveva solo pensato di poterla toccare. – Va bene, gli parlo, – disse al pavimento davanti a sé. – Prima che si metta in viaggio per Carrara gli parlo.

– Davvero? – chiese Maddalena ritornando verso di lui.

– Davvero, – rafforzò Cristian. – Abbiamo una partita di marmo da contrattare per un cantiere... Gli parlo prima.

– E io che devo fare?

– Pochi giorni, – rispose Cristian voltandosi per la prima volta, – e poi si vede –. Avrebbe voluto avere la forza di spostare, o quantomeno bloccare, la mano di lei che aveva preso ad accarezzargli il petto, ma capí che quella forza non ce l'aveva. Niente di sé, del suo corpo, gli era sembrato cosí giusto da quando l'aveva imparato a guardare con gli occhi di lei. Lo sterno leggermente sporgente, «carenato» aveva detto il pediatra; la peluria rossiccia accumulata nel centro del torace, come una piccola oasi; la rotondità adolescenziale della pancia, asciutta, ma non piatta; l'ombelico profondo come una minuscola voragine carsica. Se a lei tutto questo piaceva, e Maddalena giurava che le piaceva, allora doveva essere assolutamente giusto. Qualche volta pensava che l'amore non fosse nient'altro che sentirsi belli. E questo era un sentimento che Cristian non aveva mai provato, neanche quando gli pareva di essere stato innamorato in passato. La prospettiva di parlare con Domenico, e di parlargli del fatto che era successo, stava succedendo, qualcosa fra lui e la sua futura fidanzata ufficiale, rendeva ansiosa la serenità che pensava di meritarsi dopo essersi sentito finalmente giusto, bello, perfetto.

Non è facile stabilire per quanto tempo una passione possa covare prima che, da inespressa, passi all'essere, decisamente, espressa. Cristian e Maddalena si conoscevano da sempre, ed è probabile che qualcosa dovesse nascere tra loro fin dall'adolescenza appena trascorsa. Lui era orfano di padre, seppure di una famiglia piuttosto abbiente, e, quando compí i diciotto anni, perse anche la madre Cecilia, consumata da un brutto male. Cosí, quella stagione in cui la loro attrazione reciproca si sarebbe potuta concretizzare, fu consumata da lui a fronteggiare il congedo lentissimo e straziante della madre e da lei a fronteggiare l'insistenza di Domenico Guiso, parente in pectore di Cristian, piú vecchio di lui di due anni.

Per quanto tutti lo pensassero Cristian e Domenico non erano parenti. E questo nonostante Cristian chiamasse «zio Mimmíu» il padre di Domenico, Giovannimaria. Perché la loro era una specie di parentela acquisita fin da quando, nel '43, il padre di Cristian, Vincenzo Chironi, era arrivato in Sardegna dal Friuli. Era stato Mimmíu, infatti, il primo, e piú importante, amico che Vincenzo avesse avuto a Núoro. Nel dicembre del '59, la notte della vigilia, quando era successo il fattaccio del suicidio di Vincenzo, era stato proprio Mimmíu a trovarlo appeso nel capannone della sua azienda. Vincenzo Chironi si era congedato volontariamente da questo mondo senza una lettera e senza motivo. E senza sapere che sua moglie, Cecilia, era rimasta incinta.

Famiglia sfortunata questi Chironi, ma per Mimmíu erano stati piú che parenti veri. Quando era nato Domenico, nel '58, aveva voluto che fossero i Chironi a battezzarlo. Anche se, in cuor suo, sapeva di fargli un torto insieme all'onore: Vincenzo e Cecilia infatti, per quanto tentassero, non erano riusciti a mettere al mondo una progenie. Tuttavia il destino, che si diverte sempre, aveva visto bene di farglielo arrivare, questo figlio ai Chironi, Cristian appunto, nove mesi esatti dopo che Vincenzo era stato sepolto. Cosí Mimmíu era diventato lo «zio» di Cristian e Domenico suo «fratello». Che da un punto di vista della linea parentale genetica non ha nessun valore, né senso, ma, da quello della linea parentale affettiva, è quanto basta per dare senso a una vita intera.

Dopo la morte di Vincenzo gli eredi Chironi, Cristian, Cecilia e l'anziana Marianna, si erano accordati proprio con Mimmíu Guiso per una forma di tutela del patrimonio in cui lui entrava a far parte come socio minoritario dell'azienda e si impegnava a mantenerla salda e soprattutto a lasciarla integra per la generazione successiva. Un accordo conveniente per entrambi, perché i Guiso incrementavano, a costo zero, il loro giro d'affari, e i Chironi affidavano i propri beni a una persona di famiglia.

Però prima di firmare qualunque tipo di delega Marianna si

era presa tempo per leggere ogni singola riga del complicatissi-
mo documento. Lei apparteneva all'altro mondo, a un universo
in cui avere troppe cose scritte significa non fidarsi piuttosto
che il contrario. E dunque, non fidarsi per non fidarsi, aveva
chiesto il tempo necessario per esaminare ogni singolo accordo,
ogni singola postilla. Tanto che Mimmíu si era risentito. Ma lei
non si curava di risentimenti: aveva sepolto gran parte, se non
quasi tutta, la sua famiglia. Aveva visto speranze nascere, disseccarsi, rigermogliare e poi, definitivamente, perire, nel corso ostinato della sua vita. Figurarsi se adesso un risentimento,
tutto formale, poteva colpirla. A Cristian ripeteva che era un
Chironi, solo questo. Esattamente come ripeteva a Mimmíu
che una cosa sono i Chironi e una cosa i Guiso. Cosí, davanti
al notaio, per non saper né leggere né scrivere, aveva detto che
in linea di massima l'accordo poteva andare bene, ma che lei,
per la parte Chironi, sentiva il dovere di prendersi il tempo per
leggere tutto. E Mimmíu aveva allargato le braccia come a dire
che, quando uno nasce pesce, in carne non lo trasformi proprio.

Va bene: in tutto questo tra Cristian e Domenico si era in-
staurata una forma di fratellanza che, spesso, i fratelli veri non
hanno. Avevano due anni di differenza ed erano differenti
anch'essi. Lungo e magro il primo, corpulento e massiccio il secondo. Il primo tendente al chiaro, quel seme biondastro Chironi che ritornava a tratti; l'altro scurissimo di capelli e di occhi, píchidu, come si diceva a Núoro.
A sei anni, quando fu iscritto alla prima elementare Domenico pianse e Cristian pure, perché quella fase gli parve come
una frattura insanabile della loro vita insieme. Cecilia, la madre di Cristian, conosceva quel figlio per altri versi, e s'ingegnò
di spiegargli che bastava aspettare di crescere, perché, nella vita, quanto piú si cresce tanto piú sembrano brevi le attese. E
anzi aggiunse che sarebbe arrivata una stagione in cui avrebbe
avuto nostalgia di quelle attese. Cecilia non si aspettava certo
che il figlio credesse alle sue parole. Tuttavia, tempo dopo, in
una camera singola dell'ospedale oncologico di Cagliari, dove

sembrava piú preso dalla novità della televisione a colori che
dall'assistenza alla madre morente, Cristian, ormai diciottenne,
si era trovato a dover ammettere che, quel concetto tanto semplice, per la prima volta, gli era assolutamente palmare. Perché
in quel preciso momento, davanti a uno schermo televisivo dove
si trasmetteva un documentario sul Caravaggio nella Cappella
Contarelli a Roma, i due anni passati ad attendere risultati di
trasfusioni e chemioterapie, gli sembrarono volati via. Solo in
seguito, nel ricordo, gli sarebbero apparsi, al contrario, infiniti.
Era come se ai suoi diciotto anni ci fosse giunto senza la possibilità di aspettare un secondo, nell'urgenza genetica del feli-
no, spinto dalla fame, che deve a tutti i costi seguire la preda
senza chiedersi niente.

Qui entra in gioco la faccenda di Maddalena, che a Cristian
era sempre piaciuta, ma anche a Domenico. E loro due, l'un
l'altro, si erano sempre detti tutto, ma non quello. Non cioè
che, a un certo punto, senza volerlo, nutrivano interesse per la
stessa ragazza. Erano abbastanza intelligenti, uno aveva appena compiuto i quindici anni, l'altro diciassette, per capire che
quando ci s'infila nella retorica dell'amicizia virile frantumata
dall'ingresso di una donna, si abbandona la vita vera e si rischia
la letteratura. Cosí accadde che Domenico si dichiarò per primo,
e lei, perlomeno in apparenza, non rispose di no. Si era fatto
avanti con quella che a Maddalena sembrò poca convinzione,
piú che troppa timidezza. Cosí ne venne fuori una specie di discorso vago, fumoso, come quell'evaporazione che i distillato-
ri chiamano «percentuale dell'angelo», sarebbe a dire il due,
massimo tre per cento, di prodotto che se ne va in fumo nella
fase di fermentazione. In ogni caso, di questo suo interesse per
Maddalena, e dell'abboccamento mal riuscito, Domenico, con
Cristian, non ne aveva parlato.

Era perfettamente al centro fra i due Maddalena, piú giovane di un anno di Domenico, piú grande di un anno di Cristian. E quest'ultimo aveva dalla sua che era intraprendente
suo malgrado. Era cioè di quegli uomini che non hanno biso-

gno di troppi preamboli, di troppi discorsi. Di quegli uomini
che, a certe donne particolarmente intuitive, e Maddalena era
una di queste, facevano l'effetto di parlare anche quando tacevano. Dal padre Vincenzo aveva preso la complessione strigile, e dalla madre Cecilia gli occhi di un colore indefinibile tra
il grigio e il verde. Ma, assicurava la zia Marianna, dal prozio
Gavino – fratello di suo nonno Luigi Ippolito – aveva preso il
colore ambrato dei capelli e della peluria. Lui, Cristian, era di
quei Chironi particolarmente riusciti. Perciò, non sapendo che
Domenico si era già dichiarato, il primo a dare un vero appuntamento a Maddalena fu lui.

Non si conosce qualcuno veramente finché non lo si può pa-
ragonare a se stessi. E quel pomeriggio, che non sarebbe mancato molto al passaggio dai quindici ai sedici anni, Cristian capí
che a Domenico avrebbe anche potuto mentire. Perché alla domanda su cosa avesse da fare gli rispose che doveva recuperare
qualche materia prima delle interrogazioni di fine quadrimestre.
Cristian aveva omesso di riferirgli che quella mattina, nei corridoi della scuola, con un tempismo meravigliosamente inconsapevole, poco prima che si estinguesse l'ora di ricreazione, aveva
chiesto un appuntamento per il pomeriggio a Maddalena, e lei,
semplicemente, ma con la leggera ansia di arrivare puntuale in
classe, gli aveva risposto di sí.

Perciò si era trattenuto fuori dopo la scuola, in un angolo
preciso dei giardinetti poco curati che si trovavano proprio nel
retro dell'istituto, e lei l'aveva raggiunto sulla panchina senza
nemmeno prendersi il diritto di accumulare un minimo di ritardo.

Gli si era seduta a fianco ed era rimasta a guardare davanti a sé un piccolo platano che agonizzava privo d'acqua. E cosí
le era venuto da dire che occorreva qualcuno che si prendesse
a cuore la vita di quelle piante. E lui, Cristian, aveva accennato che sí, che era incredibile mantenere un giardino pubblico
in quello stato.

Poi per un po' non si erano detti nulla, ma nessuno dei due
aveva sentito il dovere di rivendicare la necessità di dirsi qualcosa. Perciò Cristian, a un certo punto, capí che doveva strin-

gerle la mano. Lo fece e lei non si oppose. Gli chiese quanto tempo avesse, e lui rispose che non c'era fretta. Stettero cosí, mano nella mano, finché Cristian non si sporse per baciarla. Ma Maddalena, questa volta, si sottrasse. Mostrò quel pomeriggio spento indicandolo con l'indice verso l'alto, e gli spiegò che non era quello il modo, né il momento giusto. Qualche cornacchia risuonò sopra le loro teste. Nell'aria c'era odore di erba tagliata e pochissime nubi, come un velo di tulle. A terra vagava qualche foglia morta e qualche cartaccia. Dappertutto la malinconia dell'autunno maturo.

Cosí proprio come si era seduta, senza preamboli, senza teatro, Maddalena si alzò, si voltò per guardarlo negli occhi e gli promise che il giorno dopo, proprio a quell'ora, in quello stesso posto, l'avrebbe baciato.

Cristian sentí su di sé l'affanno atroce dell'attesa che lo aspettava, tanto che per un tempo lunghissimo, dopo che Maddalena fu sparita oltre la polverosa siepe di bosco, non riuscí ad alzarsi dalla panchina su cui lei l'aveva lasciato. In quella sospensione poté rendersi conto che la sera non calava sulla terra, come si diceva, ma vi scivolava, tutt'altro che eterea, come fosse un corpo fluido. Disse a se stesso che quella cui stava assistendo non era l'estinzione della luce, ma la tremenda colatura del buio. E che quella specie di rivelazione non aveva altro fine che spingerlo a constatare la priorità della discesa rispetto all'ascensione. Per questo aspettò che i lampioni sulla strada di fronte, oltre quel giardinetto misero, sparassero al suolo i loro coni giallastri, prima di alzarsi e dirigersi verso casa.

Entrando si rese conto che qualcosa era successo. Infatti zia Marianna lo raggiunse in anticamera per anticipargli una cattiva notizia: sua madre era stata male mentre si trovava al lavoro, cosí aveva deciso di tornarsene a casa, ma non si era sentita meglio, perciò aveva chiamato lei affinché la raggiungesse prima di chiamare il medico. E cosí era stato, Marianna aveva percorso la strada come fosse una ragazzina, eppure aveva superato i settanta. Nel suo codice genetico c'era scritto che doveva, per sempre, trasportare la tragedia sulle spalle, e che, se era sopravvissuta a tutti, era proprio a causa di quella maledizione che le era toccata. Cristian corse a cercare la madre in camera da letto, ma non la trovò. Marianna gli spiegò che il dottor Marletta, senza neanche stare a visitarla piú di tanto, l'aveva fatta ricoverare immediatamente all'ospedale San Francesco. E ora si temeva un brutto male, perché con ogni probabilità Cecilia aveva avuto un blocco intestinale e quindi bisognava aprire e vedere cos'era capitato veramente.

La notte stessa con i punti di sutura ancora freschi fu trasportata da Núoro a Cagliari, all'ospedale oncologico, per il primo di una serie di ricoveri che sarebbero durati due anni interi, fino alla sua morte.

Il giorno dopo, all'ora stabilita, fu Maddalena ad attendere sulla panchina dei giardinetti, ma Cristian non arrivò.

Per tutta la settimana successiva fu assente da scuola. Cosí, senza sapere di farlo, Domenico poté esigere il suo credito e ricordare a Maddalena che, non avendo detto di no, aveva detto di sí a quella sua dichiarazione malfatta. Si erano appena incamminati nel territorio delle relazioni, non c'era assolutamente nulla che volessero sapere l'uno dell'altra se non fino a che punto la malinconia, la disillusione, potevano tramutarsi in qualcosa di simile al sentimento. Darsi una possibilità, tentare, buttarsi, è l'unica prerogativa della giovinezza. Maddalena chiese a se stessa se poteva accontentarsi e Domenico non si chiese niente. Lei non domandò che fine avesse fatto Cristian, considerato che sapeva bene del loro legame fraterno, e lui non ne parlò.

Quando Cristian ricomparve nei corridoi del liceo, avvolto dal mistero della sua assenza, si accorse che qualcosa nel frattempo era successo. Come fossero passati vent'anni e non una settimana. Ma quale intermittenza è piú dilatabile se non quella del cuore fresco di battiti?

La sera, a casa, dopo essersi informato dello stato di salute della «zia Cecilia», Domenico poté confidare a Cristian di aver baciato Maddalena. Tutto qui, come nella parabola dei ciechi:

seguire chi non vede significava finire nel fosso: tacere aveva significato non intervenire nel corso paradossale degli eventi.

Talmente paradossale che Maddalena, mentre prima avrebbe giurato che non c'era paragone tra Cristian e Domenico, e intendeva a favore del primo, ora cominciava a notare sfumature, delicatezze, fascinazioni, del secondo, che prima non aveva notato.

Ci vollero mesi prima che lei sapesse che quella sera in cui l'aveva aspettato invano Cristian non si era presentato per una ragione precisa. E allora si diede della sciocca, si disse che, forse, in qualche modo si poteva tornare indietro. Ma anche se lei fosse stata capace di farlo, Cristian non avrebbe mai e poi mai accettato di dare un dolore simile al proprio «fratello».

Perciò se ne stettero tutti quanti al caldo del non detto.

Ma nel '78, quando Cecilia morí, Cristian e Maddalena furono costretti a fare i conti con tutto ciò che non si erano detti nei due anni precedenti.

Quel compianto terribile di una madre ancora giovane, che lasciava un figlio vessato dal destino, già orfano di padre, ebbe l'assetto di un dramma corporeo, tutto nella carne, senza alcuna possibilità di ragionamento. Non c'era niente di ragionevole in quella bara. Persino la bellezza, finalmente serena, di Cecilia pareva immotivata.

Domenico singhiozzava, e tutti pensarono che stesse versando quelle lacrime che non aveva potuto versare quando era morta la sua di madre, dacché la donna se n'era andata che lui non aveva quattro anni. Mimmíu stringeva le mascelle talmente forte che aveva paura gli si spezzassero i denti.

A fianco a loro Cristian guardava dritto davanti a sé come se volesse afferrare qualcosa che a tutti, intorno a lui, era sfuggita.

C'era una leggenda collegata alla sua famiglia che gli tornava in mente ogni volta che doveva assorbire un dolore, ed era la vicenda della sua bisnonna Mercede che non aveva mai visto il mare, fin quando i suoi figli maggiori non decisero di portarcela. E lei davanti a quella meraviglia si era lasciata andare sino a tornare bambina. Tutto ciò lo metteva in pace perché in qualche modo poteva intuire quel sentimento di stupore e attesa, e poteva capire quanto ogni fine fosse esiliata da quell'inizio. Lo sapeva bene Cristian, perché poco prima che morisse il suo bisnonno Michele Angelo, lui aveva provato lo stesso stupore, davanti al mare, in piedi sulla battigia, con le gambine smilze, e l'ultimo lembo bavoso di onda che gli solleticava i piedi e le caviglie. E una luce da non potersi raccontare. Precisa, come sono precisi solo alcuni istanti. Solenne e pacifica.

E allora Cristian credette di sapere che non poteva esserci niente di male ad andarsene dopo aver sofferto come Cecilia aveva sofferto. Anche se era sua madre.

Maddalena se ne stava in disparte, di spalle a Domenico, come se non volesse avere a che fare con il dolore esibito che la circondava. Ci volle quasi tutta la funzione prima che trovasse il coraggio di raggiungere con la sua mano quella di Cristian, ma quando lo fece, senza spostarsi dalla sua posizione arretrata, lui non rifiutò quel contatto segreto. Dovette controllare però un'improvvisa, devastante, frenesia. Cristian posizionò la figura di Maddalena vicino a sé nella visione stupefatta di lui stesso bambino, con i piedi affondati nella sabbia bagnata fino alle caviglie. L'aveva ritrovata, e ora la poteva invitare, in silenzio, davanti al mare che andava e veniva. Nella luce perfetta.

Fecero l'amore quella notte senza stare a chiedersi che notte fosse. Con ogni probabilità si trattava proprio della stessa notte in cui Cecilia aveva dovuto attraversare il guado limaccioso, nuda, perché le era stato ordinato di togliersi quei vestiti che Marianna aveva scelto con tanta cura per il seppellimento; pallida e livida perché due anni di chemioterapia avevano reso la sua pelle tanto trasparente da lasciar intravedere il reticolo delle vene; tremante perché sua madre era pudica, timidissima, e quelle caratteristiche non c'è morte che possa modificarle.

Presero a incontrarsi di nascosto. A fare come fanno gli amanti clandestini, cioè a far finta di non avere alcuna intimità in pubblico. Tanto che Domenico si convinse che vi fosse dell'antipatia tra la sua ragazza e suo fratello, anche se non sapeva spiegarsi perché.

Dal compimento dei diciott'anni in poi Cristian poté firmare i documenti di proprietà della sua fetta d'azienda. Una fetta grossa, perché quel ragazzo era l'erede universale del patrimonio Chironi. Di un'impresa, cioè, che negli anni era passata dai balconi, inferriate e affini, modellati nell'officina artigianale del bisnonno Michele Angelo, alla fornitura su larga scala di ferro per le fondamenta delle costruzioni, oltre ai nuovissimi infissi in alluminio anodizzato, del padre Vincenzo; fino all'allargamento a settori più vasti dell'edilizia attraverso la compartecipazione della piccola, ma fiorente, azienda di Mimmíu Guiso e di suo figlio Domenico.

I Chironi, si diceva, erano sempre caduti in piedi, perché il loro destino era di sembrare lí lí per precipitare, ma poi questo non accadeva. La morte improvvisa di Vincenzo, per esempio, aveva fatto dire a tutti: È finita. Invece no, non era finita affatto, perché Cecilia, proprio quando stava seppellendo il marito si era scoperta incinta.

Insomma, per farla breve, Cristian firmò il suo primo documento ufficiale esattamente sei giorni dopo aver compiuto diciotto anni, Domenico ne aveva venti, Mimmíu sessantuno, Marianna settantasette.

E si arriva all'annuncio ufficiale del fidanzamento tra Domenico e Maddalena.

Un pomeriggio fradicio di pioggia, come accade quando la stagione si sporca, smette di esserti amica, e ti fa il muso. Non è facile capire per quale offesa involontaria ciò accada, eppure accade. Dall'aria, dal cielo, dal suolo, dalla luce stessa si avverte un'ostilità sottile che muta ogni malinconia in inquietudine. Certo, si può dire che si tratti del tremore, dello spasmo, con cui la vecchia stagione muore a favore della nuova. Ma altrettanto si può auspicare che quel passaggio avvenga con dolcezza, senz'astio.

Tuttavia in quel pomeriggio tremendo, Domenico entrò in cucina dalla porta del cortile dei Chironi, si scrollò dall'umidità e salutò Marianna che già aveva acceso il fuoco e se ne stava seduta in bocca al camino.

Si dissero quello che sappiamo, del tempo maligno, del passaggio astioso e tutto il resto. Poi quando Cristian apparve in cucina, a dispetto di ogni piú oscura connotazione metereologica, Domenico espose quel sorriso che da sempre lo rendeva bellissimo. E annunció che ormai era fatta, il fidanzamento con Maddalena Pes era stabilito: accordi, famiglie e tutto. Come ancora si usava in quello scampolo di arcaico bisognava sancire l'ingresso dei fidanzati ognuno nella propria, nuova, famiglia.

Marianna approvò senza quasi voltarsi, e dal suo punto di vista quella doveva sembrare una manifestazione di grande entusiasmo. Cristian tentò di organizzare un sorriso, poi raggiunse Domenico e lo abbracciò, sincero o meno che fosse, si congratulò. Ma con un tremore, un lievissimo affanno che non sfuggirono alla vecchia. Marianna infatti, per la prima volta, si voltò a guardare in faccia il nipote, poi si segnò.

– Che cosa stai combinando? – chiese a Cristian, appena Domenico fu andato via. Lui tentò lo sguardo stupefatto. – Che cosa sta succedendo con Maddalena? – rinforzò perché non ci fossero fraintendimenti.

Cristian, colto alla sprovvista dalle domande dirette, scrollò le spalle. – Niente sta succedendo, che deve succedere?

– Niente deve succedere, – replicò la vecchia, ma con piú convinzione di quanto avesse parlato Cristian. – Perché Dio non voglia che succeda quello che io penso sia successo, – completò. Il nipote tacque, aveva bisogno di tempo per capire fino a che punto quella vecchia maga sapesse o facesse finta di sapere. – Guarda che come l'ho capito io, lo possono capire anche gli altri. Voi giovani avete questa cosa che vi pensate tanto furbi... – insistette. – Cosa ti credi, che Mimmíu è tonto? Mí che giusto a Domenico puoi fregare –. Tutta questa ultima frase la pronunciò di spalle, mentre fingeva di essere intenta a rintuzzare la fiamma.

– Vedrete che non succederà niente, – rispose lui finalmente, ma come se parlasse sotto ipnosi, con un grado zero del tono che faceva intendere uno sforzo assoluto.

– Ma lo sai che la gente per molti anni ha detto che tu non
eri nemmeno figlio di tuo padre? – chiese Marianna a bruciapelo. Aspettò che Cristian rispondesse qualcosa, ma lui non lo
fece, dunque proseguí: – Visto come aveva deciso di andarsene
la buonanima di Vincenzo, e visto che Cecilia ha scoperto di
aspettare te poco dopo la sua morte, la gente non ci ha messo
nulla a fare due piú due, e si è detta che tua madre aspettava un
figlio da un altro uomo –. Marianna fece un'altra pausa, Cristian
ostinatamente taceva. – E chi era secondo te quest'altro che si
diceva fosse il tuo vero padre?

– Zio Mimmíu? – rispose il nipote senza darle quasi il tempo di finire la domanda.

– Proprio, – confermò la donna, – proprio Mimmíu, te l'immagini? Cosí quando è morta sua moglie, tutti dissero che adesso
le cose si sarebbero messe a posto: che il vedovo avrebbe sposato la vedova e avrebbero messo a tacere tutte le dicerie su di
loro. E invece no. E sai perché?

– No, perché? – Cristian capiva che il discorso della vecchia
zia lo voleva portare da qualche parte dove lui non aveva gran
voglia di arrivare, ma allo stesso tempo capiva che il laccio era
teso, e non gli sarebbe stato possibile scappare.

– Perché non c'era assolutamente niente da mettere a posto.
Niente relazione clandestina e niente figlio illegittimo.

– E voi come fate a esserne cosí sicura? – Ora che era chiuso in angolo Cristian aveva deciso di attaccare.

– Perché basta guardarti: tu sei Chironi, non sei Guiso. Come confondere il nero col bianco. Quando tuo padre Vincenzo è tornato a casa, quando si è presentato a quella porta, con
i pantaloni rattoppati, non ha avuto nemmeno bisogno di dire
chi era: era un Chironi. Tu te lo ricordi a bisaju Michele Angelo? Nel cielo sia! – Cristian accennò di sí. – Ecco, lui nemmeno
chiese chi fosse, se lo trovò davanti e capí all'istante, perché
Vincenzo qualunque cosa avesse creduto di essere prima, ora
era un Chironi.

– Perché mi state dicendo queste cose?

– Perché tu adesso mi guardi in faccia, – disse Marianna, andando incontro al nipote, per puntargli negli occhi i suoi occhi ancora ardenti della fiamma appena ravvivata. – E mi dici che tra te e Maddalena Pes non è successo niente.

Cristian distolse lo sguardo, quella era una battaglia che non poteva vincere. Dentro all'amore materno per procura di quella sopravvissuta, lui sentiva una durezza che in alcun modo sarebbe riuscito a scalfire. Gli venne in mente che al funerale di Cecilia lui e Marianna erano stati gli unici a non piangere, ma ognuno a suo modo. Cristian non aveva pianto per rabbia e anche per incredulità. Marianna invece non aveva pianto perché lei ai funerali non piangeva piú, anzi si rodeva di rabbia per tutte quelle persone che se ne andavano nella pace. «Quella non muore nemmeno se l'ammazzano», dicevano di lei, e non sapevano di avere assolutamente ragione. Marianna in chiesa non c'era piú andata nonostante esercitasse tutto quanto spettava a una buona cristiana cattolica romana: faceva il suo rosario, invocava per la liberazione delle anime dal Purgatorio, si segnava per proteggersi dal male, teneva linda la statua della Madonna di Lourdes nella nicchia in corridoio. La vulgata affermava che lei in chiesa non ci aveva piú messo piede dal giugno del 1974, da quando, cioè, aveva avuto una discussione col parroco a proposito del fatto che lei aveva affermato pubblicamente di aver votato NO al referendum per l'abrogazione della legge sul divorzio. E questo con l'aggravante che aveva capito benissimo che NO significava votare a favore e SÍ votare contro. Questo credevano, che ci fossero questioni politiche. Perché, a dire il vero, questi Chironi – partendo dal capostipite che si era fatto dal nulla e passando dal figlio Gavino che si era inimicato qualche fascista locale, fino a Vincenzo a cui era stato addirittura chiesto di candidarsi per il Pci – avevano la fama di comunisti. Tuttavia il motivo per cui Marianna non era piú andata in chiesa era d'altra specie, e riguardava il fatto che si era del tutto stufata di partecipare ai funerali degli altri.

– Non dovevi aiutarmi a sistemare le piante? – chiese a un certo punto Marianna, come per cambiare discorso.

Cristian accennò di sí, che l'aveva promesso.

– Basta che mi sposti i vasi che non ce la faccio con la schiena, – disse continuando a squadrare il ragazzo con lo sguardo di quel nume che tesseva sciagure. – E comunque pensa bene a quello che stai facendo, – concluse.

Cristian la precedette in cortile senza rispondere. Si avviò verso l'angolo umido che Marianna gli aveva indicato. Lí prosperavano, in grossi vasi di coccio, piante di ortensia e di gelsomino selvatico. Queste ultime andavano spostate e svasate, poi occorreva accorciare le radici come quando si tagliano i capelli e quindi rimetterle a posto per il letargo. Ciò ne garantiva la salute. Dal punto di vista della vecchia, non c'era alcuna possibilità di mantenersi sani se non recidendo quanto impediva, o rallentava, il nutrimento. E se non si aveva il coraggio di asportare le radici di troppo, quelle che avrebbero consumato senza restituire niente. Quindi lei e il nipote fecero quanto andava fatto. Concentratissimi, senza dirsi una parola perché i discorsi parevano finiti, e perché Marianna aveva ottenuto da Cristian che eseguisse sulle sue piante quanto gli spettava di eseguire sulla propria vita.

– Lo so che non è una cosa fatta bene, lo so, – sussurrò lui, quasi a se stesso, proprio mentre compattava il terriccio che debordava dall'orlo del vaso. Marianna lo lasciò continuare. – È piú forte di me, – aggiunse, voleva fosse chiaro che lui ci aveva provato a stare lontano da Maddalena.

– Vedi che sei un Chironi? – Marianna scosse la testa sconsolata. – Tutti i maschi di questa famiglia si sono rovinati per qualcosa che era piú forte di loro.

– Che cosa dovrei fare secondo voi? – implorò Cristian.

– Non lo so che cosa devi fare, ma ti dico cosa non fare assolutamente: non devi parlare con Domenico.

Cristian si lasciò andare sulla panca di granito dove, per millenni, il bisnonno Michele Angelo aveva consumato i pomeriggi tiepidi aspettando che sua moglie tornasse dall'aldilà.

– Mi hai capito bene? – rinforzò Marianna sentendolo distante. L'istinto le diceva che poteva essere troppo tardi, che nel silenzio compatto dei Guiso poteva esserci l'inquietudine di una notizia certa piuttosto che la tranquillità di chi non sospetta niente. Se c'era qualcosa che santificava la maledizione di Marianna, era di riuscire a capire, senza rimedio, gli animali bipedi che in questa terra chiamano esseri umani. E a lei lo sguardo di Mimmíu Guiso, ultimamente, non era piaciuto affatto, e nemmeno il tono di certe allusioni. Per cui, se anche Domenico non osava sospettare niente a proposito di una tresca tra Cristian e Maddalena, il padre invece aveva mangiato la foglia.

Qualche giorno prima, di mattina presto, Mimmíu si era presentato a casa di Marianna. Lei gli aveva offerto un caffè che lui aveva accettato, aveva bevuto con calma, si era gustato tutto lo zucchero finito sul fondo della tazzina. Poi, come se nulla fosse, aveva chiesto alla vecchia se sapeva dove si trovasse Cristian. E poiché lei gli aveva risposto di no, che non lo sapeva, aveva cominciato a ventilare faccende del tipo che Cristian non c'era modo di capire chi frequentava, e che, con tutto il bene che gli si poteva volere, il ragazzo aveva la tendenza a essere imprudente, a non rendersi conto della portata delle cose che faceva. E anche a non selezionare gli amici.

– Ragazzi, – aveva convenuto Marianna.

– Alla loro età lavoravo già da due anni almeno… Sissignora, – aveva rincarato vedendo che l'altra scuoteva le spalle. – Ma voi l'avete capito che tempi sono? C'avete la televisione e non l'accendete mai! – Mimmíu aveva indicato un apparecchio televisivo collocato in un angolo estremo della stanza sopra al suo carrello.

– Non ho tempo da perdere, – si era ostinata la vecchia.

Mimmíu, che sembrava si stesse avviando verso l'uscita, si era bloccato come se d'improvviso avesse cambiato idea e si era messo a sedere. – Quale tempo? Che cos'avete da fare tutto il giorno? Guardate che le cose fuori da qui si stanno mettendo male –. Marianna si era limitata ad arricciare le labbra come per dire che tutto il male disponibile lei l'aveva già abbondantemente previsto. – Ci sono dei disgraziati che tutti i giorni ne ammazzano uno. Voi dovete uscire di casa…

– E perché, io sto cosí bene in casa mia –. A giudicare dal tono di Marianna, Mimmíu poteva tranquillamente passare il resto della sua vita a cercare di convincerla senza ottenere nessun risultato.

– Guardate che questi non sono tempi che si possano capire facilmente, non è piú come prima che le cose erano semplici: mi ammazzi? ti ammazzo!

– Facili forse, – lo aveva interrotto la vecchia, – ma mai cosí semplici, Mimmí. Tu forse te ne sei dimenticato quando viaggiavi armato per paura che ti sequestrassero, e questo solo perché avevi fatto qualche soldo. Potevamo fare i signori e invece abbiamo sempre vissuto da morti di fame: altro che facile.

– Voglio dire tzia Marià che i tempi sono cambiati troppo velocemente e che certe compagnie, capelloni e drogati vari, ora che Cristian ha responsabilità, non le deve frequentare, – aveva provato a riassumere Mimmíu.

Marianna questa volta si era irritata sul serio: – Ma che cosa vuoi dirmi precisamente? – aveva scandito.

Mimmíu si era preso un po' di tempo. Era andato verso il lavello, aveva aperto l'acqua poi aveva preso un bicchiere dalla credenza, l'aveva riempito fino all'orlo bevendo con avidità. – Di roba politica sto parlando, di roba politica... E anche altro, – aveva aggiunto.

– Che altro? – aveva chiesto Marianna, sapendo che quel colloquio stava arrivando esattamente dove doveva arrivare. – Brutte compagnie, e poi?

– E poi cose piú personali, ma siccome sono pettegolezzi, al momento, io non ci voglio credere... – Mimmíu aveva bevuto un altro sorso d'acqua. Marianna era rimasta in attesa che ingoiasse e riprendesse. Lui aveva ripreso: – Guardate che quello che ci stiamo dicendo qui deve assolutamente rimanere tra noi. Io nemmeno a Domenico ne ho parlato, ma c'è una voce che corre in giro e riguarda Cristian e... – Aveva fatto una pausa. Marianna non aveva mosso ciglio. – ... Maddalena. Ma è una cosa troppo grave e io non ci voglio credere che Cristian abbia potuto fare una cosa del genere a Domenico, che ha sempre definito un fratello.

– No, – si era sentita in dovere di intervenire Marianna. –

Non è che l'ha sempre definito: l'ha sempre trattato come e
piú di un fratello.

– E Domenico ha ricambiato, mi pare –. La guerra di posizionamento era iniziata.

– Esatto, e allora di cosa stiamo parlando?

– Del fatto che Maddalena e Domenico si devono fidanzare
e del fatto che voi sapete meglio di me che, fatta la tara su tutte le esagerazioni, comunque quando la gente parla un motivo
c'è, – aveva tagliato Mimmíu.

– La gente parlava anche di Vincenzo, che ha fatto quello
che ha fatto perché tu e Cecilia…

– … Ah quello! Mai nella vita! – aveva reagito Mimmíu.

– Oh, allora sei d'accordo con me che la gente qualche volta parla a vanvera. Comunque facciamo cosí Mimmí, che per
non saper né leggere né scrivere si decide una data per questo
fidanzamento di tuo figlio e io vi metto a disposizione la casa
di via Deffenu per la festa, cosí chi ha da parlare, parla per riempirsi lo stomaco d'aria.

Mimmíu aveva fissato un punto della stanza, poi aveva accennato un sí lentissimo. – Funziona, funziona…

– E se non dovesse funzionare, la facciamo funzionare per
forza, – aveva concluso Marianna.

Mimmíu sapeva stare al mondo, e sapeva che prima di far
scoppiare uno scandalo occorreva tentare il tutto per tutto: c'e-
rano troppi interessi in ballo. In particolare ora che Cristian era
diventato maggiorenne, e possedeva piú della metà dell'impresa, era indispensabile non buttare il bambino con l'acqua sporca. Questa prudenza guardinga favoriva il lavoro di Marianna
che, da parte sua, doveva far fruttare questo finto non sapere,
invitando il nipote a ritirarsi. Cosa che lei, con grande solerzia, aveva fatto.

Non è il movimento ciò che muove le cose. Quasi sempre a
muoverle è la stasi. E allora perché non succedesse niente, bisognava muoversi: questo sapeva, senza ombra di dubbio, Marianna.

– Ho concordato una data con Mimmíu, – annunciò quando lei e il nipote ebbero finito di svasare.

Cristian la guardò sperando di non aver capito quello che aveva capito.

– Tra due settimane Domenico e Maddalena Pes, – Marianna la chiamò con distacco per nome e cognome, – si fanno la promessa di matrimonio e quindi il fidanzamento ufficiale. Gli ho offerto la casa di via Deffenu che è grande per la festa –. Fine della prima parte. – Se voi ragazzi vi volete organizzare anche per conto vostro, magari il giorno dopo, fate pure, tanto ormai non si capisce piú niente di quello che vi piace o non vi piace... Comunque questo fidanzamento si fa per bene e con la contentezza di tutti, intesi? – Fine della seconda parte. – E magari una visita al barbiere fagliela, eh? Te lo pago io –. Terza, ultima, parte.

Cristian la seguí con lo sguardo mentre se ne tornava in casa. Aveva le mani sporche di terriccio, il petto e il collo sudati, il respiro controllato come se fosse in procinto di fare un salto e stesse aspettando il momento giusto. – Non le innaffi? – chiese alle spalle della vecchia poco prima che entrasse.

– Non c'è bisogno, – rispose Marianna senza neanche voltarsi.

Infatti, sorprendentemente, cominciò a piovere. A gocce regolari che si andavano stampando sulla sua maglia lavata troppe volte perché avesse un colore esistente in natura. Pioveva con un cielo chiaro e senza nuvole, quasi che quell'acqua fosse un generoso omaggio alla sua fatica. Solo sua quella pioggia, sottile, pastosa, buona di sapore. Cristian l'accolse a faccia in su con la bocca spalancata come quando, da bambino, si mangiava la neve direttamente dal cielo, prima che toccasse il suolo.

Marianna lo osservò dalla porta-finestra della cucina mentre gemeva in silenzio e implorava una dispensa a quel cielo immobile. – Anima mia... – sussurrò. – Anima mia, tesoro mio... Maledetto, maledetto...

Per i preparativi del fidanzamento ufficiale di Domenico Guiso e Maddalena Pes non si badò a spese. E questo nonostante i Guiso vivessero nella modestia dei veri ricchi nuoresi che trovano piú disdicevole ostentare la propria ricchezza che accumularla disinvoltamente. Mimmíu negli anni aveva capito che avere, o farsi, amici nei posti chiave conta assai di piú che ricoprire incarichi. Lui, vedovo presto e mai risposato, partito da niente eppure arrivato, sempre dietro e mai davanti, aveva accumulato un patrimonio considerevole, che pure non si manifestava. Dicevano che era di quelli che aveva i materassi imbottiti di banconote, ma si sbagliavano. Dicevano che tutti ridevano di lui quando si presentava fra la gente che conta con scarponi da campagna e calzoni in vellutino, ma si sbagliavano. Dicevano che non mangiasse per non cagare, che fosse tirchio, che avesse una visione elementare dell'economia, ma proprio non immaginavano quanto si sbagliassero. Dicevano ancora che, col passare degli anni, si fosse imbarbarito, che da giovane al passo coi tempi, si fosse trasformato in una specie di troglodita locale, chiuso, inconsapevole, belluino, ebbene, ancora, e per sempre, si sbagliavano.

C'era la faccenda che tutti, indistintamente, lo reputavano un miracolato dei Chironi. Di Mimmíu, della sua storia, si parlava come se fosse una specie di animale domestico, un cane randagio accolto da quel Vincenzo che c'aveva tutto, ma che immotivatamente si era tolto la vita. Anzi, a sentire in giro, qualcuno avrebbe raccontato che tutta quella faccenda, del suicidio di Vincenzo Chironi, fosse l'origine stessa della fortuna di Mimmíu. La gente è terribile, sa contare al massimo fino a cinque e in tutta quella situazione i conti parvero facili facili. Vincenzo non ebbe figli, e non ne conobbe in vita, la brutta maledizione dei Chironi. Cecilia, sua moglie, era rimasta incinta, ma le gravidanze non erano andate a buon fine. Nel frattempo Mimmíu si sposa, sua moglie resta incinta immediatamente. Quindi si arriva alla vigilia di Natale del 1959, cenone e tutto il resto. Dicono che si fosse trattato di una festa in famiglia qualunque. Solite cose: regali, auguri, troppo cibo, stanchezza. Sta di fatto che Vincenzo sparí nel profondo di quella notte, lo cercarono, lo trovarono. Morto, appeso alle travi del capannone della sua azienda. Ma chi lo trovò? Mimmíu. E un mese dopo venne fuori che Cecilia, miracolo, era rimasta incinta. Eh?

In ogni caso la circostanza che avrebbe dovuto sciogliere le riserve e invece le moltiplicò, fu il fatto che il fidanzamento dell'erede Guiso si celebrasse a casa Chironi.

Per tutta la settimana precedente la festa si confezionarono dolci: bianchini, savoiardi, amaretti e petit four. Come se l'impegno fosse di mimare un matrimonio vero. E si fecero stampare piccoli inviti in cartoncino, color avorio, dove si proclamava che Domenico Guiso e Maddalena Pes erano lieti di annunciare il loro fidanzamento. Le famiglie, felici, sarebbero state liete di accogliere amici e parenti presso casa Chironi, in via Deffenu 20, Núoro. Lí dove aveva abitato Marianna con quel fascistone del marito, e poi Vincenzo con Cecilia.

Fu del tutto inutile, per Domenico e Maddalena, opporsi a tanto sfarzo. Senza volerlo entrambi erano stati come sbalzati un secolo indietro, quando i legami tra le famiglie passavano soprattutto attraverso la ritualità con cui i contratti matrimoniali venivano sanciti.

Maddalena avvertiva di essere stata imprigionata dal silenzio di Cristian, la cui promessa di parlare a Domenico si era dissolta in un mutismo inconcludente. Dal pomeriggio di tre giorni prima, quando avevano fatto l'amore, era stato impossibile incontrarlo da solo. Era stato impossibile persino scambiarsi un cenno. Lei poteva dichiararsi una donna emancipata, ma capiva di non essere abbastanza forte da ammettere davanti a tutti che amava Cristian, e che, per questo, non avrebbe accettato una tale messinscena. Quando Domenico, un po' imbarazzato ma anche intenerito, le fece vedere il cartoncino d'invito che Mimmíu aveva fatto fare, lei non disse nulla.

La sera prima del fidanzamento ufficiale, quando tutto era pronto, Domenico insistette perché Maddalena e i suoi parenti arrivassero a piedi, in corteo, alla casa in via Deffenu. A lei la cosa sembrava troppo plateale e, a tutti gli effetti, lo era. Un discorso fatto mille volte. Di quelli dove si perde il bandolo e si finisce per trascendere.

Quel febbraio fu tremendo, asciutto e freddissimo. Senz'aria e senza umidità. Maddalena guardava la strada sotto vuoto, i fili elettrici immobili, la campagna, sullo sfondo, oltre i cantieri delle nuove villette a schiera. Quella realtà le parve totale, come se qualcuno avesse teso un'immensa scenografia solo per lei. Immaginò il suo futuro come un frutto precoce, un pesco fiorito per una primavera ingannevole, una stagione pietrificata.

Ora percepiva, dal tono di Domenico, con quanta disperazione lui cercasse di porre un freno alla sua ansia; con quanta composta testardaggine ricacciasse l'ipotesi che lei potesse non amarlo; con quanta passione lui accentasse le parole perché suonassero eterne.

Eppure diceva cose semplici: che capiva, che aspettasse, che stringesse i denti. Diceva che accontentare qualche mania di Mimmíu poteva significare vivere in pace. Non era uno sforzo impossibile, no?

E Maddalena, a quel punto, richiamata dalla voce di lui, distolta da tutta quella fissità che si esibiva oltre le finestre, si vide acconsentire: Va bene va bene, era come se dicesse dentro di sé, basta che tutto questo finisca.

Il fine ultimo di quella festa era dunque di far presagire la cerimonia vera e propria. Tempo un anno Domenico e Madda-

lena si sarebbero incontrati sul sagrato della cattedrale. Lui pintu e lintu e lei in bianco, non come le spose moderne che non
si mettevano piú il velo e arrivavano colorate all'altare. E non
se ne parlava nemmeno di organizzare il solito ricevimento nel
salone addobbato o nell'officina del gommista sgomberata. Per
quel matrimonio ci voleva l'hotel, come si faceva in Continente. Con pranzo e cerimonia compresi e gli invitati che dovevano solo trasferirsi dalla chiesa al ristorante e poi magari anche
fare qualche ballo con l'orchestrina, ma una cosa come si deve
non certo un complesso di capelloni.

Domenico confermò su tutti i fronti, mentre Mimmíu gli aggiustava la cravatta. – Ma Cristian si è fatto vedere? – chiese.

Mimmíu fece segno di no: da due giorni non si era visto nemmeno in cantiere. – Pensavo fosse ammalato, ho chiesto a tzia
Marianna e mi ha detto che, malato no, ma l'ha visto poco anche
lei. C'avrà cose sue... Vedrai che tra poco si presenta alla festa.

– E ci mancherebbe, – commentò Domenico. Poi si avviò
verso lo specchio per controllare che i capelli sulla nuca e il ciuffo sulla fronte stessero al loro posto.

A casa di Maddalena c'era una calma innaturale: era il nervosismo per questa uscita pubblica, la paura di non essere all'altezza. La ragazza apparteneva a una famiglia modesta ma assolutamente dignitosa: padre operaio comunale, madre casalinga, due
fratelli di cui uno emigrato e sposato in Belgio da sette anni, appartamento delle case popolari. L'abito che indossava l'avevano
comprato a rate. Ma ne valeva la pena perché era «alla moda»
pur non essendo troppo eccentrico, tendenzialmente corto, ma
senza eccedere, appena sopra il ginocchio. Maddalena pensò che
avrebbe avuto freddo, s'intravide nei riflessi della grossa credenza a vetri oltre il tavolo del soggiorno, agghindata come una giovane promessa del cinema, slanciata dai tacchi alti, assottigliata
dal modello a campana dell'abito a fantasie geometriche arancioni
e senape, pettinata con boccoli rigidi che le ricadevano lungo le
guance. Aveva lo sguardo enfatizzato da un trucco che l'esteti-
sta aveva chiamato «alla Cleopatra», lei si sentiva semplicemente

ridicola. Per questo si chiuse in bagno dove poté struccarsi con cura, tenne solo una leggera sfumatura dorata sulle palpebre e un lieve segno di matita lungo il bordo delle ciglia.

Poi si riuní alla famiglia: il padre Peppino, la madre Nevina, il fratello piccolo Roberto – l'altro fratello grande, Raffaello, non c'era: era stato impossibile fargli ottenere un permesso dal lavoro –, una zia a carico, Vera. I Pes. Tutti eleganti, come possono essere eleganti gli umani vestiti da comparse al teatro, ognuno con la propria indiscutibile precarietà. Già ora, ammassati nell'ingresso, ad aspettare che la festeggiata desse un segno, avevano gli sguardi preoccupati di chi per tutta la sera avrebbe dovuto badare a non sporcarsi.

Maddalena li fissò con tenerezza. – Andiamo, – disse. – Ma piove? – chiese, vedendo che la madre e il padre portavano gli ombrelli.

– No, ma minaccia, – disse Peppino, schiarendosi un po' la gola. Lui con quella figlia faceva fatica a parlarci, ma non perché non le volesse bene, solo perché era, come si dice, «per conto suo». Una che difficilmente si faceva convincere per qualunque cosa. Questo fidanzamento per esempio, fatto cosí, come se fosse piú utile farsi vedere che altro. E farsi vedere per Peppino Pes, giardiniere comunale, era assolutamente il peggio che potesse capitare.

– Mettiti un fazzoletto in testa, ma senza stringere troppo, – consigliò Nevina.

– C'è umido, – aggiunse zia Vera dopo essersi sistemata ancora una volta lo scialle sulla nuca. Era chiaro che per quanto fossero tutti pronti nessuno si decideva a uscire.

Poi d'improvviso, come se si fosse dato un segnale convenzionale, il gruppo di famiglia ruppe la stasi. Senza dirselo, concordarono che finalmente tutti erano pronti. Peppino aprí la porta d'ingresso. Maddalena chiese un secondo e corse di nuovo in bagno.

Cristian spalancò gli occhi. Era come se si fosse svegliato qualche tempo prima di svegliarsi, ed era come se avesse constatato – senza esserne esattamente consapevole – che non aveva la piú pallida idea di dove fosse. Perciò prendere coscienza

di sé e spalancare gli occhi fu un tutt'uno. In un lampo si rese
conto che si trovava in un luogo sconosciuto: un monolocale
arredato con mobili presi chissà dove; in un letto sconosciuto:
un materasso sistemato su dei pallet verniciati di rosso; che era
completamente nudo e che, a fianco a lui, dormivano una ragazza e un ragazzo altrettanto nudi.

Scattò a sedere sul letto. La ragazza aprí un occhio: –
Buongiorno, – disse con la voce impastata. E allungò una mano
verso la coscia di Cristian. – Ripreso ti sei? – chiese. Cristian
la guardò, cercando di inserirla in una qualche vicenda recente della sua vita. Alla ragazza scappò da ridere. – Federica,
– disse. – Non ricordi? – Cristian anziché rispondere puntò
lo sguardo verso il ragazzo che dormiva alle sue spalle. – Raimondo, – chiarí lei.

Ora che poteva guardarsi attorno, a Cristian vennero in mente frammenti della sera prima, quando il monolocale era pieno
di gente. Qualcosa delle discussioni accese intorno alla questione della violenza come necessaria per un cambiamento. Fissò
i poster alle pareti che inneggiavano all'uscita della Sardegna
dalla Nato, e un calendario Pirelli del 1977 che aveva attirato la
sua attenzione. Poi si soffermò su quanto di creativo esprimes-
se tutto quel mobilio d'accatto ridipinto alla grossa, con colori
accesi e le lampade fatte di carta spessa leggermente cotta dal
calore. Quindi i piatti sporchi, impilati nel secchiaio, e i posa-
ceneri stracolmi di cicche e filtri e canne.

– Che ore sono? – chiese alla ragazza che nel frattempo aveva acceso una sigaretta.

– Saranno le quattro... O le cinque... Chissà, il mio orologio si è fermato, – rispose lei.

– Cazzo, – commentò Cristian, e poi tentò di mettersi in piedi.

– Non ti fermi? – chiese Federica.

Intanto, dietro di lei, il ragazzo che si chiamava Raimondo si voltò a pancia in su mostrando un petto pelosissimo e un
volto barbuto. – Ma che ore sono? – chiese a sua volta quasi
sbadigliando. – Vai via?... Com'è che ti chiami? – continuò rivolto a Cristian.

Cristian capí che non era necessario rispondere. Infatti Raimondo, senza aspettarsi niente, si era alzato e ora stava pisciando, la porta del bagno aperta. Era davvero l'essere piú irsuto che avesse mai visto in vita sua, anche di spalle risultava ricoperto di una fitta peluria scura.

– Cazzo… – ripeté Cristian tra sé cercando, lí intorno, i suoi vestiti. Ne trovò una parte sotto a un tavolino nella zona pranzo.

– Forse cercavi queste, – disse l'uomo di Neanderthal porgendogli un paio di slip. – Usi le mutande, – constatò, – davvero borghese come cosa.

– C'è qualcuno che ha un orologio funzionante? – chiese Cristian preso da un principio di crisi di panico.

La ragazza si sporse sotto al pallet tirandone fuori una sveglia cubica. – Ecco, sono le diciassette e tredici, – scandí perché fosse chiaro che lo stava canzonando.

Domenico fece un passo indietro, gonfiò il petto davanti allo specchio dell'ingresso e inforcò il bottone centrale della giacca attillatissima. Poi ritornò incontro alla sua immagine quasi come se volesse baciarsi, controllò che l'altezza delle basette fosse identica, si sorrise. Sistemò il grosso nodo della cravatta. Era costoso sentirsi eleganti, significava star dritto, tenere la pancia in dentro, respirare a fatica col collo della camicia completamente abbottonato. Significava badare a tante minuzie di cui non si era mai reso conto, quanto si fosse irrobustito, per esempio. Grasso non si poteva dire, ma robusto, pieno, sí. Domenico era solido, ed esprimeva solidità in tutto: nel corpo e nell'atteggiamento. Mimmíu guardava con speranza, ma anche con sospetto, a questa caratteristica, perché sapeva quanto preziosa potesse essere, e quanto pericolosa potesse diventare. Sapeva per esempio che molte donne dicevano di preferire l'uomo forte e affidabile, ma poi finivano per innamorarsi perdutamente di quello debole e inaffidabile. Lo sapeva fin troppo bene, Mimmíu. Guardando suo figlio che si specchiava sentiva come una specie di tenerezza rabbiosa, perché capiva che, passato il primo momento di commozione, sarebbe stato necessario raccontare a quel ragazzone felice quale destino spettasse a tutti i maschi affidabili di questa terra.

– Cristian? – richiese d'improvviso Domenico al padre. Mimmíu si prese tempo per rispondere. Poi scosse la testa. – Che fine ha fatto? – domandò ancora Domenico, ma piú che altro a se stesso.

– Lo trovi in via Deffenu, – tagliò Mimmíu rifinendo col palmo della mano la stiratura sulle spalle del figlio. Quel discorso lo metteva in ansia.

– Però da lui non me lo aspettavo... – constatò Domenico scucendo con le dita a taglio le tasche della giacca. – Sí insomma, sparire in questo modo, – aggiunse vedendo che il padre non commentava.

– Lo sai com'è fatto, – tentò Mimmíu.

– Eh, come è fatto? – chiese a tradimento Domenico.

– Per conto suo, – disse Mimmíu cercando di dare un tono definitivo alla sua affermazione. – Sempre Chironi è... – concluse.

A Domenico scappò da ridere. – Ah, su questo non c'è dubbio, – approvò. – Ma volevo che fosse contento, – pronunciando quest'ultima frase come se bastasse volere una cosa perché quella avvenisse, appiattí definitivamente le tasche.

Mimmíu dovette controllarsi, chiuse gli occhi come se gli bruciassero. Lui della scontentezza di Cristian non voleva nemmeno sentir parlare. Aveva troppi anni alle spalle per non capirne l'origine, ma non era abbastanza vecchio da cedere all'impulso di spiegarla a suo figlio. – Non è importante, – disse.

Domenico parve aver bisogno di qualche attimo per elaborare quanto il padre aveva appena detto. – È importante per me, – protestò.

– Volevo dire che non è importante in questo momento. Lo sai come è fatto Cristian. Questo volevo dire, – parve scusarsi Mimmíu.

Domenico osservò suo padre: c'era una specie d'imbarazzo in lui che si palesava tutte le volte che i discorsi tra loro viravano verso l'intimità. – È proprio perché so com'è fatto che non mi spiego questa cosa, – scandí ostinato.

Minacciava pioggia, Mimmíu si guardò attorno in cerca delle risposte giuste. – Ci voleva tua madre, – annaspò, – lei avrebbe saputo cosa dire.

– Non c'è niente altro da dire. Quando una cosa non è fatta bene, non è fatta bene e basta. Semplice, – s'incaponí Domenico.

– Ho l'impressione che venga a piovere, – disse Mimmíu, – prendi il gabardine.

Il giovane si limitò ad approvare col capo, poi si avviò verso la sua camera. Rimasto solo, Mimmíu pensò per un istante di raggiungerlo, parlargli, spiegare che quello che stava per fare poteva rivelarsi l'errore peggiore della sua vita. Ma stette al suo posto, in piedi, tra l'ingresso e il tinello, ad aspettare che lui tornasse col trench addosso.

Ora che la nausea sembrava passata Maddalena poté guardarsi allo specchio. E quella faccia, che avrebbe dovuto essere la sua faccia, stentava a riconoscerla.

Quanto contasse dar retta all'istinto, che le urlava di scappare, non poteva dirlo: sapeva che fuori da quella stanza tutti i suoi familiari la stavano aspettando, senza chiedersi perché la stessero aspettando. Poteva capire benissimo quanto di dispotico ci fosse nell'amore incondizionato che lei aveva preteso da suo padre, perché ora lui non avrebbe osato nemmeno pensare di fermarla. Si pulí la bocca. Si rimise il rossetto. Diede un colpo di cipria alle occhiaie che lo sforzo del vomito le aveva generato. Costrinse le sopracciglia a distendere quell'arco acuto che l'ansia aveva disegnato.

La presenza di sua madre fuori dal bagno la fece sussultare. Portava il soprabito e l'ombrello esattamente come quando lei l'aveva lasciata insieme a tutti gli altri per correre a vomitare. La donna la guardò.

– Si fa tardi, – disse Nevina senza levarle gli occhi di dosso. Poi piú nulla.

Restarono a guardarsi.

– Che c'è? – chiese Maddalena cedendo, innervosita dall'insistenza della madre.

– Se non lo sai tu? Dimmelo tu che c'è –. Aspettò il tempo necessario perché la figlia potesse organizzare una risposta. Ma lei taceva. – Se non lo vuoi fare nessuno ti obbliga… Guarda che, come al solito, hai fatto tutto da sola.

A Maddalena scappò una risata forzata: – Sono un po' nervosa, tu non eri nervosa quando ti sei fidanzata con babbo?

– No, – la seccò l'altra, – per nulla. Sei sicura?

– E si vede che siamo diverse, – ancora Maddalena tentava di mantenere un tono tranquillo.

– Sicura? – chiese di nuovo la madre.

– Ma sicura di cosa? Che cosa volete da me? – gridò estendendo quella domanda anche al resto della famiglia che non si era mossa.

Nevina si morse il labbro pregando Dio che non fosse vero quanto sospettava. – Quando sei pronta avverti, – le disse raggiungendo il marito e tutti gli altri nell'ingresso.

Si vestí in fretta, dando le spalle al letto. Prima di uscire si voltò per congedarsi da Raimondo e Federica che, ancora completamente nudi, erano seduti sul materasso. Lui a rollare una canna, austero e concentrato come un principe armeno, lei in attesa ammirata come la sua consorte.

– Vado, – disse Cristian.

Entrambi gli fecero un cenno che non era troppo distratto, ma nemmeno troppo convinto, qualcosa che non li distogliesse da quanto stavano facendo, ma che contemporaneamente non li facesse apparire maleducati. – Fatti vivo quando vuoi, – lo salutò Raimondo dopo aver leccato con perizia la cartina. – Ci siamo divertiti, no?

Federica fece un sorriso a Cristian. – Non siamo tutte uguali, – gli disse proprio mentre afferrava la maniglia della porta d'ingresso. Cristian si fermò automaticamente. – Stanotte dicevi che siamo tutte uguali, ma non è cosí, – chiarí lei.

Raimondo intanto incenerí il picciolo della canna e aspirò profondamente la prima boccata. – Sicuro che non ti vuoi trattenere? – chiese, interpretando quella sua titubanza come un ripensamento.

Cristian uscí senza rispondere.

Fuori, un'aria gonfia di pioggia a venire trasportava un sentore di salsedine e bile. Come l'amaro di certe spiagge nelle notti di mare in tempesta. Ma forse si trattava del gusto terribile che Cristian sentiva sul palato. Aveva fumato e bevuto per due giorni di fila, e c'era stato del sesso, anche se non lo ricordava esattamente. Ricordava corpi e mani, ricordava bocche. Improvvisamente sentí che stava per vomitare. Lo fece dopo essere riuscito a stento a raggiungere un vicolo abbastanza appartato. Si asciugò le labbra col dorso della mano. Si avviò verso casa.

Per fortuna la trovò vuota. Marianna, con le donne Guiso, era andata alla casa di via Deffenu fin dal primo pomeriggio per i preparativi della festa.

Cosí ebbe il tempo per spogliarsi, lavarsi e sbarbarsi con calma.

Poté piangere nel constatare fino a che punto la vita si fosse presa gioco di lui. Ma era un pianto tranquillo, quasi rassegnato. Pulito e sbarbato si distese sul suo letto cercando un motivo qualunque per non rialzarsi. Ma non riuscí a trovarlo, cosí, a fatica si mise a sedere e indossò gli abiti eleganti che Marianna aveva preparato per lui.

Aveva addosso un freddo che sembrava qualcosa di estraneo, un gelo che veniva dalla stanza, da quel letto. Quel gelo, ne era certo, arrivava da un altro mondo ed era il frutto di ogni sofferenza affrontata in quella casa maledetta.

Nessuno avrebbe voluto far nulla perché le cose cambiassero, e questo lo faceva raggelare. Sapeva fin troppo bene che né lui, né Maddalena, arrivati a quel punto, avrebbero voluto buttare all'aria tutto. Ecco, non è che non potessero: semplicemente, non volevano. E questo per i romantici di tutte le latitudini poteva significare che non si amavano abbastanza, ma per loro significava che non si può essere felici se si ama a discapito degli altri. E allora infelici per infelici, si erano risolti, senza nemmeno doverselo dire, di essere infelici con altri, piuttosto che tra loro. Tra loro ci sarebbe stato rimpianto certo, ma non infelicità. Si amavano smisuratamente, ma non potevano, non volevano, aversi. Come spiegare? Non si spiega. Si va avanti.

I due giorni precedenti si facevano sentire attraverso le tempie che gli pulsavano e lo stomaco che si contraeva come se ancora avesse da vomitare, ma non c'era piú nulla che potesse espellere. Abbottonare l'ultimo bottone della camicia fu uno sforzo superiore alle aspettative, cosicché non lo fece e tenne la cravatta lenta. Dopo aver indossato la giacca si pettinò davanti al grande specchio quadrato del comò. Strinse le labbra per non piangere ancora. Quell'uomo davanti a lui faceva una pena infinita, come se si fosse ridotto ai minimi termini in poche ore. Sbarbato di fresco sembrava talmente giovane che nessuno avrebbe potuto ipotizzare che avesse superato la pubertà. Se fosse stata presente Marianna avrebbe potuto enumerare con pedanteria quanti Chironi si erano insediati sul viso e sul corpo di quel ragazzo sofferente: Gavino, il prozio, col suo stesso colore di capelli; Luigi Ippolito, il nonno, col suo stesso sguardo grigioverde; Vincenzo, il padre, col suo stesso dolore asciutto.

Appena uscito da casa, aveva percorso due, trecento metri, cominciò a piovere a scrosci.

Per fortuna il diluvio era cominciato qualche minuto dopo l'ingresso dei Pes nella casa di via Deffenu. Tranne Maddalena, loro là dentro non c'erano mai stati, né pensavano di poterci mai entrare. Eppure erano lí. Abbandonarono ombrelli e soprabiti all'ingresso, che già da solo gli pareva un appartamento, poi furono condotti in sala dove ogni cosa era stata preparata per il ricevimento. Nevina guardò tutto con una curiosità particolare: gli assetti, le posate, i calici di cristallo. Cercava di non dare a vedere quanto fosse risentita per non essere stata coinvolta in nessun modo nei preparativi in quanto madre della fidanzata. Ma era chiaro che i Guiso e i Chironi non intendevano mischiarsi ai Pes prima del dovuto. Marianna avanzò dal fondo della sala per salutare lei e lei sola, il che significò che il risentimento di Nevina non era del tutto infondato. – Tutto questo lavoro... – disse alla padrona di casa sforzandosi di apparire tranquilla.

– Non creda che abbiamo fatto noi... – glissò Marianna dandole del lei. – Abbiamo fatto fare, sono passati i tempi che ci

ammazzavamo per cose del genere... Ora le cose sono cambiate,
anche le donne vogliono la loro libertà: abbiamo ordinato da fuori.

– Eh, – convenne Nevina, – quando uno se lo può permettere...

Quello scambio fu interrotto da un breve applauso che gli invitati fecero all'ingresso di Maddalena in sala.

– Bella creatura, – commentò Marianna. – Complimenti davvero, – disse a Nevina.

Quest'ultima la guardò stupita. – Complimenti di che? Noi
ci siamo limitati a farla, a farla cosí ci hanno pensato da fuori, –
tagliò, ma badando a tenere un tono medio, che non apparisse
in nulla arrogante.

Intanto Maddalena si guardava attorno per cercare Domenico;
lo intravide mentre spuntava dal corridoio attirato dall'applauso
di poco prima e gli andò incontro per abbracciarlo davanti a tutti.
Scattò un altro applauso. Mimmíu, vestito insolitamente bene,
salutava gli intervenuti e li invitava a non farsi mancare niente.

Marianna e le donne Guiso avevano organizzato tutto davvero
bene. C'erano sí e no una settantina di invitati selezionati, molti
amici e parenti di lui, pochi di lei. C'era anche qualche autorità
locale, il maresciallo Idini e signora per esempio; il notaio Sini,
vedovo, accompagnato dalla figlia maggiore, zitella; il dottor Marletta, ormai avanti con gli anni, ma sempre straordinariamente in
forma; e, naturalmente, il parroco della Chiesa del Rosario, prete Tanchis. Nella sala i giovani avevano fatto capannello a parte. Era chiaro che la loro festa sarebbe stata un'altra e che quella
a cui stavano partecipando era solo una concessione ai vecchi.

– Cristian? – chiese Domenico all'orecchio di Maddalena.

– Non so, – rispose lei guardandosi attorno.

– Sei bella, – sussurrò lui solleticandole il collo.

– Grazie, – rispose lei. – Anche tu.

A Domenico scappò una risatina nervosa. – Grazie a te, lo so
che lo stai facendo per me... Tutto questo intendo, – disse ispirato.

– Per noi, – puntualizzò lei, – lo sto facendo per noi.

Poi si dissero altre cose tipo che lei stava molto bene pettinata in quel modo e che lui doveva portare la cravatta piú spesso.

Marianna si sedette in un angolo della sala, guardò quella

che era stata la sua casa come se non l'avesse mai vista. Proprio
da quell'angolo, anni prima, aveva sentito Cecilia che abortiva
per la seconda volta. Era il '56, una nevicata mai vista aveva
soffocato Núoro come un oggetto prezioso avvolto nell'ovatta.
In quella sala aveva ricomposto i resti mortali di suo marito,
ucciso in un tentativo di sequestro: era il '32, e oltre le finestre
si soffocava dal caldo, tanto che il cadavere dovette essere rinchiuso prima che si gonfiasse. Eppure, chissà per quali assurde
intermittenze del pensiero, a lei quella stagione terribile parve
improvvisamente la piú bella della sua vita, colma d'attese e sop-
portata solo in vista di un premio in vecchiaia. Premio che non
era arrivato. Una ragazzina dei Guiso le si avvicinò porgendo
un vassoio colmo di piccole meringhe. Lei rifiutò. In fondo alla
sala Mimmíu e il maresciallo Idini stavano parlando fittamente.
    – Mimmí, c'avevi ragione a proposito di Cristian, – stava
dicendo il maresciallo.
    – Ha fatto qualcosa? – chiese l'altro allarmato.
    – No, fatto no, per ora... Ma frequenta gente metzana. Quel
Bardi Raimondo, per esempio, è attenzionato per possesso di
stupefacenti ed è implicato con faccende di armi, anche se al
momento non abbiamo potuto fare nulla.
    – Ah, – sospirò Mimmíu, – ma Cristian non c'entra nien-
te marescià... È un po' per conto suo, ma è un bravo ragazzo.
    – Eh, bravi ragazzi sono tutti fino a prova contraria, Mimmí.
Tu per non saper né leggere né scrivere digli di scegliere meglio le sue compagnie. Lo vedi che è un brutto periodo, non te
lo devo dire io.
    Piú sono pessimi i tempi che si vivono piú dovrebbe ave-
re valore la bellezza. Questo pensò Mimmíu senza trovare le
parole adatte a farlo. Tuttavia gli bastò guardare Domenico e
Maddalena che si abbracciavano per dare forma fisica a quel
concetto impronunciabile. Adesso era soddisfatto di non aver
ceduto alla tentazione di mettere in guardia il figlio parlandogli di quanto si andava dicendo in giro, e cioè che quella donna
bellissima che ora davanti a tutti l'abbracciava, si era concessa
a Cristian Chironi. Cercò Marianna tra la massa degli invitati

che si erano assiepati attorno ai tavoli del buffet, proprio come si usava nelle case dei ricchi in Continente. Marianna lo intercettò a sua volta e con un accenno millimetrico del mento gli fece capire che anche lei aveva capito: la soluzione che avevano adottato era l'unica possibile.

Prese a piovere furiosamente proprio quando Cristian stava per imboccare la discesa di via Ballero. Non aveva con sé l'ombrello: aveva scommesso sul fatto che, nonostante minacciasse, non avrebbe piovuto. E aveva, evidentemente, perso la scommessa. Cominciò a correre, ma ci volle un attimo prima che i mocassini eleganti s'inzuppassero completamente bagnando i calzini. Le spalline imbottite della giacca assorbirono gli scrosci per rimandare uno stillicidio lungo la schiena e il petto. I capelli sottili, phonati di fresco, si appiccicarono al cranio.

Quando arrivò alla sua casa in via Deffenu si ricordò che era quasi un anno, da quando sua madre Cecilia era morta, che non ci metteva piede.

All'ingresso fu accolto da quella stessa ragazzina che aveva offerto le meringhe a Marianna. – Non voglio bagnare dappertutto, – le disse Cristian. La ragazza confermò, ma pareva non avesse capito di che cosa lui avesse effettivamente bisogno. – Un asciugamani! – sbottò Cristian, sfilandosi la giacca. La ragazza ebbe come un'illuminazione e sparí all'interno del salone da dove si udivano le voci degli invitati.

Ma, qualche minuto dopo, fu Marianna a tornare con l'asciugamani. – Dov'eri finito? – chiese brusca.

Cristian prese a strofinarsi la testa per evitare che gocciolasse. La camicia era diventata un tutt'uno con la pelle.

Completamente bagnato, con i capelli in disordine e l'asciugamani sulle spalle, attraversò la sala e gli invitati. Domenico si voltò a guardarlo e gli fece un cenno, Maddalena si voltò con un ritardo sospetto.

Nella stanza, quella dove sua madre aveva agonizzato, poté cambiarsi con gli abiti asciutti che Marianna aveva preso dal guardaroba nel corridoio che separava la zona giorno dalla zona notte.

Si era appena infilato un paio di mutande asciutte quando irruppe Domenico. – Perché mi stai facendo questo? – gli chiese, così come se stesse riprendendo un discorso appena interrotto.

Cristian non osò negare. – Non lo so, – disse.

– Dovresti essere contento. Io sarei contento, – gemette.

Cristian tacque. Cercò in giro un paio di calzini, ma non trovandoli al volo desistette.

– Non vuoi provare a essere contento per noi? – insistette Domenico, come se ne avesse bisogno per sopravvivere.

– Lo sono… Davvero –. E la cosa buffa fu che, mentre Cristian lo diceva, era sicurissimo di non mentire.

Domenico lo osservò, era più nudo che vestito, magro e asciutto come un monaco, immensamente triste come si può esserlo solo da bambini. – Tutti pensano che io non abbia capito niente, – scandí piano, – ho capito bene che tutto questo è stato pensato per quello che sai… Ma io mi sono detto che no. Che tu questo a me non l'avresti mai fatto. No. E non ci crederei nemmeno se tu mi dicessi il contrario…

Cristian lo raggiunse, gli strinse il viso onesto tra le mani e, dopo averlo tirato a sé, lo baciò sulle labbra. Un bacio morbido e lungo. Domenico non si sottrasse, restò immobile finché l'altro non lo distanziò da sé semplicemente allungando le braccia. – Basta adesso… – gli sussurrò con una dolcezza mortale. – Lasciami vestire.

Durante la festa, esclusi pochi atti formali, Maddalena e Cristian non si rivolsero la parola, il che era un modo per dirsi che le cose stavano andando come dovevano andare. Sotto gli occhi vigili di Marianna questo rito di cui a Núoro tutti avrebbero dovuto parlare si svolse senza incidenti. Serviti alcolici e dolci, serviti i salati e il vino, si passò alla consegna dell'anello. Fino alla sorpresa di una torta similnuziale che mimava a tal punto la sua sorella maggiore da far commuovere tutti.

Alla fine, con il dominuire della pioggia, scemarono anche gli invitati. Le donne Guiso e Marianna s'intrattennero per le pulizie senza permettere a Nevina Pes di unirsi a loro. Domenico e Maddalena si congedarono prima che gli ultimi ospiti se ne andassero, proprio come capita alle coppie di sposi durante il ricevimento.

Cristian disse che sarebbe rimasto a dormire nella sua vecchia camera. Marianna non protestò nemmeno, per quanto capisse che c'era qualcosa di profondamente autopunitivo in quella decisione. Lei conosceva uno per uno tutti gli spettri che abitavano in quella casa, ma si guardò bene dal mettere in guardia il giovane pronipote, aveva smesso da tempo di dare consigli a chiunque. Cosí disse semplicemente che, una volta sistemato tutto, avrebbe preparato anche la sua stanza. Cristian provò blandamente a protestare, ma era troppo stanco, non aveva capito fino a che punto fosse sfinito.

– Bisogna che parliamo –. Mimmíu era spuntato dal nulla alle sue spalle.

– Sí, domani magari, – rispose Cristian cercando da sedersi.

Mimmíu si sedette a sua volta di fronte a lui, come se Cristian non avesse nemmeno risposto. – Ma tu lo sai quanto vale l'azienda? – cominciò. – Hai un'idea? – Cristian fece segno di sí. – Che cosa stai combinando allora?

– Che cosa? – ripeté Cristian, seriamente titubante.

Mimmíu lo fissò a lungo. – Niente, proprio niente stai facendo, te lo dico io. Tranne che frequentare gente metzana e poco raccomandabile. Guarda che noi col settore pubblico ci lavoriamo… La rispettabilità è tutto. Cosa sta succedendo? – chiese sporgendosi per toccargli un ginocchio.

– Non lo so, non lo so… Mi sento stanco.

– Se ci fosse qualcosa che non va me lo diresti, no? Tu lo sai che per me sei come mio figlio…

Senza una ragione precisa Cristian sentí che doveva difendersi da quella manifestazione d'affetto. – Mio padre è morto, – scandí sottraendosi al contatto di Mimmíu.

– Lo so, moccioso, lo so bene –. Il tono di Mimmíu si era fatto improvvisamente tagliente. – L'ho trovato io. E tu non vali nemmeno un'unghia di quell'uomo.

– Il pubblico e i soldi, questo vi interessa a voi, – accusò Cristian guardandolo in faccia.

Mimmíu sostenne il suo sguardo, poi scosse la testa. – Bamboccio testa di cazzo, – disse. – Hai bisogno di una causa? Ti tira il culo perché le cose non sono andate come dici tu? E allora rompi tutto? Sai quanti me ne mangio di quelli come te? Tu forse mi hai preso per scemo, ma io non sono scemo. Puoi fregare Domenico, ma io lo so cosa c'hai in testa. E ti dico di stare attento. Molto attento. Perché se le cose stanno come penso, e non sto parlando dell'azienda, allora ti faccio vedere...

– E che cosa mi fate vedere? – Cristian cominciava ad agitarsi, ma non poté trattenersi.

Mimmíu sostenne il suo sguardo senza nemmeno alzarsi.

In quel momento sbucò Marianna: – La stanza è pronta, – disse. Poi squadrò i due uomini per chiedere cosa stesse succedendo.

– Ci siamo parlati, – spiegò Mimmíu. – Da uomo a uomo, – aggiunse.

– Vai a riposare, – fece Marianna rivolta a Cristian con quel suo tono che era sempre a un millimetro dal dare ordini.

– Sí, – confermò Mimmíu. – Il riposo è quello che ci vuole. Dormire bene è meglio di qualunque medicina.

– Quanta saggezza, – commentò Cristian dirigendosi verso la sua stanza.

Aveva smesso di piovere. Le strade erano schiene d'anguilla, il cielo sopra Núoro una spugna gocciolante. Dagli alberi, dalle colline intorno, emanava un respiro affannato. Il pianto del mondo parve si fosse fermato per un tempo indefinito ma, come un singhiozzo residuo dopo la crisi, dal gorgo dei tempi si era alzato un vento a scatti che aveva composto le nubi in un anello violaceo, da cui si proiettavano astri luminosissimi. Qualcosa che dava speranza rispetto al disastro precedente. Non si fa mai caso alle parole, ma a starci attenti si capisce di quale oscurità si parla, di quale assenza d'astri, quando si pronuncia la parola disastro.

Cristian dormí a strappi.

Comunque sognò di se stesso bambino che parlava col nonno Luigi Ippolito a proposito di come avesse incontrato sua nonna Erminia.

...C'era la faccenda dello stare assolutamente immobili: il caporale Sanseverino l'aveva detto spesso che l'unico modo per non farsi vedere al buio era di non muoversi. E disse che perciò aspettarono, davanti al Monte Santo, respirando appena, senza un gesto, seppur minimo.

«Lo sai come succede no?», chiese il nonno, che era in divisa ed era giovane.

Cristian fece segno di no, che non lo sapeva.

Luigi Ippolito rise appena: e certo che no, pensò, vedendo che suo nipote, contro ogni previsione, stava muto aspettando che proseguisse.

Si alzò un vento lieve che fece l'aria improvvisamente sapida. Ora, a respirare, si poteva assaporare la notte che incombeva. Luigi Ippolito si sbottonò la giubba per gustarsi l'aria sul petto, esponendo la camicia candida, e accettò il sollievo che ne derivò con un mezzo sorriso.

«Dunque, – proseguí a un certo punto, – si trattava di non farsi vedere. Eravamo stati piuttosto fortunati fino a quel momento. Cosí, dal nulla si era alzata una nebbia compatta: era dicembre, te l'ho detto».

Cristian fece sí con la testa, l'aveva detto prima che erano in dicembre. E doveva trattarsi di un dicembre affatto particolare: non troppo freddo, statico, come una porzione d'autunno ostinato che si volesse dilungare ancora e ancora.

«Natale era vicino, ed era il primo che passavamo da soldati, – continuò il nonno. – Tutte quelle cose che facevamo a casa, come la spedizione da don Cabiddu per le parti nella recita, o spalare la neve dal cortile davanti all'officina insieme a Gavino o, ancora, mangiare intere fette di sebada filante senza nemmeno aspettare che si sfreddassero, ci sembrarono improvvisamente lontanissime nel tempo. Si aveva l'impressione che avessimo bruciato millenni in pochi anni. Ma non è di questo che stavamo parlando...»

Cristian guardò meglio il nonno: c'era qualcosa di incorrotto in lui, come se, dopo sessant'anni dalla sua morte, fosse riuscito a conservare una giovinezza testarda. Ma è cosí che avviene nei sogni, no? Che si possa parlare con qualcuno che è morto da decenni come se fosse un coetaneo, per capire cose che non si possono capire. Sono ostinati certi sogni.

«Era dicembre», riprese a un certo punto Cristian, per far sí che il nonno non smettesse di raccontare.

E Luigi Ippolito accennò piano: «Un dicembre bellissimo, – completò. – Qui, certo l'estate è infinita, – rifletté, – e quel poco inverno che resta è di una dolcezza malinconica».

Cristian quella malinconia la sapeva interpretare molto bene, per lui l'inverno all'isola era tempo fermo. Ed era proprio in quel tempo fermo che non aveva altro desiderio che di andarsene piú lontano possibile.

«Fra i ragazzi del plotone, – ricominciò Luigi Ippolito, – c'era stata una discussione piuttosto animata, perché alcuni pensavano che valesse la pena di lasciare ai frati il tempo necessario per segnalare la resa, altri invece ritenevano che fosse indispensabile giocare d'anticipo e organizzare un attacco lampo, favoriti dall'oscurità assoluta... Considera che noi eravamo in tutto cinquantasette uomini, e non sapevamo quello che avremmo imparato qualche ora dopo: e cioè che all'interno della Chiesa di Monte Santo erano asserragliati ottanta soldati austriaci... Davvero fortunati, o forse si trattava del fatto che quel dicembre del 1915 persino le stagioni si erano stancate di combattere, e si susseguivano in una sequenza sonnolenta».

«Fammi capire, – intervenne il nipote, – la missione era di prendere la chiesa».

Aspettò che il nonno confermasse. Lui confermò.

«E quindi l'intero monte?»

«Le due cose erano conseguenti... Non hai sonno?»

Cristian aveva sonno, era tornato nella sua camera di bambino, quindi stava dormendo.

«Avevi detto che mi avresti raccontato com'è che hai incontrato nonna...», s'incaponí il ragazzo.

«Non ti dispiace se proseguiamo domani?», domandò a quel punto Luigi Ippolito senza nemmeno prevedere una risposta negativa.

Infatti Cristian fece segno di no, che non gli dispiaceva, ma un po' mentiva.

«Domani» fu il sogno successivo.

E riguardava il prozio Gavino. Morto in mare.

Ammassato con piú di quattrocento prigionieri nel fondo di una nave da crociera trasformata in una galera, nel vero senso della parola. Perché lui era italiano, in Inghilterra, quando passammo da alleati a nemici. Era un altro dei Chironi che si era trovato nel posto sbagliato, nel momento sbagliato. Proprio nel ventre dell'*Arandora Star* partita dal porto di Liverpool per raggiungere il campo di prigionia in Australia. A Gavino, quel viaggio oltre la Manica, sarebbe dovuto servire per salvarsi dai fascisti che l'avevano pestato per fargli capire chi comandava, e pazienza se era un Chironi.

Di quel prozio Cristian conosceva solo una foto che lo ritraeva giovanissimo in riva al mare...

Aveva sempre pensato che esagerassero nel dichiarare che gli assomigliasse. Dalla foto in bianco e nero non si poteva stabilire se davvero avesse un colore di capelli identico al suo, come sosteneva Marianna.

Ma dato che stava sognando forse avrebbe potuto sincerarsi con i suoi occhi se quel colore corrispondesse o meno. Si sogna a colori?

A Gavino varcare il mare non l'aveva salvato. A suo fratello Luigi Ippolito, invece, la partenza per la guerra come volontario l'aveva salvato da se stesso. Per lui la letteratura valeva piú che la vita. Era di quelli che pensano che le cose basta raccontarle perché diventino vere. Credeva nell'alito biblico che rende carnali le parole. Cosí si era impegnato a scrivere una fantasiosa storia che raccontava le origini della stirpe Chironi, che origini non ne aveva...

«Domani» fu il sogno successivo.

Il 23 dicembre del 1915, ai piedi del Monte Santo, in un plotone di cinquantadue uomini, in vista della chiesa sulla cima.

Non che potesse dirlo con certezza, perché né lui né i commilitoni che aspettavano ordini potevano affermare di vedere granché. Certo in mezzo al nero assoluto che li circondava si intravedevano lampi come quando due minerali, sfregando l'un l'altro, producono scintille. E si avvertirono le detonazioni di mine che parevano esplodere in cielo e invece esplodevano all'altezza della cresta piú alta del monte, dove si trovava il santuario.

Fu lí, mentre aspettavano, che il caporale Sanseverino, conosciuto durante lo smistamento, se ne uscí con la faccenda che, in situazioni del genere, meno ci si muove, meno si viene intercettati. Lui affermava che con la luce di spalle l'unica è rannicchiarsi e restare immobili, disobbedendo alla natura che ti spingerebbe a correre via per cercare un riparo.

«Quando arriva l'ordine, – diceva, – avanzate senza strappi: un passo, aspettare, un altro passo».

Dalle foto aeree dei dirigibili la cresta della montagna sembrava un ippocampo o, per chi avesse abbastanza fantasia, uno squalo martello.

Nella notte dei tempi il mare aveva accarezzato le sponde dolomitiche con affetto, ma c'erano stati momenti, anche recenti, solo millenni, in cui le aveva spossate con onde ruggenti che si erano ritirate dopo aver generato la valle. La stessa dove si lasciavano ingoiare cinque fanti andati in avanscoperta.

Improvvisamente dalla cima arrivò il segnale di resa: tre razzi bianchi, come quando, riportata alla sua nicchia la Madonna, cominciano i fuochi d'artificio. Quando al sacro segue il profano.

Non appena i cinque fanti intrapresero la salita dovettero rendersi conto che le pendici della montagna erano abitate piú densamente di quanto ci si sarebbe aspettati. Per lo piú comunità di pastori o boscaioli con le famiglie.

«In fretta e furia ci diedero l'ordine di avanzare». Cristian si mise comodo. Luigi Ippolito proseguí col racconto: «Ci dissero di avanzare facendo un certo rumore. Cosí correvamo e gridavamo, come facevamo noi quando, da ragazzi, alla sagra, sui cavalli bardati, volevamo farci belli con le donne che ci piacevano...»

«Ma tu qui, sull'isola intendo, non ci volevi piú tornare?», chiese all'improvviso Cristian.

La risposta era semplice, ma il nonno ci mise un po' per rispondere. «Sí, – disse a un certo punto, – ci sono tornato no?»

Si guardarono come si guarda chi sa: in quel racconto il nipote cercava un appiglio, un'autorizzazione. Il vecchio invece cercava di dare un corpo all'assenza.

«Cosí sei corso insieme agli altri verso la cima», lo rintuzzò Cristian.

«Insieme a tutti gli altri, – confermò il nonno. – Faceva un effetto strano calpestare quel territorio. Il buio era totale perché non esisteva alcun tipo di illuminazione, i pochi abitanti avevano sperimentato la conseguenza piú diretta della guerra, e cioè di precipitare all'indietro nei secoli. D'improvviso, al calar della notte, si cambiava era: ogni luce era proibita... Per il resto si tentava di resistere autosufficienti, i montanari strappavano piccole conche coltivabili alla roccia. Appena intrapresa la salita sentimmo un trambusto di persone che ci venivano incontro agitando fiaccole, qualcuno aveva lampade ad acetilene: Qui, gridavano. Qui! Erano donne per lo piú. E bambini».

«Anche la nonna?», domandò Cristian a bruciapelo.

Luigi Ippolito scosse la testa. «Non ancora, – disse, – la nonna no».

Quindi corsero verso il santuario, per aggiungere un fazzoletto di terra all'assurdo computo catastale di quella guerra... Sentirono, sotto gli scarponi, la natura tagliente della montagna, come una frantumazione di aromi smossi dai passi. Dentro all'oscurità percepirono la sontuosità della stoffa drappeggiata, un telo rustico piegato alla meglio, o buttato lí, in cui la risacca testarda dei venti gelidi aveva trasformato la roccia. Presa per sfinimento la montagna aveva trovato una forma, si era adattata alle correnti, aveva ceduto per non soccombere sfarinandosi ai bordi come certi dolci da forno fragilissimi e croccanti. Quanto restava era la schiena di un cetaceo, un'altura che avrebbe ceduto nei millenni successivi, ma che ora aveva le qualità di una terra emersa, dove i probi avrebbero potuto scampare al diluvio che li circondava.

Un po' corsero, un po' restarono in attesa come il caporale Sanseverino aveva detto di fare. Si dispersero alle imboccature dei trattori, sostarono nelle pieghe della parete rocciosa, si dissolsero nella consistenza assorbente della terra.

Luigi Ippolito nemmeno si accorse di salire, se non fosse stato per un vago incidente del respiro che si accorciava via via. Poi capí che in basso, a valle, le mine antiuomo saltavano in aria lampeggiando, e si accorse, grazie a quei bagliori istantanei, di essere completamente solo. Sentí dei colpi sfiorarlo e andare a schiantare la roccia. Si tastò il petto per sincerarsi di non essere ferito. Era capitato tantissime volte che una scheggia fosse cosí veloce da non avvertirla quando attraversava il panno grigioverde e poi il cotone della camicia fino alla pelle, per conficcarsi nella carne e provocare un sanguinamento lentissimo. Non era ferito, ma in quel buio totale, senza stelle, senza luna, si sentí perduto. Finché, dalla valle sottostante, o dal fianco di una montagna vicina, non si originò un cono di luce persistente che l'investí infilandosi nella notte violacea; quella scia luminosa risvegliò qualche cespuglio d'artemisia e agrifoglio in sonno, produsse un pulviscolo brillante che andò a disperdersi fino all'infinito oltre i caprifogli.

E fu allora che se la trovò davanti. Erminia Sut. Nome e cognome: nei sogni si possono conoscere perfettamente i nomi e i cognomi delle persone prima ancora che esse stesse li pronuncino. Erminia dunque era lí, in piedi, raggelata come se anche lei avesse ascoltato l'imperativo di salvarsi nell'immobilità. I suoi occhi colpiti in pieno dall'esplosione luminosa rimandarono una curiosità senza inquietudine, come capita a quelle bestie che ancora credono alla bontà degli umani.

Lei non fuggí e lui non fuggí. Luigi Ippolito poteva dire con certezza, come una percezione prima di qualunque percezione, di conoscere la donna che aveva davanti; e poteva proclamare di non aver mai considerato la perfezione della natura fino a quei termini di evidenza assoluta. Il fascio di luce si spostò verso il basso, leccando il suolo, come per illuminare il sentiero dietro a lei. E lei ancora non si mosse, sapeva che da quello stesso anfratto da dove si era palesato Luigi Ippolito Chironi (anche lei, incredibilmente, nel sogno di Cristian conosceva cose impossibili da conoscere), secoli prima era comparsa la vergine Maria alla pastorella Orsola Ferligoi. Sapeva che da quell'uomo armato non poteva arrivarle nessun pericolo...

È cosí che avvenne? È cosí che Luigi Ippolito Chironi da Núoro incontrò Erminia Sut da Cormons? Nel sogno fu cosí.

«Finí che grazie all'oscurità e al buio prendemmo il monte», concluse Luigi Ippolito. Sentiva arrivare quella tristezza precisa che lo assaliva quando ripensava alla prima volta che aveva visto la donna della sua vita. Era quell'angoscia che l'aveva fatto impazzire. Era stato correre, estenuarsi, dubitare prima che il fascio di luce illuminasse la sua donna, prima che lei gli allungasse la mano per portarlo al centro di se stesso; prima che lei gli rivelasse che era esattamente lí che lui doveva arrivare. E persino ora che erano morti, dopo un soffio appena di vita in comune, nel sogno frantumato di Cristian, lei appariva immobile, davanti a lui a indicargli il cammino per raggiungerla. Bellissima...

Dei rumori in cucina lo svegliarono di soprassalto. Era Marianna che preparava la colazione.

– Hai dormito qui? – le chiese Cristian.

– No, – disse lei. – A casa –. Marianna per «casa» intendeva quella di San Pietro. – Ma stamattina mi sono svegliata presto, e mi sono detta che se qualcuno non ti preparava la colazione tu te ne stavi a stomaco vuoto. E invece mangiare bene al mattino è la cosa piú importante.

– Andavo al bar, – buttò lí Cristian. C'era un cesto di ciambelle fragranti al centro del tavolo, il giovane ne sbocconcellò una mentre aspettava il latte e il caffè caldo.

– Appunto, – fece Marianna, – le ho viste le porcherie che vendono al bar…

– Ho sognato nonno. Aveva la stessa faccia che nelle fotografie –. Nella voce di Cristian c'era quel filo di titubanza di chi racconta i sogni cercando di mantenere a mente piú particolari possibili.

Marianna posò il bricco del latte sul tavolo senza far rumore per non interrompere lo sforzo che il nipote stava facendo per ricordare.

– Ho sognato di quando ha visto nonna per la prima volta, – concluse versando il latte fumante nella tazza.

– Tua nonna? La friulana? Sarà ormai di ritorno per il Giorno del Giudizio –. A Marianna scappò da ridere.

– Come hai fatto a sognartela? Non l'ha mai vista nessuno, non credo che esista nemmeno una fotografia... – Piú che una domanda, quella della donna sembrava un attestato di puro scetticismo.

Cristian scrollò le spalle. – E che ne so io, mica i sogni si possono governare, no? C'era anche lo zio Gavino... – aggiunse, ma come se stesse parlando di qualcosa che si stava allontanando, sbiadendo inesorabilmente.

Solo su un punto tacque: che la nonna friulana, sconosciuta, nel suo sogno, aveva il viso di Maddalena.

Seguirono giorni strani, come gli assestamenti successivi a un terremoto. Cristian passava il tempo nei cantieri, Domenico per lo piú in ufficio. Il che la diceva lunga su quale fosse la differenza sostanziale tra loro. Stavano curando, tra le altre cose, la ristrutturazione di un edificio su corso Garibaldi: una casa padronale di cui, sfuggendo a qualunque vincolo, era stata triplicata la cubatura.

Ora che non si occupavano solo di ferro i Chironi e i Guiso avevano dovuto fare i conti non soltanto con l'apparenza della decorazione, ma anche con la sostanza della struttura. Ottenere i permessi, sapersi muovere nei corridoi, era diventato importante forse di piú che saper fare bene le cose. Quando l'ingegnere comunale, l'assessore di turno, l'ufficio competente, chiudevano uno, o due occhi, anche se non era stato sistemato nessun mattone, la casa era pressoché fatta. E qui interveniva quella che Domenico Guiso aveva chiamato «rispettabilità». Nei tempi nuovi gli stracci del boom economico erano arrivati in Barbagia con la potenza di fuoco di una promessa da mantenersi a tutti i costi. Il brutto diffuso, similcittadino, avrebbe sostituito l'estetica rustica del posto, perché solleticava il provincialismo senza fondo di quel mondo estremo. C'erano voluti decenni, ma il salto era stato fatto. Ora l'assetto coerente dell'abitato si era trasformato in un dedalo scomposto, senza un centro, senza un cuore. Fuori da qualunque ragionevolezza si erano concessi permessi edilizi in zone totalmente abusive. La richiesta era di case grandi, senza badare a spese. Case a piú piani, per coppie di anziani o sposini novelli. Case enormi per

contenere il nuovo ego che quella fortezza stava coltivando. Un
ego ignorante, smerciato come progresso. Oltremare l'ingresso
della nazione nel club dei grandi della Terra si stava inaugurando nel sangue, ma in Sardegna, in Barbagia, dopo la stagione
cannibale dell'Anonima Sequestri, con un decennio di ritardo,
si assaporava un senso di rinascita. E persino la delinquenza si
era evoluta in un'agenzia di ciò che veniva definita adesione tra
banditi comuni e cellule terroristiche. Il che significava essere piú realisti del re, come al solito. Significava che al vecchio,
romantico *refrain* intorno al ridistribuire le ricchezze, si stava
sostituendo lo spirito aziendale, quello di sequestrare, o rapi-
nare, per finanziare gruppi terroristici. Era sempre stato facilissimo confondere i due piani, in questa parte di mondo dove
senza soluzione di continuità aveva abitato il concetto della delinquenza necessaria. Ma da sempre ciò che era necessario scaturiva da bisogni indotti.

Fare il suo mestiere significava per Cristian capire questo fin
troppo bene. Lui approvava i gruppi dissidenti un attimo prima che giustificassero la violenza. Per Domenico quelli erano
delinquenti e basta. A lui terrorizzava persino il pensiero che
Cristian, seppur superficialmente, considerasse l'ipotesi di di-
scuterci. Alla fine di quegli anni Settanta Núoro era torbida e
turbolenta come lo sono i fratelli cadetti in certe famiglie, che
hanno paura di essere amati meno di quanto amino. Cinica, ma
non scettica. Intelligente, ma non colta. Furba, ma non profonda. Convinta di avere tutto sotto controllo, ma incapace di percepire l'inizio della fine.

Chi avesse visto il sorriso di Mimmíu mentre offriva un caffè al capo dell'ufficio tecnico del comune, avrebbe capito con
chiarezza che in quell'orto concluso crescevano, ancora per poco, piante altrove estinte.

Ma il cantiere dei cantieri, quello su cui valeva la pena di
impegnarsi, era la costruzione del nuovo centro polivalente che
avrebbe seguito la demolizione della Rotonda, le vecchie carceri
ottocentesche, insieme alla Cattedrale – unico edificio insigne
della città. C'erano da ricercare materiali e stimare percentua-

li. Quantità di cemento e mattoni; numero di ore lavorative, e numero di manovali impiegati.

Per questo fu necessario organizzare un viaggio in Toscana, a Carrara, per ritirare certi campioni di marmi pregiati per i rivestimenti dell'edificio pubblico.

– Perché stai piangendo adesso? – chiese Domenico a Maddalena.

Lei non stava piangendo, semplicemente le era venuto il respiro grosso non appena lui si era fatto da parte sfilandosi. – Non piango, – disse. Ma non poteva rivelargli che quella specie di singhiozzo era un residuo d'orgasmo, perché se no avrebbe dovuto spiegargli che avrebbe gradito si fosse trattenuto ad abbracciarla senza scappare non appena eiaculato. Di Domenico si poteva dire che avesse un senso innato del dovere. E che, una volta espletato, non vedesse l'ora di passare al dovere successivo.

– Va tutto bene? – chiese lui, ma con la giusta ingenuità, senza che quella domanda sembrasse una richiesta di voto per la prestazione appena portata a termine.

Maddalena gli guardò le spalle piene e la pelle di una luminosità impressionante, fanciullesca. Tutto il contrario di Cristian, di cui si poteva dire che fosse un bambino con l'istinto dell'adulto navigato. Provò una strana tenerezza per quel maschio ignaro che ora si era voltato per sorriderle. Giurò a se stessa che l'avrebbe ingannato solo quanto bastava per mantenere in piedi la menzogna dell'amarlo. Ma si disse che non era uno con cui fosse insopportabile quella menzogna. Era un uomo di una dolcezza pericolosa Domenico, perché non aveva mai potuto amare incondizionatamente se non Cristian e lei. In quest'ordine, che era un ordine che Maddalena poteva capire benissimo.

– A che pensi? – insistette lui, allungando la mano per accarezzarle il viso.

– Che non è prudente quello che abbiamo fatto. Cosí, senza precauzioni, – chiarí.

Domenico si distese a pancia in su, incrociando gli avambracci sulla fronte. – E che fa? – rifletté lui dopo un po'. – Se sarà,

metteremo a posto le cose. Non ho intenzione di disonorarti –.
Maddalena, non vista, sorrise perché quella che Domenico aveva
appena pronunciato poteva sembrare una frase ironica, persino
sarcastica in bocca a chiunque altro, ma non scandita da lui. – Per
quanto mi riguarda io e te siamo già sposati, – puntualizzò infatti.

Maddalena gli posò la testa sul petto. Sentí il suo cuore forte
e il calore morbido della sua pelle liscia. Chiuse gli occhi e pensò
alla creatura che portava in grembo. L'aveva capito dalla prima
nausea mattutina.

Stettero immobili senza parlare, nella calma assoluta di un silenzio forte come un filo d'acciaio teso. Coltivare quel silenzio
era l'unica via di salvezza, disse a se stessa. Gli sfiorò il torace
con le labbra socchiuse. Domenico spalancò la bocca.

Squillò il telefono. L'uomo si divincolò per andare a rispondere. Si alzò in piedi trascinandosi il lenzuolo per coprirsi. Maddalena lo vide intento ad ascoltare, poi borbottare qualcosa rassegnato prima di riagganciare.

– Mio padre, – annunciò rimettendosi i calzini. – Dice che
a Carrara ci devo andare con Cristian, perché dice che ci dobbiamo abituare a lavorare insieme, capire che c'è differenza tra
essere amici ed essere colleghi di lavoro, e cosí via... Ora devo
andare, amore –. E pronunciò «amore» come se avesse provato
a dire quella parola da solo davanti allo specchio.

Maddalena non voleva aprire gli occhi. – Va bene, – gli rispose dal suo buio. – Non fare tardi –. Ma era come se parlasse
a se stessa.

Domenico smise di abbottonarsi la camicia. – Se vuoi resto,
– disse. – Che succede?

– Niente davvero, – mentí lei, ma non troppo. Perché improvvisamente aveva sentito una fitta, come se la certezza che
dentro all'oscurità che stava costruendo non potesse crescere
niente di buono.

– Questa faccenda dell'appalto grosso lo sta facendo diventare matto, – sospirò Domenico riferendosi a Mimmíu che era
piú nervoso ora che l'appalto gli era stato assegnato piuttosto che
prima quando ancora l'esito non era stato pubblicato.

– Solo questa faccenda? – puntualizzò Maddalena con un sorriso malizioso.

Domenico sorrise a sua volta. – C'hai ragione, – concordò, – quando mai mio padre non è nervoso? Ora si è fissato che Cristian ci fa perdere il lavoro... Quei due non si prendono in questo periodo, e io ci finisco in mezzo.

Mimmíu appoggiò duecentomila lire sul tavolino, senza nemmeno una busta per contenerli. Li estrasse dal portafogli e li posò accanto al bicchiere di vino che il ragazzo davanti a lui aveva appena vuotato. Il volto di Raimondo Bardi s'illuminò. – Un lavoro da nulla e ben pagato, – chiarí l'uomo. – E ti fai una gita in Continente. La patente ce l'hai, no?

– Sí, sí, – confermò l'altro. Vestito pareva piú grosso.

– Vi imbarcate a Olbia e sbarcate a Livorno, poi Carrara e ritorno, – spiegò. – Il tuo compito è guidare e controllare che non succeda niente tra quei due, mi spiego?

Raimondo ancora fece segno che sí, che si spiegava. I Chironi e i Guiso si muovevano con cautela, vista la loro posizione e il loro patrimonio. – Nel caso ho quello che occorre, – disse il ragazzo mimando una pistola col dito indice puntato e il pollice verso l'alto.

Mimmíu assentí.

– Grazie, – disse a un certo punto Raimondo, dimostrando un'educazione imprevista. – Grazie che avete pensato a me, – completò intascando le banconote. – Cristian lo conosco, cosí almeno non ci annoiamo, – s'entusiasmò.

– È proprio per questo che ho pensato a te, – confermò Mimmíu porgendogli le chiavi di un Transit. – Proprio per questo.

Se a Raimondo Bardi lo mettevate in costume locale o, come dicevano i signoroni della pro loco, «in abiti tradizionali», lui era l'uomo piú felice del mondo. Non c'era da chiedergli perché. Lui sentiva una sicurezza dentro all'orbace, un'armonia tale che persino il suo corpo tozzo e peloso diventava bello, avvolto da quell'involucro.

E poi c'era tutto un altro orgoglio. Con l'abito dei padri pastori a Raimondo Bardi gli sembrava di valere di piú, di avere piú voce in capitolo. Cosí, finito il turno al cantiere, non vedeva l'ora di tornarsene a casa e vestirsi come piaceva a lui. Nudo era una razza, un oggetto antropologico. Poi, già con la camicia candida, plissettata, arrivava la cultura.

Con quella camicia addosso Raimondo riconosceva in sé Bardi Raimondo Pietro Serafino, di Dionigi e Pasqua. Alle ghette diventava «de Sos de Tauledda». Fino alla chintorja, alla cinta di cuoio lavorato che rifinisce tutto, quando era, definitivamente, Remundu, o Mundeddu...

– *Vedi? Il diavolo spiuma le colombe celesti. E fa la nevicata,* – sussurrò Cristian con la nuca sul poggiatesta del Ford Transit seconda serie.

Avevano imboccato la strada di Marreri, che a Dio piacendo sarebbe stata solo un ricordo non appena fosse stato inaugurato l'imbocco della 131 da Prato Sardo. Per ora tuttavia, curve su curve. In mezzo alle querce, agli agrifogli, agli asfodeli. I graniti, in quel preciso versante del Monte Orthobène, si erano coperti di muschio per l'inverno, come se anche la pietra soffrisse il freddo.

Raimondo aveva preteso un mezzo con la radio e il mangiacassette: si era portato la musica da casa e ora affrontava le curve sostenuto da *Us and Them* a tutto volume. – Hai detto qualcosa? – domandò a Cristian azzerando l'audio dell'impianto. Cristian fece segno di no. Fuori dal mezzo si raddensava un tempo fermo.

– Dici che nevica? – chiese Raimondo, come se avesse razionalizzato in ritardo la frase pronunciata poco prima dal suo passeggero.

Cristian inarcò le sopracciglia senza preoccuparsi che l'altro, intento a guidare, non potesse vederlo. Ma l'altro per qualche ragione percepí quella risposta: – L'aria c'è tutta, – confermò prima di far ripartire a palla il pezzo musicale.

Loro correvano e la terra restava lí, solenne. Grazie a qualche colpo di vento poteva salutarli, come con un lieve cenno

della mano, ma niente di piú. Ogni tanto un corvo, padrone del
gelo, inveiva contro il silenzio di vetro. Greggi di pecore stordi-
te si aprivano come le acque del Mar Rosso per fare spazio alle
poche autovetture di passaggio. Ancora ci si poteva illudere di
essere gli unici spettatori dell'impasto del mondo nel suo agglu-
tinarsi. Ancora dalle lame taglienti del Corrasi si sprigionavano
quelle scie d'acciaio che definivano la genesi stessa delle montagne, come se quelle pareti avessero assorbito la luce divina
nel momento stesso in cui luce fu. Ancora dalle piante, fino dai
terebinti, dalle acacie spinose, dai sambuchi – che per loro natura sono profittatori – esalava al fondo il fetore primordiale.

Intanto i Pink Floyd facevano il loro sporco lavoro di far
sembrare importante ogni inezia, bella ogni bruttura.

Raimondo cominciò a tirare su col naso. – È piú forte di me,
– si giustificò. – Questo pezzo mi fa piangere.

And in the end it's only round and round and round
Haven't you heard it's a battle of words

– Ecco, qui! Che dice qui? – s'infervorò Raimondo mentre
il pezzo saliva.

– Che è tutto un girare a vuoto, che sono solo parole... – riassunse Cristian.

Fuori dal Transit la cava di sabbia di Siniscola si univa al saluto. Da lí in poi si trattava di attraversare piccole località costiere che stavano per diventare le sorelle dimesse di altre ben
piú rinomate. Il mare faceva il suo assolo di piano.

– Sí, – confermò con passione, – è proprio cosí e tutto un
girare in tondo, come gli asini –. Quindi azionando la freccia
destra, segnalò che stava per accostare.

– Che succede? – chiese Cristian.

– Niente, – fece quell'altro. – Mi scappa da pisciare.

Pisciarono contro la luna come il poeta contadino.

Ebbero appena il tempo per accennare al fatto che, all'ultimo
momento, Domenico avesse deciso di non partire.

Al porto di Olbia dovettero attendere che imbarcassero tutte
le auto private prima che gli permettessero di entrare nel traghetto. Era come se dessero cibo a un enorme cetaceo metallico. E
del cetaceo quel mezzo aveva il fetore. Cristian non poteva sopportarlo. Tutte le volte che aveva fatto quella traversata aveva
maledetto il suo destino di isolano. Raimondo sembrava non sof-
frirne affatto, anzi: se si escludeva la commozione di poco prima,
non sembrava soffrire di niente.

Presero possesso della cabina a due posti, poi decisero di andare a mangiare nel pessimo ristorante della nave dove si potevano gustare maccheroni da ospedale, patate e cotolette gommose,
fritture di calamari untissime, qualche frutto di stagione, pane
raffermo e vino scadente. Nonostante la nave fosse semivuota
il self-service era comunque pieno. In quella stagione viaggiavano i camionisti, tutti quelli che si spostavano per lavoro, qualche
sparuto turista invernale. E alcune famiglie che raggiungevano
chissà dove parenti malati, o padri emigrati...

Verso mezzanotte il traghetto cominciò a vibrare, poi, nel giro di mezz'ora a oscillare lentamente, quindi, intorno alle due a
oscillare con decisione. Raimondo russava. Cristian si sforzava
di prendere sonno e in qualche modo ci riuscí perché a un certo
punto ebbe come la sensazione di trovarsi in piedi sul marciapiedi di una stazione ad attendere un treno in ritardo. E si sentiva
come se aspettasse qualcuno: la donna amata, un amico, un parente caro, che avevano promesso di raggiungerlo, ma non arrivavano. Era sicuro di essersi mosso per tempo: odiava far aspettare, almeno quanto aspettare. Si era preparato con pignoleria,
perché l'essere adeguati, e decorosi, era per lui parte integrante
della regola dell'accoglienza. Per l'amata aveva comprato fiori di
campo, per un amico aveva predisposto un sorriso e una stretta di
mano, per un parente caro aveva preparato una stanza e un letto
puliti. Si era visto trattenere il respiro mentre osservava il treno
spuntare, appena superata la curva del binario. Dopo che il treno
si era fermato aveva guardato con apprensione oltre le spalle dei
passeggeri che affollavano la banchina del binario.

Oh sí, stava sognando di aspettare la vita in questo modo, con apprensione, e una certa ansia di prestazione, temendo di non essere adeguato all'incontro, ma lei non era arrivata. Lui non era arrivato. Cosí il marciapiedi si era svuotato in un lampo e lui si era visto rimanere lí, con i suoi fiori di campo, i suoi sorrisi, la sua impacciata compostezza e il pensiero di aver preparato inutilmente un letto fresco di bucato per qualcuno che non sarebbe arrivato mai. Quell'imponderabile istante prima che ogni cosa svanisse l'aveva riportato su quel binario come se, ostinatamente, ancora tentasse di incontrare la Vita anziché la Morte.

Nero.

– Tutto bene? – lo strattonò Raimondo.

Cristian spalancò gli occhi, riconobbe il chiuso della cabina e prese coscienza dell'oscillare ostinato. – Che succede? – chiese.

– Stavi gridando, – specificò quell'altro. – Mi sono spaventato.

– Ma che gridando, – s'innervosí Cristian, – non sono riuscito a chiudere occhio da quanto russavi –. Eppure poteva sentire addosso la malinconia di quell'attesa inutile appena sperimentata al binario.

Stettero in silenzio per un po'.

– Dormi? – chiese a un certo punto Raimondo.

Cristian non dormiva, ma non rispose.

All'alba bussarono alla porta della cabina perché la lasciassero, in modo che gli inservienti potessero pulirla durante le operazioni di scarico della nave. Era una mattina strana che ovattava il chiasso del porto. A Cristian Livorno sembrava color di ciambella, ma forse si trattava del fatto che aveva fame. Entrati nel Transit Raimondo si accese una sigaretta, spiegando che se non aveva fumato nella cabina della nave non era stato per delicatezza, ma perché aveva lasciato in macchina il pacchetto e dopo cena non gli avevano permesso di andarlo a prendere. Cristian aprí il finestrino. – Appena trovi un bar fuori dal porto fermati, – disse.

Raimondo fece segno di sí. – Agli ordini, – aggiunse canzonandolo, ma non troppo.

L'aria salsa riempiva l'abitacolo, ma aveva una qualità estranea; persino la luce era diversa in questo versante.

Pochi metri dopo l'uscita del porto da una gazzella dei carabinieri tre uomini in divisa gli fecero cenno di accostare. Raimondo accostò. Il maresciallo, giubbotto antiproiettile e mitraglietta, li invitò a consegnare patente e libretto di circolazione e poi a uscire dalla macchina. Gli altri due si guardarono. Raimondo e Cristian obbedirono.

– Dove siete diretti? – chiese il maresciallo.

– Carrara, – rispose Cristian, tentando di apparire tranquillo.

– Lavoro? – insistette il graduato.

– Devo trattare dei marmi per la mia ditta.

– Vedo, – confermò il carabiniere senza levargli gli occhi di dosso.

– Possiamo controllare che c'è nel portabagagli? – chiese fingendo che quello che aveva dato non fosse un ordine.

Raimondo guardò Cristian come a dire che se aveva qualcosa da dichiarare quello era il momento giusto per farlo. Intanto i due carabinieri avevano spalancato lo sportello posteriore del Transit e constatato che il vano era vuoto. Passarono interi minuti di silenzio assoluto in cui misteriosamente i due carabinieri continuavano a trafficare nel retro dell'automezzo. Finché: – Armi! – urlò uno dei due.

– Armi? Che armi? – reagí Cristian.

– Se è alla mia pistola che vi riferite è regolarmente registrata, posso esibire il porto d'armi, – provò ad anticiparlo Raimondo. Ma non era di una pistola che si trattava: in un doppiofondo del vano posteriore erano stivate una decina di mitragliette e munizioni.

– Ci hanno voluto fregare, – sussurrò Raimondo.

Intanto il maresciallo agitava l'arma e invitava gli altri due ad ammanettarli. Diceva che la spiata era stata giusta.

L'aria era diversa, la luce era assolutamente diversa, ogni suono era diverso, tutto, tutto era diverso.

Cristian fece dapprima un passo avanti, come un soldato impavido che andasse incontro alla bocca del cannone. Certo percepiva Raimondo che gli diceva qualcosa. Ma era tutto troppo diverso e si vide avanzare verso il militare armato. L'altro, completamente stupito da quella pazzia, fece persino il gesto di farsi da parte. Cosí Cristian prese a correre. A correre, quanto era diverso quel terreno. Era come se improvvisamente si fosse ricordato di qualcosa di improcrastinabile. Certo avvertí la sagoma di Raimondo che trattenuto a terra tentava di svincolarsi. Poi sentí il sibilo delle pallottole all'altezza della coscia destra, poi del collo, poi una fitta all'orecchio, come una rasoiata. Poi vide che la terra era finita e si lasciò andare.

... Era stato come guardare un'onda che si forma all'orizzonte. La cresta di terra nera, smossa, avanzò come un oceano impetuoso e, tuttavia, troppo viscoso per correre veloce; troppo melmoso per sorprendere. Si trattava di stare a riva, e attendere, con calma, l'impatto. E invece si buttò, sentí l'impatto gelido dell'acqua che lo ingoiava. Ma gli parve comunque di aspettare guardandosi aspettare, come se l'obiettivo primo di quell'impeto lentissimo non fosse lui, ma un altro, che era esattamente come lui.

Dentro al mare avvertí appena il ronzio dei proiettili che venivano sparati dalla banchina... Era tutto cosí diverso.

Era vedersi attendere la morte, da spettatore, nel teatro delirante del sonno della ragione.

Una raffica arrivò troppo distante per sembrare pericolosa.

Come un boato che si origini dalle viscere degli oceani, e che, inesorabilmente, si personifichi in una montagna d'acqua semovente.

Come un vomere gigantesco che, incidendo nel profondo le zolle, provochi lembi che si contorcono per trovare altri spazi.

Si sentí soffocare, perché non stava nuotando, né restando a galla. Stava solo fuggendo.

Nero...

Dalla banchina lo videro sparire sotto la superficie del mare appena increspato. Le correnti lo portavano al largo. Il maresciallo corse alla gazzella per allertare la guardia costiera.

Poi risorse: per un momento poté respirare...

Era stato come sfinirsi per ostinazione. Vegliare, per una consegna, lavorar di pialla, o di scalpello, tutta la notte. Spegnersi gli occhi a furia di concentrazione.

Nero...

Raimondo urlava che facessero qualcosa, che era ancora vivo... Ma i carabinieri furono irremovibili, quanto capita in mare a loro non compete.

Come arrendersi al sonno, era stato. E nel sonno ricordare tutto...

Ricordò di quando i raccolti sembravano oceani, infiniti mari fluttuanti contro il sole a picco. Ricordò giganti curvi, trapassati dai raggi roventi, che tracciavano scie fra le spighe a furia di falci. Ricordò le squame cangianti dei pesci in qualunque ruscello, o lago, o fiume, li avesse pescati, e la roccia, o sabbia, o manto erboso su cui li aveva scaraventati ad agonizzare nell'aria. Poi si ricordò del congedo, all'ospedale oncologico, degli occhi umidi di sua madre che l'aveva accompagnato fino alla fine temendo che lui avesse piú paura della morte di quanta ne aveva lei... Tutto, ricordò, con minuzia, anche i secondi, i minuti, l'afasia che precedeva il pianto, come una tosse trattenuta. E l'incredulo sciogliersi di ogni certezza, simile al divincolarsi di un topo in trappola. Poi, ancora l'odore sudoroso del terreno smosso, quasi il suolo restituisse sangue dopo averne ingoiato a litri. Tutto ricordò, tutto. Il mese e l'anno, il municipio in cui era stato registrato, la chiesa in cui era stato battezzato, Maddalena che l'aveva baciato, e persino il bacio dato a Domenico. La maestra che l'aveva punito, il parroco e il bisnonno che l'avevano redarguito, l'amico che gli aveva sorriso e pure quello che l'aveva tradito. I pianti ricordò, l'odore di pane caldo e latte, la fragranza del dolce appena uscito dal forno, il vino bollente con chiodi di garofano, l'acquavite per il mal di denti, e il fegato ancora caldo del maiale appena macellato, la lana svelta dalla groppa della pecora a furia di cesoie, e la consistenza viscosa dei capezzoli della vacca.

Tutto, tutto, tutto ricordò, ora che annegava... Il prozio morto anch'egli in mare. I riccioli di Maddalena. Il gelsomino selvatico nel cortile di zia Marianna.

Tutto, tranne il suo nome.

Quello non riusciva a ricordarlo.

Nero.

La Parola Profonda

Núoro, aprile 1979.

Era certa che, all'Antico dei Giorni, a Dio fosse bastato posare il palmo della mano sulla crosta ghiacciata della Terra per generare il Diluvio. E, per questo, pensava che ogni suo atto creativo fosse dipeso dal celarsi piuttosto che dal manifestarsi. Ogni volta che Egli aveva voltato le spalle, l'uomo, da Lui Stesso creato, aveva tentato d'imitarlo, e si era evoluto, si era ingegnato, era progredito; al contrario, quando Egli si era palesato, quando aveva guardato in faccia la sua creatura, quest'ultima non era riuscita a reggere lo sguardo: aveva ripreso a balbettare, era ritornato cavernicolo. Era indietreggiato di millenni. L'umanità non sarebbe nient'altro che un bambinetto da formare, da sopportare nelle sue smisurate presunzioni, da punire quando è necessario. Cosí era il Creato per Marianna. Per lei che Cristian fosse morto non faceva piú alcuna differenza. Era nelle cose. Non avrebbe pianto. Ma era furibonda. E se era tanto furibonda dipendeva solo dal fatto che non riusciva a capire in quale momento preciso le fosse sfuggito il segnale chiaro di quella morte. Posò la mano bollente sul piano del tavolo e ce la tenne finché non sentí scorrere il freddo del marmo lungo l'avambraccio.

A Mimmíu parve per un attimo che Marianna volesse afferrare il foglio e la penna che lui vi aveva posato. Ma si sbagliava, perché lei quel foglio e quella penna non pareva averli visti. I suoi occhi spalancati non guardavano niente, come se fosse spirata senza qualcuno che avesse avuto la pietà di serrarle le palpebre.

Cristian era morto? Bene. Si trattava di un altro Chironi
che l'aveva preceduta e si trattava di uno di quei Chironi che
non avevano voluto abitare una tomba, come sua madre Mercede, svanita prima nel nulla meraviglioso della pazzia, poi nel
tutto inestricabile dei dirupi; come suo fratello Gavino, anche
lui morto per acqua. E neanche lui restituito. Questa morte era
ordine dunque, non disordine. Nel buio della scomparsa di Cristian c'era la luce della scienza. E c'era continuità, ostinazione.
La coazione a ripetere dei maestri del ferro che devono battere,
e battere, e battere per sfinire il metallo.

Bastava tenere gli occhi aperti, per abituarli all'oscurità; non
cedere, mantenere lo sguardo diretto senza balbettare, senza
indietreggiare.

L'Antico dei Giorni era in piedi davanti a lei. – Sedete, –
sussurrò.

Mimmíu era del tutto certo che quell'invito non fosse rivolto a lui, nonostante fossero soli nella stanza. Tuttavia si sedette
all'altro capo del tavolo. Quindi, indicando il foglio e la penna,
provò ad accennare una specie di sorriso. – È solo una procura,
– disse, ma badando di non apparire troppo ansioso.

Marianna fece un breve movimento, come chi si sveglia an-
chilosato dopo ore in una posizione scomoda, le fasce muscolari
tra le spalle e il collo cercarono un assetto confortevole contro
la tensione feroce che le aveva permesso di tenere la testa diritta. – Tanto quello che sei rimani, – sibilò.

Mimmíu concordò assolutamente. – Va bene, – disse, – ma
non crediate che ci sia la fila per diventare Chironi.

A Marianna questa volta scappò una vera risata. Occorreva
anche saper ridere in faccia all'Antico dei Giorni, pensò, perché non credesse che fosse talmente rassegnata da spegnere qualunque reazione. Ora la partita era vinta: Cristian era morto,
restava solo lei, dopo di lei, nient'altro. E per quanto Mimmíu
si sforzasse sarebbe rimasto quello che era.

– Com'è che l'hai mandato da solo a Cristian –. La voce
della donna risultò talmente vibrante che si stentava a considerarla umana.

– Dove? – riuscí a chiedere Mimmíu colto di sorpresa dal fatto che Marianna paresse rivolgersi direttamente a lui e in maniera assolutamente circostanziata.

– Dove avevi deciso che andasse, – chiarí lei, ma era un chiarimento che non spiegava nulla.

– Era un impegno di lavoro e poi non era da solo… – Mimmíu tentava disperatamente di apparire disinvolto.

– Io mi sono figurata che quel viaggio non è stato un viaggio come un altro, – scandí Marianna.

A Mimmíu tremò il labbro inferiore: come poteva? Cristian era come un figlio, e solo Dio sapeva che cosa intimamente sentisse per quella scomparsa, per come erano andate le cose… Come poteva? Vecchia strega, pensò. – Era lavoro, – si limitò a ribadire.

Marianna lo fissò a lungo.

Mimmíu abbassò gli occhi. – Domenico non si riconosce piú, – informò.

Marianna tirò su col naso e cambiò sguardo. Da ragazza, molto tempo prima, aveva assistito a uno spettacolino di ipnosi. Un ridicolo mago in abiti orientali chiamava qualche volontario sul palco e gli faceva fare cose buffe senza che quell'altro se ne rendesse conto, poi lo risvegliava e tutti ridevano del suo sguardo interdetto. Quello stesso sguardo ora lo sentiva in sé. La realtà le sembrò improvvisamente tangibile: la cucina, il giardino oltre la porta a vetri, l'odore perenne di caminetto, Mimmíu seduto lí davanti. Ora che aveva ripreso il controllo si guardò intorno quasi che inquadrasse soltanto adesso l'uomo, il piano del tavolo, il foglio e la penna. – Non firmo niente.

Con la procura non firmata in tasca Mimmíu si avviò verso casa. Lo attanagliava il vento avvolgente di un aprile malfermo, e un pensiero. Intorno a lui case e persone sembrarono fluide come liquefatte dallo sguardo bollente di una divinità infuriata. Si disse che quanto andava fatto era stato fatto. Poi si disse che non c'era stato modo di evitare quello che era capitato. Poi si disse ancora che quando fosse arrivato il momento di esigere spiegazioni lui avrebbe potuto e saputo darle. Visto che aveva difeso la sua stessa vita, oltre a quella di Domenico.

La natura della luce, improvvisamente bruna, lo convinse della sua buona fede. Un caldo d'ambra liquorosa lo protesse da sé proprio quando passava davanti alla Chiesa del Rosario senza guardarne il portale, senza segnarsi. Sperò di dormire, di chiudere gli occhi evitando l'immagine di Cristian che annegava. Ma non poteva pretendere la pace, questo lo sapeva. Cosí aspettò che il respiro gli ritornasse sicuro, profondo quanto occorreva per bere sorsi d'aria piena, ritmico come un'onda lunga.

La stagione si era mantenuta ambigua, non voleva essere piú inverno, ma nemmeno si dichiarava primavera, nonostante, negli orti conclusi, tutto fiorisse in armonia col metabolismo della terra. In ogni caso quel vento insistente che proveniva da nord, placava ogni presunzione teporosa e, quando arrivava l'imbrunire, spingeva a coprirsi. C'erano state code invernali ancora piú lunghe; Mimmíu ricordava di anni in cui fino a maggio si doveva tenere il caminetto acceso.

Gli era chiaro ciò che era successo a Livorno, e gli era altrettanto chiaro che non avrebbe avuto alcuna possibilità di emendarlo in vita. Quanto al dolore acido di Domenico, l'aveva messo in conto. Sarebbe passato, perché tutto passava.

Nel mese trascorso dalla scomparsa di Cristian, Domenico aveva parlato a stento. Pareva avesse bisogno di una concentrazione assoluta per esistere. In apparenza la sua vita non era cambiata: si alzava alla solita ora e alla solita ora andava a dormire... Andava ai cantieri, rispondeva con monosillabi a chi gli chiedeva notizie su quanto riferivano i telegiornali locali. Qualcuno gli faceva domande su Cristian come se fosse assodato che ne sapeva di piú di quanto ne sapessero gli inquirenti. Per lui tutto ciò era un abisso della realtà. A chiunque gliel'avesse chiesto, a chi si fosse premurato di chiedergli semplicemente come stava, avrebbe risposto che non poteva dirlo con certezza. Domenico era un giovane che non sapeva ragionare per metafore, che pure, in questa particolare condizione, avrebbero potuto essergli utili, perché saper raccontare lo sprofondo, l'assenza, la paralisi emotiva, che avevano preso possesso del suo essere, poteva significare reagire, riprendersi. E invece no. Non reagiva, non si riprendeva. Intorno a lui dicevano che il tempo, galantuomo, avrebbe sbiadito quella macchia che gli oscurava il giorno; avrebbe cicatrizzato quella ferita, ora, cosí terribilmente esposta. Ma lui sapeva bene che non era cosí: Cristian era morto. Non ci sarebbe stato mai piú. Una condizione irrimediabile. Una certezza insopportabile. E capiva bene a causa di quale, strepitosa, giustizia distributiva non riusciva a piangere l'amico e il fratello insieme. Perché non riusciva a vedersi fuori da quel dolore, ma solo assolutamente dentro, come un altro Domenico che ricoprisse quello precedente con una guaina di normalità, mentre, di fatto, niente era, e sarebbe stato, piú normale per lui. Cristian non c'era piú, e nulla era, e sarebbe stato, neanche minimamente somigliante a quando c'era. Neanche Maddalena.

Improvvisamente si pentí di non aver ricambiato quel bacio che l'amico gli aveva dato alla casa in via Deffenu, durante la festa di fidanzamento, anzi si maledisse per essersi sottratto. La sua maledizione era di fare errori irreparabili, perché si rifiutava di confessarsi quanto capiva benissimo. Come tutti, voleva una vita tranquilla, ma sapeva di non poterla ottenere, perché sapeva di poter acquisire solo l'apparenza della tranquillità, ma non la sostanza. Cosí, nel silenzio di se stesso, ai cantieri, o in giro, con Maddalena al braccio, non smetteva di chiedersi come avrebbe fatto, in che modo avrebbe potuto continuare nonostante tutto. Aveva in mente notti stellate, ed era proprio come quando, da bambino, pensava al cielo come una sorta di album di fotografie dove gli affetti vanno ad appiccicarsi dopo morti: troppo distanti perché si possano riconoscere, ma luminosi e pulsanti. Nel caos brillante dove questi cari andavano a finire c'era la consolazione di non rimanere soli. Cristian era lí dunque, ma com'è che questa constatazione non lo metteva in pace? Era stranissimo sentirsi morti, ecco. Tanto che, qualche volta, Domenico aveva avuto la sensazione precisa di essere lui quello che se n'era andato, mentre Cristian, nel mondo dei vivi, lo piangeva.

Tuttavia, a guardarlo, si sarebbe detto che Domenico Guiso aveva preso con grande forza d'animo la notizia della scomparsa di Cristian Chironi.

Notizia che gli era stata data dal proprio, sgomento, padre. Che si lagnava di non essere intervenuto efficacemente quando aveva capito, e l'aveva capito, che il ragazzo aveva intrapreso frequentazioni pericolose, in tempi assai pericolosi. Ma, a Domenico, tutto questo corollario sembrò improvvisamente inutile. Percepí cioè che al padre non premeva tanto dargli la terribile notizia, ma ribadire che se l'aspettava. Mimmíu era persona d'esperienza e, nel corso dei suoi sessanta, e passa, anni di notizie terribili aveva dovuto darne; ma questa, nella sensazione distorta di Domenico che l'accoglieva, sembrò data con un che di voluttuoso e compiaciuto.

Solo qualche giorno prima della festa di fidanzamento, Maddalena aveva capito di essere incinta. E l'aveva capito prima che glielo rivelasse il corpo. Forse nel momento stesso in cui accadde. Perciò fece quel che fece.

Ora che Cristian era morto si trattava di dare un padre a quella creatura che le stava crescendo dentro. Aveva pensato di abortire, certo. Ma ci aveva pensato senza crederci, come se fosse giusto dirselo, proporsi quella soluzione, ben sapendo che sarebbe sparita nel momento stesso in cui la pronunciava. La pratica le aveva già insegnato che, al di là di qualunque sentimento provasse per Cristian, che era il padre di quella creatura, o Domenico, che avrebbe sposato, il punto era riportare l'ordine nel caos appena attraversato. Saper dosare il grado di rivelazioni che poteva o non poteva fare. Controllare i tempi al secondo. Non lasciarsi andare a reazioni incontrollate. Sopravvivere. Tra non molto il suo stato sarebbe risultato evidente, e bisognava sapersi muovere.

La morte di Cristian le aveva lasciato un'amarezza strana, una specie di fastidio, qualcosa che le aveva impedito di apparire coinvolta, nonostante il dolore acutissimo di Domenico. Lui era talmente preso dalla sua angoscia che nemmeno si

accorse della freddezza di lei. E Maddalena capí che sarebbe
stato cosí sempre. Perché Domenico non aveva le capacità superiori per amarla profondamente, ma solo quelle elementari. Soprattutto perché Domenico aveva amato Cristian molto
piú di quanto avrebbe potuto e saputo amare lei. Erano pari, dunque. Assolutamente sullo stesso piano: l'uno orfano e
vedovo, l'altra moglie e amante per procura. Quello sarebbe
stato un matrimonio perfetto, si disse, senza l'ombra di un'illusione che è una.

Quindi raggiunse Domenico al cantiere. Lo trovò che fissava una planimetria: i suoi occhi non avevano l'aria di percepire alcuna immagine. Lui, all'inizio nemmeno registrò la sua
presenza. Poi d'improvviso alzò la testa e la vide. Le sorrise. E
questo sapeva farlo bene. Maddalena si accorse in un lampo di
quanto fosse smagrito, il che lo faceva piú bello davvero. Lui si
alzò per andarle incontro e abbracciarla. Ora tutte le volte che
l'abbracciava a lei sembrava che stesse cercando una consolazione irraggiungibile. Quell'uomo la sconfiggeva con l'affetto.

– Devo parlarti, – gli disse mentre gli accarezzava la nuca.

– Sí, – rispose Domenico, ma come non avesse capito affatto. Infatti ritornò a sedere e si rimise a osservare la planimetria che aveva steso sul suo tavolo da lavoro. – È il progetto del
nuovo centro culturale di via Roma, – le spiegò senza guardarla.
– Siedi, siedi… – le indicò una poltroncina davanti al tavolo.

Maddalena si sedette. Restarono in silenzio finché dalla strada non si sentí il suono di un motorino truccato che sfrecciava.
– Sono incinta, – scandí.

A Domenico occorse qualche secondo per reagire. – Incinta?
– ripeté, come se lei avesse pronunciato una parola sconosciuta.

Maddalena lo guardò, confermando con un movimento delle sopracciglia. Ora che aveva pronunciato l'impronunciabile
non c'era ritorno.

Domenico rispose chiudendo gli occhi. Sembrava odiasse qualunque buona notizia perché lo distraeva dalla sua disperazione.

– Si direbbe che ti dispiaccia, – constatò lei.

L'uomo ebbe uno scatto, come se tutto quel poco che c'era

da capire l'avesse capito solo in quel momento. Si mise in piedi e si guardò intorno per sincerarsi di essere esattamente dove pensava di essere. – Non mi dispiace, – protestò. Aveva temuto che non sarebbe stato piú capace di parlare con chicchessia, e invece adesso Maddalena gli comunicava che stava per diventare padre, e lui era riuscito a rispondere. – Non mi dispiace, – ribadí. – No, non mi dispiace –. Ma era come se parlasse d'altro. Una lacrima impossibile da trattenere gli scappò dall'angolo dell'occhio destro. Tirò sul col naso per fingere un fastidio che gli avrebbe permesso di asciugarsi la guancia.

Maddalena gli sorrise. Si alzò in piedi per raggiungerlo dall'altra parte del tavolo. Lo abbracciò stringendogli la nuca. Domenico le cinse i fianchi con le braccia, si lasciò guidare con l'orecchio verso il ventre, gli parve di sentirvi la vita che si stava formando, febbrile. Scoppiò in un pianto dirotto, tremendo, rabbioso.

Per i Chironi una bara vuota non era una novità. Per Marianna, poi, significava solo che le cose si ripetono con tenacia. Quando aveva sepolto sua madre, per esempio, l'unica cosa che era riuscita a pensare di mettere dentro la bara era stato il suo abito tradizionale da cerimonia, i gioielli in filigrana e le scarpe. Tutto fuorché il corpo. Perché il corpo non c'era, dal momento che Mercede se n'era andata a morire chissà dove, e a nulla era servito cercarla nelle campagne circostanti. Segno che aveva capito come si sparisce e che, nonostante tutti la reputassero non troppo in sé, lei aveva tenuto un barlume di efficienza per morire come voleva. Era sgusciata via di casa senza che nessuno se ne fosse accorto, come aria viziata che fuoriesce da una finestra socchiusa. Aveva attraversato il cortile, scalza, in camicia da notte, i capelli sciolti. Aveva percorso i vicoli che, dall'abbozzo di abitato, portavano direttamente in campagna, e si era lasciata annegare nel verde circostante come se fosse finalmente arrivata in mare aperto. Quella natura feroce l'aveva accolta con entusiasmo famelico. Né i cani col loro fiuto, né le ricerche nel territorio palmo a palmo diedero risultati: Mercede si era dissolta. Ma come aveva potuto quel corpo mortale attraversare il mondo dei vivi senza essere visto? A ripetere la strada che Mercede doveva aver percorso, risultava assolutamente impossibile che nessuno l'avesse notata. Una donna anziana, con i capelli sciolti come un'Erinni, scalza come una penitente, in camicia da notte come una concubina. Invasata da un Dio pagano, devota al Dio dei Cieli, sposa e madre. C'era da impazzire. Fuori da qualunque ragionevolezza, tutto questo aveva significato, per il marito Michele Angelo, che lei non era morta affatto. Cosí aveva lasciato qualunque altra occupazione per aspettarla. E l'aveva aspettata fino al giorno della sua buona morte a centouno anni, nello stesso letto dove aveva dormito, amato e penato con la moglie.

A Marianna era rimasta una contabilità atroce da tenere. Perché buona parte dei Chironi aveva rivelato il brutto vizio di morire senza senso. E quando lei ragionava del concetto di «senza senso» si diceva che voleva intendere «senza che fosse passato abbastanza tempo da poter dire di aver vissuto». Suo fratello Gavino per esempio: anche lui non era tornato a casa, anche nella sua bara lei aveva messo solo vestiti buoni, e l'orologio da taschino che gli era stato regalato per i ventuno anni. Anche lui aveva patito il peso della sua esistenza incerta, e aveva tentato di darsi un significato ulteriore rispetto ai tempi incompetenti in cui il destino l'aveva costretto a vivere. Era stato come un'avanguardia, un giovane bellissimo e triste che veniva spazzato via da una raffica prima che potesse fare due passi verso la trincea nemica. Gavino stringeva il cuore perché rappresentava la summa di tutte le tragedie, che paiono teatro, ma sono, semplicemente, vita.

Per tutti gli altri, quelli il cui corpo avevano potuto seppellire, Marianna non sindacava. Era stato quel che era stato. Cosí. C'erano caratteristiche che si manifestavano con perseveranza, a lei era toccata quella di sopravvivere. E non è che dovesse accettarla, ma non poteva certo rifiutarla.

Cosí il nome di Cristian non si pronunciava nemmeno. Chiunque si fosse occupato del suo funerale doveva avere fat-

to un buon lavoro, a sentire quanto si diceva in giro. Non lei,
perché lei, Marianna Chironi, non avrebbe mai piú organizzato né sarebbe piú andata a nessun funerale, e non avrebbe mai
piú portato le condoglianze a chicchessia, non avrebbe mai piú
abbassato il capo davanti ad alcun prete, o frequentato un cimitero, o ammesso un aldilà, o accettato qualunque consolazione
terrena, o considerato se stessa come una privilegiata, o provato un affetto, o creduto in un futuro qualunque...

Dopo la scomparsa del nipote il suo viso si era disteso, quasi
che ogni tragedia la facesse piú bella. Aveva settantasette anni
e, se i numeri non la ingannavano, aveva campato abbastanza
perché le fosse concesso di mettersi da parte. E invece no. Il suo
corpo assunse una postura diritta e fiera, la sua fronte si spia-
nò come quando aveva quarant'anni e tutti dicevano che fosse
al suo apice di bellezza matura. Perché Marianna non era stata
una ragazza che poteva essere definita bella, ma era diventata
bella da donna, e poi da anziana.

C'era sempre da fare nel suo giardino, i giorni sarebbero
passati. E gli anni. E i secoli.

Bussarono.

– Parli tanto perché tu non te lo sei sudato quello che c'hai!
– urlò Mimmíu.

Domenico lo lasciò sfogare. Col padre era cosí che si faceva, perché lui era un fumantino: prima diceva e poi pensava.
Quindi la cosa migliore era lasciargli il tempo di riflettere su
ciò che aveva detto.

– No, hai ragione, – rispose alla fine.

Mimmíu come previsto si diede una calmata. – Maledizione! – sibilò poco convinto.

Domenico aspettò ancora un secondo. – Non capisco la fretta, – disse. – Ascolta me, piuttosto.

– Sentiamo, – parve arrendersi Mimmíu.

– Ci vado io a parlare con tzia Marianna. Gliela faccio firmare io la procura, e intanto si portano avanti i cantieri in essere... Da fare ce n'è.

– D'accordo, ma se lei non firma neanche con te?

– Firmerà, – assicurò Domenico. – Comunque c'è un'altra cosa che devo dirti, – buttò lí. Mimmíu aspettò che il figlio proseguisse. – Maddalena è incinta.

A Mimmíu non occorse altro. Con imbarazzo fece un passo verso di lui, mimò un abbraccio e, vedendo che il giovane non si sottraeva, lo portò a termine. – Finalmente, – gli sussurrò all'orecchio.

– Non lo sa ancora nessuno, – avvertí Domenico. L'altro annuí. – Bisognerà organizzare per il matrimonio.

– Una cosa semplice... Non è il caso di fare le cose in pompa magna, – chiarí.

– Lo so, lo capisco, – acconsentí Mimmíu, che sembrava aver completamente perso la ruggine di poco prima. – Una cosa fatta bene però, con i sacramenti. Non questa roba moderna.

– Va bene, – sorrise il giovane. – Niente roba moderna.

Mimmíu lo guardò, pensando che quel ragazzo che aveva davanti era diventato un uomo a tutti gli effetti. Il dolore l'aveva reso riflessivo.

– Ci penso io, – disse Domenico dopo un lungo silenzio. Il padre lo fissò perplesso. – Ci vado io a parlare con tzia Marianna, ne approfitto con la scusa del matrimonio e parliamo di tutto... Vedrai che a me mi ascolta.

– Lo capisco che non c'hai testa per queste cose adesso, – disse paziente Mimmíu, – ma lo sai anche tu come funziona...

– Ti ho detto che ci parlo io, no?

– Sí, sí, – confermò, denunciando una certa ansia. Mimmíu si concentrò sulle pieghe che si erano formate tra la base del naso e gli angoli della bocca di Domenico. Erano segni sia di stanchezza che di forza. Di lui si era sempre detto che fosse la quintessenza della dolcezza. Ma chi lo diceva non l'aveva ancora osservato come, in quel momento, poteva osservarlo suo padre.

– Con me tzia Marianna parlerà, – assicurò il giovane, fissando il genitore in modo strano.

– Che c'è? – domandò quest'ultimo, ma non era troppo sicuro di volere sentire la risposta.

– Niente, – scandí Domenico. – Ti guardo, non posso?

Mimmíu abbassò la testa. Sentiva addosso la tristezza patetica di un re che abdica a favore del suo erede ma, allo stesso tempo, voleva nascondere la soddisfazione per aver centrato in pieno il suo obiettivo. Da tempo si era trasformato in un uomo che non aveva altra religione che mantenere intatto ciò che era suo. Non aveva piú dèi a cui appellarsi, né grazie da pretendere. Aveva Domenico. Che stava per diventare padre a sua volta. E che avrebbe dato un senso a tutte le azioni sante o malvagie che l'avevano portato fin dove era arrivato.

– L'ho fatto per noi, – disse Mimmíu a un certo punto. Pareva volesse continuare, ma non lo fece.

Domenico si limitò a sollevare il mento come se stesse cercando un posto nella sua testa per inserire quello che il padre aveva detto.

– Lo capirai anche tu quando nascerà tuo figlio, – proseguí dopo un tempo lunghissimo, quasi volesse anticipare un'obiezione del giovane. Ma Domenico obiezioni non ne fece, né mostrò di voler sapere di piú di quanto fosse necessario.

– Ci avrebbe rovinato. Ci stava rovinando, – insistette Mimmíu.

Domenico ebbe un istante di apnea: aprí la bocca e gonfiò il petto, poi si morse il labbro inferiore finché non sentí sulla lingua il sapore del sangue. Non voleva piangere. Aveva pianto abbastanza.

Quello che Marianna si ostinava a chiamare dentro di sé «funerale di Cristian» non era stato nient'altro che uno sbrigativo atto commemorativo. Perché di funerale non si poteva parlare, anzi, due giorni dopo i fatti, i carabinieri bussarono a casa Chironi per sincerarsi che il congiunto, dichiarato disperso, non si fosse ripresentato dalla prozia e tutrice.

Al brigadiere che aveva mostrato l'ordine di perquisizione Marianna chiese solo che lui e i due uomini in divisa che l'avevano accompagnato non facessero troppa confusione in casa. E se ne andò in cortile in attesa che finissero. Non durò molto, perché fu chiaro fin da subito che il ragazzo lí non era ricomparso.

Se ne andarono non senza avvertirla che, nel caso il nipote

si fosse fatto vivo, era suo dovere segnalare la circostanza alle forze dell'ordine. Sarebbe a dire che non pensasse di proteggerlo tacendo, perché al contrario l'avrebbe solo messo ulteriormente nei guai. Il Chironi Cristian restava ricercato e latitante: a Marianna questa parve l'unica buona notizia che le era stata data da anni a quella parte. Il brigadiere non capí esattamente per quale motivo la vecchia sorridesse, ma era abbastanza esperto da immaginare che quell'atteggiamento non avesse niente di arrogante o sarcastico.

Appena se ne furono andati, Marianna riattraversò a ritroso la sua casa, la cucina, i corridoi, le camere da letto, i bagni. Persino la grande officina dismessa. Tutto.

Non erano piú i tempi belli, se mai c'erano stati. Era l'orribile stagione dei bilanci.

La casa le sembrò insolitamente grande, certi angoli stentava a riconoscerli, altri invece li ricordava benissimo. Tra la cucina e la dispensa c'era una piccola rientranza dietro la quale piú volte si era nascosta da bambina per ascoltare i suoi genitori che parlavano. Da lí aveva sentito per la prima volta la storia terribile dei suoi fratelli gemelli, Pietro e Paolo, uccisi a dieci anni, fatti a pezzi e sparsi tra i cespugli perché i cinghiali se li mangiassero. Da lí aveva adorato, non vista, i suoi fratelli Gavino e Luigi Ippolito. Li aveva sentiti sussurrare davanti al fuoco, l'uno cosí fragile, l'altro cosí determinato. Forma e atto, poesia e prosa.

Marianna capí che aveva bisogno di attraversare ogni ricordo perché non fossero i ricordi ad attraversare lei. Era pedante nella sua disamina perché voleva esserlo. Questa capacità di ricordare l'aveva resa quella che era, l'aveva temprata, nel supplizio della realtà.

Aprile, fuori da quella casa, diceva che il tepore era là da venire. Che dentro a quel sepolcro dove si era rinchiusa ci sarebbe stato gelo perenne. Si sistemò uno scialletto sulle spalle per dare una consistenza fisica a quel pensiero. Si disse che da sola sarebbe stata benissimo, e che avrebbe terminato i suoi giorni in terra senza che nessuno se ne accorgesse, già chiusa nella sua tomba. Poi accese il televisore, non lo faceva da mesi. Lasciò che le immagini in movimento le andassero incontro, rimanendo in piedi ad aspettarle: erano le sequenze di un film dove si vedeva dall'alto un'immensa città piovosa, con palazzi enormi avvolti da una nebbia untuosa e tantissime persone che vi si muovevano come formiche. Comprese che lei, Marianna Chironi, del mondo non sapeva proprio niente, ma comprese anche fino a che punto era stata maledetta dal fatto che quella precisa sapienza non l'avrebbe salvata da se stessa. Era nata imparata, come succede solo a certe donne. Era nata col talento di capire le cose del mondo.

L'imbarazzo di Mimmíu lei l'aveva capito. E aveva capito soprattutto che, nonostante si fosse celato dietro allo sconforto, la scomparsa di Cristian l'aveva sollevato. Da che cosa aveva intuito tutto questo? Non lo sapeva, ma a pensare male ci si prende sempre. Intanto oltre lo schermo si raccontava di una città futura, dove nell'alto dei cieli vivevano i ricchi, e all'inferno – sottoterra – i poveri. Tutto il contrario del Vangelo. Dentro la televisione si ostinava un'unica, infinita, stagione. Fuori, oltre la porta-finestra, aprile tardava a cedere il passo.

Bussarono.

Domenico entrò senza aspettare che Marianna facesse un cenno. Sembrava cosí assorta che per un attimo pensò di ritornare sui suoi passi. Ma non lo fece. Nel breve tragitto che occorreva per attraversare il cortile si era ripetuto un breve discorso a mente, che aveva due punti fermi: il primo di non affrontare, se non per caso, il problema della delega da firmare; il secondo di fare in modo che fosse chiaro che quella che le stava facendo era una visita di cortesia, la visita cioè di un congiunto, o di uno che si riteneva tale, che voleva mettere al corrente una persona importante, e cara, di un avvenimento straordinario. Poi, arrivato all'altezza della porta-finestra che dava sulla cucina, bussò.

Marianna fece un breve gesto con la mano tenendo fisso lo sguardo sullo schermo televisivo. Domenico entrò tentando di fare meno rumore possibile, come se, oltre quella porta, ci fosse una stanza d'ospedale dove un degente riposava. Poi rimase in attesa.

– Che cose esistono al mondo. Uno non ci può proprio credere…
– commentò lei senza mostrare nemmeno di averlo visto entrare.

– Buonasera, – sussurrò Domenico.

– Buonasera, – disse Marianna. – Siedi, siedi, – aggiunse dopo
un po'. Era come se improvvisamente avesse perso interesse per il
film che, poco prima, sembrava averla totalmente rapita. – Mangiato hai? – chiese.

– No, – si affrettò a rispondere lui. – Ma se dovete cenare, ce-
nate pure, – concesse.

Marianna fece di spalle. – Non c'è fretta, – disse. – Tu piuttosto mi sembri sciupato, – constatò lei.

– Capite anche voi che non è stato esattamente un bel periodo,
– ammise Domenico badando di non calcare sul patetico.

– I periodi sono quelli che sono, – commentò Marianna spegnen-
do il televisore. Sembrava quasi avesse capito l'approccio morbido
di Domenico e fosse determinata a neutralizzarlo. – Che cosa vuoi
che sia, alla mia età, un morto in piú o un morto in meno? – domandò senza aspettarsi alcuna risposta. – Tra poco, se Dio vuole,
conterete anche me tra i morti.

– Non dite cosí, – la sovrastò Domenico.

– E tanto, che ci sto a fare? – rifletté la vecchia.

– Be', per cominciare voi custodite quello che avete conquistato con sacrificio, – notificò il ragazzo.

Marianna parve aver bisogno di ragionare a lungo su quella frase. Quindi, quasi impercettibilmente, assentí col capo. Era chiaro
che, agli occhi di Domenico, lei era rimasta in vita per sostenere
quella pianta Chironi che minacciava di crollare o disseccarsi definitivamente. O, peggio ancora, finire nell'oblio, dissolversi nel
silenzio. Quello che il ragazzo proponeva era di offrirsi come Chironi aggiunto. Qui si percepiva chiaramente come Mimmíu e Domenico procedessero per vie opposte nel tentativo di raggiungere
la stessa meta.

– Hai con te il foglio? – chiese lei.

La domanda colse Domenico del tutto di sorpresa.
– No… – arrancò. – Cioè, sí… – si corresse tastandosi la tasca della giacca. – Ma non è per questo che sono venuto…

– ...No? – lo interruppe la vecchia. Domenico ci mise un po' troppo a risponderle. Cosí lei prese l'iniziativa: – E cosa sei venuto a fare? A dirmi che la vita continua? O magari a spiegarmi che c'è di peggio che essere costretti ad assistere alla morte di ognuno dei tuoi parenti... Allora? Sentiamo.

– No, è che... – balbettò il ragazzo. – È che non potevo sopportare che in questa casa Cristian non ci fosse piú. Guardate, detta come va detta, non è nemmeno per voi che sono venuto. Era solo per capire che cosa sarebbe successo d'ora in poi...

Marianna approvò con un gesto deciso del mento, come se quella risposta incongrua fosse per lei assolutamente legittima. Sapeva bene a quale indefinitezza si riferisse Domenico, cosa significasse respirare in una casa che andava svuotandosi e passarci le ore senza un senso ben preciso, nemmeno quello di aspettare qualcuno, o preoccuparsi per la sua sofferenza, o prepararglila una colazione abbondante. – Niente succede d'ora in poi, proprio un bel niente. Siediti, – ordinò. – Un caffè te lo prendi?

Domenico non voleva sedersi e non voleva un caffè, tuttavia si sedette e accettò il caffè. Ora che poteva guardarla, improvvisamente calma, Marianna gli sembrò ringiovanita. E non sapeva spiegarsene il motivo, forse la pelle spianata sulla fronte e sugli zigomi, forse la luce di quel giorno che se ne andava. Le giornate si allungavano, e con esse si sarebbero allungate le ore a disposizione per guardarsi negli occhi.

– Come dobbiamo fare secondo voi? – partí Domenico, con rinnovata spavalderia. – Dite. Se volete che buttiamo tutto a mare, io ci sto: rinuncio a tutto. Ricomincerò da capo. A voi quello che spetta ai Chironi, a noi il resto. E i conti li fate fare da chi volete voi. Io per quanto mi riguarda non voglio sapere nient'altro che quanto mi tocca... E quanto tocca alla mia famiglia, – aggiunse scandendo per bene.

– Non mi pare che stiamo discutendo di questo, – commentò Marianna senza nemmeno voltarsi, mentre caricava la moka.

– E invece, evidentemente, sí, – la contraddisse Domenico.

– Ti sei fatto uomo in un attimo, – constatò Marianna accendendo il fornellino piccolo. – E allora, se sei uomo, capirai che il punto non è mai cosa si chiede, ma come lo si chiede.

– Io mi devo sposare, – buttò lí Domenico.

– Devi? – lo prese in castagna Marianna.

– Devo e voglio, – rispose lui. – Maddalena è incinta, – aggiunse.

La notizia non parve smuovere piú di tanto la donna. Pensò che si trattasse semplicemente di un'altra di quelle cose che vengono spacciate per eccezionali, e invece non fanno altro che accadere senza sosta. – Ecco cos'era, – si limitò a commentare dopo un po', posando sul tavolo una tazzina fumante.

– Anche voi sembrate diversa, – convenne Domenico sorbendo appena il caffè. – Buono. Qui il caffè è sempre stato buonissimo.

Marianna si schermí, ora pareva ritornata davvero signorina.

– No, – protestò con civetteria. – Avresti dovuto sentire quello che faceva mio babbo... Quello sí. Mamma lo diceva sempre: «Il caffè fallo fare a tuo padre, i maschi lo fanno meglio perché sono meno economi delle femmine». Poi aggiungeva sempre: «Nel caffè, e nel sugo, di economie non ce ne vogliono».

– Me lo ricordo bisaju Michele Angelo, – disse Domenico con una punta di commozione.

– Allora la notizia è che stai per diventare padre anche tu, – dribblò lei. – Sembra ieri che giocavi nel cortile qua fuori...

– Eh, – fece Domenico come un bambino colto in fallo. – Non l'abbiamo ancora detto a nessuno.

Marianna fissò il suo riflesso dentro lo schermo televisivo spento, quasi temesse che, da qualche parte, forse all'altro mondo, qualcuno la stesse guardando. – Con me potete stare tranquilli, – assicurò.

Domenico approvò convintamente. – Certo tzia Marià, ci mancherebbe...

– ...Vabbè, dov'è che devo firmare? – lo interruppe lei.

Domenico, con pudore sincero, estrasse la delega dalla tasca e la posò sul piano di marmo. – E comunque non ero venuto per questo, – ripeté in un sussurro, osservando Marianna che firmava sotto al suo nome.

Finita l'incombenza le donna gli allungò il foglio.
– Aspetta qui, – disse poi, e sparí oltre il corridoio che dalla
grande cucina portava alle camere da letto.

Domenico non attese piú di cinque minuti prima di vederla
tornare. Portava in mano un pacchetto dall'aria fragilissima. Un
piccolo involto di carta velina che a Domenico, nell'accettarlo,
parve leggero e fragrante come una meringa.

– Che cos'è? – chiese rendendosi conto di quanto davvero
poco pesasse.

– Un pensierino per la futura madre e per il viatico della
creatura... Roba da donne. Chiedilo a Maddalena che cos'è.

Domenico lo teneva fra i palmi come se si trattasse di un
pulcino. – Grazie di tutto, – disse.

– Sí, sí... Prego, prego. La strada la sai, – fece sbrigativa Marianna, come se in un istante fosse tornata quella di sempre.

Vide davanti a sé una distesa immacolata. Non sapeva esattamente se si trattasse di un terreno agricolo o dell'estrema periferia di una grande città. Vedeva un piano innevato con pochissimi alberi, straziato dai cingolati. Sentí freddo davvero, come se una bestia le avesse addentato le spalle. Poi una casa, piuttosto semplice come sembra semplice tutto ciò che si immagina in un paesaggio che è un foglio bianco. Capí che poteva vedersi dentro e fuori. Mentre guardava la casa, vide il cumulo di legna da ardere al suo fianco, il piccolo recinto per i polli, la sinopia di un orticello sotto la coltre di neve. Ma anche lo spazio caldo e semplice, arredato con mobili scompagnati, teli sintetici a stampe etniche sul tavolo e sui divanetti. Guardò se stessa che frugava in un cassetto e ne estraeva una vecchissima foto che immortalava un uomo dallo sguardo sereno, con un maglione a collo alto scuro e una giacca stretta, immerso in un ambiente oleoso, come se qualcosa nello sviluppo dell'immagine, nell'emulsione, non avesse funzionato a dovere e quanto ne era risultato non fosse nient'altro che una superficie ghiacciata sotto la quale navigava un cadavere. Eccola ancora fuori da quella casa. L'aria profumava di ferro e vaniglia. Si trattava di un'ampia distesa bianca delimitata da barbe di alberi secchi. Si disse che non era niente di nuovo, eppure era certa che quel paesaggio, tanto consueto, le fosse totalmente sconosciuto. Ora poteva vedere corpi minuscoli, piccoli tronchi, fiori seccati, bestioline, imprigionati dentro la superficie ghiacciata di un fiume, come insetti nell'ambra. Ed era straordinario constatare quanto il suo sguardo potesse penetrare cosí a fondo, soffermarsi nei particolari. Nel suo andirivieni convulso, per ritornare all'interno della casa le era bastato pensarci. Si aggirava in una stanza vuota adesso, forse un soggiorno. La parete di fronte a lei era totalmente occupata da un enorme tappeto verde appeso come se fosse un arazzo. Alle finestre tende bianche e oscuranti fucsia. Si chiese dov'era, ma senza ansia. L'uomo della fotografia, impressionato nell'abisso vetroso della sua stessa immagine, poteva parlare, diceva: *Es esmu šeit*. E lei, per una qualche ragione sconosciuta, capiva che lui voleva rassicurarla, ma anche metterla in guardia.

Maddalena aprí gli occhi.

La prima cosa che vide fu il pacchetto candido che la sera prima Domenico le aveva consegnato e che lei, per una ragione che non sapeva spiegarsi, non aveva voluto aprire. Il suo futuro sposo era tornato rinfrancato dall'incontro con Marianna e aveva portato un dono, ma lei quel dono non l'aveva preso bene. Senza motivo, come dicevano tutti in casa, ma il suo stato giustificava qualunque arbitrio. Perciò l'involucro era rimasto intatto.

Come consuetudine da qualche tempo la colse una leggera nausea. Niente di piú che la sensazione di un topino prigioniero dello stomaco che le attraversava l'esofago per guadagnare la libertà. Si disse che sarebbe stato sempre peggio.

Le bastò mettersi a sedere sul letto per dimenticare quasi tutto quello che aveva sognato, tranne una precisa sensazione di avvisaglia, di allarme sottile. Quella creatura che le stava crescendo dentro stava contribuendo a perfezionare le sue intuizioni e Maddalena aveva imparato, senza che nessuno gliel'insegnasse, che l'unica strada era fidarsi ciecamente di quelle intuizioni. Perciò, nonostante il buonumore di Domenico, lei la docilità di Marianna non riusciva a percepirla come positiva. Perché alla vecchia sarebbe bastato guardarla negli occhi per capire.

Si alzò di scatto: alla nausea seguiva sempre lo stimolo di urinare. La madre l'incrociò nel corridoio. La sera prima Domenico e Maddalena avevano deciso che era venuto il momento di annunciare ufficialmente quello che tutti sapevano bene. Da subito certi sguardi in casa erano cambiati, come se allo stesso tempo ci si congratulasse e la si rimproverasse. Cosí, perlomeno, interpretava Maddalena alcune intemperanze ansiose del padre, che fino a quel momento era sempre stato pacato.

Poco prima di quell'annuncio Domenico aveva convocato Mimmíu, al quale aveva consegnato la delega controfirmata. Padre e figlio si erano limitati a guardarsi senza spiegarsi niente. Si erano semplicemente accordati per ritrovarsi a casa dei Pes: subito dopo cena erano tutti riuniti intorno a un tavolo per comunicare la bella notizia. Era seguita la commedia delle felicitazioni, e quindi il melodramma delle trattative. Una volta marito e moglie Maddalena e Domenico avrebbero rappresentato la generazione nuova, avanzante; avrebbero ricevuto in dono una fortuna che era costata forse piú di quanto aveva fruttato. Da sposi sarebbero andati a vivere in una casa loro, in tutto degna della posizione sociale che avevano conquistato le generazioni precedenti. Erano arrivati i tempi di mostrare ciò che era rimasto sottotraccia per troppi anni.

A Mimmíu sarebbe piaciuto che si raggiungesse un accordo perché con gli opportuni aggiustamenti e rammodernamenti i due giovani potessero occupare la casa di via Deffenu, quella dove si erano fidanzati. Maddalena aveva pensato che quella era la casa dove era nato Cristian. Aveva avuto un sussulto, come se improvvisamente le fosse tornato alla mente un ricordo sopito. Era rabbrividita. Domenico si era avvicinato per abbracciarla. Poi le aveva chiesto del pacchetto di Marianna e lei gli aveva risposto che non l'aveva ancora aperto. Lui aveva immaginato che si trattasse di un capriccio. In fondo alle donne nel suo stato si concedono licenze che nella vita di tutti i giorni sarebbero inaccettabili.

Era la prima sera tiepida di quell'aprile rigidissimo. Lontano da loro la nazione agonizzava in un'incertezza sanguinosa che, a pensarci, non era troppo diversa dalla carneficina locale appena abbandonata. A Domenico era venuto in mente che la sua infanzia meravigliosa, vista dall'esterno, poteva apparire un inferno. L'aveva vissuta nella stagione tremenda dell'Anonima Sequestri: si era recato a scuola, col fiocco e la cartella in spalla come la maggior parte dei bambini della sua età nel resto del Paese, ma con la differenza che il tragitto tra la sua casa e l'istituto scolastico era tappezzato di taglie. Dieci milioni vivo o morto. Anche quel Far West barbaricino, ripensato nell'età della ragione, fuori da qualunque innocenza, poteva essere rubricato come un periodo avventuroso. Infatti lui stesso piú volte si era sentito un eroe dell'«Intrepido», un ragazzo cresciuto nell'endurance come un cow-boy.

Ma ora quell'infanzia si era dissolta, gli era bastato voltarsi, distrarsi un attimo e tutto era finito, lo sguardo si era fatto meno meravigliato e la voce piú sabbiosa, il corpo coriaceo. Durata, indulgenza, pazienza, tenuta, resistenza, perseveranza, erano diventate compagne fisse. O fasi della sua maledizione. O nomi delle sue catene. La furia del dovere l'aveva reso quello che era, gli faceva guardare il mondo in maniera sintetica e pratica. Certo si apprestava a diventare un adulto prosaico come suo padre, ma un frutto non cade mai lontano dall'albero. Perciò quando Maddalena gli aveva detto che il pacchetto non l'aveva nemmeno aperto, non aveva fatto obiezioni, mettendola comunque in guardia contro quelli che lui interpretava come pregiudizi nei confronti di Marianna.

A Cristian ci pensava spesso. Ci aveva pensato anche quella sera, immaginandoselo seduto insieme ai convitati per ricevere la notizia del figlio in arrivo e del matrimonio. Se l'era immaginato allegro, felice per loro, felice per tutto. Perché Cristian aveva una capacità straordinaria di apparire tranquillo, a tratti allegro, anche quando non lo era affatto. Poi aveva smesso di pensarlo, perché sentiva che quel perseverare serviva solo a rabbuiarlo. Aveva stretto un po' di piú Maddalena finché lei non aveva cominciato a lamentarsi che le faceva male. Gli aveva chiesto cosa avesse e lui si era sforzato di scacciare quella nube che si era formata nel suo sguardo, rispondendo che non c'era nulla, forse un po' di malinconia...

Lei allora gli aveva fatto una promessa: guardare quel dono sarebbe stata la prima cosa che avrebbe fatto il mattino dopo.

Era andata a letto abbastanza presto perché si sentiva stanchissima e da subito, forse persino prima che chiudesse gli occhi, si era trovata immersa nel bianco totale di un'aia innevata dove scorrazzava un cane bianco. Ora sapeva ogni cosa senza tentennamenti: che quella era effettivamente un'aia, che il grande cane bianco si chiamava Tatra, che a pochi passi, superata la carcassa arrugginita di un'autocisterna, si poteva pattinare sull'ansa congelata di un fiume. Conosceva palmo a palmo quella casa che non aveva mai visto. Eppure era certa di conoscerne ogni angolo, ogni ninnolo esposto nella credenzina della stanza grande. Sapeva che a pochi passi dal vialetto d'ingresso, delimitato da due file di tuie nane sempreverdi, c'era l'apertura della grande stalla. E il cumulo di letame nel retro che appestava l'aria rigida non pareva neanche un brutto odore, perché era come addentato dal gelo…

Quando Maddalena aprí gli occhi la prima cosa che vide fu il dono di Marianna.

Al ritorno dal bagno, dopo aver incrociato e rassicurato la madre anche lei insonne, decise che era arrivato il momento. Lo prese con grande delicatezza e tentò di aprirlo senza strappare la carta velina, il che piú che una delicatezza era un modo per procrastinare la scoperta.

Si trattava di un piccolo indumento di seta. Una di quelle camicine che si mettono ai battesimandi. Proprio sul petto, bianco su bianco, erano ricamate le iniziali LIC. «Luigi Ippolito Chironi», decrittò immediatamente Maddalena. Era l'indumento con cui era stato battezzato il nonno di Cristian, il fratello prediletto di Marianna, anche se lei questo aspetto lo negava. Cosa volesse dire quel dono a lei, Maddalena Pes, era stato chiaro già prima di aprirlo. Nel pacchetto c'era anche una busta chiusa. Conteneva cinque banconote da centomila lire e un biglietto scritto a mano: *Auguro a voi e al vostro bambino tutta la felicità che meritate, Marianna Chironi.* Maddalena si tappò la bocca per non urlare.

Per tutto quel giorno rimase in uno stato che si poteva definire di concentrazione, come se stesse facendo un calcolo a mente
e avesse paura di perdere il conto. Si poteva parlare di distrazione, ma non di svagatezza. A chiunque le chiedeva qualcosa
rispondeva che aveva dormito male. E in effetti con tutto quel
gelo e quella neve non si poteva dire che avesse dormito bene.
Ma quello a cui stava pensando era esattamente come neutra-
lizzare lo sguardo di Marianna. Da qualche parte una soluzione
c'era, lo sapeva. E sapeva che sarebbe stata tanto piú efficace
quanto fosse stata solo lei a trovarla. Non poteva rivolgersi a
nessun altro.

A pranzo mangiò poco e niente. Accusò una stanchezza eccessiva perché la facessero andare in camera sua senza distur-
barla. A Domenico che chiamava fece dire che stesse a casa sua
o uscisse con gli amici per quella sera: lei aveva solo bisogno di
riposare. E alle insistenze di lui rispose che non stesse a preoccuparsi. Voleva tempo, voleva star sola per pensare. Ora era
chiaro che Marianna aveva capito tutto, ed era altrettanto chiaro che il suo bambino non poteva essere messo al mondo con
una maledizione del genere.

Quando quel pomeriggio Nevina Pes vide la figlia uscire
dalla sua stanza vestita e truccata di tutto punto, non credette ai suoi occhi. Mancava poco alle cinque. Maddalena si diede un'ultima rassettata nello specchio dell'ingresso. Afferrò la
borsetta e disse: – Esco.

– Che devo dire a Domenico se chiama? – tentò la madre.

– Che sono uscita, – rispose Maddalena, senza darle il tempo di replicare.

Sembrò improvvisamente che si mettesse al brutto. La 127 di
Mimmíu sterzò in salita verso Predas Arbas, poco fuori dall'a-
bitato. Giunse in un abbozzo di quartiere residenziale non del
tutto urbanizzato. Imboccò una strada bianca che conduceva
all'altezza di un lotto non edificato invaso dalle erbacce. Parcheggiò, scese dalla macchina.

Passò qualche minuto a esaminare l'appezzamento. Era piú
ampio di quelli circostanti, delimitato da ferri tubolari e da un
nastro di plastica giallo e nero. Quel terreno agricolo arbitraria-
mente lottizzato sarebbe divenuto ben presto edificabile. Non
mancava molto alle elezioni comunali e le due cose – edificabilità e votazioni – erano tutt'altro che disgiunte.

Tutto si poteva dire di Mimmíu Guiso, tranne che non conoscesse il piccolo mondo che gli era stato assegnato. Lui era
sempre stato furbo, di quella furbizia preveggente che fa pensare
all'inutilità di certi sistemi educativi. L'aritmetica l'aveva fatta malvolentieri, ma i conti li sapeva fare benissimo; in italiano
era un disastro, ma se c'era da spiegarsi non aveva bisogno del
vocabolario. Tuttavia, siccome aveva perfettamente chiara la
sua straordinarietà, volle che Domenico andasse a scuola e pretese che fosse anche tra i primi della classe. Perché si disse che
due colpi di fortuna, nella stessa famiglia, non erano possibili
o erano molto difficili. Infatti Domenico era diverso in tutto
da lui, se non nel senso di appartenersi l'un l'altro, fieramente,
senza mezzi termini. Per quel figlio sensibile, colto, riflessivo
– dove lui era cinico, ignorante, istintivo – avrebbe fatto qualsiasi cosa. Qualsiasi.

In lontananza si udí un tuono. Mimmíu guardò in alto, nuvoloni violacei si stavano raddensando oltre la collina. Ma non
avrebbe piovuto, rifletté: sembravano tuoni senza convinzione, come quelli del teatro che fanno piú rumore che altro. Lui
aveva capito che non è degli strepiti che bisogna avere paura,
ma dei silenzi. Quelli sí.

Guardò l'orologio che aveva al polso. Un altro tuono, sempre piú distante, poi sentí con chiarezza il rumore di un motorino che arrancava in salita. Era portato da un ragazzo al massimo ventenne, talmente alto che per guidare senza toccare la
strada con i piedi era costretto a sollevare le ginocchia fino al
petto. Il ragazzo frenò sollevando una nuvola di polvere, scese
dal motorino. Andò incontro a Mimmíu porgendogli la mano.
Mimmíu ricambiò perplesso.

– Babbo ha avuto problemi, – si giustificò.

Mimmíu lo guardò dall'alto in basso, nonostante fosse venti centimetri piú piccolo. – Va bene, – disse.

– Comunque il lotto è questo, – disse il ragazzo.

– Tu sei? – chiese Mimmíu.

– Nicola, – si affrettò a rispondere l'altro.

– Nicola, non ti avrei riconosciuto... Ti sei fatto alto.

Il ragazzo abbassò il mento e tirò su le spalle. – Babbo e Leonardo sono dovuti andare a Cala Liberotto, per una casa da finire, – spiegò. – Comunque la posizione come vedete è buona, è un lotto di quelli grandi e l'edificabilità è sicura, tanto che ha detto babbo che potete anche già gettare le fondamenta.

Tutte cose che Mimmíu sapeva perfettamente. – Sí, – disse. – Ma resta il fatto che questo lotto non basta a rifondere il debito.

– Babbo dice che se avete pazienza le cose in costa si stanno sbloccando e ci mettiamo in pari.

– In pari, – ripeté scetticamente Mimmíu. – In costa dove?

– Dalle parti di Agrustos... Ottiolu...

– Sí, sí... Il porto turistico, – completò Mimmíu per dimostrare che sapeva perfettamente di cosa stavano parlando.

– Stanno appaltando i lavori per un villaggio turistico proprio sul porto.

– Nicò... – lo interruppe Mimmíu. – Digli a tuo padre che di quei lotti a Ottiolu ne ho già comprati sei. Un altro in piú non mi cambia niente –. Aspettò che il ragazzo percepisse tutto intero il senso di quanto andava dicendo, poi completò: – Tuo babbo lo sa qual è il lotto che mi interessa, quello che ci mette in pari.

– A me questo mi ha detto di dirvi, – s'irrigidí il giovane.

– E tu digli quello che ti ho risposto io: per questo va bene che prepari le carte e tutto, ma per l'altro terreno che non faccia il furbo. A suo tempo avevamo parlato di Cala Girgolu e non certo di Ottiolu.

Il ragazzo sgranò gli occhi scurissimi, da vitello. Sapeva che il terreno a cui faceva riferimento Mimmíu era molto piú prezioso di quello che gli stavano offrendo. – Quello di Cala Girgolu è tutta roccia e non si sa nemmeno se ci fanno edificare, e quando, – azzardò.

- E allora di' a tuo babbo che non ci perde nulla a darlo via.
Il rischio me l'assumo io e noi siamo pari e patti –. Il tono di
Mimmíu sapeva essere terribile soprattutto quando voleva significare una certezza incrollabile. Il ragazzo capí che non avrebbe
potuto dire nient'altro per opporsi.

- Vabbè, – disse infatti allargando le braccia. – Io riferisco.
Statemi bene tziu Mimmí, – si congedò riprendendo la sua posizione da saltimbanco sul motorino.

Mimmíu lo salutò con un gesto della mano, come un vecchio
capo indiano che congeda un militare yankee dopo una trattativa.

Sopra la sua testa, attraverso le nubi, si era aperto un var-
co: una scia di luce cinematografica che ferí la terra come certe oleografie della creazione dell'uomo nei catechismi. O negli
opuscoli dei Testimoni di Geova. Non avrebbe piovuto. Aveva avuto ragione.

I passi decisi di Maddalena Pes risuonarono nella sera. Chiunque la vide passare, accarezzata dalla luce calante, pensò alla
perfezione con cui la natura stabilisce che le donne in gravidanza diventano piú belle, incedono piú elegantemente, sorridono
piú dolcemente...

Maddalena camminava e parlava tra sé e sé. Si preparava a
vanificare qualunque furberia, qualunque menzogna, qualunque
inganno di Marianna. Una soluzione l'aveva trovata. Ed era una
soluzione semplicissima, le era costata una notte insonne, ma ne
era valsa la pena. Quello che stava per fare era la prova provata
di quanta determinazione possa albergare in una donna che si
appresta a diventare madre.

In lontananza si sentí tuonare. Maddalena pensò che, nella fretta di uscire, aveva dimenticato di prendere l'ombrello.
Lungo via Roma si era aperta una voragine dove qualche tempo
prima si ergeva la mole della Rotonda, il carcere ottocentesco.
Una Bastiglia che non era stata demolita da alcuna rivoluzione, ma dalla conservazione ignorante della politica locale. Con
sicurezza la donna superò l'edificio fascista del Teatro Eliseo
che in tempi recenti aveva ospitato l'unica sala cinematogra-

fica rimasta aperta in città. Quindi intraprese la salita di via
Ballero, sulla cima della quale si accedeva al vecchio quartiere
San Pietro.

Arrivò a casa Chironi non senza un certo affanno, tanto che
prima di affrontare il portale e il cortile dovette sedersi su un
masso di granito squadrato addossato al muro di cinta. Doveva
riprendere fiato e calmarsi. Dei tuoni non se n'era fatto niente, erano minacce a vuoto. Qualche lama di luce si faceva largo fra le nuvole scure... Maddalena era talmente presa dai suoi
pensieri che non si accorse di Marianna. Portava alcune sporte
cariche di spesa. Doveva aver visto la giovane seduta davanti a
casa sua, e pensato che non trovandola l'avesse aspettata.

– Se avvertivi che arrivavi mi sarei fatta trovare a casa, – disse.

Maddalena, soprappensiero, ebbe un sussulto vedendosela
comparire all'improvviso. – Oddio! – esclamò.

Marianna fece un sorriso strano: – Spaventata ti sei?

– Non mi aspettavo... Credevo che foste in casa. Vi devo
parlare... – balbettò Maddalena.

– Ero fuori, invece. Entri? – chiese la vecchia.

Maddalena fece segno di sí, ma non si mosse. Appariva con-
centratissima, quasi incapace di sollevare la testa. Marianna appoggiò le sporte per terra badando a che non perdessero il loro
contenuto. – Non c'era piú niente da mangiare e la spesa non
mi piace farmela fare da estranei... Se voglio le cose fatte bene
me le devo fare da sola.

– Guardate che io questa roba a mio figlio non gliela metto,
– sussurrò all'improvviso Maddalena continuando a guardarsi
i piedi. Marianna la vide frugare convulsamente nella borsetta
per estrarne, rifatto alla bell'e meglio, il pacchetto che lei stessa
le aveva mandato tramite Domenico. – Non la voglio nemmeno
in casa questa roba, – completò porgendole l'involto.

– Entri? – domandò ancora Marianna.

E si avviò verso il cortile. Maddalena attese qualche attimo,
poi la seguí. Quando entrò in cucina, Marianna stava già mettendo via la spesa nella credenza, nei pensili sopra al lavello,
nel frigorifero. C'era qualcosa nell'odore di quella stanza che

la riportava a Cristian, forse quel misto di biscotto e gelsomino; forse la persistenza di tutte le cose che lui aveva toccato. La sua tazza, nello scolatoio, la sua felpa appesa all'attaccapanni nel corridoio, la sua spazzola sulla mensola del bagno; forse semplicemente il fatto che le sarebbe stato impossibile dimenticare quell'uomo.

– Cosí non ti piace il regalo che ti ho fatto, – la provocò Marianna.

– Non lo voglio, – ribadí un'altra volta Maddalena.

– E perché? Siedi, siedi, – sembrava che il discorso la divertisse.

– Io credo che voi lo sappiate benissimo perché… – rispose Maddalena fingendo di non cogliere la provocazione della vecchia. Marianna arricciò le labbra come quando voleva fare l'ingenua. A Maddalena scappò una risata. – Questa creatura non vi ha fatto niente, – scandí toccandosi la pancia. – Voi che sapete bene che cosa è la sofferenza non dovreste augurarla a nessuno, né tanto meno a mio figlio.

Marianna accusò il colpo. – Di quante settimane sei? – le chiese a bruciapelo.

Maddalena tentennò come chi dovesse farsi i conti giusti. – Cinque, cinque e mezzo, – biascicò.

Marianna la guardò scetticamente. – Magari Domenico ci crede, – disse.

– Domenico crede a tutto, anche che la vostra generosità sia sincera.

– E allora rispondimi. Di chi è il bambino che aspetti?

Maddalena scosse la testa, quasi d'improvviso avesse deciso che no, non l'avrebbe avuta vinta. – Ma se anche fosse come pensate voi, non è ancora piú grave che abbiate tentato di maledirla questa creatura?

– Se quella creatura è un Chironi è già nato maledetto. Nessuno mi potrà costringere ad amare un altro Chironi. A Dio piacendo, tra non molto saremo cancellati definitivamente dalla faccia della terra.

– No, – si oppose. – Non mio figlio! – Maddalena finalmente sedette. – Non sono venuta qui solo per restituirvi la camicina, ma per dirvi che senza volerlo mi avete indicato la soluzione. Non volevo parlarne con Domenico prima di parlare con voi, ma ho deciso come lo chiamerò se sarà un maschio o se sarà una femmina... – Tacque aspettando che Marianna s'incupisse. – Non siete curiosa? – domandò.

La vecchia le rispedí al mittente uno sguardo amabilmente disinteressato, qualcosa che aveva imparato a fare fin da quando si era dovuta rassegnare alla morte della sua unica figlia che si chiamava...

– Mercede, – l'anticipò Maddalena. – Mercede se è femmina, Luigi Ippolito se è maschio, – completò, vedendo che Marianna era rimasta senza parole.

I tempi nuovi arrivavano sotto forma di figli che divoravano i padri senza alcuna delicatezza.

Ora Maddalena voleva solo uscire da quella casa. Si alzò e si diresse verso la porta-finestra che conduceva al cortile, e quindi, finalmente, al mondo.

Marianna non disse nulla, non tentò di spiegare, né tanto meno di fermarla. Pensò solo che era stata una padrona di casa inadeguata, perché non aveva offerto niente alla sua ospite. Con delicatezza accarezzò la camicina di seta, sentendo il ricamo con i polpastrelli: una contorta cicatrice. Poi estrasse le cinque banconote da centomila dalla busta e le mise in un barattolo di latta con la scritta SALE GROSSO che posò sul piano del mobile alle sue spalle.

Non era certo la vita migliore che avessero a disposizione, tuttavia era quella che gli era toccata in sorte. I giorni erano quelli di chi comincia a rendersi conto delle infinite pieghe della realtà. Poter accedere alle esistenze di tutti semplicemente premendo un interruttore aveva fatto della sopravvivenza un fatto assai poco eroico: dentro lo schermo, ce n'erano milioni di assolutamente identiche, e ce n'erano altrettante davvero peggiori. Poi c'erano quelle migliori. Questa coscienza cambiava le cose. Perché il passaggio dall'ipotesi alla dimostrazione dell'ipotesi poteva significare abbandonare definitivamente la poesia di doversi costruire un mondo su misura.

Nella testa di Mimmíu quella che lui chiamava modernità si esprimeva nel dato pratico che la conoscenza non devi piú andare a cercartela, ma puoi averla in casa con un canone mensile. A saper sfruttare queste evoluzioni si poteva concepire un mondo nuovo, far saltare le regole, abbracciare un'altra, piú adeguata, moralità. Questo sapeva benissimo Mimmíu, senza saperlo. Ora che stava per diventare nonno, guardava se stesso come un ragazzo all'inizio di tutto. In cantiere, per esempio, a chiunque dicesse che una certa cosa non si era mai vista, che certi materiali lí, in quel preciso angolo di mondo, non erano mai stati utilizzati, lui rispondeva che c'erano cose incredibili in giro, dappertutto. E aggiungeva che a saperci fare si sarebbero ottenuti risultati impensabili con un dispendio molto minore di quello a cui erano stati avvezzi fino ad allora. Nella stagione funeraria della nazione lui era contento. Sapeva che, come la felicità, nemmeno l'infelicità è infinita, se non altro perché se alla prima non ci si abitua mai, alla seconda ci si può facilmente abituare. Dal suo punto di vista si era stati infelici abbastanza. Dal suo punto di vista le ultime tre stagioni degli anni Settanta avrebbero determinato una mutazione genetica. Come quando si è stati a lungo convalescenti e si capisce che è arrivato finalmente il momento di correre.

Era lí dunque che guardava il suo futuro prossimo, e quello di suo figlio, e quello di suo nipote, sotto forma di un colossale manufatto, di un gigantesco gioco per bambini. Tempi prosperi e tempi grami per sempre si sarebbero alternati, occorreva saper essere saggi, adattarsi. Era sempre stato cosí e questo non c'era modernità, vera o presunta che fosse, che potesse cambiarlo.

A chi gli chiedesse il perché di certe sue convinzioni si era abituato a rispondere «lo so io». E non era una risposta vaga. Era proprio l'unica risposta giusta. Perché Mimmíu sapeva, e questo sapere spegneva ogni velleità di redenzione. Perciò non è che si fosse trasformato, si era evoluto. Aveva arrancato col fiatone fino alla cima e ora se la godeva prima di lasciarsi andare in discesa, a precipizio, senza curarsi di nulla. Ci sarebbe voluto almeno un decennio tra l'arrivare in cima, illudersi di restarci e cominciare a precipitare. Alcuni questo non l'avevano capito, Mimmíu sí. Non era stato nient'altro che questo a farlo diventare quello che era diventato.

Si accorse di nutrire disprezzo per tutte quelle persone che avevano l'aria di impegnarsi nel lavoro solo perché c'era lui in cantiere. «Lavativi, mandroni, – diceva tra sé, – guardali là che fanno finta di lavorare». Intercettò il direttore dei lavori e gli fece un cenno. L'altro prontamente abbandonò qualunque incombenza e lo raggiunse.

– Mi sembra che siamo davvero in ritardo, – disse senza che quel «mi sembra» apparisse come un dubitativo.

– Non è che siamo in ritardo, – tentò l'altro. – È che abbiamo trovato acqua durante gli scavi per le fondamenta. Qui, con tutto il rispetto, perizie geologiche non ne sono state fatte, – gli parve una formula sufficientemente neutrale.

Mimmíu non fece una piega. – Con questa cazzata delle perizie si perdono solo quattrini e tempo. Che cosa dobbiamo periziare, eh? – attaccò. – C'è un po' d'acqua, si pompa via e basta, no? Bachí, Bachisio! – urlò vedendo passare un operaio corpulento. – Ma che cazzo avete combinato con quell'impasto?

L'uomo lo raggiunse. – Quale impasto? – chiese.

– Quello del muro di contenimento, – rispose Mimmíu.

– Eh, – fece l'operaio, guardando il direttore dei lavori. – Niente abbiamo combinato, cosa volete dire tziu Mimmí?

– Niente, – ripeté Mimmíu. – Io dico che c'è spreco, – affermò. – Troppo cemento e troppa acqua... Che cosa ti avevo detto? – chiese rivolto a Bachisio.

– È quello che abbiamo sempre fatto, – intervenne il direttore dei lavori.

Mimmíu lo guardò male, come se non avesse diritto di parola. – Perché poi dovreste preoccuparvi di non sprecare... – rifletté.

Gli altri due si scambiarono un'occhiata, decisi a non replicare: tanto quando gli girava storto al padrone non c'era niente da fare. Del resto con la rogna che c'aveva in casa, di Cristian Chironi che era stato ucciso in un conflitto a fuoco nel porto di Livorno, c'era anche da capirlo.

– Se è quello che avete sempre fatto avete sempre fatto male, – concluse. – Le cose cambiano.

– Certe cose no, – si azzardò il direttore dei lavori.

– Cioè? – ruggí Mimmíu.

– Cioè, – replicò quell'altro. – Finché la firma devo metterla io i rapporti acqua-cemento non cambiano. Noi qui applichiamo la legge.

– Bachí, scusaci un attimo che col geometra abbiamo una cosa privata da dirci.

Bachisio felicemente raggiunse il resto dei colleghi che stavano stendendo una gettata.

Restati soli Mimmíu prese il direttore dei lavori per un braccio in modo da costringerlo a guardarlo negli occhi. – Allora, uomo di legge, tu quanto ti prendi di stipendio? – gli si-

bilò talmente vicino alla faccia che l'altro poté annusargli il
fiato. – E intendo tutto: quello in busta paga e quello in nero.

   – Che c'entra? – sbottò il geometra tentando di divincolarsi.

   – C'entra, perché se dobbiamo applicare la legge la applichiamo tutta. O no? – chiese.

   Il direttore dei lavori accennò un sí millimetrico.

Núoro, 6 maggio 1979.

Ora che poteva guardarla piú da vicino si accorse che la casa non era bianca come pensava, ma di un azzurro molto tenue. E neanche la neve era poi cosí bianca, virava al celeste anch'essa. Cominciava a capire le cose, per esempio perché non sentisse freddo nonostante si trovasse in sottoveste, a piedi nudi, nel bel mezzo di una distesa innevata. Il che, sotto certi aspetti, poteva significare sognare senza tanta fantasia. Quell'immagine non rispondeva nemmeno alla domanda elementare se si sognasse a colori o no. Il bianco che vira all'azzurro è un colore? Il cane bianco le corse incontro. «Tatra!», sentí alle sue spalle. Si voltò, dietro di lei c'era un uomo giovane, alto, con i capelli chiari e la barba. Stava sulla soglia che introduceva alla casa azzurra, i pugni posati sui fianchi come un oste che attende clienti fuori dalla locanda. Neanche quell'uomo sembrava accorgersi del suo abbigliamento succinto. Lui, al contrario, era piuttosto coperto. Indossava una giacca stretta che lo faceva sembrare un adolescente cresciuto troppo in fretta. «Tatra!», ripeté con una voce stranamente metallica. L'animale si voltò a guardarlo, quasi volesse capire chi fosse prima di obbedirgli, poi si lanciò verso di lui. L'uomo lo accolse preparandosi all'impatto. Si abbracciarono, rincorrendosi nel bianco abbagliante. Le risate dell'uomo si fecero sonore come sibili di vento. Maddalena li osservava incantata dall'amore che quel rincorrersi e scartarsi esprimeva. Fece un passo verso di loro. Sotto i suoi piedi nudi la neve pareva tiepida. L'uomo aveva raggiunto un gruppo di betulle scheletriche fra l'edificio della fattoria e l'ansa gelata del fiume, il grosso cane bianco sembrava averlo perso di vista per un attimo. L'uomo era snello e scattante nella sua giacchetta striminzita e frusta, dalle cui maniche troppo corte usciva una porzione consistente di quelle, troppo lunghe, del maglione. Eppure era elegante, com'erano eleganti quei temerari che, in tweed e passamontagna, se ne andavano alla conquista del Polo nei primi del Novecento. Il cane s'impennò sulle zampe anteriori guardandosi intorno. Nell'aria il gelo solidificava gli odori, di torba, di letame, di aceto, facendoli corporei. «*Esmu šeit!*», si sentí improvvisamente dal folto delle sterpaglie che occupavano l'area del boschetto. Il cane, neanche fosse caricato a molla, si proiettò in direzione della voce. Raggiunse l'uomo nel folto ispido della boscaglia. Sfumarono, lontani dal suo sguardo. Poteva immaginarli. Qualcuno con una mano freddissima la toccò. Stava per voltarsi a vedere chi fosse, invece si svegliò.

Nevina era accanto al suo letto. – Maddalé, – disse la madre, – guarda che se non ci muoviamo finisce che arriviamo in ritardo... Noi siamo tutti quasi pronti.

La ragazza si mise a sedere di scatto. – Che ore sono? – chiese. – Perché non mi hai svegliata prima?

– Si fa in tempo, – provò a rasserenarla Nevina. – Se ti sbrighi si fa in tempo.

– Perché non mi hai svegliata prima? – ripeté lei.

– Stavi riposando bene, – rispose finalmente la madre. – E poi tanto dovevamo prepararci anche noi...

Maddalena scrollò la testa come aveva visto fare al grande cane bianco nel suo sogno. Si alzò in piedi. Sulla poltrona era posato il suo abito da sposa. Assolutamente adatto alla situazione.

– Non è troppo bianco? – chiese Nevina, che temeva l'inadeguatezza piú della povertà.

– Non è bianco, – protestò Maddalena. – È azzurro cipria.

– Sí, – tagliò corto la madre. – Sbrigati però, che tra mezz'ora arriva la parrucchiera per l'acconciatura.

Maddalena sparí oltre la porta del bagno. L'altra si guardò intorno. – Dove sei? – chiese.

– Sono qui, – rispose lei prima di azionare il rubinetto della doccia.

Peppino Pes e suo figlio Roberto aspettavano sul divanetto in tinello vestiti di tutto punto, esattamente come nel giorno del fidanzamento. Nevina no. Lei, la madre della sposa, aveva dovuto sostenere la spesa di un altro abito, non appariscente, ma decoroso: un tre pezzi color pervinca sfumato, col quale si potevano indossare le scarpe buone e la borsetta in pendant.

– Ecco bravi, state seduti in quel modo cosí addio pieghe dei pantaloni! – urlò lei entrando nella stanza. I due uomini scattarono in piedi, dandosi dei colpetti ai calzoni. Nevina si avvicinò al marito come a confidargli un segreto, ma prima di parlare fece cenno a Roberto che si avvicinasse. – Se ve lo chiede voi ditele che il suo abito è celestino, va bene? – Padre e figlio accennarono all'unisono.

Poco dopo Maddalena entrò con indosso il vestito e un grosso asciugamani sulle spalle perché non si bagnasse per via dei capelli umidi. – Secondo voi questo vestito di che colore è? – chiese agli uomini della sua famiglia.

Peppino la squadrò come se dovesse decidere. – Celestino, – affermò con buona sicurezza. – Robé, è celestino no?

Roberto non disse né sí né no. Si limitò a inarcare le sopracciglia. Maddalena guardò la madre che ricambiò con un accenno di sorriso.

Suonarono. Nevina corse ad aprire alla parrucchiera.

Che Mimmíu Guiso contasse qualcosa a Núoro si capiva dal fatto che gli era bastata mezza giornata per farsi aprire la chiesetta del Redentore in cima al Monte Orthobène per il matrimonio di Domenico e Maddalena. Matrimonio che per quanto dovesse essere sbrigativo e assai diverso da come tutti l'avevano immaginato, necessitava comunque di un luogo esclusivo e speciale. Gli invitati furono pochissimi. Marianna, comprendendo che era stata inserita in quella lista solo per l'impossibilità di ignorarla, non si fece vedere.

Quella mattina dell'Ascensione lei la impiegò diversamente. La stagione si era fatta finalmente tiepida, senza vento. Dopo aver dato l'acqua alle piante in cortile, Marianna fece un bagno caldo. Poi, nemmeno vestita, andò nella camera che era stata dei suoi fratelli prima, in seguito di Vincenzo, e infine, per lungo tempo, di Cristian.

Lí c'era la scrivania, e nel cassetto i fogli bianchi. Ne estrasse quattro di numero, cercò una penna e si mise a scrivere:

> Io sottoscritta, Chironi Marianna, vedova Serra-Pintus,
>
> nel pieno possesso di me medesima, stabilisco che si eseguano le seguenti direttive dopo la mia morte, si spera prossima:
>
> - che tutti i miei beni terreni, mobili e immobili, vadano al figlio nascituro di Guiso Domenico, di Guiso Giovannimaria, e Pes Maddalena, di Pes Giuseppe noto Peppino;
>
> - che tale lascito abbia valore sia nel caso che nasca un maschio, sia nel caso che nasca una femmina;
>
> - che i beni suddetti siano amministrati dal padre legittimo del nascituro fino al compimento del suo ventunesimo anno di età;
>
> - che all'atto della mia dipartita sia consegnato a Pes Maddalena il plico con la storia della famiglia Chironi scritta di propria mano dal mio fratello maggiore fu Chironi Luigi Ippolito, di fu Chironi Michele Angelo.
>
> Nel giorno sei del mese di maggio del millenovecentosettantanove,
>
> In fede mi firmo,
>
> Chironi Marianna, vedova Serra-Pintus

Fuori dalla chiesa una ventina di invitati selezionatissimi salutarono gli sposini. La maggior parte di questi, che avevano partecipato poco tempo prima al fidanzamento di Maddalena e Domenico, si resero conto di quanto quella festa fosse stata simile a un matrimonio, mentre questa a cui avevano appena assistito sembrava piuttosto una celebrazione semiclandestina.

Fu organizzato un pranzo in un locale poco fuori Núoro. E, alle tre del pomeriggio, tutti erano a casa propria. Gli sposini presero possesso dell'appartamento che Mimmíu Guiso aveva regalato loro. A Maddalena non piaceva quell'appartamento e, soprattutto, non piaceva il mobilio che il suocero in persona aveva scelto per il loro nido d'amore. Certo non si poteva dire che fosse brutto. Sí, sarebbe stato da irriconoscenti non apprezzare quella grande, perfetta, abitazione. Eppure a Maddalena sembrò la fredda suite di un albergo di lusso, fragrante di nuovo come un'automobile in un autosalone.

– Non ti piace, – constatò Domenico aiutandola a sfilarsi il soprabito.

Maddalena con la punta dei piedi si scalzò le scarpe dalle caviglie. – Non è che non mi piace... – prese tempo. – C'è tutto, – concluse mentre Domenico cercava un posto per appendere l'indumento che teneva ancora in mano.

A sentire i racconti entusiasti di Nevina alle vicine c'era proprio tutto: due bagni con rispettivi antibagni, tre televisioni, due telefoni e anche la lavastoviglie come nelle case dei film. C'erano persino i quadri appesi al muro e interi servizi di piatti e bicchieri nelle credenze. Un signor regalo di nozze davvero!

– Lo so, manca la mano femminile, ma tutto quello che non ti piace lo puoi togliere...

– Quel quadro, – disse Maddalena indicando una specie di pagliaccio piangente sopra una mensola, – e quella lampada... E, oddio, quelle tende, – continuò in un crescendo.

Domenico abbandonò il soprabito sul bracciolo di una poltroncina anticata. – Io l'avevo detto che non era una buona idea, ma a me nessuno mi dà retta.

Maddalena lo guardò, per un attimo fu tentata di consolarlo, ma si sentiva troppo stanca. – Non fa nulla, – sussurrò.

Domenico le si sedette a fianco, cercò la sua mano. – Non ci dobbiamo stare se non ti piace.

– Non farmi passare per una che fa i capricci, Domé.

– Lo sai com'è fatto babbo, – attaccò lo sposino. – Per lui non è stato facile, ha dovuto fare sempre tutto da solo... – s'interruppe vedendo che Maddalena si sottraeva alla sua presa.

– Va bene, basta cosí, – intervenne lei. – Io ho sposato te, Domenico. Intesi?

Non c'era bisogno di dire nient'altro, cosí se ne restarono in silenzio, e nel silenzio parve che il senso di estraneità che si sprigionava da quell'ambiente esplodesse in modo insopportabile, tanto che persino Domenico cominciò a sentirlo in tutta la sua assurda consistenza. Era il sentimento corporeo di quando si prende possesso di una casa d'altri, una casa di bambole. Tutto quello spazio era un giocattolo, un posto che qualcuno aveva ipotizzato per abitanti senza volontà.

Maddalena fu invasa da un'afflizione sottile, senza enfasi. Come una consolazione prima della disperazione.

Squillò il telefono. Domenico sobbalzò. Fece due passi verso l'apparecchio quasi volesse convincerlo a smettere: sapeva che a chiamare era Mimmíu. Si voltò per guardare sua moglie e lei badò bene a evitare qualunque, seppur minimo, accenno. Gli squilli proseguirono ostinati. Maddalena, seduta sul divano, non si mosse. Domenico, in piedi con un braccio allungato e la mano posata sulla cornetta, non si mosse.

Quando il telefono si zittí, i due restarono ancora un poco a guardarsi senza dire nulla, perché sembrava che le parole rendessero piú evidente l'imbarazzo fra loro. Poi l'apparecchio riprese a squillare.

– Andiamocene, – propose lui a un certo punto.

– E dove? – chiese lei. Ma con un tono finalmente interessato.

– Che importa dove? Ci mettiamo in macchina, ce ne andiamo in costa... Vuoi che prendiamo la nave? Ce ne andiamo a Roma? – rilanciò Domenico con entusiasmo crescente.

Maddalena constatò quanto la intenerisse lo sguardo di quell'uomo ogni volta che s'illudeva di poter rimettere a posto le cose.

– Io, quando è morta mia madre me ne sono accorto... – disse Domenico all'improvviso. – Non so perché mi è venuta in mente questa cosa proprio adesso, – si scusò subito dopo. Maddalena aspettò che proseguisse. – Forse perché non mi ero mai piú sentito come allora, tranne adesso –. Tacque. La moglie gli tese la mano perché andasse a sedersi accanto a lei nel pessimo divano stile Las Vegas. Lui sedette.

– Giuro che me ne sono accorto, – riprese senza guardarla. – Ma lo stesso facevo finta di nulla, perché pensavo che se tutti intorno a me credevano che non avessi capito quanto era capitato, allora voleva dire che non faceva tanto male, e persino che non era successo. E adesso è uguale: Cristian che muore in quel modo, e poi noi due, il bambino in arrivo, questo matrimonio...

– Chi può dire che non sia successo? – chiese Maddalena, accarezzandogli la mano. – Chi può dirlo?

Domenico si voltò a guardarla, gli tremava la bocca. – Io, – confessò. – Non sono nemmeno stato in grado di impedire tutto questo, – chiarí mostrando la stanza con un gesto ampio del braccio. – Proprio come quel giorno quando mio padre insisteva a dire: «Andrà tutto bene, ce la caveremo io e te, non abbiamo bisogno di niente», e io avrei voluto dire che no, che niente andava bene, che la mamma era morta... Ma avevo paura. Paura. Come adesso... – Domenico si prese la testa fra le mani.

– Di che cosa hai paura? – chiese Maddalena accarezzandogli il collo.

– Che tu capisca di aver fatto la scelta sbagliata.

– Che dici? – il discorso aveva preso una piega inaspettata, Maddalena provò a parlare con una disinvoltura forzata. – L'hai detto tu che non è la fine del mondo, no? La verità? Non mi piace questo posto. Ce ne troviamo uno per noi... Va bene? – conciliò. Ma Domenico non sembrò risollevato. – Non permetteremo a nessuno di decidere per noi. Intesi? – Domenico prese fiato come per rispondere. – A nessuno, intesi? – lo anticipò lei.

– A nessuno, – ripeté lui.

Solo allora si resero conto che il telefono aveva smesso di squillare da un pezzo.

Mimmíu riattaccò, incerto tra il fastidio e la delusione. Si aspettava un ringraziamento, ma capiva che per due sposini che entrano per la prima volta nella loro nuova casa, la riconoscenza verso chi gliel'ha donata non fosse il primo pensiero.

E comunque lui lo sapeva bene cosa voleva dire quel silenzio. Voleva dire che era arrivato il momento di ripensare a tutto. Riconsiderare ogni prospettiva. Si rese conto di qualcosa a cui non aveva mai pensato veramente: quanto aveva ottenuto, in definitiva, era stato di restare solo.

Gli venne in mente cosí, con precisione, come se fino a quel momento avesse ragionato a pezzi. Se lo confessò senza reticenze fra sé e sé, ma nella stanza vuota avrebbe potuto tranquillamente urlarlo perché nessuno l'avrebbe sentito.

Si sedette, guardò verso la stanza che era stata di Domenico. Poi, tornando a fissare il niente che lo assediava, si disse che aveva fatto tutto quel che aveva fatto per restare solo.

Riandò a una mattina di moltissimi anni addietro, quando aspettava con impazienza che gli caricassero il portabagagli della macchina con le ultime cose rimaste al priorato di San Francesco di Lula. La sagra era finita da giorni, ma ci voleva tempo per liberare gli spazi e lasciare tutto pulito per il nuovo priore. Cosí gli avevano detto che c'era un'opera buona da farsi: una persona che aveva bisogno di essere accompagnata a Núoro in macchina. E quella persona era Vincenzo Chironi. Cosí l'aveva portato a Núoro, dai parenti.

Mimmíu si chiese perché mai gli fosse tornato in mente quel fatto, e infine comprese che alcuni uomini, come era stato Vincenzo Chironi, avevano il destino scritto in faccia. E pensò di sé che se ci fosse stato qualcuno a guardarlo in quel momento, quando Vincenzo era salito sulla sua auto, avrebbe potuto capire di lui cose terribili. Per esempio fino a che punto si sarebbe potuto spingere lui, Mimmío Guiso, per portare via tutto a quell'uomo. Appena preso posto sull'auto Vincenzo aveva abbozzato un sorriso lievissimo, già riconoscente. Poi si era spostato il ciuffo nero dagli occhi. Con quelle gambe lunghe stava a malapena nello spazio davanti al sedile, eppure non era sembrato goffo nel sistemarsi. Poi, quando la macchina si era messa in moto, aveva mostrato il profilo dei Chironi. E lí, Mimmíu aveva provato un sentimento acre, come chi è costretto a ingoiare un frutto acerbo.

Questa era l'assoluta verità. E Mimmíu, poiché adesso non c'era nessuno con lui, poté sussurrarla alla parete davanti a sé: lui, Vincenzo Chironi, l'aveva sempre invidiato. Dopo, solo dopo, aveva capito che il modo piú efficace di dar seguito a questo sentimento, figurandosi di fare l'opposto, era di amare quell'uomo incondizionatamente.

Ora che aveva fatto quel che aveva fatto, Mimmíu riusciva a confessarsi il sollievo e l'angustia che aveva provato quando l'aveva trovato appeso alla trave del soffitto. Perché lí s'incontrava tutto: non era riuscito a non invidiarlo, ma nemmeno a non amarlo. Aveva tentato fino in fondo e senza esito di essere indifferente alle sue sorti, ma Vincenzo sapeva ritornare. Ritornava sempre. Persino dopo la morte.

Proprio adesso poteva sentirlo seduto accanto a sé. Si era preparato un discorso da fargli, qualcosa che suonava come un autodafé: «Vedi un po' amico mio, tu mi hai abbandonato, mio figlio mi abbandonerà ben presto».

Di Cristian non gli avrebbe parlato perché quello era un fatto di cui non aveva ancora afferrato esattamente la portata. Vincenzo, tanto, quel figlio non l'aveva mai incontrato. Non da vivo, per cui...

Mimmíu scosse la testa nel gesto di chi vuol dar torto a se stesso.

Ora percepiva con chiarezza cosa significasse la perdita di un figlio. Un fatto elementare come quella mancata risposta al telefono l'aveva precipitato nel suo rovello, nell'oscuro abisso di sé. E poteva ipotizzare tutta la sua vita che, da quel momento in poi, sarebbe stata di espiazione. Perché lui lo sapeva bene che cosa possono combinare gli umani anche alle persone che pensano di amare.

I figli poi. Ti ripagano di tutto, nel bene e nel male.

Alla televisione, sul canale locale, facevano una specie di trasmissione di inchiesta che scimmiottava quelle delle reti nazionali. Documentari basati su fatti di cronaca, raccontati con abbondanza di colpi di scena e momenti d'attesa. Ricordavano il caso Priamo Camboni, 1970? Mimmíu accennò verso lo schermo, lo ricordava eccome, ma non l'aveva mai capito bene...

Quale che fosse la stagione, la casa di Priamo Camboni era sempre calda. Dipendeva dalla moglie Gessica che troppo freddo aveva patito durante la sua povera infanzia e adolescenza, e che ora, dopo il matrimonio favorevolissimo che aveva fatto, di freddo non voleva mai piú patirne. Quanto le fosse costato quel matrimonio era difficile da dirsi, perché Gessica era bella e Priamo bello non si poteva dire. Ma era ricco.

Lei si era innamorata appena quattordicenne di un giovane diciassettenne prestante, ma assai povero, che l'aveva sverginata nei bagni dell'autostazione di Núoro una mattina in cui entrambi avevano saltato le lezioni. Quella coincidenza, che fossero entrambi di paese, che fossero entrambi poveri, che nello stesso giorno piuttosto che entrare a scuola si fossero rifugiati nella sala d'attesa dell'autostazione, li uní fino all'ineluttabile bacio e di lí fino ai bagni sottostanti. Si erano parlati poco, piú che altro guardati e poi baciati, e poi tutto il resto, di lui non sapeva il nome allora.

Passa poco tempo che Gessica lo rivede ritratto nella prima pagina di un quotidiano e scopre che si chiama Emanuele Sias. Bel nome, pensa Gessica. E pensa che persino dalla foto del giornale, tutta sgranata e imprecisa, si capisce quanto è bello. Nel giornale c'è scritto che Emanuele è accusato di rapina e di omicidio ai danni di un gioielliere di Núoro. C'è scritto che due giorni prima, verso le undici di mattina, il Sias ha puntato un'arma allo stomaco del gioielliere Gilberto Arru, di anni 53, padre di quattro figli. Di fronte al rifiuto di lui di consegnargli il ricavato della giornata, Sias ha sparato senza troppi complimenti; poi se n'è andato portandosi dietro sí e no duecentomila lire di gioiellini da nulla.

Quella notte, col giornale aperto alla pagina dove si trova la foto di Emanuele, Gessica non riesce a chiudere occhio: sa che il ragazzo non può essere colpevole di quanto viene accusato. Lui verso le undici del mattino di due giorni prima si trovava con lei nei bagni dell'autostazione. E questo può dirlo con certezza perché mentre veniva presa, proprio nel momento preciso in cui capí che aveva perso la sua verginità, l'orologio del cesso in cui tutto ciò avveniva, segnava le undici in punto.

Il giorno dopo il Sias proclama la sua innocenza dal giornale, affermando di trovarsi altrove il giorno della rapina. Nell'articolo non si dice altro. A tavola il padre di Gessica commenta l'accaduto. Sono commenti generici intorno al fatto che quel giovane, che rifiuta le proprie responsabilità, non merita alcuna comprensione. Gessica abbassa lo sguardo.

Due mesi dopo la notizia del giorno è il processo per direttissima nei confronti di Sias Emanuele. Di quella rapina finita male quasi tutti si sono scordati, ma non Gessica.

Lei ha un motivo preciso per ricordare, e quel motivo sono le nausee mattutine che da qualche settimana l'aggrediscono.

Cosí deve pensare, e pensare a lungo. Ci sarebbe il piccolo dei Camboni che la guarda e, da quando ha perso la verginità, ha capito anche in che modo preciso la guarda. In paese dicono che è un drollo, e in effetti non è che abbia una faccia molto sveglia. Gessica ha pensato questo: che l'unico modo per uscire dalla situazione in cui si trova è dare una risposta agli sguardi di Priamo Camboni.

Si lascia prendere la seconda volta che escono insieme. Poi, il mese dopo, gli dice che è rimasta incinta.

Il giorno del matrimonio riparatore con Priamo Camboni, Gessica scopre che Emanuele Sias, condannato all'ergastolo in via definitiva per l'uccisione del gioielliere Gilberto Arru, si è tolto la vita impiccandosi in carcere. Lo svenimento che ne segue viene considerato da tutti una conseguenza del suo stato interessante. Le donne invitate schiaffeggiano la sposa per farla rinvenire, lei sussurra che ha freddo. Eppure è piena estate.

Emanuela Camboni nasce ufficialmente settimina, ma incredibilmente grossa. Nemmeno la nascita della bambina fa cessare il freddo che sente.

Come previsto da tutti i cieli Priamo non si rivela un buon marito: è uno di quelli che proprio perché appaiono stupidi e imbelli riescono a diventare incredibilmente violenti. Trascorrono quattordici anni, di violenze e soprusi nei confronti della moglie, e d'idillio con la bambina, ormai ragazza. In casa l'unica che riesca ad ammansire la furia d'inerte nullafacente di Priamo Camboni, mantenuto dalla ricchezza della sua famiglia, è la figlia Emanuela. Lei nel frattempo si è fatta bella, molto piú bella della madre.

Una sera di agosto Priamo torna a casa sbronzo, come al solito urla contro la moglie, Emanuela li sente litigare dalla sua camera – una lite terribile questa volta.

Improvvisamente un silenzio assoluto invade la casa. Gessica si affaccia alla camera di Emanuela e le spiega che è tutto passato: le racconta che Priamo è caduto, ha battuto la testa, se Dio vuole è morto. Dobbiamo chiamare la polizia, continua. Poi dice alla figlia che se lei testimonierà di aver visto il padre cadere nessuno avrà sospetti, il caso verrà chiuso e l'enorme capitale dei Camboni sarà finalmente solo loro.

Emanuela sorride, ma non è un sorriso tranquillizzante.

Infatti quando arriva la polizia testimonia che è stata la madre a uccidere il padre, spingendolo a terra.

Gessica, la vedova nera, viene arrestata.

Al compimento dei diciotto anni Emanuela entra in possesso del patrimonio paterno.

Ecco cosa combinano i figli.

Spense la televisione.

Una bella storia che Mimmíu non aveva mai capito, ma che adesso capiva benissimo.

Ci volle tutta la mattinata successiva perché si mettesse al bello. Maggio arrancava. Solo verso le due del pomeriggio la gara contro un vento che spostava nubi e ingrigiva il cielo fu vinta. L'azzurro impregnò intere porzioni di verde e grigio, spandendosi sugli alberi e i graniti. La stagione dei viventi si adagiò sulla stagione morta per ribadire la costanza con cui le età si succedono a dispetto di chi si illude del contrario. Qualcuno fu costretto ad ammettere la sua mortalità quel giorno, qualcun altro a rinunciare al calore materno. Ci fu da sentirsi all'inizio e alla fine di tutto quel giorno. Come sempre accade, ma con una chiarezza nuova. Mimmíu assistette alla luce dell'alba che si formava, incerta. Poi allo spalancarsi di un pomeriggio sfacciatissimo, troppo luminoso per essere giunto cosí tardi. Eppure giunse, il vento s'interruppe d'improvviso e arrivò il silenzio. Aveva dormito poco, ma non si sentiva stanco. Non quanto avrebbe dovuto. Per Mimmíu riposare era smettere di pensare, nient'altro che questo. Gli era indifferente dormire poco o molto, quello che contava era far tacere la testa.

Il telefono squillò. Mimmíu, con calma, andò a rispondere.

La voce di Domenico era imbarazzata. – Scusa se non ho chiamato prima, – disse.

Mimmíu si schiarí la gola per prendere tempo. – Avrai avuto di meglio da fare. La casa? Contenti? – chiese.

Domenico glissò: – Sí, la casa, ne parliamo... Non hai saputo nulla?

Mimmíu fece segno di no, come se il figlio potesse vederlo: – No, di che cosa?

Che fosse arrivato il suo ultimo giorno Marianna Chironi, vedova Serra-Pintus, lo capí senza ombra di dubbio dal fatto che ci fosse tutta quella folla in cucina. Davvero tanta gente. E non gente qualsiasi: c'erano babbo e mamma e Gavino. E c'erano anche i gemellini Pietro e Paolo. Franceschina e Giovanni Maria pure. E Luigi Ippolito con Vincenzo. C'era Dina e anche Cecilia; e poi Biagio. Giuseppe Mundula c'era. E c'erano altri che lei nemmeno sapeva di conoscere.

Per questo pensò con chiarezza che doveva essere l'ultimo dei suoi giorni. Comprese che le era stato assegnato quel maggio indeciso. Avrebbe preferito un maggio luminoso quando le giornate si saziano di luce porosa, brulicante di pollini. Quando, cioè, il vuoto si mostra come materia affatto compatta, piuttosto che come Nulla immateriale. E già assistere al miracolo del niente che si riempie, pur restando quello che è, pare l'esito estremo di una vita lunghissima.

Qui Luigi Ippolito scosse le spalle, perché lui, che aveva studiato, sapeva bene che non c'è miracolo nel pulviscolo che invade ogni minima porzione dell'aria che respiriamo; c'è solo il modo in cui, attraverso una lama di luce magari sfuggita a una persiana socchiusa, tutto quel brulicare si palesa in quanto tale, contro l'apparente assenza, nella penombra.

E Marianna fece cenno di sí, che certo sapere le cose le rendeva piú familiari, meno stupefacenti. E magari, pensava, sapere troppo significava rinunciare proprio allo stupore.

In ogni caso dovette accontentarsi di quel maggio scialbo.

Sto morendo, si disse, ma senza gioire troppo di quella circostanza per paura che la sua gioia venisse ripagata col dispetto
di un ripensamento. Perciò, come se niente fosse, si mise a sedere sulla sua seggiola di fronte al caminetto fingendo di ignorare tutta quella gente che aveva affollato improvvisamente
la casa. Diede un'occhiata verso la porta-finestra che dava sul
cortile: mattinata grigia e ventosa, proprio come nel giorno del
suo matrimonio. Fu tentata di voltarsi verso sua madre Mercede per chiederle se anche lei confermasse quella sensazione.
E se si ricordava di quanto si fosse lamentata, alzandosi quella
mattina, nel vedere quel tempo instabile, mentre tutti gli invitati cominciavano ad arrivare. Marianna aveva sempre pensato
al suo matrimonio come se si trattasse del matrimonio di un'altra donna. Per quanto la riguardava lei era sempre stata nubi-
le o vedova, del suo breve stato di moglie non ricordava quasi
nulla. E anche la sua esperienza di madre era stata brevissima.
Non c'era da farci conto. Tutto quello che aveva imparato, l'a-
veva imparato per sottrazione. Era stata una scuola durissima.
Sempre nell'angolo degli asini, con le ginocchia sui ceci, nel
pubblico ludibrio. Ma le era servita a non farsi troppe illusioni, a capire le cose al volo. Ora stava morendo. Lo sapeva e non
aveva paura, erano tutti lí con lei in cucina. E si aspettava che
la chiamassero da un momento all'altro. Diventava sempre piú
difficile far finta di nulla.

Fu Luigi Ippolito che parlò per primo, in tutto identico al se
stesso ritratto davanti alla chiesetta di San Spiridione, Trieste,
nel 1917. Poco prima che venisse a mancare.
Si guardò intorno per sincerarsi che, in quanto fratello prediletto di Marianna, spettasse proprio a lui aprir bocca. Attese qualche istante: nessuno, fra tutti i presenti, osò opporsi: di
fronte alla realtà dei fatti, alla precisa coscienza di quanto quella sorella amasse quel fratello, c'era poco, o nulla, da obiettare.
– La Parola è profonda, sorella cara, – cominciò Luigi Ippolito. Aveva la voce pastosa e ferma di chi non ha conosciuto la

consunzione lenta dell'invecchiare. Aveva il volto di chi non
ha avuto il tempo di coltivare le rughe. Aveva lo sguardo mobile di chi non conosce la pazienza dell'età. – La Parola è profonda, – ripeté. Poi continuò: – Come un sasso che raggiunge
il fondo della pozza smuovendone la melma. La Parola è fiato
che si compone, l'ostinato mistero di dare corpo all'incorporeo.
    – Sí, – sussurrò lei. – So cosa intendi. E mai ne ho spreca-
ta una, di parola.
    – La Parola santifica tutto quello che rappresenta. Hai rac-
contato solo quello che credevi meritasse di essere ricordato.
Lo sai, vero?
    – Lo so, lo so... Siete qui per questo, no? – fece lei. E si
sventolò la mano tra il naso e la bocca, come se volesse scacciare una mosca.
    – E noi siamo arrivati, – cerimonioso Luigi Ippolito aspettò
che Cecilia e i gemelli, babbo e mamma e Gavino e Dina, Biagio, Giuseppe, Franceschina, e tutti i non nati, o nati morti,
approvassero. E tutti accennarono di sí. Tranne Vincenzo, che
sembrava sul punto di piangere.
    – Siete arrivati, – confermò Marianna sorridendo al fratello
prediletto per poi voltarsi verso il nipote reticente.
    Allora, quando anche Vincenzo, con uno sforzo, approvò,
riprese: – Siete qui per soffiare l'alito che genera racconti.
    Luigi Ippolito, questa volta dolorosamente, assentí.
    – Dopo di te sorella cara si dovrà contare sui ricordi, io credo
–. Parlò per sé, ma anche per gli altri che di nuovo accennano.
Tranne Vincenzo che, ancora, sembrava perduto.

    Perciò che quel 7 di maggio dell'anno 1979 non fosse un
giorno come gli altri, a Marianna Chironi, vedova di ogni vedovanza e orfana di ogni orfanità, parve assolutamente chiaro.
    – Bene, si ricomincia, – disse allora rivolgendosi ai presenti. –
Michele Angelo e Mercede generarono Pietro e Paolo, Giovanni
Maria e Franceschina, Luigi Ippolito, Gavino, Marianna; Marianna e Biagio generarono Mercede, detta Dina; Luigi Ippolito

e Erminia generarono Vincenzo; Vincenzo e Cecilia generarono Cristian; Cristian e Maddalena generarono Luigi Ippolito...
Morti e vivi tennero la conta con le dita.

Luigi Ippolito stava seduto in quel preciso modo che lei da sempre conosceva, che non si poteva dire rigido, ma nemmeno rilassato. Nel personale catalogo di Marianna era il primo, come per Omero era stato Arcesilao. Perché di quel fratello aveva trattenuto ogni particolare: di quando gli era tremato il labbro, poco prima che partisse per il liceo; di quando si era ostinato a stilare, con la testa china e il ciuffo nero che quasi sfiorava il foglio, una storia dei Chironi che pure una storia nemmeno ce l'avevano, ma lui diceva che se qualcuno non si prende la briga di scriverla o di raccontarla, una storia semplicemente non esiste; di quando, alla fine del 1915, aveva cercato le parole aiutandosi con le dita, come pizzicando l'aria, per dire che si sarebbe arruolato volontario per il fronte del Carso; di quando era tornato a casa ricomposto in una bara sigillata. E poi ricordava alla perfezione che odore avesse, come profumasse di cialda e pane tiepido; come mantenesse la roba pulita nonostante l'avesse portata tutto il giorno; come ogni piú piccola porzione del corpo, dai capelli alle unghie dei piedi, avesse in lui un'aria rifinita, cesellata. Come l'amasse di un amore furibondo e cieco, piú, molto di piú, di quanto avesse mai amato se stessa.

Marianna si voltò a guardare Vincenzo, poi ritornò a Luigi Ippolito. Si sarebbero detti identici, ma a ben guardare si potevano notare piccole differenze tra padre e figlio: la linea delle sopracciglia, per esempio, che aveva in suo fratello una qualità specifica come d'arco a sesto acuto mentre nel nipote era piú secca, quasi dritta, per poi scivolare appena lungo le tempie. E il candore della pelle, che nel padre era opaco e nel figlio riflettente. Fino al fascio della caviglia finissima nel primo, piú solida e tozza nel secondo. Di tutte queste sottigliezze lei manteneva una contabilità assoluta perché sapeva bene che dentro a quelle pieghe stava tutto il senso che aveva dovuto dare alla sua esistenza.

Cosí, per consonanza, Vincenzo gli apparve di spalle, con l'abito blu del matrimonio. Di suo padre Luigi Ippolito manteneva lo sguardo affamato d'amore; il sottile silenzio languoroso; la malinconica sapienza della simmetria. Era il secondo, senza dubbio, perché a lui Marianna si era appassionata addirittura prima che sapesse della sua esistenza, tutte le volte che aveva immaginato il ritorno dalla guerra del suo fratello prediletto e si era dovuta accontentare di quel nipote sconosciuto, nato per far ricominciare tutto e morto perché tutto finisse. Cosí le tremò la bocca, perché la storia di Vincenzo stringeva il cuore: fin da quando si era impegnato a combattere contro le cavallette e le zanzare.

Oh, Gavino... E mamma Mercede e babbo Michele Angelo, insieme...

– Come sarebbe morta? – chiese Mimmíu, neanche gli avessero raccontato qualcosa di impossibile.

– Eh, morta, – confermò Domenico. – Infarto pare, – specificò. – L'ha trovata poco fa la donna a ore.

– Non pare vero, – constatò Mimmíu. – Non pare vero. Non pare vero...

– Del funerale, e di tutto il resto, ce ne dobbiamo occupare noi. Non c'è piú nessuno adesso che possa farlo.

Dal tono della sua voce Mimmíu capí che non c'erano piú dubbi: il figlio era cresciuto in breve tempo. – Sí, sí. Certo... – si affrettò a confermare. – Sembrava che me lo sentissi, non ho chiuso occhio stanotte.

Cosí, con l'aiuto delle donne del vicinato, spostarono il corpo morto di Marianna Chironi dalla cucina alla camera da letto per lavarlo e ricomporlo. Piansero anche, si commossero, per la pena di vedere un'anima che si separava dalla sua carne. Ma non immaginarono nemmeno quanto quella separazione l'avesse resa felice.

Solo Maddalena poteva immaginarlo, solo lei. Nonostante cercassero di risparmiarle l'incombenza della ricomposizione, lei non volle mettersi da parte. Volle guardare in faccia quella donna morta e capire fino a che punto l'assenza di vita produca una serenità meccanica, quasi fisiologica.

Marianna appariva davvero ringiovanita, ma non era stata certo la sua morte a renderla cosí, pensava Maddalena, bensí quella di Cristian. Sapeva che tra loro c'era un patto non scritto, un accordo d'intenti che derivava da fini opposti. Non è cosí che succede? Ci si allea per raggiungere un solo fine, qualunque strada si percorra. Il fine di Maddalena era dare un padre a suo figlio, quello di Marianna la fine del passaggio dei Chironi su questa terra.

E allora tutto ciò che non si pronuncia non c'è, concluse Maddalena mentre teneva su il corpo morto di Marianna perché una donna la pettinasse. Tutto ciò che non trova fiato non esiste. E basta.

Quella notte poté percepire per la prima volta un movimento dentro di lei: niente di piú che un gorgoglio, ma preciso e ignoto, come un segnale sconosciuto da un mondo parallelo. Si disse che non era un segnale negativo, ma semplicemente la vita che ribolliva e si ostinava a rigenerare quanto, disperatamente, si era tentato di eliminare. Al suo quattordicesimo figlio, una donna del vicinato disse che perché arrivino i bambini è sufficiente non volerli. Il che aveva una sua logica: una volta che si sono fatti, basta non volerli ed essi arrivano. Perché non bisogna mai e poi mai dimostrare di desiderarli come era accaduto alle donne Chironi.

Domenico la stava osservando. – Ti agitavi nel sonno, – disse.

– Non ricordo assolutamente cosa ho sognato, – mentí lei. Ma fino a un certo punto, perché, per quanto le sembrasse di ricordare, in effetti, non ricordava.

E questo fu tutto. Si prepararono per la convocazione dal notaio Sini, che aveva importanti comunicazioni da fargli in merito al lascito della defunta Chironi Marianna, vedova Serra-Pintus.

– Hai parlato con tuo padre? – chiese a un certo punto Maddalena a Domenico, proprio quando erano faccia a faccia perché lei gli stava sistemando il nodo della cravatta. – Perché io in questa casa non ci rimango, chiaro? – proseguí lei.

– L'hai visto anche tu che periodo è stato Maddalé! Un poco di pazienza, non stai mica in una baracca...

– Il punto non è questo...

– ... Il punto è che ne stai facendo una questione di principio, – s'impennò Domenico.

Maddalena non parve preoccuparsene. – Esatto, proprio una questione di principio, – confermò.

I minuti che seguirono, quelli che occorrevano per finire di prepararsi, li trascorsero in un silenzio assoluto.

– Ma che tu sappia, Cristian sapeva nuotare? – domandò lei all'improvviso.

Domenico un poco si rabbuiò. – Perché mi fai questa domanda?

– Cosí, – minimizzò lei. – Me lo sono chiesto, tutto qui.

– Tutto qui, – ripeté Domenico come se stesse facendo quel gioco irritante, che i bambini fanno, di ripetere quello che gli si dice. – No, non molto, – continuò spostandosi verso lo specchio. – Si teneva a galla direi, – concluse. – Ma come ti è venuto in mente?

– Niente davvero, – brancolò Maddalena. – Non so, qualcosa che ho sognato, direi.

– Hai sognato di Cristian? – insistette lui, ma con una strana calma come se badasse a non far capire il suo reale interesse.

– Non so, – ripeté lei, sentendo addosso il peso di qualcosa di cui era rimasta solo una traccia sottilissima. – Hai presente quando nel sonno ti dici che non dimenticherai e invece dimentichi?

Domenico assentí con convinzione. – Succede anche da svegli, – constatò, aprendo la porta d'ingresso e facendosi da parte per far passare sua moglie.

L'ufficio del notaio Sini odorava di segreti. Là dentro si erano accumulati gli inganni di chi continuava a convivere. Negli archivi non cessavano di fermentare i corpi morti di coloro che avevano affidato alle ultime carte le loro volontà. Che in quanto ultime volontà non hanno il destino di perire, ma di persistere, di contare e condizionare l'esistenza di chi resta.

– I testamenti, – biascicò il notaio Sini, dall'alto della sua secchezza profumatissima, – sono come atti di sopravvivenza,

sono i nostri cari che ci parlano direttamente –. Poi si rivolse
al segretario perché espletasse le formule di rito.

All'incontro erano stati convocati esclusivamente Domenico e Maddalena.

Mimmíu aveva dovuto aspettare fuori.

Con cerimoniosa lentezza il segretario aprí una busta sigillata e controfirmata, ne estrasse quello che parve un foglio di
quaderno a righe fittamente scritto, che consegnò al notaio dopo aver recitato qualcosa che doveva significare che il plico non
aveva subito alcuna manomissione. La scrittura di Marianna
compariva bella chiara sul dorso della busta: *Per Pes Maddalena
e Guiso Domenico*, esattamente in quest'ordine. Come qualcuno che, nella sua infinita saggezza delle cose del mondo, avesse
voluto mettere in chiaro le precedenze.

Si aprí il documento non senza una qualche, strenua, resistenza. E si procedette alla lettura del brevissimo testo, di quelli
che sono risolvibili in tre, quattro parole: ci ha lasciato tutto.

Sini chiarí che restava una quota consistente di legittima a
nome di Chironi Cristian, presumibilmente scomparso, ma che
nelle questioni di successione valeva l'*habeas corpus*, almeno per
i dieci anni previsti dalla legge.

Chiarí inoltre che al termine di quei dieci anni, che comunque corrispondevano alla scadenza della tutela del beneficiato
figlio, o figlia che fosse, il testamento poteva ritenersi definitivamente inimpugnabile.

Maddalena e Domenico accennarono col capo alla richiesta
da parte del notaio se tutto fosse stato chiaro. Sini li guardò come si guarda l'ennesimo porco che riceva perle dal cielo, poi si
rivolse al suo segretario, gli indicò un piano dello scaffale dietro
di lui, quest'ultimo reagí con fatica al fatto di doversi alzare, ma
lo fece, mosse due passi verso il luogo indicato e tornò reggendo
un plico consistente. Lo posò sul tavolo. Il notaio si sincerò che
si trattasse proprio di quanto si faceva menzione nel testamento
e lo consegnò direttamente nelle mani di Maddalena. Lei lo prese con una leggera esitazione. Poi guardò Domenico. Uscirono.

Ora, per quanto gli sembrasse logico tutto quanto avevano

sentito e sottoscritto, tuttavia percepirono un senso vaghissimo di inquietudine, come se dietro quella fortuna che gli era piovuta addosso si celasse un dispiacere.

Subito dopo, da parte, fu convocato Mimmíu.

Ma era per comunicazioni. Si chiariva infatti che le ultime volontà di Chironi Marianna vedova Serra-Pintus erano da considerarsi un pietra tombale rispetto alla delega di tutela che il Guiso Giovannimaria, noto Mimmíu, aveva firmato e che la medesima passava a tutti gli effetti, e senza possibilità di remissione, al Guiso Domenico, indicato dalla defunta.

Fuori dall'ufficio del notaio nessuno parlò. Domenico e Maddalena camminavano qualche passo avanti, Mimmíu, pesante di pensieri sulle spalle, li seguiva.

A Domenico bastò rallentare un attimo per raggiungere il padre, Maddalena continuò a camminare avanti. – Che cosa c'è? – chiese senza smettere di guardare la moglie davanti a lui.

L'altro sospirò. – Niente, – la risposta uscí dalla sua bocca come frammentata.

Domenico fece qualche altro passo in silenzio. La città tutt'intorno pareva invitarli a fuggire. Come nel medio regno imperava la minuzia piuttosto che la dimensione. Si trattava di glorificare il mattone e adorare il non finito. Ridurre qualunque spazio alla schiavitú dell'horror vacui... I Guiso avevano contribuito eccome alla proliferazione di quella pochezza diffusa, ma ora parevano non vederla.

– Ci ha lasciato tutto, no? – sbottò Domenico guardando il padre di sguincio.

Mimmíu ancora non rispose, forse fu tentato di emendare con lo sguardo l'abominio di blocchetti e mattoni che gli stavano attorno, e che qualcuno chiamava sviluppo edilizio, ma non lo fece. – Ci ha lasciato tutto e ci ha tolto tutto, – concluse.

– Che cosa ci avrebbe tolto? – chiese sinceramente Domenico.

– La pace... tutto... – chiarí Mimmíu, era evidente che seguiva un pensiero solo suo e non si poneva nemmeno il problema che al suo interlocutore risultasse incomprensibile.

– La pace? – ribadí Domenico, quasi in qualche anfratto della sua testa avesse colto il senso ultimo della frase appena pronunciata dal padre. – Non capisco, – disse invece. – Non è cambiato assolutamente niente.

A Mimmíu scappò una risatina. – Chiedilo a tua moglie che cosa è cambiato e poi vediamo, – scandí.

– Non è come pensi tu, – disse Domenico scuotendo la testa. Eppure sapeva che il padre non aveva torto. L'erede universale che portava in grembo Maddalena la faceva sedere di diritto al tavolo di ogni trattativa nel posto da cui Mimmíu era stato estromesso. Capiva che, per quanto potesse assicurare il padre che niente era cambiato, che nulla sarebbe cambiato, tuttavia non poteva garantire per sua moglie. Sospirò amaramente. – Tzia Marianna l'ha pensata bene, – dovette ammettere. – Comunque non è che abbiamo bisogno di quei soldi, no? – chiese.

Mimmíu lo fulminò con lo sguardo. – Dei soldi no, ma della disponibilità sí. Siamo esposti con le banche e la garanzia derivava dal fatto che sotto alla delega ci fosse la mia firma. Ma ora, con tutte le strettoie della successione...

– Sono io il tutore –. Quasi a Domenico scappava da gridare perché lui di tutto il discorso del padre aveva capito solo che il problema era il passaggio a lui della tutela del patrimonio.

– Non hai capito, – lo stoppò Mimmíu. – Non è di te che ho paura. Non è di te, – ripeté. E guardò di fronte a sé in direzione delle spalle di Maddalena da sola avanti a loro di due passi, che avanzava calma.

– Ci metteremo d'accordo, – cercò di smorzare Domenico.

– Tu non lo sai cosa può fare un genitore per un figlio, – il tono del vecchio era improvvisamente senz'astio, persino tranquillo.

A Mimmiú venne in mente quella storia che suo padre gli aveva raccontato mille volte: si tratta di un vecchio che viene messo a mangiare per terra in un angolo della casa. I pasti gli vengono serviti in una ciotola di legno dalla figlia e da suo marito, che trovano fastidioso che faccia rumore mentre mangia.

Al fatto assiste il loro figlio piccolo che qualche giorno dopo posa due altre scodelle vuote sul pavimento accanto a quella del nonno. Cosí quando i genitori gli chiedono cosa stia facendo, il bambino risponde che sta preparando le scodelle per quando anche loro saranno vecchi...

– Be', magari adesso non lo so ma lo saprò tra cinque mesi, – rispose Domenico e fece per avanzare verso la moglie.

– Marianna sapeva che sarei stato il legno perfetto per il tarlo che ci stava mettendo dentro, – sussurrò Mimmíu, ma senza rivolgersi a nessuno, mentre guardava il figlio allontanarsi.

Ora l'estate tirava fuori il naso dal sipario del cielo che era rimasto chiuso per troppo tempo. Una luce strana si stava spandendo su quel pezzo di mondo.

Poi quella notte tuonò. E un vento violentissimo fece turbinare l'oscurità violacea illuminandola a tratti come fosse giorno pieno.

I bagliori assomigliavano in tutto alle scariche fosforescenti di immensi pesci elettrici nel fondo oscuro dell'abisso. A chi pensasse che alto e basso siano intercambiabili in questo universo, non apparirà straordinario supporre che il kraken possa pasturare negli oceani come nel firmamento. Ora che le onde del cielo si stavano infrangendo contro i territori inviolati delle galassie, si potevano sentire i giganti nordici che battevano sui timpani, e le nacchere d'ossa di velieri risucchiati dai gorghi celesti. Poi i lamenti di marinai agonizzanti, dispersi nel nulla, annaspanti e impazziti di terrore, lasciati a macerare nel cieloceano salato e ferroso, idrogeno fosforoso. Tentati di arrendersi all'ineluttabile, ma non definitivamente sconfitti. Finché restava un filo di vita.

Un fulmine si abbatté a pochi passi dal cortile dei Chironi.

Domenico spalancò gli occhi. Ma stette immobile a ordinare il respiro, poi si posò una mano sul petto per sincerarsi di essere vivo. Si toccò tra le cosce, per essere certo di trovarsi nella parte solida dell'universo. Infine si voltò al suo fianco: Maddalena dormiva tranquilla.

Quindi... Non c'era piú neve. Forse era l'agosto breve di quei territori estremi. Un'estate caldissima che finiva ogni notte. Stagione di dieci, dodici ore al massimo.

L'uomo dalla giacchetta stretta, che ora so chiamarsi Juris, mi guarda negli occhi. Ha uno sguardo curioso ma non ostile. Nessuno è ostile da queste parti.

«*Zivs*», mi dicono.

E io mi sono come convinto che sia il mio nome.

«*Zivs*», ripeto, e Juris ride di gusto perché è possibile, anzi certo che io pronunci male.

Parliamo a gesti quando vuole darmi da bere, cosa che succede continuamente, mi fa il gesto preciso di tenere tra le dita un bicchierino invisibile. Io gli mostro il polso, mimando un orologio anch'esso invisibile, come a dire che è troppo presto per bere, che siamo nella parte calda del giorno. Juris ancora mi sorride, prova a dirmi qualche parola in russo, perché lui, fin da ragazzo, è stato abituato a pensare che tutto il mondo sappia parlare russo. Devo sembrargli davvero stupido.

«*Zivs*», mi ripete e poi mima un pesce. Mi indica: «*Zivs*», ripete ancora.

Sono un pesce.

Quando comincia a nevicare significa che l'estate è finita senza un autunno possibile. Io e Juris cominciamo persino a capirci.

Quando Tatra, col suo passo basculante e la sua grossa lingua penzoloni, mi viene incontro, so che Juris è vicino.

«*Esmu izsalcis*», dico. E lui sorride ammirato, poi toglie dalla sua borsa pane, carne secca, patate bollite e cetrioli. E vodka. «*Vēlos strādāt*», dico.

Juris questa volta è colpito. «*Drīz!*», taglia lui.

«Come presto? Sto bene, – protesto. – Voglio lavorare!», ripeto. Ma solo in quel momento mi rendo conto che sono su un letto e non riesco ad alzarmi...

– Maddalé sveglia... – la voce di Domenico che le solleticò un orecchio le fece socchiudere gli occhi. Era a casa, adesso.
– Cominciavo a preoccuparmi, – sussurrò lui.

– Che ore sono? – la voce della donna risultò leggermente impastata, come se temesse di non essere in grado di pronunciare quello che pensava.

– Ancora brutti sogni? – chiese Domenico.

Maddalena fece segno che no. Ma questa volta si toccò la pancia perché era stato tutto cosí vivido che poteva essere vero. Poi si toccò tra le cosce con la solita paura di scoprire qualche perdita. – Stai uscendo? – chiese, vedendo che Domenico era vestito di tutto punto.

Lui accennò di sí. – Faccio un salto da babbo, – chiarí. – Ieri aveva un'aria che non mi è piaciuta.

Ora che stava per farlo, Mimmíu capí fino a che punto fosse necessario concentrarsi prima. E quando pensava «concentrarsi», pensava a quella particolare condizione per cui un'intera vita, contorta che sia, improvvisamente si spiana. «La morte imminente produce chiarezza, – si disse, – soprattutto se volontaria».

Preparare tutto gli era costato ore di lavoro nonostante non occorresse che una corda resistente e una trave giusta. Gli venne in mente Vincenzo Chironi, che attraverso quel ponte ci era già passato. Chissà se anche per lui era stato cosí difficile stabilire la tenuta del laccio e il punto esatto cui appendersi. O se aveva fatto ogni cosa d'istinto, senza pensare...

La tempesta, che aveva frantumato lo specchio di quella notte di maggio, l'aveva convinto definitivamente a elaborare, in tutta la sua fallimentare evidenza, il bilancio della sua vita: era cresciuto nell'incertezza, e aveva prosperato nell'invidia. Perché ogni sguardo fuori di sé si era trasformato in una ferita aperta. E le ferite erano aumentate nel tempo, nonostante i traguardi raggiunti. Giovanni Maria, prima che tutti lo chiamassero Mimmíu, una vera infanzia nemmeno l'aveva avuta. Ultimo di quattro figli, con una madre che non era sopravvis-

suta al parto e un padre che non aveva la minima idea di come
si potesse concepire una famiglia. Poi la falcidie: due fratelli
morti di spagnola, ma lui, spesso denutrito, totalmente trascurato, abbandonato a se stesso, sopravvisse. E il padre trovato
morto, in un podere dove prestava servizio, per un coma etili-
co. Infine il fratello primogenito, scartato dal morbo, ma non
dalla guerra. Nemmeno sapeva come fossero fatti veramente
i suoi fratelli, Mimmíu. Né che faccia avesse suo padre, se ci
fosse stato un preciso istante in cui aveva anche solo pensato
di amarlo. Capí che quel momento non c'era stato mai, e che
quella sua ostinazione a restare non era nient'altro che un'am-
missione di colpa. Certo, c'era stato il periodo che lui definiva
«felice». Ma non si era trattato che di un'incursione, nella sua
vita, della normalità. Aveva raggiunto i diciotto anni in quella
stagione per cui tutto sembra possibile, aveva superato come
una bestia selvaggia tutti i passaggi che dall'infanzia portano
alla pubertà, semplicemente perché un'infanzia non l'aveva mai
avuta. E aveva compreso fin da subito che scegliere la giusta
dimora fa prosperare il parassita. Non sapeva nulla e sapeva
tutto. La sua intera esistenza poteva essere un foglio bianco da
compilare. Sotto le armi aveva imparato a guidare meglio, e piú
in fretta, di tutti gli altri commilitoni. Segno che la sua mente
era allenata ad apprendere piú velocemente. L'essere cresciuto
nell'assistenza altrui l'aveva reso attento alle minuzie, vorace e
imitativo come un garzone che ha fretta di scalzare un maestro,
o un attor giovane pronto a prendere il posto del capocomico.
Era cinico e istantaneo, aveva intuito che nell'imitazione c'è
la strada per la perfezione. Si era messo a leggere cose incon-
grue, ma che lui sentiva gli avrebbero fornito perlomeno un
linguaggio, lo spazio delle parole giuste al momento giusto, cosí
come aveva visto fare ai vincenti. A Vincenzo appunto, che era
stato la sua passione evidente. Una passione che non riguardava il corpo, ma una specie di attrazione speculare. Mimmíu si
vedeva esattamente come Vincenzo, si sentiva perfetto come
sentiva essere lui. Bellissimo, non certo, o non solo, per il suo
aspetto; corrispondeva in tutto al suo modello di perfezione.

La sua vita era cambiata nel momento stesso in cui Vincenzo Chironi, con lo sguardo disperso e gli abiti dignitosamente frusti, era salito sulla sua macchina perché fosse proprio lui, Giovanni Maria Guiso, noto Mimmíu, a portarlo a Núoro. E forse si può dire, in qualche modo, che quello fosse l'unico innamoramento certo che lui potesse ricordare.

Il resto era stato esercitare questa nuova, silente, felicità che consisteva nell'aver trovato l'ospite perfetto. Dentro alla vita di Vincenzo c'era la certezza, c'erano le parole giuste, c'erano le giuste misure. Fuori da essa era un ritornare alla vaghezza di quella stagione in cui contava solo quanto si conquistava giorno per giorno, senza una prospettiva di stabilità.

Vincenzo, nell'impiccarsi, l'aveva tradito, l'aveva rigettato nell'instabilità. E questo nonostante avesse fatto di lui un uomo nuovo, un imprenditore esperto, un padre di famiglia. E che il destino si fosse divertito al punto da fare in modo che fosse proprio lui, Mimmíu, a trovare Vincenzo impiccato, la diceva lunga sulle connessioni segrete che sottendono a quanto noi riteniamo, spesso a torto, imponderabile. Era stato come un padre che, mentre dice di voler insegnare a suo figlio ad andare in bicicletta, abbandoni la presa al sellino prima di essere certo che sappia mantenere l'equilibrio. Lí il bimbo che cade impara che i padri possono sbagliare, ma anche che la cosa giusta è proprio sbagliare. C'è una forma di riconoscenza e di delusione insieme in quel sentimento. Un ammonimento e un insegnamento.

Ora che stava per farlo, Mimmíu poté pensare alle migliaia, e migliaia, di cose che aveva detto di voler fare e che non aveva fatto. Era cresciuto nella pochezza, ma non aveva mai osato ammetterlo finché c'era stato Vincenzo a vivere per lui.

La stagione felice, in fondo, non era stata breve. Era durata dal '43 al '59. Dal momento in cui aveva offerto un passaggio al Chironi redivivo, al momento in cui l'aveva trovato morto. Di quel primo viaggio ricordava solo che dopo cinque chilometri di curve fu necessario fermarsi perché Vincenzo, rinchiuso in un silenzio concentratissimo, mostrava i segni evidenti della nausea da mal d'auto. E ricordava soprattutto quella certezza che egli, nel suo fare assoluto, fosse a suo agio persino nel difetto, perché, pur non sapendo ancora cosa significasse, Vincenzo per essere un Chironi non aveva fatto nulla: lo era e basta. Nel tempo questa sensazione avrebbe preso una consistenza precisa, come precisa era l'ansia di Mimmíu d'assomigliargli in ogni cosa. Anche se aveva capito che la superficie in cui si stava specchiando era tutt'altro che limpida, ma s'intorbidava per ogni piccola scossa.

Vincenzo aveva imparato in fretta. In pochissimo tempo aveva capito che poteva anche maledire, e sprecare, la fortuna che gli era capitata. Una fortuna che non era tanto quella di ritrovarsi ricco, quanto di ritrovarsi amato. Davanti a lui, Guiso Giovanni Maria, che amato non era stato mai. Ora Mimmíu aveva chiaro per quanto tempo potesse covare nell'animo umano un affetto che ha la faccia contratta dell'astio. E ora, che stava per farlo, poteva anche evitare di mentirsi. Ammettere quale sottile godimento portasse ogni cattiva notizia riferita a chi diceva di amare: per esempio quando Cecilia, la moglie di Vincenzo, abortí per la terza volta. O quando Vincenzo cominciò a bere, senza un senso apparente, ma per un vuoto preciso, proprio per la mancanza di senso. Lui poteva capire e si vedeva ansioso, interessato, preoccupato per la sorte dell'amico, del modello, ma gioiva. Ora poteva persino ripeterselo a voce alta. Del resto egli stesso aveva sposato una donna cosí per fare, giusto per darsi un figlio contro Vincenzo e Cecilia che non riuscivano ad averne. E nacque Domenico.

E a quel punto tutti cominciarono a sussurrare che Cecilia non era rimasta incinta di Vincenzo, ma di lui. E lui aveva negato senza negare, come sapeva fare bene. Con quel punto di esagerato sconcerto che faceva pensare l'esatto contrario di quanto affermava.

Ma bastò vedere Cristian appena nato per capire che dubbi non potevano essercene. Questi Chironi maledetti avevano una genetica potente, inconfondibile.

Tuttavia senza Vincenzo egli poté sentirsi l'altro Vincenzo, e per molti lo era tuttora. Non certo per Marianna. A lei bastava guardarlo, perché lui si sentisse inquadrato per l'onorevole parassita che era.

Questo a Domenico non si poteva spiegare. Né si poteva spiegare tutto il resto. Il senso di liberazione quando era rimasto vedovo, per esempio. Il gusto furioso, quasi erotico di determinare vite altrui attraverso il denaro: l'unica cosa che pareva contare. Sapeva che l'amore si poteva comprare, ma era una sapienza non trasmissibile, una sapienza che andava occultata e negata anche di fronte alla realtà dei fatti. Aveva fatto cose terribili, ma le aveva fatte per difendere la roba sua.

E ora, Marianna Chironi, la strega dannata che in apparenza gli aveva lasciato tutto, in effetti gli aveva tolto tutto.

Ci volle un bel po' dunque per scegliere il luogo adatto, anche considerato il fatto che con ogni probabilità sarebbe stato Domenico a rinvenire il suo cadavere. Quella eventualità lo rasserenava piuttosto che preoccuparlo. Non sapeva esattamente per quale personalissimo delirio, ma era fisicamente eccitato. Decise per la cantina rustica. Là aveva fatto installare dei ganci al soffitto da cui pendevano salumi e formaggi. Dovette liberarne uno. Lo scelse in una posizione leggermente nascosta. Il camino si trovava a destra rispetto all'entrata, in un angolo, di modo che non fosse la prima cosa a vedersi appena arrivati. Gli piaceva l'idea che ancora qualche secondo dopo l'ingresso si potesse coltivare la speranza che quanto si temeva non fosse successo.

La corda pareva potesse resistere, il nodo teneva. Fece passare un capo oltre il gancio, prese a occhio le misure. Chissà se Vincenzo Chironi era stato cosí preciso. Se anche lui si era sentito cosí determinato.

Una volta sospeso il cappio annodò al gancio il capo libero, poi si assicurò che tenesse tirandolo verso il pavimento e dondolandocisi con le braccia in alto, come un campanaro. Infine prese una sedia, la posizionò nel punto esatto, ci salí...

... Ma c'era qualcosa che avrebbe voluto saper scrivere prima di impiccarsi. E si sarebbe trattato di un messaggio semplice per suo figlio. Mimmíu era di quegli uomini che hanno i pensieri, ma non sanno come scriverli. Per un attimo, in bilico sulla spalliera della sedia prima di calciarla via, si rammaricò di non saper scrivere. Aveva qualcosa da dire a Domenico, e quel qualcosa riguardava la necessità di metterlo in guardia contro il destino di diventare quello che lui stesso era stato. Una riga appena: «Figlio caro, ho fatto quel che ho fatto perché tu fossi migliore di me».

... S'infilò il cappio al collo, e calciò via la sedia.

Dunque nell'ordine: non era mai stato in treno, mai salito su un aereo, mai mangiato tartufi o uova di quaglia, mai visto un'opera lirica, mai bevuto champagne, mai stato al circo, mai entrato in un teatro, mai portato un paio di jeans, mai imparato a ballare, mai visto Venezia se non alla televisione, valeva? No, che non valeva. Mai pensato di fare una vacanza, mai pianto per davvero... Mai...

Domenico suonò tre volte prima di aprire con le sue chiavi. Nella casa trovò un disordine strano, come se il padre avesse rinunciato a dormire e, dopo vari tentativi inutili, avesse deciso di uscire, andarsene in giro nella notte ad aspettare l'alba. Ma considerato il temporale terribile che aveva scardinato ogni pace era un'ipotesi da scartare.

Chiamò due volte: – Babbo? Bà?

Nessuna risposta.

Nella casa c'era un senso di abbandono temporaneo, quasi che il padrone avesse tralasciato un'incombenza per un'urgenza improvvisa. Un rumore nel seminterrato, dove c'era la cucina rustica, lo diresse verso le scale che conducevano in basso.

La porta era chiusa dall'interno. Bussò.

– Babbo? – ripeté, sentendo che il tono di voce gli era diventato stridulo senza una ragione apparente, quasi la sua gola avesse percepito un pericolo che ancora la sua mente non aveva codificato. Armeggiò con la maniglia, per sincerarsi che davvero la porta fosse chiusa e, quando ne fu certo, cominciò a strattonarla, sperando che aumentare la foga con cui cercava di aprire rendesse possibile quell'operazione. Ma la porta resisteva, sbarrata. Diede una prima spallata, però senza risultato, capendo che quello strano rumore che aveva sentito, e che ora sentiva meglio, era uno stridio di gomene all'attracco.

Lo spazio del pianerottolo era limitato: ci volle del tempo e della forza perché la porta cedesse. Ma alla fine si spalancò esplodendo contro la parete di fianco, con un rinculo che gli arrivò addosso colpendolo alla spalla. Ora il rumore era più preciso e netto: il dondolio di un'altalena sull'albero, di quelle costituite da un grosso pneumatico e una corda.

Mimmíu scalciò per un altro secondo prima che Domenico senza pensare gli si lanciasse addosso. Lo tenne stretto per le ginocchia, e lo sollevò per allentare la tensione del nodo. Sentí i piedi del padre scattare ancora, e ancora, contro il suo petto. Sentí l'umidità acida dell'urina e la cremosità puzzolente della merda che gli avevano imbrattato i calzoni. Non se ne preoccupò, si disse che tenendolo cosí, più alto della corda tesa, avrebbe ripreso a respirare e si sarebbe sciolto e lui l'avrebbe potuto posare a terra e si sarebbero spiegati. Ma Mimmíu non pareva rispondere a nessuna di queste aspettative. Aveva smesso di scalciare. Quando decise di abbandonare la presa era volata via una mezz'ora.

I primi soccorsi lo trovarono spossato, con le braccia e le spalle doloranti, ma senza una lacrima.

Quel cadavere non era cosa da vedersi, gonfio e sfigurato.

A Maddalena impedirono di entrare nella camera ardente fino a che quella massa informe non fu sigillata, a piombo, dentro la bara. Ma lei non aveva fatto assolutamente niente per vederlo prima. Sapeva che quella morte era diretta anche a lei, e a chiunque cercasse di capire cosa provasse rispondeva solo: – Facciamo silenzio.

Domenico la proteggeva in tutto: – Lasciatela in pace, – intimava.

Fecero silenzio per giorni e acconsentirono persino che Mimmíu fosse inumato nella grande tomba Chironi che era l'appartamento dove riposavano morti e non morti di quella stirpe, e dove avrebbe dovuto stare al fianco di Marianna.

Nella sua dimora infinita Mimmíu sarebbe stato, da morto, quello che non era riuscito a essere in vita.

Seguirono tempi confusi.

Passato il periodo del rispetto, i creditori di Mimmíu si presentarono a Domenico. I debitori si occultarono, sperando che alla sua morte il vecchio non avesse lasciato scritti che li riguardavano. Ma lui gli scritti li aveva lasciati, e molto circostanziati. Cosí Domenico scoprí che il padre, per anni, aveva prestato a usura. Aveva preteso terreni preziosi per prestiti inevasi, aveva sfruttato la sua posizione di tutore del patrimonio Chironi per ottenere fidi bancari. Scoprí come avevano ottenuto il terreno a Cala Girgolu, e che i lavori di costruzione di un villaggio turistico in località San Teodoro avevano subito dei ritardi, i quali avevano impedito la restituzione nei tempi previsti dei cospicui anticipi delle banche. Questo prevedeva nuove stipule con soggetti che potessero offrire garanzie. Il patrimonio Chironi era una garanzia sufficiente. Domenico dovette esporsi per sanare le faccende in sospeso. Dovette ricontattare personalmente tutti quei funzionari locali che con Mimmíu avevano prosperato.

Maddalena capiva bene fino a che punto questa forma di successione fosse al momento necessaria, ma si disse che sarebbe intervenuta non appena il patrimonio del nascituro fosse stato in pericolo. Dal suo punto di vista quanto sarebbe spettato a Cristian doveva spettare, in tutto, a suo figlio, o figlia che fosse.

Cosí, quando le sembrò arrivato il momento, decise di affrontare col marito, innanzitutto, la faccenda dei nomi: Luigi Ippolito o Mercede.

Domenico, manco a dirlo, la prese male. A lui che Maddalena avesse già deciso per conto suo era una cosa che non andava giú proprio per nulla. Non avevano mai avuto discussioni serie da quando erano sposati se si esclude la questione della casa da cui Maddalena voleva andare via al piú presto.

– Una cosa per volta, Dio santo! – la implorò lui, pensando che quando una casa crolla lo fa sí con una preparazione lunga, ma con un collasso improvviso. Il che parrebbe una contraddizione ma non lo è, perché il crollo di una casa dipende solo dalla distrazione di chi la abita, dalla sua incapacità di percepirne i segni.

Domenico che il padre stesse per cedere l'aveva capito, ma aveva fatto finta di nulla. E ora si sentiva come quel Percy dell'*Enrico IV* recitato a scuola da bambino, che si crede chissà chi e invece viene battuto da quel debosciato del principe di Galles. Fidarsi delle apparenze, e delle parole, spesso significa lasciare che una casa crolli.

Maddalena aspettò che proseguisse e invece lo vide perso nei suoi pensieri, quasi il dolore acuto si fosse irradiato in tutto il suo essere lasciandolo tramortito. – Non voglio pressarti, – si addolcí, – ma vorrei che tu capissi quanto è importante. Come lo vogliamo far nascere questo figlio?

A Domenico parve che Maddalena parlasse da un mondo parallelo. – Lo sai a cosa pensavo mentre raggiungevo casa di babbo? – chiese. Lei fece segno di no. – Pensavo di convincerlo a guardarci la partita insieme: ArgentinaOlanda, t'immagini? E non ho smesso di pensare a questa cosa nemmeno dopo... Si può essere piú stupidi?

– Non c'è niente di stupido, – affermò Maddalena facendogli un cenno con la mano, come a dire che non pensasse nemmeno per un istante a cose simili.

– Mi dicevo che sarebbe andato tutto bene, sai? E ora invece temo tutto... – Si sforzava di non piangere, stringendosi la base del naso tra indice e pollice.

– Tutto cosa? – domandò Maddalena senz'ansia, piuttosto con calore.

– Tutto, – ripeté Domenico. – Questa casa e tu che non l'hai mai voluta... E come darti torto? E poi questa creatura che sta per nascere... Mi fa paura, – ancora trattenne il pianto, – mi fa paura che tu possa andartene da me.

Maddalena avanzò verso di lui per abbracciarlo. Adesso era lei a trattenere le lacrime. – Ce la caveremo, – disse. – Ora è terribile, ma ce la caveremo. Dobbiamo solo fare tutto quanto va fatto, Domé.

Lui affondò la faccia tra i seni di lei. – Sí, sí, – confermò. Come se improvvisamente dall'alto di una nave gli fosse piovuto un salvagente mentre annegava in mare aperto. – Cosa penserà la gente se chiameremo nostro figlio come un Chironi? – chiese poi.

Maddalena ci mise un poco a rispondere. – Non certo che volevamo salvargli la vita... – si era innestato un che di determinatissimo nella sua voce. – Che volevamo onorare gli amici cari. Questo.

Restarono in silenzio.

Giugno si svegliava in una serata brunita, fragrante, cotta a forno caldo.

Un mese dopo, al 5 di luglio, fatti i lavori necessari Domenico e Maddalena si trasferirono nella casa di via Deffenu.

Lei era entrata nel sesto mese e aveva smesso di fare sogni, o perlomeno: aveva smesso di ricordarli. La sistemazione degli affari correnti aveva completamente assorbito Domenico, che dimostrava un'assennatezza inaspettata. A differenza del padre appariva meno temerario nella gestione degli affari, e questa attitudine da qualcuno veniva scambiata per debolezza. Erano periodi voraci. I tempi del presente infinito, senza passato, senza futuro.

Non si poteva dire che Domenico Guiso avesse l'istinto del padre, né che avesse la sua libertà di movimento. Tuttavia quando i proprietari tentarono di rinegoziare la cessione del terreno a Cala Girgolu, Domenico si dimostrò irremovibile. Gli altri credevano che, morto Mimmíu, la faccenda si sarebbe potuta concludere con un accordo piú blando, ma il giovane non fu dell'avviso. Quel terreno, disse, lo voleva per suo figlio, come suo padre l'aveva voluto per lui.

Per molte notti, nonostante gli sforzi del figlio per tratte-nerlo in vita, Mimmíu, una volta tirato giú dal cappio a cui era appeso, cadeva a terra. Era morto.

Da qualche tempo erano cambiate le circostanze, sicché Do-menico poteva vederlo mentre preparava la corda, la insapona-va come aveva visto fare nei film, e poi controllava che la se-dia fosse nella giusta posizione. Quindi si passava al momento in cui, con le spalle indolenzite e i vestiti imbrattati di piscio e merda, cedeva la presa, e il corpo veniva risucchiato dalla for-za di gravità con una potenza tale che si sentivano schioccare le vertebre del collo. In alcuni casi era stata la corda a spezzar-si, senza nessuna resistenza, facendolo precipitare verso il pa-vimento con un tonfo. Domenico non era nemmeno certo di esserci. Si trattava di scenari distanti, come una messa a cui si assiste dagli ultimi banchi.

Ma quella volta Mimmíu non morí. Facendo leva con le mani sulle spalle del figlio ritornò a respirare, poi si liberò dal cappio e, visibilmente provato, succhiò quanta piú aria poté.

All'inizio non parlò, né Domenico gli chiese niente. Poi, all'improvviso, guardò il figlio negli occhi con una strana diffi-denza, come se nemmeno riconoscesse il suo ragazzo. Che un ragazzo non era piú ormai, ma un uomo in tutto e per tutto.

«Dov'è il documento?», chiese.

«Qui, l'ho qui con me… Babbo non avrei mai pensato di ri-udire la vostra voce», si affrettò a rispondere Domenico.

«Hai tanta voglia di sostituirmi, eh? Sciocco ragazzo! Non devi aspettare troppo a lungo, te ne accorgerai! – Minacciò il vecchio strappandogli la delega di mano. – Arriverà presto il tempo che questa non sarà altro che carta straccia. Tutto quel patrimonio che credi stabile è sorretto da un'impalcatura cosí debole che basterà una raffica di vento a farla cadere. Ti sei affrettato a darmi per morto. Tutta la tua vita è stata una dimostrazione del fatto che non mi hai amato mai!»

A Domenico quella notte calarono copiose le lacrime dagli occhi. «Ecco, – disse con affanno, – ecco il vostro documento, babbo, godetevelo, con salute, per cento e piú anni... Se l'ho preso era solo perché non finisse in mani estranee. Poco fa, quando sono entrato qui, vi ho creduto morto e Dio mi fulmini se non è cosí. Allora ho pensato di mettere in salvo la vostra integrità, senza dare la vittoria a chi vi voleva rovinare».

A quelle parole Mimmíu parve addolcirsi. Ora indossava un abito di velluto nero e una camicia candida, come nel giorno del fidanzamento sfarzoso, e poi del matrimonio sbrigativo, fra Domenico e Maddalena. Sorrideva con un calore inusuale.

«Hai risposto giustamente, figlio mio. Siediti qui vicino a me». Poi aggiunse: «Ascoltami bene». Aspettò che Domenico eseguisse. Quindi riprese: «È l'ultimo consiglio che posso darti. Dio solo sa che cosa ho dovuto fare per ottenere tutto quello che abbiamo. E so quante notti ho perso per questo pensiero. Io non voglio che lo stesso accada a te. Ciò che ho fatto è sempre parso a tutti come un regalo di qualcun altro. E non sai quanti mi rinfacciano questa cosa, con lo sguardo e col saluto falso. Ma quando sarò morto, perché io devo morire, tutto quello che in me era gratuito a te sarà dovuto. Solo se tu saprai farti amici quelli che ancora mi sono amici. E se sarai abbastanza scaltro da non inimicarti i miei nemici». Quindi cominciò a tossire. «Non ho piú fiato. Sii migliore di me».

All'improvviso, per uno scherzo della prospettiva, quasi un'iperbole ottica, Domenico poté vedersi mentre l'intera scena, in un vortice, ritornava allo stadio primario. Ed eccolo mentre si sforzava di trattenere il padre reggendolo per le gambe e tutto il resto. Adesso però la differenza era che, poco distante, Maddalena assisteva senza muoversi. E piangeva. E lo chiamava: – Domenico, Domé!

Domenico, sentendosi sfiorare, scattò di soprassalto, Maddalena era in piedi, china su di lui, dalla sua parte del letto. – Le acque, – disse, senza apparire troppo ansiosa. – Direi che ci siamo.

Cavallo in F6

Núoro, ottobre 1979.

Alle 4,50 del 12 ottobre 1979, quattrocentottantasette anni
dopo la scoperta dell'America, nacque, all'Ospedale San Francesco di Núoro, Luigi Ippolito Giuseppe Guiso. Un parto lungo
e laborioso, travagliato appunto. Tanto che, dopo dodici ore di
tentativi, si era quasi arrivati alla conclusione che era necessario un taglio cesareo. Appena pronti, Maddalena era già stata
preparata, le contrazioni si fecero piú forti e la testa fuoriuscí
con uno strappo che quasi la fece svenire. Tuttavia, governata
da una sorta di volontà superiore, invasa da un dolore che aveva raggiunto uno zenit inimmaginabile, la donna spinse, e lo fece con una punta malcelata d'odio, per liberarsi di quel corpo
estraneo tanto feroce. Il neonato aprí gli occhi un secondo dopo
essere venuto al mondo, serrò la boccuccia ancora unta di liquido amniotico, muco e sangue, poi emise un lamento breve, come
una lagna infastidita. Fu tutto. Era nato. Cominciava a morire.
    Domenico riempí di fiori la stanza d'ospedale; per Maddale-
na aveva voluto, e pagato, una singola: cose da ricchi. Le infermiere lo guardavano come si guarda il piú fulgido dei cavalieri
e Maddalena come se fosse la piú fortunata delle damigelle. Ma
quella stessa ammirazione si trasformava in vago fastidio tutte
le volte che pensavano, e lo pensavano spesso, che quei due, a
Núoro, erano coloro che avevano ricevuto, dalla sorte, un patrimonio consistente, pur non avendo fatto assolutamente nulla
per conquistarselo. Due nati con la camicia, sussurravano, lui
figlio di un padre che aveva accumulato senza spendere, e lei,

figlia di un nessuno qualunque, che aveva incontrato, e l'aveva data, ai maschi giusti.

Nella casa di Via Deffenu, Luigi Ippolito Giuseppe, ebbe la camera che era stata della piccola Dina, la figlia, morta prematuramente, di Marianna, e poi di Cristian. Come a dire che adesso i Guiso mimavano i Chironi. Alla gente del quartiere questo parve un contrappasso e tutti si segnavano benedicendo il cielo che Marianna se n'era andata senza vedere questa farsa.

Ma erano proprio tempi di farse. Le generazioni avevano smesso di susseguirsi naturalmente per eliminarsi a vicenda. Tra padri e figli si erano creati tali baratri che si sarebbero detti distanti secoli e non una generazione. Del macello della nazione come sempre, quel fazzoletto di mondo, recepiva gli avanzi. Dall'epoca gravida della delinquenza eroica si passò, senza soluzione di continuità, a quella della delinquenza palesemente comune, fino all'obbrobrio della maschera politica. Dove tutte queste tendenze convergevano in una sola, ambigua, multicefala, ingannevole. E dove le generazioni potevano esprimere se stesse in ogni difformità, chiamandola libertà. Fu come dire che si potevano mangiare parole e concetti come fossero cibo spazzatura, giusto per nutrire l'istinto, il ventre e non certo la ragione, il cervello. Fu come generare vasi vuoti, nell'incapacità di elaborare contenuti per quei contenitori. Maddalena e Domenico non sapevano affatto, non immaginavano proprio, quanto terribile, quanto complicato, sarebbe stato essere genitori in quella stagione terribile. Perché finché si vivono le stagioni paiono tutte possibili e l'ignoranza di tempi migliori, o peggiori, diventa l'unica, possibile consolazione. Perché la memoria è costosissima. Prevede competenze o, se si nasce particolarmente sfortunati, solo sensibilità. Se l'avessero saputo, Maddalena e Domenico, avrebbero pregato perché quel bambino nascesse in un altro mondo, in un'altra stagione, oppure, come aveva sperato Marianna, che non nascesse affatto.

Luigi Ippolito Giuseppe Chironi, dunque nacque in bocca agli anni Ottanta che era come offrire carne viva, sanguinolenta, pulsante, a una divinità cannibale.

Gli affari di Domenico stazionavano in un chi vive che non prometteva niente di buono. Due cantieri in costa erano fermi; al terzo, il piú importante, mancava l'impegno definitivo dell'amministrazione locale a concedere i permessi per l'urbanistica e quindi le villette, in parte già vendute, non avevano ancora l'abitabilità. A Núoro i lavori per il centro polivalente, che sostituiva l'edificio storico delle carceri, andavano a rilento. E l'appalto per gli infissi e i serramenti dell'ospedale nuovo, nonostante le assicurazioni, e i contatti, di Mimmíu, era andato a una ditta continentale.

Se tutto ciò dovesse essere letto alla luce della sua paternità recentissima Domenico non sapeva, o non voleva dirselo, perché, in quel caso, avrebbe significato che questo neonato stava portando piú sfortuna che altro. La verità era che la scomparsa di Mimmíu aveva fatto saltare una serie d'istanze che quest'ultimo era stato bravissimo a mantenere in equilibrio. A Domenico toccava subire i contraccolpi, spesso violenti, di quell'assenza improvvisa.

Ma per Maddalena tutto ciò non era nient'altro che un ulteriore incentivo sulla strada di ricercare una propria autonomia. Per lei questo bambino era l'incarnazione di un mondo nuovo. Lei nel gesto di Mimmíu ci vedeva una sorta di ricatto e si aspettava da Domenico che, passata la fase di sconcerto, finalmente dimostrasse di che pasta era fatto.

Luigi Ippolito Giuseppe si dimostrò da subito un neonato difficile. Piangeva spesso, dormiva pochissimo, e non c'era verso di farlo attaccare al seno di Maddalena. Ogni volta che gli si offriva il capezzolo serrava la bocca con una precisa volontà di rifiuto. «Ecco, non mi ama, sa tutto», pensava Maddalena. Pigro, dicevano le donne del quartiere, quelle che di figli ne avevano allevato in media cinque. Pigro come sono i maschi primogeniti, che credono di essere gli unici ad avere diritto di stare al mondo. Madre e figlio si guardavano in modo strano come se tra loro ci fosse, piú che amore, una sorta di patto di non belligeranza, patto che il neonato sempre infrangeva. Maddalena continuò per mesi a tentare di attaccarsi il figlio al seno senza risultati apprezzabili, gran parte dei pasti vennero somministrati artificialmente e con latte in polvere.

Poi una notte accadde qualcosa di inaspettato. Luigi Ippolito dormiva a fianco alla madre nel letto matrimoniale. Domenico si era, temporaneamente, esiliato nella camera degli ospiti. Il che non gli dispiaceva affatto perché in quel modo poteva garantirsi qualche ora di sonno senza interruzioni. Stava sognando una casa nella neve e un cane bianco: tutte situazioni totalmente estranee e pure familiari – come accade nei sogni. Dentro la casa si preparava cibo in abbondanza e si impiattavano stufati di crauti e maiale con cetrioli sotto aceto e zuppa di barbabietole con panna acida. Tutti alimenti che Domenico non aveva mai mangiato, ma che pure, nello spazio limitato di quel sogno, gli parvero familiarissimi. Poteva sentire l'odore pungente del formaggio al cumino, portato a tavola, da chi? Ora era in piedi in quella cucina estranea e familiare insieme, poteva osservarne l'assetto, ma con la curiosità di qualcuno che scopre qualcosa d'inedito in ciò che ha tutti i giorni sotto gli occhi. «Che sogno incredibile», si disse mentre sognava. Poi tendeva l'orecchio per ascoltare meglio i rumori che venivano dall'esterno. Il cane correva pestando la neve fresca e croccante. Poi uggiolava, poi, straordinariamente, si lagnava proprio come avrebbe fatto un bambino. Ora dentro alla cucina qualcuno aveva consumato la cena apparecchiata sul tavolo senza che lui se ne accorgesse. Ma chi? Domenico si sognò mentre, ancora una volta, considerava fino a che punto può sembrar vero l'incredibile. Perché un fatto era chiaro: qualcuno aveva ripulito i piatti che un attimo prima erano ricolmi di cibo. E lui, pur non avendo perso di vista la tavola per un istante, non se n'era accorto.

Si rese conto che stava sudando.

Il passaggio verso la realtà fu piú lento del solito, perché pur capendo che era assolutamente sveglio, ora Domenico, non vedeva intorno a sé la camera in cui era andato a dormire, ma ancora quella cucina semplice, ancora quel tavolo. E ancora udiva piccoli lamenti dalla camera da letto dove dormivano Maddalena e Luigi Ippolito. Lamenti e mugolii come d'amanti che cercassero di non farsi sentire mentre facevano sesso.

Domenico ebbe l'impulso di alzarsi e sorprendere i clandestini nel pieno del loro amplesso. Fu quell'impulso a svegliarlo completamente e metterlo in piedi. Nonostante gli sembrasse di essersi coricato molte ore prima, non ne erano passate che due. Tentoni, senza accendere alcuna luce, Domenico raggiunse la camera da letto. Ora quei suoni si fecero piú chiari.

– Guarda, – sussurrò Maddalena, invitando il marito a raggiungerla. Aveva un seno di fuori e Luigi Ippolito, addormentato, poppava con soddisfazione.

Restò in piedi a osservarli finché, abituandosi alla penombra non poté notare che il neonato lo guardava senza abbandonare il capezzolo di Maddalena.

E allora fu definitivamente certo di aver accolto un nemico in casa.

Si chiese se tutti i padri vivessero una trasformazione cosí repentina di quel sentimento di esaltazione che li prende quando credono che il parto sia l'inizio di ogni cosa. Perché lui e, pensava, anche tutti gli altri, aveva capito quasi immediatamente che quell'esaltazione era totalmente ingiustificata. Che quel parto era la fine di ogni cosa. Ma Maddalena sembrava davvero soddisfatta, ora. Nella casa che aveva sempre voluto, con quel bambino dal nome incongruo, pareva aver ritrovato una serenità completa. Aveva preso qualche chilo durante la gravidanza e, nonostante la lunghezza di un travaglio che l'aveva sfinita per piú di dieci giorni successivi al parto, ora aveva un aspetto florido e pacifico. Domenico si sedette sul letto. Il neonato smise di poppare e riprese a miagolare come faceva per gran parte del tempo in cui vegliava.

– Ecco, – disse lei, – l'hai fatto staccare –. Ma non aveva un tono di rimprovero e questo fece sentire Domenico ancora piú in colpa.

– Mi spiace, – disse lui, scattando in piedi.

A Maddalena scappò da ridere. – Che fai? – chiese.

– Questo è il tuo letto.

Domenico fece cenno di sí. Poi scosse la testa come a darsi del cretino. – Ho paura a dormire qui con voi perché lo sai che io mi muovo nel sonno e non vorrei mai schiacciare il bambino.

A Maddalena questa ragionevolezza suscitò un affetto feroce, come se Domenico avesse deciso di giocare la partita di farsi pari con quel figlio. – Lo sapevo che alla fine dovevo occuparmi di due bambini, – sussurrò. – Vieni qui che non lo schiacci, è la natura che non te lo fa fare, – affermò. E batté con un palmo della mano la parte libera del letto.

Domenico obbedí, seppure con scetticismo voleva credere alla fiducia che Maddalena aveva appena espresso nei confronti della natura. Dal suo punto di vista quest'ultima non era nient'altro che istinto e lui sapeva quanto male poteva portare. Ma Maddalena che era donna, e era madre, affermava l'opposto e cioè che esiste un sentimento prima di ogni ragionevolezza, come una sentinella che abbiamo nel petto, e non ci fa andare oltre.

Obbedí, dunque, ma, per cautela, si coricò sul bordo estremo del materasso, sobbalzando ogni volta che quella creaturina si muoveva tra loro. Maddalena allungò un braccio per raggiungergli la spalla. – Dormi tranquillo, – disse.

Ma non era chiaro a chi parlasse.

Trascorsero sei mesi prima che tornassero a dormire da soli nello stesso letto. E, in qualche modo, fu come ricominciare da capo. Nell'intimità s'intende, tanto che Maddalena, dopo un paio di tentativi a vuoto in cui aveva percepito la tensione e l'imbarazzo di Domenico nel toccarla, si mise a sedere sistemandosi il cuscino dietro ai lombi. Lo guardò come sapeva fare lei quando voleva dire: «Se inizi a fare una cosa portala a termine!»

Lui, dal canto suo, si sentiva come se il passato si fosse dissolto, e questo presente si manifestasse con sistemi del tutto nuovi e sconosciuti. Aveva aspettato con pazienza quel momento, e ora gli pareva che lei non apprezzasse abbastanza la sua dedizione. Ecco una caratteristica, la dedizione, che nessuno sembrava apprezzare abbastanza di lui.

Neanche Cristian aveva mostrato di considerarla granché,

nonostante piú di chiunque al mondo avesse dimostrato di necessitarne. Perché l'amore di Domenico aveva sempre l'aspetto ordinato, ma dimesso, di un maggiordomo che attende ordini dietro alla porta chiusa. Di quelli che qualche volta si appisolano, e che lo fanno, per avventura, proprio nel momento in cui c'è piú bisogno di loro. Perciò nella contabilità generale della loro infinita disponibilità, finiscono per contare solamente le rare défaillance.

Sarebbe a dire che di Domenico ci si ricordava sempre delle poche volte in cui non c'era, mai delle infinite volte in cui, in silenzio, era presente.

E cosí adesso, che veniva ripreso, anche senza cattiveria, per non essere stato abbastanza disinvolto nell'esprimere il suo desiderio.

– Sono andato oltre, – le comunicò con una chiarezza estrema, rinfilandosi la maglia.

Lei si abbottonò la camicetta senza dire piú nulla. Quello che pensava era che, con tutta evidenza, lui non la desiderava abbastanza. I maschi complessi come Domenico, pensava, sono sempre sul crinale, sempre inattendibili.

– Ho aspettato a lungo questo momento, – completò lui.

– Parevi tranquillo, – rispose lei, quasi avesse deciso di esprimere un frammento di quanto elaborato fino ad allora. Era irritata per sentirsi cosí irritata. Tutte le donne al mondo avrebbero dato chissà cosa per avere al loro fianco un uomo sensibile come Domenico. Ma, allo stesso tempo, per un movimento ancestrale difficile da controllare, quelle stesse donne avrebbero desiderato poter sottostare a momenti di selvaggia, belluina ferocia, in cui l'unica cosa stabilita era la distanza tra il proprio, complesso, desiderio e quello elementare, basico, del proprio uomo. A Cristian questa sfumatura non sarebbe sfuggita, pensò Maddalena.

Domenico si mise in piedi per allacciarsi i pantaloni. L'unico imperativo era uscire da quella stanza, sottrarsi alla delusione di lei. Ma lei, purtroppo, non era nemmeno delusa.

– Non aspettavo altro, – tentò lui senza nemmeno voltarsi a guardarla.

– Sí, – fece lei, – l'hai già detto prima.

Domenico accennò di sí a sua volta. Per un attimo gli sembrò di essere tornato ragazzo.

Ora, fuori dalla casa, si sentí rinfrancato. Tirava un vento tranquillo e costante che trasportava nel gorgo dei vicoli il sapore della primavera incipiente. E un sole modesto, che donava una luce porosa. Cinguettii diffusi tra gli alberi sancivano la retorica di ogni spensieratezza. Cosí, convinto da quella coreografia classica e da quella classica sinfonia, decise che non avrebbe preso la macchina, ma sarebbe andato a piedi. E mentre si avviava, abbracciato da un sentore di fresie e violacciocche, si sentí colmo di un entusiasmo impetuoso. Come quando poteva dirsi un essere fortunato, qualcuno in grado di percepire in che misura esistesse la felicità una volta riusciti a stanarla. Perciò si rallegrava di sé, nonostante quello che andava a fare. O, forse, proprio per quello.

L'estate del '72: aveva quattordici anni quando tutti impazzirono per gli scacchi, e Fischer si fece aspettare fino all'ultimo minuto da Spasskij. Cristian era insieme a lui, davanti allo schermo televisivo. Da subito si erano divisi le parti, perché il russo, cosí formale, cosí silenzioso, era davvero in tutto simile a lui. Mentre l'americano, sempre inquieto, sempre sospettoso, era in tutto quel Chironi.

Dunque per un tempo lunghissimo Domenico era rimasto a Reykjavík, ad aspettare che arrivasse Cristian. Poi a un cenno dei giudici internazionali Domenico aveva dato il via alle danze: pedone bianco in B4. Una mossa tranquilla, prudente, prevedibile. Tipica di lui. Ma era stata la prima mossa, e gli aveva dato il diritto di azionare il timer per l'avversario.

Come avrebbe fatto Cristian, Bobby Fischer era arrivato quasi al limite del tempo prima di muovere: cavallo in F6. Quell'apertura aveva fatto sussultare i presenti. Cavallo in F6: pareva la fine del mondo. Tutti l'avevano atteso per ore, mentre l'altro nella sua puntualità, nella sua mancanza di enfasi, aveva cominciato a risultare invisibile.

Fischer si era distratto, aveva giocato al di sotto delle sue possibilità. Mentre l'altro rimaneva concentrato, ordinato, perfettamente calmo. Non sbagliavano una mossa, eppure tutti aspettavano che muovesse solo per vedere come avrebbe risposto il suo avversario. Questo succede da sempre: che l'umanità ha una propensione per gli inaffidabili. E magari succede che le storie, tutte le storie, non sono nient'altro che le storie degli inaffidabili. Quando Fischer era arrivato, si era guardato intorno adducendo problemi di traffico, proprio come Cristian il giorno del fidanzamento. Poi aveva fatto la sua mossa: cavallo in F6. Aveva messo in campo un'azione che sembrasse lieve, aerea, persino distratta, come a dire che non era nemmeno necessario concentrarsi piú di tanto per battere quell'avversario affidabile, calmo, che gli stava davanti. A quella precisa forma d'inaffidabilità, nel luglio del 1972, Domenico aveva aspirato con tutto se stesso. Nonostante avesse solo quattordici anni gli era chiaro che Cristian, dodicenne, sapeva già tutto quello che lui non avrebbe imparato mai. E forse si era detto, o aveva semplicemente sperato, che tutta quella competenza occoreva pagarla. E la morte sarebbe stato un pagamento sufficiente.

A due passi dalla casa in cui era diretto, Domenico capí tutto con una lucidità che, piú in là, non sarebbe piú tornata. Capí per esempio che nella sua rettitudine non c'era niente di virtuoso, perché era il frutto di una tendenza sepolta. Di una mancanza d'estro e di coraggio che gli avevano impedito di fare le mosse astute, quelle funamboliche, quelle sbagliate. Le stesse che avevano reso, e rendevano, Cristian cosí disperatamente vivo, nonostante tutto.

Prima di suonare il campanello si prese qualche secondo per concludere che fino a quel momento aveva trascorso metà del suo tempo a fare solo le cose buone e giuste, e l'altra metà a pentirsene; mentre Cristian aveva passato lo stesso tempo a sbagliare e, il restante, a cesellare i suoi errori.

Suonò.

Nell'appartamento c'era quell'odore che lo disgustava ed eccitava insieme. Come se le finestre fossero rimaste sigillate per anni, impedendo la fuoriuscita del seppur minimo aroma, umano o inumano che fosse. Era fumo di sigaretta attaccato alle pareti, e cibo stantio nel frigorifero, nel secchiaio, nella pattumiera. Era sudore nelle poltrone sformate e fra le lenzuola, persino nelle pieghe degli asciugamani che pure avevano un aspetto che si poteva definire pulito. La padrona di casa non faceva eccezione, anche lei non si poteva definire sporca, ma aveva addosso un sentore di igiene sbrigativa. Esattamente come la sua tana, dava l'impressione di un ordine attaccaticcio, raggiunto in breve tempo, come quando stanno per arrivare ospiti inattesi.

Da un apparecchio portatile i Bee Gees, come gatte in calore, urlavano *Tragedy*. Ce n'era abbastanza per scoraggiarlo, e invece tutto questo disagio palese gli serviva per dare un senso alla sua presenza lí. La donna lo accolse come aveva fatto negli ultimi quattro mesi, atteggiandosi a una che lo vedesse per la prima volta e fosse sorpresa che un maschio tanto a modo, e tanto giovane, si fosse rivolto proprio a lei.

Domenico posò una banconota da cinquantamila lire sul piano del tavolo che stava al centro di un monolocale piuttosto ampio, poi vi aggiunse un'ulteriore banconota da diecimila, esponendola perché lei la notasse bene. E lei non mancò certo di notarla, infatti reagí con un sorriso astuto: né tenero, né riconoscente. Aveva capito poche cose fondamentali di quell'uomo che negli ultimi mesi era andato periodicamente a trovarla. Una di queste era che non doveva assolutamente dargli segnali d'intimità: a lui piaceva che ogni volta si riiniziasse da capo con lo stesso identico imbarazzo della prima volta, quando, mentre lei gli slacciava i pantaloni, lui l'aveva bloccata afferrandola per i polsi, come a dire che avrebbe fatto da solo, e infatti si era sfilato la cintura e l'aveva posata come una pelle di biscia alla spalliera di una sedia. Poi, senza nemmeno guardarla, si era spogliato con calma, fino a quando, completamente nudo, non aveva ripreso la cintura per offrirgliela. Lei aveva fatto segno di volersi spogliare a sua volta, ma lui a sua volta le aveva fatto segno di no. La cosa importante era afferrare la cintura e usarla contro di lui che restando in piedi – le gambe leggermente divaricate, i pugni stretti, un accenno di erezione – aspettava i colpi. Era stata la prima cinghiata a chiarire tutto. Un dolore molto diverso da quello che aveva immaginato, piú avvolgente, come la glorificazione stessa del castigo. Al terzo colpo lei ormai aveva acquistato sicurezza, Domenico lo sentiva con una precisione assoluta: una striatura urticante e spessa che correva dalla base del collo al fianco sinistro.

– Ancora! – aveva ordinato con una voce sensibilmente alterata.

E lei aveva capito, senza ombra di dubbio, che, quando lui diceva «ancora» intendeva «ancora lí, proprio in quel punto». Cosí aveva atteso che Domenico stringesse i pugni, replicando poi il colpo precedente. La pelle, questa volta, aveva ceduto espellendo sangue e siero.

La donna aveva abbandonato il braccio, lasciando che la lingua scura della cintura lambisse il pavimento. Respirava profondamente.

Domenico aveva stretto le mascelle a tal punto che temeva i denti stessero per frantumarsi. «Ancora!», aveva scandito.

La donna aveva compiuto un giro intorno al palmo alla cinghia, poi aveva colpito. Seccamente, con potenza, tra le reni e i glutei.

Domenico aveva tentato di trattenere le lacrime, fino a quando si era voltato per farle un cenno con la mano. La donna a quel punto aveva compreso che la sessione era finita.

Da allora quel rito si era ripetuto almeno un giorno alla settimana, per quattro mesi. Lo schema precisissimo di quel castigo prendeva sostanza dal fatto stesso di replicarsi identico a se stesso.

Ma quella volta Domenico sentí la necessità di disobbedire a se stesso, e si convinse che ciò dipendesse dal fatto che aveva deciso di incamminarsi a piedi e non in macchina come al solito, e dal fatto che aveva sottovalutato il peso dei ricordi.

Eh, quell'estate del 1972, davanti alla tivú con Cristian che giocava a essere Bobby Fischer, mentre a lui non restava che la

parte modesta dell'imperturbabile Boris Spasskij... Tutti che
aspettavano il genio, in ritardo, mentre il gran lavoratore aveva fatto la sua mossa, e avviato il timer. Fin quando, quasi allo
scadere, quell'altro era arrivato e aveva afferrato il cavallo, come se volesse marcare una distanza, anche coreografica, fra la
mossa, modesta, del russo e la sua. Pedone, bianco, in B4 contro
cavallo, nero, in F6. E poi nel corso della partita, esattamente
alla ventinovesima mossa, Fischer aveva sbagliato tutto, il suo
alfiere era stato neutralizzato: da quel momento la partita era
persa. Il resto era stato arrancare inutilmente.

Ma nessuno si ricorda di quella prima vittoria di Spasskij,
tutti ricordano la sconfitta di Fischer. E Domenico poteva capirlo per altri versi. Perciò, arrivato dalla donna, quel giorno
posò sul tavolo la sua banconota e vi aggiunse le diecimila lire
e cominciò a spogliarsi. E quando lei afferrò la cinghia, Domenico si voltò per guardarla negli occhi.

– Cavallo in F6, – le disse.

Non sapendo cosa rispondere lei cominciò a guardarlo con sospetto. Poi s'inventò quella specie di sorriso che sfoderava tutte
le volte che era in difficoltà: – Sei stato davvero molto cattivo,
– gli disse. – Ma ci sono qua io –. Quindi sollevò il braccio per
somministrare la prima cinghiata.

Domenico di nuovo la guardò negli occhi. – Cavallo in F6,
– ripeté. – Non il solito pedone. Colpisci con la fibbia, – chiarí.
E strinse i pugni.

La morte, il piú atroce dunque di tutti i mali, non esiste per noi. Quando noi viviamo la morte non c'è, quando c'è lei non ci siamo noi.

Cosí, con un appunto scritto a matita su una cartella arancione, iniziava la storia della stirpe Chironi. Era tutto il patrimonio che Marianna aveva lasciato a Maddalena Pes: un centinaio di fogli stilati a mano, con una scrittura aguzza, ma chiarissima. Quella che solo qualche anno prima si sarebbe chiamata «calligrafia» e basta, senza quel tautologico «bella» che i tempi grami le avevano accostato. Già nella parola stessa è contenuto il termine «bella», e allora dire «bella calligrafia» corrisponde a dire «bella bella scrittura». Cosí avrebbe detto l'antico, e solerte, maestro Olla, che pur insegnando alle elementari, sapeva di latino e greco. Dunque di etimologia, cioè del significato delle parole.

Comunque quella scrittura era un minuscolo esercizio gotico, regolare e talmente armonioso, che si stentava a percepire i punti dove la mano dello scrittore si era fermata per infilare la punta del pennino dentro il collo del calamaio. Era la scrittura dei Chironi antichi che, senza saperne esattamente il motivo, avevano chiara la coscienza di sé. Della loro necessità di avere un passato, per essere certi di avere un futuro. Perché quella scrittura la emozionasse fino alle lacrime Maddalena non sapeva dirlo. Ma questo deve fare la scrittura: metterci di fronte al punto di non ritorno, all'abisso di noi stessi.

Maddalena non era sola in casa, perché sua madre Nevina aveva preso l'abitudine di passare da lei tutti i giorni per aiu-

tarla col neonato. Perciò poteva permettersi di stare appartata
a riflettere. Ancora non aveva letto una parola e già capiva il
senso ultimo del lascito che Marianna le aveva fatto. Era piú
che un patrimonio. Era una posizione, una coordinata in quel
mondo senza posizioni e senza coordinate. Era un invito alla
resistenza. Un incitamento alla crescita: le ricordava che aveva
solo vent'anni, e un marito, e un amore scomparso, e un figlio.

Le prime righe del grosso manoscritto, che appariva piuttosto antico, erano state aggiunte evidentemente tempo dopo,
in un foglio volante. Maddalena riconobbe la citazione da Epicuro sull'inutilità di temere la morte, e la scrittura di Cristian.
Accarezzò quelle poche righe con i polpastrelli, gustandosi la
sensazione che contenessero un frammento di chi aveva guidato la penna, anche solo l'impeto che c'era voluto per imprimere la giusta pressione. Cristian scriveva bene, tendeva a calcare: questo sí.

Ora riusciva a pensare solo che anche Cristian aveva letto
quelle pagine. Poteva figurarselo chino sulla piccola scrivania
della sua camera nella casa Chironi a San Pietro, cui si accedeva
solo a patto di attraversare il giardino di Marianna. Lo vedeva
mentre studiava la genealogia che il nonno Luigi Ippolito, morto eroe di guerra, si era premurato di costruire, cosicché fosse
chiaro che non si nasce senza un passato se qualcuno è in grado di immaginarlo.

Comunque sia il tutto partiva da un antenato spagnolo, un
tale De Quiròn, mandato dalla Castiglia alla Sardegna per punizione, come un poliziotto o un carabiniere qualunque. Nel tempo quel De Quiròn si ammala del posto a tal punto che capisce
che lui in Spagna non potrà e non vorrà piú tornarci. Quindi si
spinge temerariamente verso l'interno, dove abitano gli indo-
miti delle montagne, i pelliti sanguinari, al seguito del vescovo
di Galtellí che sta cercando un luogo salubre verso cui trasferire la diocesi per sfuggire all'aria malsana e alle continue pesti-
lenze della costa. Cosí giunge a Nur, un agglomerato in cima
a un altopiano incantevole circondato da boschi e irrorato da
ruscelli limpidissimi. Un piccolo Eden su cui la corte ecclesia-

stica s'insedia senza indugio. Lí il nostro De Quiròn, che ha già trasformato il suo cognome nel piú locale Kirone, trova la donna della sua vita. Si è fatto crescere la barba e ha dismesso la gorgiera, e con essa probabilmente tutta la sua esistenza precedente. Si è vestito con l'orbace degli autoctoni, ha messo al mondo un figlio che ha dedicato all'arcangelo Michele...

Maddalena era talmente assorta nella lettura del manoscritto che non si accorse della madre alle sue spalle. – Ma Domenico non torna per pranzo? – chiese Nevina.

– Avrà da fare in qualche cantiere, – rispose in maniera un po' troppo sbrigativa.

– E non avverte? – insistette l'altra, cui la reticenza della figlia non era sfuggita.

Maddalena finalmente alzò la testa dai fogli che aveva sul tavolo. – Se riesce avvisa, – seccò.

– Ma è successo qualcosa? – chiese improvvidamente la donna.

Maddalena si alzò, e anziché rispondere andò ad accendere la radio sul piano del mobile di fronte. *Turn It On Again* sfociò dall'apparecchio come se non aspettasse altro che di espandersi in quella stanza. Nevina fece una smorfia. La ragazza radunò i fogli e li riposizionò in perfetto ordine all'interno della cartella. Poi afferrò il plico e lo sistemò nello scaffale da cui, precedentemente, l'aveva preso.

Per tutto quel pomeriggio Domenico non si fece vedere. E non tornò a casa nemmeno la notte. Il mattino dopo, verso le sei, finalmente Maddalena sentí la porta d'ingresso che si apriva. Ebbe l'impeto di alzarsi dal letto per andare incontro al marito e affrontarlo, ma non lo fece, restò dov'era, distesa di fianco a guardare le strisce luminose che l'alba andava disegnando sulla lavagna delle persiane.

Domenico, con cautela, entrò in camera da letto, non fece l'atto di spogliarsi, ma solo si sporse per accertarsi che la moglie stesse dormendo.

– Con chi credi di avere a che fare? – chiese lei al nulla che aveva davanti. Una domanda che lacerò fisicamente l'aria ferma di quella stanza.

Domenico strinse le palpebre. – Ho bevuto, – confessò. – Non volevo che mi vedessi in quel modo, sono andato a dormire da babbo.

– Hai bevuto, – replicò lei, come se ripetere rendesse la situazione piú accettabile. – Hai bevuto, – ripeté ancora. Lo disse senza spostarsi: se si fosse rivolta direttamente a lui significava che in qualche modo era disposta a comprenderlo. E invece no.

– Sí, – confermò lui. E basta.

Restarono in silenzio per interi minuti. Ognuno di loro aveva dentro di sé le parole consone per riempire quel vuoto. Ma queste rimbalzavano in testa senza una logica e senza trovare il modo per scaturire.

Domenico aveva preso a spogliarsi. – Ho un appuntamento di lavoro alle nove, – informò.

– Complimenti, – commentò lei. Poi vedendo che lui non rispondeva chiarí: – Ci vai davvero ben messo al tuo appuntamento di lavoro.

– Lo so, lo so, – la interruppe Domenico. Come a dire che si meritava qualunque rimprovero che lei volesse fargli. – Ascolta, – tentò, – non è un periodo facile, per me.

– Per me invece sono tutte rose e fiori...

– ...Non ho detto questo...

– Ah no?

– Volevo dire che non so esattamente cosa mi sta succedendo.

Maddalena si voltò: lo vide in piedi sul suo lato del letto, in maglietta e mutande. Poi notò una striatura livida dove la coscia si attacca al gluteo. – Che ti è successo? – chiese.

– Niente, – si affrettò a dire lui, afferrando la biancheria pulita dal comò e i pantaloni stirati dall'armadio, e avviandosi verso il bagno.

Restata sola in camera Maddalena pensò alla furia con cui le cose avvengono, senza una maledetta sfumatura, senza una minima preparazione. Pensò che si aspettava un progresso nella crisi di Domenico. Lui, spaventosamente, aveva fatto credere a tutti che l'esperienza che aveva appena vissuto col padre fosse acqua fresca. Ma non era cosí.

Quando uscí dal bagno era completamente vestito. Maddalena se ne stava in piedi, la finestra della camera da letto spalancata per cambiare l'aria. Cosí poté osservarlo nella luce piena: pallido e dolorante.

– Ora mi riprendo, – l'anticipò lui, tentando quel sorriso che sapeva intenerire anche le rocce. Ma lo sguardo di Maddalena diceva che c'era poco da intenerirsi. – Ho bisogno di un caffè e poi ritorno a posto, – assicurò.

Si era sbarbato, e tutte le volte che lo faceva a Maddalena veniva in mente la stagione languorosa delle attese, che è come una soluzione affrettata, l'illusione di prospettive. All'improvviso le venne da piangere, ma si trattenne: sarebbe morta soffocata piuttosto che far uscire un singhiozzo dalla sua gola. Cosí senza dire niente si diresse in cucina per fare il caffè.

Dopo la morte di Mimmíu, Domenico aveva iniziato a isolarsi. Piú che trasformato si era evoluto in un essere guardingo.

Con una progressione sempre piú veloce, presero ad aumentare le volte in cui decideva di dormire nella casa che era stata sua e di suo padre. A Maddalena la faccenda finí per sembrare assolutamente logica: il suo non era un matrimonio che dipendesse dalla condivisione. Andava visto in prospettiva. Ora che tutto era chiaro, poteva dirsi senza sensi di colpa che non aveva sposato l'uomo che amava e quindi non vedeva perché mai quell'uomo dovesse comportarsi come se si sentisse amato. Ma nutriva per Domenico una tenerezza infinita, questo sí. Forse piú di quella che nutriva per suo figlio. E sapeva che quell'uomo non l'avrebbe mai abbandonata, né mai avrebbe preteso qualcosa che era impossibile da ottenere. Per paradosso proprio ora che egli trovava il coraggio di una sua autonomia lei si sentiva piú al sicuro. Smise di fargli domande su quello che lo portava spesso a restare fuori di casa, sui suoi frequenti dolori, sul bere. Su tutto. Sicché, com'era nel suo stile, risolse presto la cosa avvertendolo che se voleva intrattenersi a casa di suo padre poteva farlo, ma che non avrebbe tollerato in nulla di essere messa in imbarazzo pubblicamente. Era quello che Maddalena amava

definire «le cose come stanno», ma, soprattutto, un sistema per
non lasciarsi cogliere impreparata. L'inaspettata scomparsa di
Cristian aveva scombinato la sua precisa visione del futuro, e
questo, giurò a se stessa, non sarebbe ricapitato mai piú. Era disposta a essere una moglie anche per finta pur di amare l'uomo
della sua vita, e ora non restava nient'altro che quella finzione.
Era una donna che non accettava ciò che non poteva prevedere.

Sua madre Nevina, innamorata del nipote neonato, si aggirava spesso per casa, e assediava Maddalena col suo silenzio,
apparentemente discreto.

– Che leggi sempre? – le chiese un giorno vedendola alla
scrivania.

– Il mio patrimonio, – rispose lei, accennando a un sorriso
perché la madre capisse fino a che punto quella battuta corrispondesse alla realtà.

Da quella volta Nevina non aveva fatto piú domande e Maddalena non aveva piú dovuto dare risposte. Il corso degli eventi,
nel racconto del manoscritto, aveva preso un ritmo sostenuto, una
specie di urgenza carica di tensione... Si capiva che nella mente
di quel Luigi Ippolito Chironi, che l'aveva scritto, c'era la necessità di dare un senso preciso al vuoto, una risposta all'afasia.

Quella terra vissuta come benedizione e maledizione insieme lei poteva capirla. Cristian avrebbe potuto capirla. Domenico poteva, tutt'al piú, intuirla. Il che non era un privilegio.

Proprio no, povera creatura sofferente.

La nostalgia del padre, la libertà che la sua scomparsa aveva comportato, si era manifestata in lui come una specie di euforia. Specialmente quando si trovava da solo nella sua casa, e
poteva frugare in ogni mobile, in ogni angolo, anche il piú remoto; quando poteva rivoltare le tasche di giacche, pantaloni,
cappotti, soprabiti appesi nell'armadio; quando poteva controllare quei cassetti che gli erano sempre stati proibiti. Sentiva l'entusiasmo della disponibilità assoluta di sé. Ma anche un
imbarazzo sottile per il fatto di poter accedere, senza controlli,
all'intimità del padre.

La casa vuota parlava un linguaggio ammaliante, gli spiegava che tutto oramai era possibile, che non c'era plico che non potesse leggere o documento che non potesse esaminare, o omissione che non potesse essere finalmente svelata. Le prime notti non dormí quasi, ma s'intrattenne nella superficie, come quando si gratta una vernice con l'unghia per saggiare lo strato sottostante senza intaccare inutilmente l'integrità dell'oggetto. Ben presto il furore di sé, come l'impeto di rivelarsi, lo costrinse ad abbandonare qualunque cautela. Fu preso da una fame furiosa, dal desiderio di denudare qualsiasi menzogna, ma anche, solamente, di resuscitare gli oggetti, apparentemente morti, dalle tombe oscure degli armadi, degli stipetti, dei comodini, dei pensili... Mimmíu aveva conservato ogni cosa, compresa la biancheria di sua moglie Ada, morta subito e subito dimenticata. Aveva archiviato in album ordinati e in scatole di latta centinaia di fotografie, in bianco e nero e a colori. Di lui ragazzo, e di Vincenzo Chironi, e di Cecilia, persino di Marianna da giovane. Poi c'erano quelle a colori di lui e Domenico piccolo, già vestito come un ometto. Allevato da un padre e basta. Domenico guardò il suo sguardo dentro a quelle fotografie. Guardò il mento affilato come se stesse sforzandosi di non piangere. Si sentí investito da una specie di malinconia adulta, quasi potesse permettersi di fare ogni promessa a quel bambino che ora lo squadrava, severo, dalla foto.

In un cassetto della libreria trovò le bobine. Le ricordava, certo, e come dimenticarle. Qualche volta, dopo aver montato il grande e ronzante proiettore, quello che stava imballato nel mobile dell'antibagno, Mimmíu si era divertito a fargliele vedere. E a commentarle. Domenico era un adolescente, allora, e aveva giurato al padre che prima o poi quelle pellicole le avrebbe distrutte. Il padre aveva sorriso di quell'imbarazzo, ma per non correre rischi le aveva messe via. Ora erano lí. La scatola che conteneva la prima bobina portava la scritta *Cala Liberotto, luglio 1967*.

Fotogrammi con colori extrasaturi movimentarono la parete libera del soggiorno. Era una spiaggia invasa dai depositi di posidonie. Da un cumulo alto faceva capolino Cristian, sottile come un fuso, col costume da bagno che gli cascava lungo i fianchi, tenuto su da una cintura di stoffa. Salutava in direzione di Mimmíu che riprendeva. La mano non era ferma, ma il filmato aveva l'ostinazione espressionista dei pionieri del cinema. Ora il primo piano di Cristian ne mostrava la bellezza strana, il lascito genetico. Poi ecco Domenico, senza sfrontatezza, come quegli aborigeni che, davanti alla macchina fotografica, temono per la propria immagine. Piú rotondo e completamente vestito, con un cappellino ridicolo. Quanto era libero quell'altro, apparve costretto lui. Domenico si guardò con una pena colma di tenerezza, pensò al bambino di nove anni che era, e si ricordò ogni singolo istante di disagio, ogni quotidiana incomprensione. Lo sguardo gli si velò leggermente quando Cristian, che aveva sette anni, correva verso il mare per bagnarsi i piedi e lui invece indietreggiava. Spense il proiettore.

Riaccese dopo un po', anche se ricordava esattamente cosa succedeva nella parte successiva del breve filmato. Succedeva che Cristian si accorgeva del suo imbarazzo e tornava indietro per invitarlo, con lui, verso la battigia. Succedeva poi che lui non voleva e faceva resistenza, e quanto piú si rifiutava tanto piú Cristian si ostinava, lo tirava per un braccio. Mimmíu, evidentemente divertito, non perdeva un frammento di quella piccola lotta. Poi succedeva che Domenico, esaurita ogni resistenza, si lasciava andare a un pianto dirotto. Ecco.

Spense.

Per essere notte fonda, si attardò un caldo inusuale. Tremendo. Di quelli che facevano scuotere la testa agli anziani.

L'agosto 1980 si era aperto male davvero, con tutto quel disastro che era successo a Bologna. Per l'amor di Dio! Veniva da chiedersi in quale cloaca puzzolente si fosse nascosta l'umanità.

– Povera gente, – sussurrava Nevina tra i singhiozzi. – Povere creature...

Dall'altra stanza, Luigi Ippolito Giuseppe cominciò col suo lamento di bestiolina abbandonata, aveva dieci mesi, iniziava ad articolare qualche sillaba, ma il sonno restava per lui un problema. Maddalena lo raggiunse nella sua cameretta per farsi vedere e convincerlo che non era solo al mondo. Il bimbo si acquietò.

Le macerie, persino dallo schermo televisivo apparivano come immensamente polverose. Sappiamo talmente poco gli uni degli altri, si trovò a concludere Maddalena.

Nevina raggiunse la figlia che ancora si asciugava gli occhi.
– Come si fa? – chiese a se stessa.

L'altra scosse la testa. – Bestie! – sussurrò.

C'era un'atmosfera strana in quella stanza, come di cose che finiscono, come di addii, come di discorsi conclusivi.

– Ho spento la televisione, – annunciò Nevina. – Non ce la faccio, davvero... Il bambino non avrà caldo? – chiese poi, per ingoiare definitivamente l'amarezza che sentiva in gola. – Lo vedo troppo coperto, magari non dorme per quello.

– No, no, sta bene, – rispose Maddalena. – Non dorme perché non dorme. Tutto qui, ormai ci ho fatto l'abitudine.

– Ci hai pensato a quella cosa che ti ha detto il pediatra?

– Che bisogna portarlo al nido? – già il tono di Maddalena tese all'aggressivo.

– Guarda che lo diceva piú per te che per lui, – spiegò la madre.

– Io sto bene, – tagliò l'altra. – E finché posso tenerlo il bambino sta con me, non lo metto in mano a estranei!

– Va bene, va bene, – smorzò Nevina. E tacque.

– Cosa c'è adesso? – chiese a un certo punto Maddalena innervosita.

– Niente, – la seccò la madre. – Niente, va tutto bene no? Qui intendo in casa: va tutto bene? – Maddalena, non riuscendo a mentire a voce, accennò col capo. – Com'è che non c'è una volta che trovo tuo marito in casa?

– La situazione è nuova per lui, lo sai com'è fatto, si mette in ansia con niente.

– Guarda che mi arrivano voci non buone…

– …Che voci?

– Dice che spesso e volentieri alza il gomito. L'hanno visto, – scandí lei, come se si fosse preparata da giorni per quel momento. Maddalena fece di spalle, anche se sapeva che quelle voci non erano campate in aria. – Ma ci torna a casa? – chiese poi, per sfruttare il piccolo vantaggio che si era conquistata nei confronti della figlia.

Maddalena, ancora una volta, fece di spalle. – Certo, che domande sono? – arrangiò.

– Sono le domande giuste. Gli faccio parlare da tuo padre se vuoi…

– State fuori da questa faccenda! – ora la voce era scaturita senza controllo. Luigi Ippolito Giuseppe ebbe un sobbalzo. – State fuori da questa faccenda, capito? – ripeté Maddalena ritornando al tono compresso di poco prima.

Nevina aggrottò le sopracciglia e strizzò gli occhi come se fosse necessario inquadrare per bene quell'essere umano che aveva davanti, perché, nonostante ne avesse le sembianze, non poteva essere sua figlia. – Parlami ancora in questo modo e giuro su Dio che, grande e grossa come sei, ti finisco a schiaffi. Intesi? – concluse precisissima.

La scatola della seconda bobina portava la scritta *1971, Recita*. Le inquadrature d'apertura riguardavano i preparativi prima di andare in scena. La professoressa Pinna che dava le ultime istruzioni agli attori. Trucchi ingenui, corone di cartone, mantelli di fodera, scettri di legno dipinto d'oro. E quella strana febbre che si diffonde quando si presenta al pubblico di genitori intervenuti il risultato del lavoro di un anno. Tutto questo era assolutamente chiaro nella ripresa di quell'aula trasformata nel camerino di un teatro. E poi c'era Cristian che, pur essendo di prima, era stato reclutato perché la professoressa Pinna si era «incapricciata» di lui.

La cosa era andata cosí: Domenico che faceva la terza media era stato ingaggiato con i suoi compagni delle altre terze per la recita di fine anno scolastico. Un giorno che si provava in aula magna Cristian si presentò per portare a Domenico la merenda che si era dimenticato a casa. Entrò interrompendo la prova dell'*Enrico IV*. Era il punto in cui il principe di Galles afferma di non volere avere a che fare con il regno. E lo fa perché suo padre preferisce in tutto Percy, che al contrario di lui sembra nato per fare il re. Domenico, quella battuta che non era la sua, ma di Costantino Cossu che aveva la parte di Enrico IV perché era grande e grosso e già a dodici anni si faceva la barba, se la ricordava benissimo: «*Oh, si potesse mai scoprire un giorno che un genietto vagante nella notte sia venuto a scambiare di nascosto i nostri due figlioli nella notte, chiamando Percy il mio ed Enrico Plantageneto il suo! Sarei io ora il padre del suo Enrico, e lui del mio*». Le immagini erano sgranate e non c'era alcun suono, se non il ronzio del proiettore. Le riprese scadenti e tutte alla stessa distanza, due, tre metri dal boccascena. Si trattava di scene frammentarie, con patetici bambini in calzamaglia e armature di cartone che mimavano storie immense, lontanissime, di eroi sanguinari. Non poteva sentire le parole, ma misteriosamente le ricordava. Perché era la loro scena, quando Percy e l'inaffidabile principe ereditario si scontrano. Attorno a loro una foresta di piante inesistenti in natura, dipinte dai ragazzi su strisce di carta da parati durante il laboratorio d'arte.

Nella scena dovevano fingere di incontrarsi durante la battaglia, erano stati dalla stessa parte, ma si erano trovati a essere irrimediabilmente nemici.

Domenico: – *Io mi chiamo Harry Percy.*

Cristian: – *Un nome che mi dice che ho davanti un ribelle di grande valentia. Io sono Enrico, Principe di Galles. Percy, d'ora in avanti non pensare di poter più spartire la tua gloria con me: due astri nella stessa sfera non possono orbitare...*

Domenico: – *E non sarà. Perché è suonata l'ora, Harry, che di noi due uno debba vedere la sua fine. E Dio volesse che anche tu nell'armi avessi un nome pari a quello mio.*

Tutto ricordava. Tutto. Anche che, qualche secondo dopo queste belle parole, sarebbe dovuto morire per mano di Cristian. Con la spada di cartone e cartapesta che gli penetrava tra il braccio e il fianco in un trucco teatrale che allora era parso a tutti davvero impressionante.

Lasciò che la bobina si riavvolgesse, e la risistemò nella sua custodia con pignoleria, quasi temesse che Mimmíu si potesse accorgere che l'aveva guardata. Poi la riportò al suo posto insieme a quella di Cala Liberotto.

In quel silenzio si sentí improvvisamente solo. Si guardò attorno: c'era un disordine che il padre non avrebbe gradito. Fu cosí, in quel sondaggio generico, che i suoi occhi colsero il lembo di una cartella che non aveva notato prima. Era finita sotto a una pila di giornali, Domenico aveva scoperto che Mimmíu conservava anche un certo numero di riviste pornografiche. Si trattava di una cartella anonima, di cartone pressato e rigido; di quelle con la patta che si ferma attraverso un elastico. Davvero non aveva nulla di speciale se non che, con uno stampatello preciso, che Domenico conosceva bene, Mimmíu aveva scritto sul davanti la parola CRISTIAN. Solo questo. Ci sarebbero stati una marea di motivi per non aprirla, ma li scartò tutti. L'aprí.

Vi trovò un mazzetto di ritagli, in perfetto ordine cronologico, che riguardavano le notizie stampa della sua morte. Vi trovò qualche appunto scritto a mano, soprattutto cifre: 10 000, 200 000, 450 000, e la somma che ne seguí. Poi una serie di bollettini postali: ricevute di pagamenti via vaglia telegrafico intestati a una certa Schintu Federica.

Quella sera tornò a casa dalla moglie. Dalla faccia di Maddalena capí che non lo stava aspettando. Cosa che, in modo inspiegabile, lo mise in ansia. Ma fece finta di nulla. Nevina era ancora lí, si stava preparando ad andarsene. Lo fissò piú con pena che con rabbia, e gli chiese se avesse cenato. Domenico guardò Maddalena senza rispondere alla suocera, ma lei evidentemente non si aspettava alcuna risposta: si diresse verso l'ingresso per indossare il suo soprabito. – Ci vediamo domani, – disse alla figlia uscendo.

Restarono in piedi uno di fronte all'altra. – C'è un pezzo di polpettone sulla credenza, – fece Maddalena con un gesto vago indicando la cucina.

– L'ha fatto tua madre? – chiese lui.

Maddalena accennò di sí. Domenico se ne andò in cucina. Trovò il polpettone su un piatto coperto da uno strofinaccio pulito. Portò il piatto sul tavolo, poi si guardò intorno come a ricordare dove stavano le posate. Aprí un cassetto della credenza e ne estrasse una forchetta. Quindi da un altro cassetto un tovagliolo. Finalmente si sedette.

– Ti trattieni? – chiese Maddalena arrivandogli alle spalle.

– Sí, se non è un problema, – rispose Domenico con la bocca piena.

– No, no è un problema, – concluse Maddalena. Senza volerlo era risentita.

– È buono, – disse Domenico per riempire un silenzio che stava diventando imbarazzante.

– Domani? – disse Maddalena. Dal tono sembrava che non avesse bisogno di aggiungere altro.

Domenico si pulí la bocca. Maddalena aprí un pensile per afferrare un bicchiere e prese una bottiglia di vino già aperta sul piano del lavello. Riempí mezzo bicchiere e glielo porse. – Se no magari dicono in giro che ti ho strozzato con un polpettone.

A Domenico scappò da ridere, inghiottí, poi buttò giú il vino. – Tua madre sarebbe contenta, – disse.

– C'è da portare il bambino dal pediatra domattina, mi accompagni?

– Domani mattina hai detto?

– Vabbè, lascia perdere, – tagliò Maddalena, infastidita dall'indecisione del marito.

– No, no, – la stoppò lui. – Va bene, domattina va bene... Nel pomeriggio devo vedere delle persone, ma domattina va bene. A che ora?

– Le dieci, – specificò Maddalena. – Tanto dormi qui stanotte no?

– Sí, sí, – confermò lui.

– In ogni caso è pronto anche il letto nell'altra stanza, – concluse.

Domenico si versò dell'altro vino.

Nevina era buia come una mezzanotte. Aveva camminato a lungo, facendo un giro piú largo di quello che le serviva per arrivare a casa. Si era bevuta un po' di frescura serale, ma questo non era bastato a toglierle di dosso quella sensazione terribile di pericolo incombente che sentiva ogni volta che andava a casa della figlia. Cosí una volta dentro al suo appartamento tentò di darsi un'aria serena, o perlomeno non troppo preoccupata.

Non era entrata da un minuto che già Peppino le venne incontro. – Ho appena chiamato da Maddalena, – disse. – Mi ha detto che sei uscita piú di mezz'ora fa, stavo venendo a cercarti.

– E vuol dire che dovevo incontrare il mio amante, no? – fece lei, ma senza risultare spiritosa come avrebbe voluto.

– Che cosa succede?

Nevina si tolse le scarpe e il soprabito prima di rispondere. Poi si chinò a raccogliere un vecchio scontrino che le era caduto dalla tasca. Peppino aspettò che finisse senza incalzarla. – Non lo so nemmeno io che cosa succede. Ma ogni volta che vado in quella casa mi viene il malumore... – Si guardò intorno. – Solo sei? – chiese.

– Tuo figlio è andato a ballare, – disse lui.

– Ormai è questione di tutte le sere, – constatò Nevina. – Comunque a me questa storia di Maddalena non mi pare normale neanche per niente. Domenico in casa non c'è mai, e quando si fa vedere ha un aspetto che non ti dico.

– E lei che dice? – chiese Peppino portando la moglie verso il divano per farla sedere.

Nevina si fermò, in piedi. – Niente dice. Sembra che a lei questa situazione le vada persino bene. Poi magari chiedi che cos'hanno deciso col bambino e nemmeno loro lo sanno. Dieci mesi e nemmeno battezzato, dico io.

Peppino scosse la testa e fece di spalle. – Non sono più tempi in cui queste cose contano, prima forse, ma adesso... Se va bene per loro, andrà bene cosí, – concluse lui. Poi, anziché farla sedere sul divano se la tirò addosso. – Tu devi imparare a stare tranquilla, – sussurrò. – Rilassati. Vieni qui –. La invitò stringendola a sé. – Da quanto non andiamo a ballare io e te? – Nevina non rispose, ma piano piano si lasciò andare.

«*Sull'eco del concerto, che insieme ci trovò, ripeterò ancor la strada, che mi porta a te. Ovunque sei, se ascolterai, accanto a te mi troverai...* – cominciò a sussurrarle all'orecchio muovendo i primi passi. Lei lo seguí compiaciuta, anche se fingeva di accontentarlo. – *... Ovunque sei, se ascolterai, accanto a te mi rivedrai. E troverai un po' di me, in un concerto dedicato a te!!*», stonò dolcemente, mimando un acuto di diaframma, mentre invitava la moglie a una piroetta.

A Nevina cadde qualche lacrima, per il presente, ma anche per il passato.

La visita dal pediatra non indicò nulla di particolare. Tutto procedeva per il meglio, il bambino era sano, persino un po' sovrappeso. Niente di preoccupante. Domenico e Maddalena parvero, e furono, una coppia perfetta. Tutti all'ambulatorio apprezzarono che un giovane padre avesse sentito il bisogno di accompagnare la giovane moglie al controllo periodico del loro bambino.

Agosto se ne sarebbe andato di lí a poco con la festa col-
lettiva dedicata al Redentore. Proprio in quella fase precisa in cui l'estate si rompe, diventando improvvisamente autunnale o ancora piú feroce. In quel 1980 le pietre del corso
emanavano un caldo tale che sarebbero potute scaturire da
un'eruzione. Sembrava quasi che fossero ancora non radden-
sate sotto ai piedi.

Eppure Maddalena, al braccio di Domenico che conduceva il passeggino col loro primogenito, le percorse come se
fossero un tappeto di fiori. Tanto che persino i piú distratti
dei passanti si voltarono per guardarli.

A casa pranzarono tranquilli. Luigi Ippolito Giuseppe
dormiva beato. Dopo pranzo si baciarono a lungo, come facevano da ragazzini, senza un costrutto, senza una promessa.

– Ho sempre paura di dire qualcosa di sbagliato, – scandí
Domenico con esattezza.

Maddalena pensò che quella lucidità era un miracolo, oppure l'uscita dal tunnel. Certo lei la domanda «Perché non
mi dici piú niente?», l'aveva fatta bella chiara. Ma non si
aspettava certo che lui altrettanto chiaramente rispondesse.
– Io lo capisco che cosa stai passando, – gli disse.

Domenico scosse violentemente la testa. – Sogno sempre
la stessa cosa, – tentò di spiegare.

E lei comprese che dicendo «la stessa cosa» intendeva il
momento in cui aveva pensato di poter salvare la vita a suo
padre. – Noi ce la faremo, – lo rassicurò, afferrandolo per
le spalle.

Lui trattenne un lamento, anche le lacerazioni della sua
vita, come quelle della sua carne, erano occultate dal tessuto sottile della camicia.

Maddalena cominciò a sbottonarla. Ma Domenico la fermò con una presa solida dei polsi. – Non si può, – disse.

Maddalena si bloccò, ritrasse le mani come se il marito
scottasse.

– Te l'avevo detto che devo incontrare delle persone per
lavoro, – si giustificò riabbottonandosi.

Fuori di casa riprese a respirare con calma. L'indirizzo di Federica Schintu corrispondeva a un condominio modesto in un quartiere semiperiferico. Campi incolti, terreni in quella condizione equidistante sia dalla natura che dalla civiltà. Spazi in attesa di un senso, non piú verdi, non ancora edificati. Luoghi paradossali che avrebbero dovuto promettere rinascita e progresso e invece parevano il risultato di un conflitto recente. Quel discorso si era interrotto alla pars destruens: restava precario ogni oltre umana sopportazione. Cosí li chiamavano «quartieri satellite» o, piú presuntuosamente, «residenziali». Ma non erano nient'altro che cumuli di materiale edilizio nel nulla. Porzioni di territorio rognoso come un velluto liso, in attesa di qualche piano urbanistico che gli desse un significato. Comunque era lí, dissero, da quelle campagne rese sterili, aggredite dall'alopecia, che si sarebbe originata ogni prosperità. Perciò all'iniziale entusiasmo per il roseo futuro avanzante si sostituí una sorta di rassegnazione ambientale, una dimestichezza quotidiana col non finito, che rendeva non finiti persino i pensieri. Sicché i lampioni restarono steli senza fonti di luce, costole di balena lungo carreggiate non asfaltate che a ogni pioggia diventavano pantani. Piccoli condomini pascolavano nel brullo di presunte zone comuni che andavano via via riducendosi in sterpai e discariche per vecchi mobili, materassi e qualche elettrodomestico in disuso. Lí abitava Federica Schintu.

A Domenico parve chiaro che «abitare lí» doveva significare in qualche modo avere una visione del mondo assai cinica. Ma proprio questa constatazione gli fece capire, per la prima volta, fino a che punto si era spinto. Anche dentro di lui, che andava desertificandosi, si erano formati dimessi edifici di rassegnazione. Con gli stessi orribili portoncini in alluminio anodizzato e vetri smerigliati dalla serratura sempre difettosa, che al primo colpo di vento erano in balia delle correnti. Con squallidi ascensori rivestiti in simil-legno, vale a dire formica finto faggio, e le loro pulsantiere orrendamente cilindriche col bottone giallo per l'allarme, mentre tutti gli altri erano rossi. Lí si appiccicava co-

me glassa il fumo delle sigarette, o qualunque esalazione umana
e disumana, di cibo o d'ascella, di fuliggine o di merda.

Il portoncino, dunque, cedette prima che Domenico potesse
controllare se era aperto o chiuso. Entrò in un piccolo androne
che sapeva di refettorio scolastico e spogliatoio di palestra. Sul
citofono aveva letto «Schintu 3° piano», l'ultimo. Fu tentato
di prendere l'ascensore, ma cambiò idea. Ogni due rampe c'era
un pianerottolo dove gli ingressi di due appartamenti si guardavano l'un l'altro e al centro, nella parete di fronte, la porta
dell'ascensore simile a quella di una cabina telefonica. Ancora una volta era l'olfatto a fargli capire che stava passando da
un piano all'altro. Odore di cavolo, di deodorante, di muffa,
di abiti smessi.

Quello di Schintu era il portoncino sulla destra in cima alle
scale, proprio dove s'interrompeva la ringhiera ostinata dipinta
di grigio con un corrimano rivestito in plastica azzurra.

Suonò. Attese.

Sentí dei passi venirgli incontro oltre la porta chiusa.

– Chi è? – chiese una voce di donna molto diffidente.

– Non ci conosciamo, – spiegò Domenico schiarendosi la
gola. – Sono il figlio di Mimmíu Guiso.

– Ah, – fece la donna che ormai era arrivata all'altezza dello
spioncino. – Chi sta cercando?

– Schintu Federica, – rispose Domenico, anteponendo il
cognome come per aggiungere una patina di ufficialità a quella
strana conversazione.

– Sono io, – fece lei, con l'occhio attaccato alla minuscola
lente della porta. Il viso di quell'uomo sul pianerottolo, visto attraverso quel pertugio, pareva il muso di uno strano pesce palla.

– Dobbiamo parlare, – disse lui a un certo punto. Prevede-
do che l'altra lo stesse guardando, fece un passo indietro e aprí
le braccia perché lei potesse constatare che non era pericoloso.

Si sentí scattare una serratura. Domenico non avanzò finché
la donna non comparve nello spazio ristretto della porta ancora
guardingamente socchiusa. Era piccola, nervosa e asciutta, con
un paio di pantacalze arancioni e una maglietta verde di due ta-

glie piú grandi del necessario. Scalza, le unghie dei piedi smaltate
di rosso cupo. Non brutta, ma scarsamente curata, con un trucco
impreciso, i capelli un po' inariditi da una permanente aggressiva.

– Chi le ha dato il mio nome? – chiese la donna ostinandosi
col «lei», anche se era chiaro che Domenico poteva essere suo
coetaneo, o persino piú giovane.

– Mio padre, – disse lui, come se si fosse preparato a quella domanda. Poi si frugò la tasca della giacca. Lei sobbalzò. Domenico
ne estrasse un mazzetto di fogli legati con un elastico e glieli fece
vedere. Nell'altra mano mostrò una banconota da centomila lire.

La donna lo fece passare, mettendosi da parte.

L'interno dell'appartamento risultò stranamente rifinito. A
Domenico vennero in mente quegli strani quarzi che fuori appaiono irti mentre dentro hanno un'anima viola assolutamente liscia
e marmorea. Certo il gusto nella scelta dei pavimenti, dei rivestimenti e dei mobili non era dei migliori, ma tutto appariva pu-
litissimo e dignitoso. Ogni cosa era nuova e ordinaria allo stesso
tempo, come accade in certi pensionati per anziani o per studenti.

Precedendolo di un passo la donna lo condusse in un soggiorno troppo arredato: poltrone, tavolini, vetrinette, sedie, mobili
credenza e una cassettiera sormontata da un apparecchio televisivo acceso, ma senza volume. Oltre le vetrinette, e sui piani,
una quantità inesprimibile di oggetti e ninnoli, lampade e foto
incorniciate.

Federica Schintu indicò a Domenico una sedia, ma lui restò
in piedi. – Mio padre le mandava un vaglia postale ogni mese, –
tagliò corto. Poi tacque.

La donna lo guardò davvero titubante, nessuno sarebbe stato
in grado di fingere con una simile credibilità. – Veramente… –
iniziò, poi s'interruppe come se all'improvviso avesse capito che
quella risposta poteva portarla troppo avanti.

Domenico aspettò che proseguisse. Lei però non pareva averne intenzione. Cosí sfilò una piccola ricevuta verde dal mazzetto
che la conteneva e lesse: – «Cinquecentomila lire a Schintu Federica». Ogni mese. E questo per un anno.

– Sí, – fece lei, perché non poteva opporsi all'evidenza. – C'è scritto il mio nome, ma non erano per me... Io ricevevo, andavo a ritirare e poi depositavo, tutto qui.

A quella risposta Domenico ebbe un sussulto, come se, per la prima volta, cominciasse a inquadrare la faccenda. Il cuore prese a galoppargli in petto. – Non erano per te, – ripeté, passando a un «tu» che doveva sembrare definitivo e poco accondiscendente.

Federica fu presa da un tremolio alla gamba, quel nervosismo seccato di qualcuno che non sa proprio che pesci prendere. – No, erano per una persona che mi ha chiesto di fargli il favore di tenerli... – glissò.

– E tu cosa ci guadagnavi? – chiese Domenico, mostrando la sua banconota da centomila.

– Be', – disse lei guardando negli occhi la Grazia di Botticelli, – ci guadagnavo il disturbo: la fila in posta e la fila in banca.

Domenico gliela allungò facendo capire che non l'avrebbe mollata senza una risposta. – Facciamo cosí, – disse, calmissimo nonostante la furia che gli ribolliva dentro. – Io dico un nome e tu, se quel nome è giusto, ti prendi le centomila lire. Va bene?

Federica Schintu fece segno di sí.

– Raimondo Bardi, – scandí Domenico.

La donna, dopo un istante di titubanza, prese la banconota.

Non tornò a casa da Maddalena. E lei non lo aspettò, perché aveva capito tutto quello che lui non le aveva detto. Appena Domenico era uscito di casa, Maddalena aveva telefonato a Nevina e, con la scusa di raccontarle che cosa aveva detto il pediatra, aveva fatto intendere alla madre che quella sera sarebbe stato meglio che restasse a casa sua. Nevina aveva risposto che andava bene lo stesso, tanto aveva da stirare e fare un sacco di altre cose, suggerendo alla figlia che nei giorni passati le aveva dovute trascurare per occuparsi di lei.

Maddalena riattaccò e sorrise al silenzio circostante. Si sedette sul suo divano, si abbandonò completamente, chiuse gli occhi. Atti come quello, di resa apparente, avevano generato capolavori. Aveva letto da qualche parte che «il povero signor

Karenin», per esempio, era nato proprio in un pomeriggio di fine estate, mentre Tolstoj cercava di rimediare a una notte insonne sul canapè della sua dacia. A lei di *Anna Karenina* piaceva solo il marito di Anna, che nonostante l'evidenza tentava di mantenere in piedi il matrimonio. E sbagliava chi credeva che lo facesse solo per convenienza. Lui era un uomo onesto, uno sciocco, malinconico innamorato. Maddalena era di quel tipo di donne che Anna Karenina l'avevano odiata fin dal primo momento. Cosí stupidamente perfetta, cosí inutilmente insoddisfatta...

Luigi Ippolito Giuseppe si lagnò nella sua camera. Maddalena si alzò per raggiungerlo, e nel passaggio dal sonno alla veglia fu costretta ad abbandonare gli spalti dell'ippodromo da cui Anna, in spregio della presenza del marito, si duole pubblicamente per la sorte di Vronskij.

Raggiunta la stanza del figlio si chinò sulla sua culla per fargli capire che era lí con lui. Il piccolo tese le braccia, lei lo tirò su e se lo strinse al seno. Restarono cosí per un tempo indefinibile. Ora la realtà pareva solo un'appendice povera dell'immaginazione: non c'erano distese innevate, slitte trainate da cavalli mansueti. Non c'erano prime teatrali o ricevimenti. Nulla. Non c'era Domenico. C'erano lei e il suo bambino.

Il povero Domenico Guiso guardò l'orologio che erano le due di notte. Non ci aveva messo molto a capire come fossero andate effettivamente le cose fra suo padre e Raimondo Bardi. Lui Raimondo lo conosceva bene. Dopo il fermo al porto di Livorno si era dichiarato estraneo all'accaduto, ma era stato comunque condannato a cinque anni di galera. Il fatto che Mimmíu lo pagasse mensilmente attraverso Federica Schintu come prestanome diceva tutto: spiegava quanto effettivamente sapesse della morte di Cristian. E di tutto il resto.

Domenico ebbe uno scatto di nervosismo. Quando era da solo poteva permettersi reazioni estreme, come scaraventare giú dal tavolo piatti sporchi e bicchieri con un gesto del braccio e lasciare che si frantumassero intorno a lui. Poteva anche ridurre l'appartamento a un letamaio, all'interno del quale era

libero di circolare nudo e sporco come un selvaggio. Credeva
di aver capito cosa doveva fare.

Ci volle qualche giorno per ottenere un permesso. Quanto al viaggio, non era stato difficile dire a Maddalena che si
trattava di una questione di lavoro. Ma davanti al piantone
che gli chiedeva i documenti Domenico avrebbe avuto una
lieve incertezza.

Quell'inizio di settembre era dolcissimo e ruffiano. Fino a
Cagliari aveva viaggiato tranquillo, con il finestrino socchiuso perché voleva assaporare l'aroma incantevole che arrivava
dalla campagna. Se avesse potuto imbottigliare quel profumo
sarebbe diventato veramente ricco, pensava. Fuori dall'abitacolo il paesaggio correva via, gli veniva incontro sul parabrezza, poi si apriva in due bracci e scivolava lungo le fiancate. Il
cielo era terso e compatto come un intonaco azzurro. Senza
nuvole. Dalle carreggiate della 131 scie di ligustri spontanei,
di agrumeti, di piantagioni di carciofi, di rocce argentate af-
fioranti sotto il vello semisecco della macchia, di interi palchi
di finocchi selvatici, di grumi di asparagina, di terra argillosa
addentata dagli scavatori, accarezzarono, sbrigative, le portiere
dell'auto di Domenico. Spinse sull'acceleratore, piú per sfidare
quel paesaggio viscoso che per arrivare prima. Non aveva fretta, mancavano tre ore all'ingresso al carcere di Buoncammino.

All'altezza di Monserrato si fermò per entrare in un bar e
andare in bagno. Ordinò un caffè, poi si fece indicare la toi-
lette. Il barista gli rivolse un cenno col mento verso una porta
con la scritta WC segnata con un grosso pennarello verde sul
retro di una scatola di scarpe. Uscito da lí buttò giú il caffè,
che nel frattempo si era freddato sul bancone, e raggiunse la
macchina.

Per tutto il giorno precedente era stato nervosissimo. Tanto che nel pomeriggio aveva dovuto cercare una soluzione. Ci
erano volute un bel po' di cinghiate per ridurlo alla ragione.
A un certo punto, nonostante lui le avesse prospettato un au-
mento del compenso, la donna si era persino rifiutata di pro-

seguire. Perciò la spalla sinistra ora gli faceva piuttosto male, e la posizione di guida non aiutava di certo. Quel dolore gli ricordava quanto colpevolmente fosse stato distratto.

Dall'autoradio si fece il punto sull'orrida strage di Bologna, un mese dopo. Dicevano che fosse una fine, o un inizio, poco contava. Dicevano che quella bomba aveva marcato il risveglio improvviso da un sonno troppo lungo. E che da quel momento in poi niente sarebbe stato piú lo stesso. Dai colori al grigio piombo.

La realtà oltre il parabrezza si era fatta improvvisamente prosaica. Cagliari si annunciava con capannoni e agglomerati di blocchetti come nelle vere periferie delle vere città. Era lí, a *finis terrae*, l'ultima porzione di mondo conosciuto prima del vuoto. E già si avvertiva un brulichio strano, di troppi umani in poco spazio. Come se tutti avessero corso fin lí e poi si fossero ritrovati contemporaneamente a stiparsi a un passo dall'abisso.Fin da bambino Cagliari gli era sembrata lontanissima, e ora capiva perché. Capiva cioè che quel suo trovarsi sul bordo, quel suo rappresentare un affaccio verso il mare aperto, la faceva piú distante di ogni distanza possibile. Piú distante della piú distante città reale o immaginaria che potesse pensare. In fondo Domenico a Cagliari c'era stato sí e no tre volte, quattro con questa. Dalla radio Renato Zero avvertiva che quella *tristezza*, in realtà, poteva non essere mai esistita. Proprio cosí. Infatti la macchina andava avanti in direzione Buoncammino, e Domenico tornava indietro.

A un pomeriggio di tre anni prima, per esempio. Fine giugno, inizio luglio, un caldo pazzesco davvero, roba che si sveniva per strada. L'estate piú calda degli ultimi duecento anni, affermavano. E lui e Cristian che vivevano in mutande. Finita la scuola, con interi pomeriggi davanti, quasi che ogni tempo si fosse improvvisamente rallentato. Per quanto si sforzasse, Domenico non riusciva a ricordare di un'altra stagione in cui l'orologio camminasse cosí piano, platealmente. Anzi di quei pomeriggi afosissimi in mutande ricordava soprattutto con quanta ostinata teatralità le lancette dell'orologio esitassero minuto dopo minuto, secondo dopo secondo.

Poi ricordava il turbamento diffuso di corpi e sudore nel sonno di quei pomeriggi. Con Cristian che sembrava ci tenesse a mostrarsi inerme per lui, perfettamente fluido in quel languore stordito delle stanze chiuse. E quando, in quel buio di tende e scuri, bisognava unire le palpebre ben serrate e i respiri ridotti al minimo per non smuovere l'aria gelatinosa.

E Cristian che canticchiava in quel pomeriggio diventato notte artificiale:

Quando stai mangiando una mela tu e la mela siete parti di Dio
Quando pensi a Dio sei una parte di ogni parte e niente è fuori da tutto
Quando vivi tu sei un centro di ruota e i tuoi raggi sono raggi di vita

E quando, sentendo la sua voce sabbiosa, intonatissima, si manifestava in Domenico un malessere delizioso, una risposta del corpo che faceva fatica a controllare.

Quanto fosse meraviglioso quel malessere poteva capirlo dalla forza bruta con cui aveva serrato le mascelle. E quanto rumore pneumatico, rimbombante, facesse in quel silenzio ogni sua deglutizione. Cristian non si era mosso, la sua canzone si spegneva in quel caldo cremoso senza un nesso apparente, ora quasi sussurrava piuttosto che cantare, come se avesse finito il fiato a disposizione.

Quando pensi stai creando qualcosa, illusione è di chiamarla illusione
Quando chiedi tu hai bisogno di dare, quando hai dato hai realizzato l'amore
Quando gridi la realtà non esiste hai deciso di essere Dio e di creare
Quando chiami tutto questo reale hai trovato tutto dentro ogni cosa

Poi, finita la canzone, il silenzio era sembrato ancora piú tremendo, come un'attesa spasmodica. Finché non aveva sentito la mano di Cristian che gli sfiorava una spalla. Era passata una manciata di secondi eterni in cui ancora non si era mosso, quasi temesse di doversi arrendere alla percussione violentissima che il cuore gli stava facendo dentro al petto, come un gatto in un sacco.

Parcheggiò. Piuttosto che un carcere, Buoncammino poteva sembrare una rocca. Davanti al piantone che gli chiedeva i documenti Domenico ebbe una lieve incertezza. Come se, tutto sommato, il viaggio avesse consumato qualunque altra necessità. Consegnò la carta d'identità all'agente e oltrepassò il primo cancello automatico che conduceva in un angusto cortile da cui si accedeva all'edificio principale.

Per raggiungere il parlatorio dovettero percorrere un lunghissimo corridoio laterale. Lí Domenico si rese conto di quanto poteva essere reale la letteratura: il rimbombare dei suoi passi, che seguiva il rimbombare di quelli del secondino che lo precedeva, era proprio identico al suono dei passi di Edmond Dantès nell'orrido carcere del Castello d'If. Suole e metallo fanno un'armonia atroce, pensò, e pensò anche che doveva essere davvero agitato per scomodare il caro Dumas in quell'occasione. Insomma, non si poteva dire che fosse uno di quelli che hanno una citazione per tutto ma, si disse, era l'occasione giusta per tirar fuori dall'archivio *Il conte di Montecristo*.

Arrivarono al luogo deputato per i colloqui, questo recitava una targa sopra l'ingresso. Era una stanza lunga e abbastanza stretta, perfettamente separata in due da un muretto di un metro e mezzo d'altezza circa, dal quale si dipartiva sino al soffitto una spessa inferriata a nido d'ape. Dei paraventi in muratura affettavano quel muretto in tanti piccoli loculi numerati. Come gli aveva detto la guardia, Domenico raggiunse il numero cinque. I numeri sette e dieci erano già occupati da persone che non poteva vedere, ma riusciva a udirne il bisbiglio sommesso.

Raimondo Bardi comparve dopo qualche minuto da una porticina laterale, al fianco di un secondino giovanissimo. L'agente gli sganciò le manette dai polsi e gli indicò la postazione dove Domenico aspettava. Un anno di galera l'aveva cambiato, appariva piú muscoloso, persino piú alto. I capelli completamente rasati davano al suo viso un che di adulto, senza tuttavia invecchiarlo. Indossava una canottiera che lasciava scoperte le spalle pelosissime.

– Quando si dice la coincidenza! – esclamò prima di sedersi di fronte al suo visitatore. L'inferriata fitta e leggera gli ricamava il volto. Domenico notò un grosso ematoma all'angolo della bocca. – Stanotte ti ho sognato, – rivelò Raimondo. – Eri al parcheggio del carcere, qua fuori, seduto in macchina, aspettavi che io uscissi...

– Stai cercando di fregarmi? – lo interruppe Domenico. Raimondo restò col proseguimento del suo sogno appeso in bocca. – Stai cercando di fare il furbo con me? – insistette Domenico cercando di non alzare il tono, lasciando però intendere che era totalmente determinato.

Raimondo strinse le palpebre e scosse la testa quasi a domandare di cosa stesse parlando.

– Federica Schintu, – disse Domenico.

Raimondo tentò una risatina che non riuscí. – Ah quello, – rifletté, avvicinando il viso alla grata. – Niente, – concluse.

– Niente? – s'infervorò Domenico. – Chiedi i soldi a mio padre e dici «niente»?

– A proposito, ho saputo. Condoglianze davvero... – disse Raimondo, con una formalità paradossale.

Domenico lo squadrò a lungo, come un insegnante deluso da un allievo promettente. – Non avresti dovuto –. Secco.

– Io non gli ho detto nulla. Ma tuo babbo non era uno stupido, Domé... È stato lui a farmi la proposta e io non ho detto di no.

– Ma tu cosa gli hai fatto capire? – incalzò l'altro.

– Che differenza fa, vivi e lascia vivere... Le cose tra noi non sono cambiate e non cambiano. Io mi faccio altri quattro anni qua dentro, ma quando esco voglio tutto quello che abbiamo stabilito.

– Sí, ma non hai risposto alla mia domanda, – insistette Domenico.

– Quale domanda? – prese tempo Raimondo.

– Tu che cosa gli hai fatto capire a babbo? – ripeté Domenico, cercando di usare le stesse identiche parole della domanda precedente.

– Niente, – si arrese alla fine Raimondo. – Perché ci era arrivato da solo… Quando ha visto che all'ultimo momento non sei partito con noi per Carrara. Era stato lui a ingaggiarmi, no?

– Sí, esatto, – confermò Domenico.

– Ecco, quando ha visto che tu non sei partito, – ripeté. – Ha fatto due piú due. Ha capito che c'eri tu dietro la scomparsa di Cristian. I padri a volte fanno finta, ma capiscono, – aggiunse. – Cosí mi venne a trovare qui, esattamente dove adesso sei seduto tu, e mi disse che «avevamo combinato qualcosa a Cristian». E se diceva «avevamo» intendeva me e te…

– Sí era il suo stile, – concesse Domenico. – E poi?

– E poi niente, che lui era disposto a pagarmi piú di quanto prendessi da te, – completò Raimondo, pulendosi l'angolo livido della bocca con una smorfia.

– E tu?

– E io gli ho detto che se voleva aiutarmi economicamente era il benvenuto, ma che a me non risultava niente «nei riguardi di Cristian Chironi». Cosí giuro.

– E lui?

– E lui mi ha guardato, poi ha tirato fuori un libretto di assegni, ha scritto una cifra. Mi ha detto che me l'avrebbe versata ogni mese a chi avessi voluto io se ti avessi lasciato fuori dai guai. E anche se gli ho chiesto «Che guai, non ci sono guai», lui ha staccato l'assegno e me l'ha fatto vedere…

Seguí un silenzio imbarazzante.

Domenico strinse le labbra come se volesse impedirsi di piangere. – E lui? – chiese di nuovo.

Raimondo lo guardò con una certa benevolenza, ma anche con curiosità: non riusciva a capacitarsi che dentro a quell'uomo potessero convivere due esseri cosí distanti. Ora docile e gentile, ora crudele e vendicativo. – E lui ha detto che in ogni caso, semmai i guai fossero arrivati, ero coperto. Questo. Poi mi ha guardato come guardava lui, lo sai no? – Aspettò che Domenico confermasse. – Te l'ho detto prima: fanno finta di non capire, ma capiscono.

Ora il viso di Domenico rivelava un barlume di soddisfazione. Raimondo la colse prima che l'altro potesse dissimularla. E si spaventò.

– Cristian? – chiese Domenico. E non proseguí.

– Cosa? – domandò Raimondo

– Com'è stato? – scandí Domenico, ma senza riuscire a trattenere un cenno di soddisfazione.

– No, – tagliò Raimondo. – Questo no. Guardia! – gridò. – Il colloquio è finito.

Cristian lo aspettava seduto sul sedile del passeggero, nella macchina parcheggiata non troppo distante dall'ingresso del carcere. Domenico l'aprí e vi entrò. Pur avendolo notato qualche metro prima di arrivare all'autovettura, fece finta di niente. L'aprí, vi entrò e mise in moto. Accese la radio che gracidò, neanche fosse stata abitata da gole che avevano bevuto soda caustica. Cristian era nudo, bagnato quasi fosse appena uscito dall'acqua. Un grosso squarcio gli segnava la spalla sinistra. Tremava. Domenico alzò il riscaldamento dell'auto. Un ronzio leggero di calabrone si uní alle rane che abitavano l'autoradio. Guidò senza dire niente e senza mai guardare dalla parte del passeggero. Finse di essere totalmente preso dal tragitto che avrebbe dovuto portarlo fuori da Cagliari fino alla 131 in direzione Oristano.

Quella stessa periferia che aveva attraversato solo qualche ora prima dal lato opposto gli pareva del tutto diversa. Come se, in uscita, il brutto diffuso e inaccettabile fosse diventato di colpo accettabile. Si disse che doveva trattarsi della promessa contenuta in quella direzione, col mare che non ti veniva piú incontro, ma ti stava di spalle. E con tanto spazio ancora da percorrere. Ora gli ultimi palazzi facevano un ciao ciao di lenzuola stese nei balconi e la cosiddetta zona industriale si apriva in tutta la sua disperante casualità. Domenico accelerò appena, guardando ostinato davanti a sé. Anche i colori mutavano col mutare del tragitto. Un passaggio dal vuoto al pieno, dal sovraesposto al chiaroscuro, dall'arido al frondoso, dall'orizzontale al verticale.

Cristian si voltò verso di lui. Dalla radio si dipanava una matassa ingarbugliatissima di frasi interrotte e sfrigolii improvvisi, poi qualche straccio di musica e sovrapposizioni di canali su canali. Certo dovevano trovarsi in un limbo imperscrutabile, Cristian e Domenico. In una zona d'ombra.

Il tragitto da sud a nord si rivelò ben presto piú complicato di quello da nord a sud, perché quella parte della carreggiata era continuamente interrotta da lavori in corso. Tre o quattro chilometri dopo la città un'indicazione obbligava a fare una deviazione verso la vecchia provinciale: non piú di dieci minuti di strada che pareva essere stata appena liberata dagli sterpi. Perché la natura ha questo brutto vizio di riprendersi quanto l'uomo finisce per abbandonare.

Sicché l'auto di Domenico si trovò ad attraversare una porzione di mondo terreno che gli umani avevano dimenticato e che ora tornava utile. Imboccò un cavalcavia non finito. Percorse un breve tratto sterrato finché non sbucò di nuovo nella 131. La radio improvvisamente si udí con chiarezza: «Cristian dedica a Domenico un pezzo di Claudio Rocchi, *La realtà non esiste*. Lui sa perché», annunciò una voce con forte cadenza barbaricina. Domenico spense la radio.

– Perché non lo chiedi a me quello che hai da chiedere? – domandò Cristian a secco. Per fare quella domanda non si era voltato, come se fosse indispensabile anche per lui tenere lo sguardo appicciato al parabrezza.

Domenico continuò ad avanzare. Non si sarebbe detto che avesse registrato le parole di Cristian, se non fosse stato per una leggera pressione al pedale dell'acceleratore. Quasi un riflesso condizionato. – Com'è stato? – chiese all'improvviso.

– Che cosa? – chiese a sua volta Cristian.

– Ci facciamo domande e non ci diamo mai risposte, – constatò Domenico.

– Basterebbe che ti spiegassi meglio. Che cosa vuoi sapere esattamente?

– Com'è successo, tutto qui. Mi hai capito no?

Cristian si voltò a guardare Domenico, oltre il suo profilo. Fuori dai finestrini correvano filamenti di case, piante e cielo.

– È stato come annegare, – rispose finalmente. – È stato come attendere al binario un treno in ritardo. Qualcuno, la donna amata, un amico, un parente caro, aveva promesso di raggiungermi, ma non arrivava. Mi ero mosso per tempo, perché, lo sai, odio far aspettare la gente almeno quanto aspettare. Mi ero preparato con pignoleria, perché mi hanno insegnato che l'essere adeguati, e decorosi, fa parte integrante della regola dell'accoglienza. Per un'amata avevo comprato fiori di campo, per un amico avevo predisposto un sorriso e una stretta di mano, per un parente caro avevo preparato una stanza e un letto puliti. Avevo trattenuto il respiro vedendo il treno sbuffare, appena superata la curva del binario. Avevo aspettato che il treno si fermasse e poi guardato con apprensione oltre le spalle dei passeggeri che affollavano la banchina del binario.

Era stato come aspettare la vita in questo modo, con apprensione, e una certa ansia di prestazione, temendo che non sarei stato adeguato all'incontro, ma lei non era arrivata. Tu non eri arrivato. Cosí il marciapiedi si era svuotato in un lampo e io ero rimasto lí, con i miei fiori di campo, i miei sorrisi, la mia impacciata compostezza e il pensiero di aver preparato inutilmente un letto fresco di bucato per qualcuno che non sarebbe venuto. Quell'imponderabile istante prima che ogni cosa svanisse mi aveva riportato su quel binario come se, ostinatamente, ancora tentassi di incontrare la Vita anziché la Morte.

Quindi tacque.

Domenico deglutí. Si stava passando dalla luce al buio. Ci si addentrava in un territorio ostico, irreale, ombroso e argenteo; insanguinato dal sole che affogava. – Che hai fatto alla spalla? – chiese, quando gli sembrò arrivato il momento di riempire il silenzio.

Cristian, abbassando il mento, si diede un'occhiata alla ferita. – Non lo so, – rispose. – Non mi fa male.

– Mi fa venire in mente un'ala spezzata, – rifletté Domenico.

Sentí Cristian sorridere. – Mi hai preso per il tuo angelo custode?

– Oh, che cosa mi hai fatto venire in mente! – Nella voce di Domenico c'era un misto di allegria e malinconia. – *Angelo di Dio che sei il mio Custode... Ti ricordi?*

– Eccome, – confermò Cristian, – la fissazione di zia Marianna: *Illumina, custodisci...* Com'era?

– *Reggi e governa me...* – imbeccò Domenico.

– Sí, sí, – s'entusiasmò Cristian.

Parevano tornati i vecchi tempi, illuminati da quegli stessi fari che ora squarciavano il buio assoluto della strada di Abbasanta.

– *Che ti fui affidato dalla Pietà Celeste...* – continuò Domenico.

– *Amen,* – concluse Cristian, ma con una pena tale nella voce che Domenico non poté fare a meno di voltarsi per guardarlo. Aveva portato entrambi i piedi sul sedile, adesso, e si stringeva le ginocchia con le braccia.

– Sí, – confermò. – *Amen* ci vuole, se no che preghiera è? – Cristian fece un movimento della testa come se gli facesse male il collo. – Tu lo sai perché l'ho fatto, vero? – gli chiese Domenico a bruciapelo.

Cristian fece un brevissimo cenno con la testa. – «Perché è suonata l'ora che di noi due uno debba vedere la sua fine», – recitò, ma con un sussurro, come quando voleva confonderlo. – In ogni caso quel che è stato è stato, – concluse.

– Vuoi dire che mi perdoni? – chiese speranzoso Domenico.

Ma proprio in quel momento l'automobile imboccò la galleria di Sedilo. A quella domanda non ci fu risposta.

Parte II
Nel frattempo

Núoro, 12 ottobre 1982.

Al terzo compleanno di Luigi Ippolito Giuseppe la faccenda del mantenere le apparenze era già, con patto tacito, sistemata. Col medesimo silenzio Maddalena e Domenico avevano deciso che le funzioni pubbliche della famiglia sarebbero state esercitate insieme, mentre nel privato ognuno avrebbe continuato a non interferire con l'altro.

Certe questioni economiche si erano fatte talmente stringenti che Domenico aveva dovuto liberarsi, in perdita, di alcuni terreni al mare. Li aveva acquistati Mimmíu solo cinque anni prima, in attesa di permessi di edificabilità che tardavano ad arrivare non certo per spirito ecologico, come si diceva allora. Le cordate di costruttori avevano pressato i politici locali perché concedessero i permessi solo quando i tempi fossero stati maturi. Domenico si trovò fuori da due importanti cantieri, uno che riguardava la costruzione di un porto turistico in località Ottiolu, un altro che riguardava l'edificazione di un villaggio turistico in località San Teodoro. Fosse stato vivo Mimmíu avrebbe potuto determinare le sorti di entrambi i progetti e delle cordate che ne conseguivano, ma Domenico non aveva la stessa forza contrattuale. Era chiaro che governava un patrimonio che, tolto quanto gli era derivato in eredità dalla morte di suo padre, non poteva intaccare. Del grosso, del lascito Chironi, non avrebbe disposto se non in seguito a certezza di guadagno. Poteva rischiare certo, ma poi avrebbe dovuto rifondere il suo stesso figlio di quanto eventualmente avrebbe perduto. Perciò

la strada piú breve fu vendere i terreni in questione, considerati
investimenti infruttuosi. E poi dover vedere, solo qualche mese dopo, che fruttuosi lo erano eccome. Qualcun altro si faceva ricco alle sue spalle, diceva spesso. Ma quel «qualcun altro»
non aveva volto, era il fantasma di un fantasma.

Quando comprese che la fornitura di infissi per il nuovo
centro polivalente di via Roma sarebbe andata a un'impresa continentale che assicurava uguali prestazioni a un prezzo
quasi dimezzato rispetto al suo, Domenico dovette ricorrere a
un fido bancario per far fronte alle necessità di liquidi dell'a-
zienda. Il fido giunse con due mesi di ritardo, e su garanzia di
una finanziaria milanese che intendeva rilevare l'intero debito della Guiso & Figlio. Il notaio Sini spiegò a Domenico che
si trattava di una specie di miracolo, come se una mano santa
l'avesse tirato su mentre annegava.

– Ma chi sono questi? – sbottò Domenico nervoso.

Sini a questa domanda trasecolò. – Come sarebbe chi sono?
Edilombarda. Una società finanziaria con un capitale notevo-
lissimo.

– Sí, – insistette lui. – Ma che hanno a che fare con me?

– Non mi darei tanta importanza, – lo ridimensionò Sini. –
Tutti vogliono fare affari in Sardegna, è possibile che attraverso questo «ausilio» l'Edilombarda intenda solo mettere, come
dire, un piede nell'isola… Non è da escludere che abbiano cercato un'azienda per cosí dire in difficoltà, mi spiego?

– È possibile che si vogliano prendere tutto, – sentenziò
Domenico.

– Se la pensa cosí non le resta che rifiutare il fido. Io so che
da Milano hanno richiesto, anche a questo studio, ogni informazione disponibile. E sanno che la Guiso è virtualmente solvibile
quando il patrimonio Chironi sarà a disposizione.

– Che devo fare? – chiese Domenico, in preda a un prurito
isterico alle dita delle mani.

– Accettare. Smettere di dar via i gioielli di famiglia. È vero
che vuol vendere la casa di suo padre?

– Sí, – confermò Domenico.

– Ci sarebbe anche un interesse per la vecchia casa Chironi. Un'offerta davvero considerevole.

– Ah, – vacillò Domenico. – E da chi verrebbe?

– Non lo so, – dovette ammettere Sini. – La trattativa è gestita da una multinazionale straniera che agisce nel campo alberghiero. Ci avranno visto potenzialità in questo senso. Sarebbe un affare e, considerata la cifra proposta, ci sarebbe una buona percentuale anche per lei. Una bella boccata d'ossigeno...

– Ci voglio pensare.

– Ci pensi in fretta, perché potrebbero cambiare idea o indirizzarsi altrove. Hanno messo gli occhi anche sull'Hotel Sacchi al Monte Orthobène... Questa è un'informazione che le do in *camera caritatis*, come si dice.

Qualche giorno dopo l'incontro con Domenico proprio il notaio Sini, in occasione di un pranzo di lavoro, ebbe modo di dire che l'impresa Guiso & Figlio era come una squadra che gioca in area di rigore senza mai riuscire a realizzare il goal partita. E, a chi gli chiedeva che prospettive immaginasse per la situazione, lui rispondeva che stavamo entrando in un'epoca in cui tutto sarebbe stato possibile. Che dagli anni delle carneficine stava scaturendo una stagione interessante, piena di opportunità. Del resto se eravamo diventati campioni del mondo di calcio dopo quei presupposti era evidente che tutto, davvero, stava diventando fattibile. Gli investimenti disinvolti stavano cambiando la faccia del Paese, e per Paese s'intendeva tutta l'Italia, da nord a sud, isole comprese. Secondo il notaio Sini spettava proprio al mondo della finanza fare di questa nazione una nazione finalmente civile. Lui aveva in progetto di correre come sindaco alle elezioni comunali, ma anni di notariato gli avevano insegnato quanto importante fosse non esprimere mai le proprie intenzioni, né, tanto meno, le proprie preferenze. Il calcio, per esempio: a Sini non era mai importato granché, ma siccome c'erano appena stati quei mondiali fortunatissimi, allora di calcio bisognava parlare. Dal suo punto di vista questo interesse di speculatori proprio a Núoro dimostrava la sfrontatezza dei tempi nuovi, dove i sol-

di si cercavano dappertutto e nessuna piazza era inesplorabile.
Certo, si diceva, sarebbe occorsa l'etica propria delle epoche di
passaggio, una specie di restaurazione attraverso qualche piccola trasgressione. Si doveva diventare uomini nuovi, piú fluidi,
piú elastici. Perché dopo il lutto continuo, dopo l'impazzimento,
era necessario rinascere. Sicché quelle resistenze che aveva letto
nello sguardo di Domenico l'avevano convinto che quell'uomo
non fosse adatto ai tempi nuovi e che quindi occorresse lavorare
con la moglie, che sembrava assolutamente piú sveglia.

– La situazione è questa, – concluse.
Maddalena lo guardò e finalmente formulò la domanda che
voleva fargli dal momento stesso in cui era arrivata. – Perché
ha chiesto di vedermi da sola?
Sini accennò col capo pieno di entusiasmo. Ecco la domanda giusta, disse fra sé e sé. – Perché penso che possa aiutarmi a
dissipare, per cosí dire, le titubanze di suo marito –. Sapeva che
con Maddalena era meglio andare dritti al punto. – Lei è informata della situazione patrimoniale attuale? – chiese.
La donna abbassò il mento: – Ci sono delle difficoltà.
– Ci sono delle difficoltà, – ripeté Sini. – E da che cosa de-
riverebbero queste difficoltà?
– Ritardo nelle concessioni? Fidi che scadono? Investimenti sbagliati? – chiese, senza chiedere, Maddalena.
– Tutto questo e niente di tutto questo. Se dovessi riassumere
quanto sta accadendo direi: rigidità. Mi spiego?
Sini tacque per vedere che effetto aveva fatto quella parola
su Maddalena.
– Sarebbe? – fece lei.
– Sarebbe che suo marito non ha capito come agisce sul patrimonio corrente il mandato testamentario. Vede, come avevo
avuto modo di spiegare, si tratta di scatole cinesi… Il patrimonio Chironi, piuttosto consistente, va a suo figlio che ne potrà
disporre dalla maggiore età. Nel frattempo il tutore, cioè suo
marito, può accrescere quel patrimonio, ma non usarlo per…
questioni a rischio. Uso un linguaggio volutamente semplice per

farle capire bene. Ora chi stabilisce, in quanto arbitro designato, quali sono quelle che ho definito poc'anzi «questioni a rischio»?

– Lei, – rispose pronta Maddalena.

– Esatto, – sorrise Sini. – Quindi perché le cose vadano avanti in senso virtuoso, se cosí si può dire, occorre che ci sia una comunanza d'intenti. E qui torniamo alla rigidità. Devo dire che mi sorprende una tale chiusura in un uomo cosí giovane –. Sini attese da Maddalena una reazione, che non ci fu. – Sono tempi in cui occorre istinto, ma anche realismo. E, diciamocelo francamente, suo marito si ostina a non capire che nessuno gli permetterà di costruire se non ha gli amici giusti. Non sono piú i tempi di suo suocero buonanima, signora mia.

Maddalena tacque ancora, un piccolo scatto del mento ne denunciò il nervosismo. – Che bisogna fare? – chiese.

– Innanzitutto farlo ragionare, – rispose Sini riferendosi a Domenico senza nominarlo.

– Ha paura di finire in mano a sconosciuti. C'è da capire no?

– No, – disse seccamente. – C'è da capire che è chiuso in un angolo, che da quest'ufficio non avrà liberatorie se non per azioni che assicurino perlomeno la stabilità del patrimonio Chironi piuttosto che intaccarlo. Quando sarà nelle mani del suo legittimo erede, suo figlio, potrà farne quello che vuole, ma finché è responsabilità del mio ufficio...

– ...Ho capito, – lo stoppò Maddalena. – Posso parlare con franchezza? – chiese.

Era evidente che a Sini questa domanda non piaceva proprio. A lui di franchezza interessava solo la sua. Comunque se la fece piacere. Assentí col capo.

– Io credo semplicemente che Domenico, mio marito, sia stato estromesso dall'affare delle costruzioni e che lei, signor notaio, sappia perfettamente da chi –. Sini parve sul punto di reagire, ma Maddalena lo sovrastò. – Mi lasci finire. Non abbiamo l'anello al naso: sui villaggi turistici non si passa e non si passerà fino a quando non accetteremo questo aiuto provvidenziale al quale lei pare tenere moltissimo...

– Fa affermazioni pesanti, – constatò Sini mimando un certo risentimento. – Io le assicuro che l'Edilombarda è un'impresa serissima che si è rivolta a me in quanto referente diretto, e anzi dovreste ringraziarmi per aver indicato voi come azienda su cui investire.

– E noi la ringraziamo, notaio. Ma vorrei che le fosse chiaro che io non sono mio marito. Lui pensa ancora che le persone possano agire senza secondi fini... Comunque la faccenda l'ho capita, quello che mi chiede l'ho capito. Le faremo sapere, – disse alzandosi.

Sini, che stava studiando per fare il sindaco, *capí* che era assolutamente inutile replicare.

Mimmíu era diventato leggerissimo, senza alcuna consistenza, se non un involucro cedevole difficile da afferrare. Come una di quelle lanterne cinesi che volano col calore.

A Domenico – che ancora, e sempre, tentava di salvarlo – quella leggerezza fece l'effetto di un congedo. E non sapeva se gioire o rammaricarsi, perché quel contatto ricorrente era diventato una condanna, ma anche una certezza. Sta di fatto che cominciò a lamentarsi nel sonno, come se ansimasse nello sforzo di contenere qualcosa d'incontenibile.

Quando aprí gli occhi Domenico si ricordò che era nella casa di via Deffenu: per tutta la sera precedente aveva discusso con Maddalena, e lei aveva cercato di convincerlo del fatto che, se voleva continuare a lavorare, doveva assoggettarsi a questa faccenda del «salvataggio» proposto da Sini. Domenico faceva resistenza perché non afferrava appieno il ragionamento: se avesse fatto il suo lavoro si sarebbe salvato, ma non poteva fare il suo lavoro se non accettava di mettersi nelle mani di una finanziaria che voleva speculare sulle sue difficoltà. Era cosí che stavano le cose?

Maddalena confermò tutto. E spiegò al marito che la questione gli sembrava marziana solo per il fatto che lui non considerava la percentuale che Sini avrebbe preso dalla conclusione dell'accordo. Domenico, questa volta, comprese ogni cosa. Sini garantiva alla cordata di costruttori che la Guiso, per realizzare, doveva vendere quei terreni che Mimmíu s'era accaparrato a suo tempo. E non a prezzo di mercato. Perciò con accordi locali aveva chiuso i rubinetti delle concessioni per abbassarne il prezzo e costringere Domenico a cederli. Contemporaneamente, l'ufficio del notaio prendeva una percentuale dalla Edilombarda, che rilevava il debito che la Guiso & Figlio aveva contratto grazie all'operazione precedente. – Scatole cinesi, – ripeté Maddalena.

Per la terza trasferta dal notaio Sini, Domenico si preparò con una meticolosità da orafo, nel senso che doveva cesellare parole, pensieri, opere e omissioni, come avrebbe detto la buonanima di padre Virdis.

Maddalena si era fatta bella, aveva fatto bello il marito e, appena fuori dal portone di casa, gli aveva afferrato il braccio come se ancora fossero due che non potevano fare a meno l'uno dell'altra.

Era un pomeriggio indifferente, né caldo né freddo, di quelli che si posano sulle cose e sulle persone come fossero cipria impalpabile, visibile solo in controluce. Una cipria ordinaria. Con odore di confetto e colore appena rosato. Era malinconia di solitudine attesa, piuttosto che di solitudine vera e propria. Ora a Domenico tutto questo attendere e sospendere pareva una tortura inenarrabile, ma Maddalena gli afferrava un braccio perché non scappasse e perché fosse chiaro al mondo intero che coppia affiatata erano. Nella sua speciale visione delle cose, la letteratura contava almeno quanto la realtà. E spesso di piú, perché se qualcuno avesse pensato di esprimere dubbi sulla solidità di quel matrimonio, adesso quei dubbi doveva levarseli dalla testa, perché Maddalena Pes in Guiso e Domenico Guiso erano lí esposti a chiunque, nel tragitto che portava allo studio Sini, bellissimi, eleganti, l'una a braccetto dell'altro. Come doveva essere. E tutto il resto, realtà compresa, non valeva un accidente.

Comunque per essere una capitolazione fu una capitolazione, nel senso che una volta finita ufficialmente la parata; una volta che ebbe atteso con Maddalena nel salotto del notaio Sini per venti minuti buoni; a Domenico spettò solo di firmare dove c'erano le crocette, peggio che l'ultimo degli imbecilli. E il bello fu che si apprestò a farlo pur sapendo che stava mettendo la testa sul ceppo. Tuttavia firmò, sperando che il boia sbagliasse il fendente, sotto il doppio sguardo vigile del notaio Sini e di sua moglie. Espletata che fu quella «formalità», il dischente sindaco si affrettò a sottrarre i preziosi documenti dall'area d'azione di Domenico, per paura che lui cambiasse idea, neanche fosse indispensabile fare asciugare l'inchiostro appena versato per sigle e firme. Poi sorrise cedendo il maltolto al suo taciturno segretario e, dopo aver dato indicazioni per il protocollo, si rivolse all'uomo decapitato davanti a sé annunciandogli che i risultati di una cosí saggia decisione non avrebbero tardato a palesarsi.

E infatti si palesarono qualche giorno dopo, quando – inaspettatamente – la giunta comunale di Porto San Paolo da cui dipendeva la località Cala Girgolu diede il via libera all'edificazione di case per la villeggiatura, rendendo preziosissimi quei terreni che Mimmíu aveva preteso con tanta acrimonia dai passati proprietari. Una buona notizia si sarebbe detta, ma per Domenico non lo fu. Fu anzi l'ennesima riprova della sua assoluta insipienza e mancanza di visione, perché lui quei terreni li aveva concessi a Raimondo Bardi – con una scrittura privata fra loro – come ricompensa per aver fregato Cristian Chironi facendolo viaggiare, a sua insaputa, su un Transit carico di armi da fuoco. E questo spiegava per quale motivo la morte di Cristian, che aveva sopravanzato di gran lunga le sue intenzioni, gli era costata la cessione di un bene cosí prezioso. Mimmíu, rivolgendosi direttamente a Raimondo, aveva capito che suo figlio Domenico era stato il mandante della faccenda, forse addirittura l'informatore anonimo che aveva fatto trovare le armi. Ed era chiaro che quando si era offerto di pagare a Raimondo, tramite Federica, una specie di vitalizio finché stava in galera, l'aveva fatto solo perché a quell'altro non venisse in mente di denunciare Domenico. Ecco in tutto il suo paradossale generarsi il ghigno della sconfitta piena del giovane Guiso. Perché ora che aveva ceduto su tutti i fronti, ora che si era lasciato salvare da sconosciuti che gli avrebbero concesso pochissimo margine d'azione, ora che, finalmente, avrebbe potuto mettere a bilancio un'operazione positiva – e cioè l'edificazione del villaggio turistico a Cala Girgolu –, lui quel terreno non ce l'aveva piú.

Domenico sapeva fin troppo bene che la resa sarebbe stata completa a cominciare da quando, mentre aspettava con la moglie che il notaio Sini trovasse il tempo di riceverli, aveva visto con la coda dell'occhio due impiegati dello studio, due deficienti immanicati senza arte né parte, che lo indicavano e ridacchiavano tra loro. Come tutti i vigliacchi di questa terra che sono arroganti con i deboli di turno e lecchini con i potenti di turno. Uno dei due, che era lí a lavorare solo in quanto lontano parente del notaio, faceva all'altro, credendosi non visto, un gesto con le dita. Tendendo gli indici e portandoli all'altezza del petto fra lui e il suo interlocutore, delimitava uno spazio di dieci-quindici centimetri, come a dire che quello era il massimo di guinzaglio che avevano concesso a quel cane di Domenico Guiso.

Lui, Domenico, aveva potuto percepire quella frase senza tuttavia sentirla, perché ormai aveva capito fino a che punto l'astio nei suoi confronti era pari ai rospi che la gente aveva dovuto ingoiare quando suo padre era in vita.

Qualche giorno prima un ingegnere che aveva lavorato per tutti i cantieri di Mimmíu l'aveva affrontato per strada, permettendosi di mettere in piazza cose spiacevoli a proposito di presunte disonestà di cui era stato testimone, e vittima, durante il suo periodo alle dipendenze della Guiso & Figlio. Domenico si era guardato attorno per capire se l'opzione reazione fisica fosse percorribile, ma vedendo che in quel luogo, per pregustarsi un massacro, si erano già riunite tre o quattro persone, lasciò perdere. Si limitò a fissare con malevolenza l'ex direttore dei lavori, che nonostante gli scrupoli di coscienza aveva avallato tutte, ma proprio tutte, quelle disonestà di cui affermava di essere a conoscenza. C'erano gli estremi per la calunnia, pensò. E gli parve un pensiero distante anni luce dal mondo in cui effettivamente si trovava.

Ma c'era stato un altro segnale evidente. Si era trattato di quell'impulso che, subito dopo lo spiacevole incontro con l'ingegnere, l'aveva portato alla casa Chironi di San Pietro. E già da quello strano istinto pavloviano avrebbe dovuto capire a quale resa ferocissima doveva prepararsi. Infilata la chiave nella serratura del portoncino piccolo dentro il portale grande del cortile – che vivevano indissolubili come un padre e un figlio, o come due gemelli di misure differenti – si accorse che qualcosa ne impediva l'apertura. E dovette sforzarsi non poco per spingere fino a quando non ebbe creato uno spazio sufficiente per infilarsi di taglio e penetrare nella corte. Cosí aveva capito che a osteggiargli l'ingresso era stata la vite americana, cresciuta a dismisura e attaccata ai legni del portale. Passiflora, glicine, edera, gelsomino, rincospermo e appunto la vite americana, si erano avviluppati come serpenti costrittori su limoni, ibischi, nespoli e su tutti quegli arbusti o alberelli che, come Laocoonte e figli, tentavano di conquistare una luce propria. E pareva che fossero naufraghi sul punto di annegare sotto la coltre verde e ferrosa dei rampicanti. Le piante grasse, spinose intangibili, avevano prosperato nella loro succosa indifferenza, mentre interi cespugli di ortensie si erano disseccati a tal punto da trasformarsi in palchi regali di cervi maschi. I convolvoli inariditi avevano compattato gli arbusti fino a sembrare teste ricce. Le schlumbergere truncate, che tutti riconoscevano come lingue di suocera, lasciate libere di crescere nella loro tendenza all'illazione, erano arrivate a leccare il fondo della vaschetta da bucato di cemento, dove ancora, nell'apposito scomparto in cima al piano ondulato inclinato, si era incistata una secca scheggia ambrata di sapone di Marsiglia. Poi le dracene, che negli appartamenti paiono cosí esoticamente finte, dall'angolo di cortile in cui le aveva piantate Marianna si erano trasformate in surrogati di palmizi caraibici, di quelli che nei poster delle agenzie di viaggio si sporgono, sinuosi e liberty, dall'entroterra alla spiaggia candidissima, fin verso la battigia cristallina.

Quella selva in cui si era trasformato lo spazio che era stato di Marianna l'aveva impressionato fino alle lacrime. Come se, in qualche modo, avesse disatteso l'impegno di custodire intatto quell'orto concluso. E invece no. Non l'aveva custodito e non ci aveva pensato nemmeno. E quell'interno si era trasformato nel regno dell'incuria, nel groviglio amazzonico, nel caos senza ragione. Le piante, non governate, avevano lottato strenuamente l'una contro l'altra. Si doveva attraversare questo rigoglio prima di conquistare la porta-finestra che dava in cucina, sbarrata, anch'essa, da piante munite di ventose da piovra e artigli da flagello. Sicché Domenico fu costretto a strappare via rami pulsanti, intere volute arteriose, gangli cistosi di bacche e baccelli, prima di guadagnare il nulla estremo, l'interno odoroso di sepolcro, di quella casa disseccata dalla morte e dal silenzio.

Una volta entrato nella stanza svuotata e rimbombante che era stata l'immensa cucina dei Chironi, fu proprio la cessazione istantanea del rumore a fargli afferrare la potenza sibilante e chiassosa della trasformazione che si stava consumando là fuori. Domenico comprese quanto in profondità risuonasse quella febbre di rigenerazione, quell'inondazione vegetale che aveva sommerso il cortile. Comprese con quanta acrimonia possa montare la rivalsa strisciante di una natura troppo a lungo imbrigliata. E percepí tutto il peso della propria resa. Percepí il vuoto che ne sarebbe conseguito, perché lo stava vivendo, come quando, dopo un'esplosione, l'unica cosa che resta è una quiete vibrante e compatta.

La cucina era stata svuotata, il caminetto ripulito. Alle pareti ancora restavano le impronte dei mobili e dei pensili, come orme vuote di corpi che erano stati vivi. Piú in là, dopo il corridoio, giacevano serrate le camere da letto, fino alla scala che portava al piano superiore. Lo scarno apice della prima rampa era un pianerottolo di un metro e mezzo per un metro e mezzo. Là, in un angolo, era stato abbandonato un martello da fabbro, col manico di un legno tanto asciutto da parere un cordame o un grosso budello disseccato. E su quel manico addomesticato dalla stretta di una mano solida e tenera si riverberava una bava di luce proveniente dal corridoio superiore; forse lo scuro di una finestra era stato lasciato aperto. Bastò quella presenza lumino-

sa che era, di fatto, un'assenza, a trattenerlo dall'intraprendere
la salita. Perché millenni prima, nell'inconsistenza densissima
dell'infanzia, dietro al gomito stretto, Cristian stava acquatta-
to a sorprendere Domenico appena svoltava il pianerottolo per
passare dalla prima alle seconda rampa.

Aveva letto da qualche parte che gli atomi emigrano nel tutto
untuoso dell'esistenza, che niente si disperde realmente: cambia
stato. E ora, mentre ascoltava il silenzio ostile che promanava
da quella casa tramortita, *sepulta domus*, ancora, e ancora, misurava il costo terribile della sconfitta.

Domenico aveva fatto cose terribili, aveva ucciso il suo vero amore. Aveva trattenuto sulle spalle il peso dell'universo e
aveva fallito, perché quell'universo, quell'amore, pesavano assai di piú del corpo di Mimmíu che pure, colpevolmente, non
era riuscito a salvare. Ora le pareti della casa erano percorse
dalla risacca malinconica del pomeriggio agonizzante. Come se
davvero frammenti infinitesimali di tutti coloro che l'avevano
abitata baluginassero in cerca di uno stallo. In un vuoto pneumatico che li agitava senza posa.

Si rifugiò nella stanza da letto dove, con la voce soffocata
dal caldo, la pelle lucida di sudore, Cristian aveva cantato per
lui. Non erano rimaste che due reti come unici elementi di un
sedimento archeologico. Da quei soli reperti si sarebbe dovuto
immaginare tutto il resto: la funzione del luogo, atto alla stasi
del sonno, come alla febbre dell'eros. Atto agli innamoramen-
ti, nell'attimo in cui dell'amore si sa solo che è come una freccia, il fendente della piú trita metafora, o come un coltello, che
fanno davvero male solo quando penetrano o quando si tenta di
estrarli. Ma, finché restano conficcati, il dolore sembra sopportabile, addirittura accettabile. E, qualche volta, proprio tenerli
conficcati come un corpo estraneo nel proprio corpo, è l'unico
modo per sopravvivere.

Domenico, in quella stanza, poteva vederci la vita nonostante
tutto. Non sapeva chi avesse deciso di svuotare casa Chironi, né
che fine avessero fatto i mobili che c'erano dentro. Non sapeva
nulla di nulla. E siccome non c'è pensiero, feroce o consolato-

rio, che non se ne trascini un altro dietro di sé, in quel vuoto, ebbe la certezza che lui, come persona, non valeva nulla: e come figlio, e come padre. Ora che tentava di estrarre la sua freccia capiva che quell'operazione generava un dolore insopportabile che non aveva a che fare col corpo, ma col risvegliare il senso fino ad allora fatalmente intorpidito di se stesso.

Quel vuoto faceva chiarezza, spostava la realtà dalla teoria alla pratica: aveva ucciso il suo amore, aveva ceduto al peso morto di suo padre, aveva ignorato suo figlio. Aveva fallito.

Cagliari, Buoncammino, luglio 1984.

Un carcere che si apre per far uscire un detenuto che ha scontato la sua pena è simile a una madre incosciente che espelle il suo ennesimo figlio. Non è come si vede spesso. I detenuti non escono dal portone principale, davanti al quale, ad attenderli, ci sono familiari emozionati. No. A Buoncammino escono da una porticina laterale, fuori scena, e molto spesso non c'è nessuno ad attenderli. Cosí perlomeno fu per Raimondo Bardi.

Quando il carcere si chiuse dietro le sue spalle ebbe come un sussulto per il troppo largo, il tutto aperto, che gli si parava davanti: dalla cima del colle al mare, con nessuna costrizione che impedisse lo sguardo. Cosí gli venne da pensare che il cuore della detenzione è dirigere lo sguardo esattamente dove i carcerieri pretendono che sia diretto. Tirò su col naso l'aria salmastra, senza filtri, che arrivava dal porto sottostante e fu preso da un'euforia sottile, non plateale come si sarebbe aspettato. Aveva scoperto che un bel po' di cinismo aiuta a prosperare e che la poesia, uccidendo la realtà, uccide l'istinto di sopravvivenza. In gabbia aveva abitato punti di vista del tutto nuovi sul mondo. Faccende elementari, funzioni corporali, pensieri carnali. Lí aveva dovuto scegliere tra la vita di dentro e la vita di fuori in senso sia fisico che metafisico. E aveva imparato che chi sa condurre la vita di dentro può, ragionevolmente, aspirare alla vita di fuori. Sicché al terzo passo oltre la porticina del carcere, già aveva deciso di dimenticare di esserci stato.

Raimondo aveva trascorso gli ultimi tre anni e mezzo nel

cosiddetto «braccio dei politici», e aveva capito che, come lui, la maggior parte di quelli che ne facevano parte di politica non sapevano nulla. Erano lí perché una qualche azione, spontanea o indotta che fosse, aveva permesso loro di entrare in quel settore. A questi chiedevi che cosa avessero fatto e ti rispondevano che erano stati fregati, tanto per cambiare.

Senza il muro di cinta il cielo era immenso e lui non se n'era mai accorto veramente. Cosí alzando la testa verso quella uniformità d'azzurro rischiò un istante di languore che ricacciò dirigendosi al bar-trattoria dall'altra parte della strada. Voleva un caffè di quelli veri.

Il gestore, un tipo piccolo e di un insano colorito cirrotico, lo guardò come un entomologo guarda una specie nota. Non aspettò nemmeno che ordinasse, ma anzi gli diede le spalle per impostare la macchina sbuffante e preparare il caffè. Poi quando quel poco succo scuro e denso cominciò a uscire dai becchetti del filtro col manico sporgente, finalmente si voltò e posò un piattino, col suo cucchiaino esattamente davanti a lui, dove doveva raggiungerli la tazzina odorosa, non piena fino all'orlo, per carità. Il gestore gli disse che quel caffè l'aveva fatto particolarmente buono appositamente per lui. E Raimondo ringraziò senza nemmeno attendere di sapere se davvero quel caffè era buono come diceva lui.

Era buono sul serio.

Uscendo dal locale guardò l'orologio. Federica era in ritardo. Sicuramente, come suo solito, aveva calcolato male il tempo che le occorreva per raggiungere Cagliari. Bighellonò un poco. Si assestò meglio lo zaino che conteneva tutte le sue cose, quelle che sinteticamente gli erano servite in cella e quelle che gli sarebbero servite d'ora in poi. Si era fatto saggio, aveva imparato molto in questi anni di galera. Per esempio che saper guardare nel punto giusto può salvare la vita. Dentro al carcere, e anche fuori. Ma, in quel momento, distratto da tutto quel cielo che gli si posava addosso e da quell'aria libera che lo avvolgeva come un bozzolo, gli occhi di Raimondo Bardi furono carenti. Perché se non si fosse lasciato distrarre avrebbe notato la vita brulicante sotto di sé, e le automobili che arrancavano su per la salita, e le massaie che stendevano interi corredi fuori da balconcini microscopici... E le grandi navi cargo ormeggiate al porto che scaricavano container sulla banchina.

Insomma, quei sensi troppo conclusi in quegli anni di prigionia non lo aiutarono a percepire che quella era l'ultima giornata della sua vita.

A Núoro quella mattinata di luglio si era presentata con un principio d'incendio alla collina Ugolío. Il che fece dire ai malpensanti che, guarda caso, era proprio in quella zona, dall'area dell'ospedale nuovo in poi, che era prevista una nuova possibilità di edificazione abitativa. Certo non ci si poteva aspettare un piano regolatore in supporto a quell'ipotesi, ma in quell'angolo di mondo gli incendi significano sempre qualcos'altro che non semplice incuria, a volte sono precise indicazioni di aree inutilmente abbandonate alla natura che potrebbero essere affidate al piú solido cemento.

Comunque a casa Guiso si discuteva del fatto che, a due anni dai permessi, dei terreni di Cala Girgolu ancora non s'era fatto niente. C'era un tesoro da mettere a frutto e Domenico tentennava.

Intanto Federica Schintu si faceva la Carlo Felice per raggiungere Cagliari, guidando come poteva, cioè male. E rallentando in curva o in salita e poi accelerando per superare in fretta gli svincoli, che le facevano paura, o le gallerie, che le mettevano ansia. Comunque sia, era in ritardo. C'era un caldo terribile, ma guidare col finestrino aperto le faceva venire un terribile mal di testa e poi, come se non bastasse l'afa, c'era la tensione del rumore, il timore di non avere abbastanza benzina, il continuo controllare l'orologio, una sigaretta da fumarsi di tanto in tanto.

Le dieci del mattino. Mancavano ancora cinquanta chilometri a Cagliari, ed era già in ritardo di mezz'ora.

Si era tirata su dal letto all'alba, era andata in cucina a mettere la moka sul fuoco, aveva acceso la televisione appoggiata
sul piano di fianco al frigorifero, sempre sintonizzata su Vi-
deomusic. La coda solenne di *Radio Ga Ga* dei Queen saturò
la stanza, per lasciare il posto alla piú consona *All Night Long*
di Lionel Richie. Federica adorava quel pezzo, si mise ad an-
cheggiare mentre aspettava che il caffè salisse. Quindi lo bevve guardando fuori dalla finestra, verso la campagna che ancora
sembrava assonnata.

Era un'alba arancione. Se l'avesse conosciuto, Federica
avrebbe potuto scomodare Turner per come tutto là fuori virava al monocromo spinto, col sole dello stesso tono croc o polveroso del cielo e della terra. Dall'altoparlante della tivú scaturí
Smalltown Boy dei Bronski Beat. Sullo schermo si succedeva-
no le immagini delle rotaie sopra le quali avanzava un treno,
quello del ragazzo di paese appunto che raggiungeva la grande
città. Federica raccolse col cucchiaino lo zucchero accumulato
sul fondo della tazzina; dopo averla posata nel secchiaio vi fece
scorrere dentro un po' d'acqua, e il video arrivò alla sua conclusione: quel treno che portava il ragazzo via dal paese lo portava
nelle braccia della grande tollerante città a rifarsi una vita...

Federica spense la tivú, erano le sette e non poteva perdere
tempo a incantarsi davanti allo schermo. Si vestí in fretta, ma
con cura, e poté farlo perché aveva deciso tutto – dalle calze
color pesca al giubbotto di jeans con le maniche risvoltate e la
canottiera di pizzo come Madonna, e le collanine e gli orecchi-
ni con le croci – fin dalla sera prima. Uscí di corsa, ma dovette
rientrare in casa perché aveva dimenticato le sigarette, le recuperò in bagno: erano sulla sponda della vasca insieme all'accendino. Già che c'era, fece un altro goccio di pipí.

Si chiuse alle spalle la porta d'ingresso, attraversando l'ampio pianerottolo: aveva deciso di ignorare l'ascensore e affrontare a piedi le scale in discesa. Fu dopo il terzo gradino che eb-

be come una breve vertigine, un tremore convulso del mento. Si bloccò incurvandosi in avanti, come qualcuno che temesse l'impatto di un'ondata che sapeva di non poter evitare. Non si trattò che di una frazione di secondo, ma se bastò a farle capire che quella non sarebbe stata una giornata qualunque, purtroppo non bastò a rivelarle che quella sarebbe stata l'ultima giornata della sua vita.

Lei, Federica, si era messa in viaggio alle sette e mezza, lasciandosi alle spalle la città senza nemmeno doverla attraversare. Aveva intrapreso lo sterrato che, presto o tardi, sarebbe diventato un viale asfaltato, poi si era immessa in uno stradello interpoderale che le permetteva di accedere direttamente nella Macomer-Abbasanta e, di lí, superata Oristano, raggiungere Cagliari. I camion che saettavano nella corsia di sorpasso l'avevano rallentata ulteriormente. Ma al rallentamento aveva contribuito anche quella maledetta faccenda che doveva fermarsi di continuo a fare la pipí. Soprattutto quando era nervosa. Perché, a dirla tutta, lo strano malessere che aveva avuto mentre scendeva le scale di casa non era stato del tutto privo di avvisaglie, ma, si sa, la caratteristica delle avvisaglie è proprio di non sembrare mai tali fino a quando è troppo tardi per tenerne conto.

Il pomeriggio precedente aveva passato una mezz'ora interminabile al telefono con la sorella Pina. E quell'altra le aveva chiesto che cosa ci andasse a fare a Cagliari, e lei non è che avesse saputo perfettamente cosa rispondere. Come se il fatto stesso che la sorella gliel'avesse domandato togliesse un senso all'intera questione. E lí per un attimo aveva sentito un panico profondo, qualcosa che assomigliava a una certezza risucchiata dall'abisso attraverso uno scandaglio sensibilissimo. Poi, siccome Pina aveva attaccato con la solita faccenda che marito e figli non sono una benedizione, ma un'evidente prova che l'inferno esiste, lei, Federica, si era distratta o si era voluta distrarre da quel segnale forte e chiaro.

Quella che aveva in macchina non poteva definirsi una radio, ma una fonte di voci indistinte e note sovrapposte. Tanto piú che, andando avanti su quel corridoio che conduceva al limite stesso di ogni terra percorribile, a canale si frapponeva canale, come quando troppe persone in attesa si assembrano e sgomitano per guadagnare centimetri. Cosí dall'apparecchio venivano fuori stracci di realtà a cui lei cercava di dare un senso con movimenti impercettibili della manopola di destra, quella della sintonizzazione. E di tanto in tanto riusciva a cogliere qualche momento di senso compiuto: la strofa di una canzone, *e per un istante ritorna la voglia di vivere a un'altra velocità...* un pezzo di notiziario locale, *lingua blu... assunzioni ad Ottana...* qualche scheggia folk, *duminica ando a missa e mind'intendo duas dae s'oru de sa janna...*

A pensarci, se le fosse rimasto il tempo di farlo, anche tutto quel rimestare tra i fantasmi che affollano l'etere, quella specie di rievocazione che esercitava ogni qual volta tentava di fissare un'emittente o un'altra, poteva essere considerata una figura dell'altro vagare, quello senza corpo, senza peso. Vista dall'alto, da un gabbiano, da un astore, l'utilitaria rosso ciliegia di Federica Schintu, non era nient'altro che una simulazione, un globulo nel flebile flusso arterioso di quella terra comatosa.

L'ultimo giorno di un detenuto è sentito dalla comunità del carcere come una dimostrazione pratica dell'inutilità della reclusione. Vedere il tuo compagno di cella che prepara i bagagli, accumula le sue cose con l'aria di chi debba scusarsi per aver resistito fino al fine pena, è come assistere alla laurea di un figlio. Significa cioè sperimentare sulla propria carne l'effetto del tempo che se n'è andato. Era un neonato, lallava, come si dice, poi parlava eccome, malfermo sulle zampette e finalmente via all'asilo, alle elementari, alle medie, alle superiori... E ora eccolo lí: dottore. E quanto tempo era passato? Quasi tutto. Che malinconia.

Cosí si sentiva Mario mentre Raimondo Bardi gli porgeva un paio di cuffie per la radio o per il walkman che funzionavano ancora bene, bisognava solo fare in modo di ripristinare il contatto di quella destra premendo alla base del minuscolo altoparlante. Nella vita di Raimondo quel Mario, sassarese, in gabbia per aver massacrato a pugni e condotto al coma profondo un tifoso della Torres, sarebbe stato una scheggia nel trascorrere frammentato della sua prigionia. Niente di piú che un ricordo da rimuovere appena varcata la porticina dei fine pena. Ma in quel preciso momento, proprio sulla soglia, pensò persino di poterlo rimpiangere. Per poco, per un attimo. Raimondo aveva affrontato da uomo la sua condanna, ma adesso poteva contare su una prospettiva di agiatezza. Tornava a casa piú ricco di quando l'aveva lasciata. Qualche soldo da parte e un terreno

da esigere. Controllò che tra le sue cose ci fosse il foglio firmato
Guiso Domenico che sanciva la donazione di un terreno di etta-
ri sei in località Cala Girgolu, in fede. Già prima della cena tutto
il suo bagaglio, uno zaino appena, era pronto. Il resto accumulato
nei quasi cinque anni – utensili, vestiti, riviste, qualche libro – lo
avrebbe lasciato in cella a Mario o a chi decidesse lui.

La mattina della liberazione, come la chiamava lui, fece fatica
ad aprire gli occhi. Sembrava non avesse affatto fretta di andarsene. E invece sí, per Dio! Alle nove, finita la colazione, il direttore
lo mandò a chiamare per fargli quel discorso di rito di cui spesso
durante l'ora d'aria, nei corridoi, o in cortile, si era sentito parlare. Qualcosa del tipo: «Tra mezz'ora, massimo un'ora, esci. Vedi
di non tornare». Fine.

Dopo mezz'ora, massimo un'ora era effettivamente fuori a parlare col gestore cirrotico del baretto a poche decine di metri dal
muro di cinta di Buoncammino.

E Federica era già in ritardo.

Lei era stata l'unica a cui, appena conosciuti, avesse chiesto il
numero di telefono: segno che il loro incontro non era passato inos-
servato. Infatti a Federica, anche in cella, ci aveva ripensato spesso.

Ora tornava a casa. Via da Cagliari, nell'interno in cui i trogloditi locali hanno rifugio. Ma Raimondo pensava a quando aveva
visto Federica per la prima volta, che rifaceva le stanze e puliva i
cessi dei grandi alberghi, nonostante il centodieci e lode.

Non appena riconobbe il muso della macchina Raimondo balzò in piedi dalla sedia di plastica verde dell'esterno del bar, e cominciò a sbracciarsi. Lei lo intercettò subito. Pensò che per essere
stato un galeotto era sorprendentemente in forma, e che i capelli
tagliati cortissimi gli donavano: lo facevano piú uomo.

– Ti trovo bene, – gli disse infatti Federica scendendo dalla
macchina.

– Eh, – fece lui, – un incanto –. E senza nemmeno aspettare
che lei avesse smesso di sgranchirsi la sostituí al sedile del guidatore. – Andiamo? – incitò.

Federica lo guardò. – Pensavo di prendere un caffè...

– ...Sí, – la interruppe lui sbrigativo. – Dopo, per strada.

La donna diede un'occhiata al muro che li sovrastava e scosse le spalle comprensiva. Poi si diresse al lato del passeggero e raggiunse Raimondo all'interno dell'abitacolo. Si guardarono per un attimo, il tempo di constatare quant'era passato dall'ultima volta che si erano dati un bacio. Poi lui mise in moto. Lei si limitò ad accarezzargli il dorso della mano mentre innestava la prima. E lui la lasciò fare. Della loro passata intimità pareva restato ben poco.

Fino all'uscita da Cagliari lasciarono parlare gli sguardi e i gesti. Il tramestio della radio che, come al solito, pareva una friggitrice, li accompagnò senza che nessuno facesse niente per mutare quel dato di fatto. E cioè che nell'invisibile viaggiano le voci. Federica poté sciogliere tutta la tensione che l'aveva tenuta vigile durante l'andata abbandonandosi a una sonnolenza violenta e incontrollabile. Raimondo premette sull'acceleratore fissando il parabrezza, rapito dalla compiutezza di lievito madre della macchia, dalla competenza pittorica dei campi di girasole, dalla povera ostinazione dei maggesi. Teneva l'auto a una distanza precisa dal bordo strada, con una pignoleria che gli derivava dalla pignoleria con cui si era abituato a saggiare le distanze in prigione. Con la coda dell'occhio destro controllava, per l'appunto, il bordo strada, poi, come in un cambio della guardia, con la coda dell'occhio sinistro controllava la linea continua di mezzeria.

– Accendimi una sigaretta, – disse all'improvviso.

Federica ebbe uno scatto. – Cosa? – chiese.

– Una sigaretta, – ripeté lui. – Accendimi una sigaretta.

– Ah, sí, – fece lei, ancora stordita. Poi si frugò nella tasca del giubbotto di jeans e ne estrasse il pacchetto e l'accendino. – Una delle mie? – chiese Federica.

– Togligli il filtro, – rispose lui senza perdere di vista la giusta distanza.

Lei eseguí. Staccò il filtro dalla sigaretta, poi la mise in bocca sentendo immediatamente il sapore del tabacco sulla punta della lingua. Cosí accese e, porgendo a Raimondo la sigaretta direttamente sulle labbra, sputacchiò come se avesse dei peletti da espellere.

– Ti ho svegliata, – constatò lui.

Lei fece segno che niente... Che non dormiva, ma già le palpebre ricominciavano a diventare pesantissime. Intanto, il fumo espulso dai polmoni di Raimondo aveva invaso lo spazio. Lui senza staccare le mani dal volante aveva piú volte lasciato che la cenere gli cadesse addosso. E quando arrivò alla fine della sigaretta prima di afferrare quello che ne era rimasto aveva controllato di essere esattamente al centro della sua carreggiata. Dallo specchietto retrovisore laterale quel mondo solitamente celato alla vista, mostrava la consistenza proterva di una realtà che si verificava a prescindere. In quello spazio degli opposti, oltre lo specchio, i musi delle macchine che sfrecciavano nell'altra corsia mutavano in retri, e la strada che si strozzava vista dal parabrezza si estendeva come se il caldo la dilatasse. Un'auto bianca inserí la freccia e li superò. Un'altra auto, verde, si tenne a distanza dietro di loro.

Chi guidava quella macchina verde, un'auto presa a noleggio all'agenzia del porto di Cagliari, guardò i suoi tre compagni di viaggio e indicò col mento l'auto davanti a loro. Si sarebbero detti quattro tipi loschi. Tuttavia troppo sole – che, con la sua luce diretta, costringe a strizzare gli occhi –, un cielo talmente azzurro da cancellare ogni sfumatura e appianare ogni linea d'espressione, farebbero apparire losco anche il piú gentile degli uomini. A ciò si unisca il gioco impietoso di chiarissimi e scurissimi con cui zigomi sporgenti e arcate sopraciliari importanti sezionavano i visi, ed ecco che quei quattro risultavano perfetti per un film di killer prezzolati che devono eliminare qualcuno di veramente scomodo.

Anche nella macchina verde si parlava poco. E quando si parlava si dicevano cose generiche: che c'era caldo tremendo, che bisognava tenere la distanza, che avevano tempo.

L'autista sudava dalla nuca rasata e provava ad armeggiare

con la ventola del cruscotto, ma da quella grata non arrivava
che un rimescolamento della stessa aria caldissima che attanagliava la campagna. L'altro seduto al suo fianco controllava una
cartina e faceva segno di aspettare. I due sul sedile posteriore
fissavano il retro della macchina davanti a loro, quasi che il filo
di quello sguardo fosse abbastanza tenace da impedire di venire seminati. Erano talmente alti che le loro teste sfioravano il
tettuccio, e cosí grossi che le loro spalle, nei rari sobbalzi della
marcia, si toccavano.

Quando arrivò il momento giusto, le cose precipitarono. La
macchina verde accelerò. Il momento giusto era il bivio di Macomer segnato con una linea rossa e una freccia sulla cartina. La
macchina verde recuperò spazio fino ad affiancarsi a quella che
stavano pedinando. Ora l'uomo che teneva la cartina poteva voltarsi e guardare verso l'interno dell'altra macchina: come previsto
a occuparla erano un uomo e una donna. E l'uomo era esattamente quello che stavano cercando.

Il momento giusto si manifestò con un'accelerata della macchina verde. Raimondo ne intuí la manovra e si disse che finalmente, chiunque fossero, si erano decisi a levarsi dalle palle.
Per un breve momento le due auto furono affiancate. La radio
incredibilmente si assestò dal suo insulso gracchiare ed emise
con chiarezza le parole di una canzone mielata: *Remember that
piano, so delightful, unusual | That classic sensation, sentimental
confusion...* Federica ebbe il tempo di pensare «guarda un po':
anche se non c'entra niente, questa canzone mi ricorda di quell'e-
state che siamo andati a Gonone in tenda», e stava per chiedere a Raimondo se anche a lui era venuta in mente la stessa cosa
quando una frenata improvvisa rischiò di mandarla a sbattere
contro il parabrezza. Cosí, mentre quel cantante confidenziale
affermava *I like Chopin*, Federica aprí gli occhi e vide Raimondo che spalancava la portiera dal suo lato e, dandosela a gambe
verso la macchia, urlava: – Scappa! Scappa!

Perciò lei afferrò la maniglia della portiera e fece per aprir-

la, ma fuori dall'auto un uomo enorme, in piedi, le impedí di
farlo. Era uno di quelli scesi dalla macchina verde. Che cosa
fossero scesi a fare non lo capiva, ma capiva che avevano pessi-
me intenzioni. Quello era un posto dimenticato da Dio e dagli
uomini, in cima a un falso piano, ma abbastanza appartato da
essere lontano dallo sguardo di chi percorreva la 131. Un posto dove urlare non sarebbe servito a niente, eppure Federica
urlò. Nel vuoto feroce di quel cielo incommensurabile, enorme
davvero, in rapporto alla striscia di roccia e campagna dov'e-
rano finiti, urlò.

Che fine avesse fatto Raimondo non era possibile dirlo. Quando l'energumeno che le aveva impedito di aprire lo sportello vide che Federica cercava la salvezza provando a uscire dall'altro
lato spalancò la portiera e con un braccio le arpionò la caviglia.
Lei tentò di scalciare, ma fu sopraffatta dal dolore pungente
della caviglia che si frantumava sotto la pressione della presa a
tenaglia dell'uomo. Dalla bocca le entrò un'afa irrespirabile e
il cuore le accelerò in petto in modo inconsulto.

– Chi siete? – chiese a un certo punto, notando che poco distante altri tre uomini, come i demoni del Giorno del Giudizio,
avevano preso Raimondo. Ma è certo che chiedere di presentarsi
a uno sconosciuto che non pare avere buone intenzioni nei tuoi
confronti può non significare nulla nell'economia generale della faccenda. Infatti l'uomo non rispose. Senza abbandonare la
presa la strattonò per riportarla esattamente sul sedile del passeggero, nel punto cioè da cui aveva cercato di scappare, e non
si preoccupò se, nel fare questo, la costringeva a trafiggersi con
la leva del cambio o del freno a mano.

Federica era piú inebetita che spaventata. Si era chiesta un
sacco di volte come sarebbe stato morire. E, da bambina, spesso
aveva smesso di respirare per qualche secondo. Adesso di fronte alla realtà, all'imminenza della morte, capiva quanto fossero stati ridicoli quegli esperimenti. C'era di buono che dopo lo
strappo alla caviglia – il dolore peggiore che ricordasse di avere
mai provato – ora non sentiva quasi piú niente, se non i polmoni
che le pareva fossero diventati minuscoli, e la vista che era un

senso oramai discutibile e vago, tanto mescolava cose e rumori e colori. Lí, nell'istante di passaggio, le fu chiaro che stava morendo perché l'avambraccio tatuato di uno sconosciuto le stava premendo il collo fino a quando, e non mancava molto, tutta l'aria dei suoi polmoni non sarebbe, totalmente, finita.

Piú in là, con ancora qualche competenza uditiva, poté percepire le urla di Raimondo in mano agli altri tre demoni. Non c'era poi voluto molto, la canzone se ne andava con un coro che sfumava nell'etere a raggiungere qualcun altro: *Rainy days never say goodbye | To desire when we are together | Rainy days growing in your eyes | Tell me where's my way...* Brutto assolo di piano, e fine.

Quando ebbe concluso il lavoro con Federica l'uomo tatuato recuperò lo zaino di Raimondo dalla macchina e si avviò verso la zona dove si trovavano i suoi tre compagni. A giudicare dallo stato del cadavere, avevano approfittato di quell'incarico per divertirsi un po'. I quattro confabularono tra loro in una lingua infernale quanto il loro aspetto. Quello che sembrava il capo, che si era occupato personalmente della donna, vuotò lo zaino di tutto il suo contenuto, rivoltandolo come fosse un grande calzino. Dall'interno volò via quel foglio che Domenico aveva firmato e che doveva rappresentare il futuro di proprietario per Raimondo Bardi che era partito da niente, ma poi si era fatto furbo, e si era trovato ad avere, per qualche ora, un futuro. Ma siccome quel poco futuro si era estinto a calci in faccia e colpi di pietra in una zona non troppo distante da Macomer che tutti chiamavano Fort Apache, quel foglio se lo presero i Quattro Cavalieri dell'Apocalisse, che, risaliti nella macchina verde, dopo una breve marcia indietro si rimisero in viaggio verso il porto di Cagliari. Lí un cargo che batteva bandiera sovietica li avrebbe accolti appena in tempo prima di salpare per il Baltico.

Nevina attese che Maddalena finisse di preparare la pappa per Luigi Ippolito. Si trattava di una minestra di verdure che la figlia aveva fatto stracuocere; ora spappolava con una forchetta i pezzetti di carota e sedano che si erano salvati dalla dissoluzione. Quando Maddalena al composto aggiunse il formaggino e cominciò a mescolare, Nevina le si accostò. – Stai sbagliando, – disse, ma senza imprimere alcun intento polemico alla frase.

L'altra proseguí col suo lavoro. – Fammi passare, – intimò superando la madre per andare a raggiungere il bambino che l'aspettava sul seggiolone. Cosí lo raggiunse, gli sistemò il bavaglino e cominciò a imboccarlo.

– Ha quattro anni e lo tratti come se ne avesse due... Non mangia da solo, parla a stento ed è pigro persino nel camminare, – aggiunse Nevina.

– Hai finito? – chiese Maddalena, continuando a nutrire Luigi Ippolito come se non desse alcun peso a quanto lei stava dicendo. – Hai finito? – ripeté, questa volta con piú foga, nonostante Nevina non avesse replicato. – Perché devi sempre insistere con le stesse cose?

– Perché sono preoccupata, lo vedi anche tu, no? – Luigi Ippolito guardò la nonna con una punta di sospetto. Nevina ricambiò lo sguardo. – Non ha nessuna autonomia, – disse alla figlia. – Non va bene, – aggiunse sempre tenendo d'occhio il bimbo.

Maddalena, ostinata e silenziosa, continuò nella sua operazione finché la ciotola non fu totalmente vuota. Poi pulí il muso del figlio con un lembo del bavaglino e gli sistemò un ciuffo ribelle. Quindi lo afferrò per le ascelle e lo tirò su per sfilarlo dal seggiolone. Luigi Ippolito la lasciò fare come se fosse un pupazzo. Era sottile e leggero, a vedersi dimostrava meno dei suoi anni. Maddalena lo depositò sul pavimento. – Vuoi vedere il cartone animato? – gli chiese.

Il bambino fece segno di sí. E si avviò al suo posto sul divano davanti all'apparecchio televisivo. La donna intanto aveva cercato una vhs per inserirla nel videoregistratore di ultima generazione. I titoli di testa della *Carica dei 101* fecero muovere quello schermo che solo poco prima pareva un oggetto inerte. Maddalena aspettò che iniziasse, poi raggiunse la madre in cucina.

– Non voglio che mi parli in quel modo davanti al bambino, – disse con urgenza sbrigativa. – Tu pensi che non capisca, ma sente tutto e capisce.

Nevina non si lasciò intimorire piú di tanto, nonostante le fosse chiaro che nell'attacco della figlia c'era un'esasperazione autentica. – Guarda che non ho detto che è menomato o non so cosa, – replicò. – Ho detto che non lo stai aiutando a crescere.

– Perché?

Quella domanda, con la sua scarna semplicità colse di sorpresa Nevina. – Come sarebbe perché? Non è abbastanza chiaro perché? – Aspettò che Maddalena replicasse, ma lei non lo fece. Cosí continuò: – Perché se te lo tieni sotto la gonna adesso, dopo sarà tutto piú difficile... Cosa credi, di poter restare con lui quando frequenterà la scuola?

– Ci vogliono ancora due anni, – sbottò Maddalena.

– Due anni passano piú in fretta di quanto tu non pensi, – la seccò la madre. – E quella creatura mi sembra un uccellino indifeso.

– Come, indifeso? Ci sono io! – Maddalena cominciava a irritarsi sul serio.

– E tu credi che basti?

L'altra cercò di organizzare una risposta di quelle che non permettono repliche, ma dovette rassegnarsi al fatto che quel genere di risposte arrivano sempre quando è troppo tardi. –

Quando ero incinta sognavo sempre, – disse invece senza un nesso apparente.

Nevina la squadrò per bene. – E adesso niente? – chiese.

– Niente, – confermò Maddalena.

– Ora che mi ci fai pensare... Io stanotte ho sognato a mamma, – rivelò Nevina.

– Nonna Iolanda, – completò Maddalena. – Ti ha dato dei numeri almeno, che ce li giochiamo?

Il discorso precedente sembrò improvvisamente dissolto.

– Macché, – protestò Nevina. – Niente numeri... Non è che mi ricordi granché.

– Non dirlo a me. Facevo sogni incredibili, che sembravano veri, quand'ero incinta.

– Ho letto che è impossibile non sognare.

– Eppure è cosí, – tagliò Maddalena con una punta della precedente acrimonia. Ma si fermò prima che le tornasse alla mente tutto il fastidio che le aveva causato il rimprovero della madre a proposito del piccolo Luigi Ippolito.

Parevano sul punto di riprendere le ostilità, quando qualcosa di strano le attirò verso il soggiorno. Il bambino aveva armeggiato col telecomando e ora dallo schermo non scaturivano piú le colorate immagini del cartone animato, ma il crudo resoconto di un duplice delitto: «Ancora nessuna ipotesi intorno al massacro di Macomer. Identificate le vittime: si tratta di Raimondo Bardi di Núoro, pregiudicato, e Federica Schintu di Pattada, residente anch'essa nel capoluogo barbaricino. Si indaga sulla sigla FR rinvenuta nel luogo dell'eccidio. Esclusa la pista di un tentato sequestro fallito...»

La notizia era corredata dalla consueta sequela di immagini scarne e oscene proprio per la loro apparente neutralità. Maddalena strappò il telecomando dalle manine del figlio e armeggiò per recuperare il cartone animato perso in chissà quale punto della tastiera. Una volta ritrovato, tuttavia, vuoi per l'accostamento col telegiornale precedente, vuoi perché non ci si rende conto di quali storie terribili si raccontano effettivamente ai bambini, non parve piú cosí innocuo.

Le donne rimasero in silenzio, in piedi, dietro al divano su cui stava Luigi Ippolito, finché non ritennero ripristinata la normalità. Poi si guardarono. A Nevina vennero in mente un sacco di cose da dire a proposito dello stile di vita che questa figlia affermava di essersi scelta. Ma non disse nulla perché quel silenzio era piú tremendo di tutte le loro scaramucce.

– Ho intenzione di tirare giú le tende... – disse improvvisamente Maddalena alla madre. – Tu le metti in lavatrice o le lavi a mano?

– In lavatrice, certo, lavaggio delicato e centrifuga leggera, – rispose Nevina.

– Bene, – concordò l'altra. – Mi aiuti con la scala?

Domenico si rannicchiò un poco, ma questo non bastò a evitare di fargli sentire per intero la lingua infuocata del cuoio che gli ustionava la porzione di pelle tra fianco e natica. Era stato un fendente tremendo. Si era sforzato di non urlare e, per far questo, aveva emesso una specie di muggito. Terribile, diaframmatico. Poi aveva fatto segno alla donna che gli lasciasse qualche secondo per riprendersi.

Era un cenno del mento che avevano concordato prima della sessione perché lei afferrasse il limite oltre il quale non doveva andare. Negli anni questo limite si era piuttosto assottigliato. Ora Domenico pretendeva di essere legato e, spesso, imbavagliato. Cosí lui fece il gesto concordato e lei si fermò. Quella specie di dolore atroce, ma intimo, del tutto consueto, lo metteva in pace col mondo.

Quel pomeriggio in particolare aveva chiesto che lei accompagnasse i colpi di cinghia con tutte quelle frasi che gli piacevano tanto: «Sei un verme vigliacco, uno schifoso impotente, un frocio!» La donna eseguiva con una perizia che si era affinata col tempo e con l'intimità. «Sei un assassino!» Sentiva la riconoscenza di lui, ogni volta che quel gioco smetteva di essere tale per accostarsi alla vita vera.

Qualche volta si preoccupava perché il grado di resistenza del cliente pareva sviluppato a tal punto che le faceva paura passare il segno. E allora tentennava, aspettava qualche istante di troppo e lui la incitava a fare sempre peggio. Non piangeva piú, questo succedeva i primi tempi, ma ora non piú. Era diventato terribile, immobile, inespressivo, finché non arrivava il colpo e allora si scioglieva in una specie di sollievo lancinante.

Dopo, come se niente fosse, si vestiva, si ridava un tono, riacquistando quel possesso di sé che aveva temporaneamente delegato, ed estraeva le banconote dal portafogli. Quel pomeriggio aggiunse quella che lei definí «una mancia generosa».

– Siamo allegri questo pomeriggio, – constatò sapendo che la generosità di Domenico era sempre proporzionale al suo buonumore.

Lui accennò di sí. – Ho riavuto qualcosa che credevo di avere perso per sempre, – spiegò. Posò le banconote sul solito tavolino e uscí.

Cala Girgolu, settembre 1988.

Il sorriso di Domenico mentre abbracciava Maddalena per farsi fotografare assomigliava al fondo cupo di uno stagno.

Avevano organizzato una cosa semplice, informale, per inaugurare la villa a Cala Girgolu. Era di quelle case per la villeggiatura a metà tra lo stile coloniale e il folk di certa, già stanca, Costa Smeralda. Una scelta provinciale si sarebbe detta, ma la casa era, nel suo insieme, sobria e di giuste dimensioni. Posizionata su uno sperone roccioso che apriva la vista dirimpetto all'isoletta di Tavolara, comprendeva una pineta ombrosa a duecento, massimo trecento, metri dal mare. Dal terrazzo coperto si poteva ammirare la perfezione con la quale i colori, turchese e bianco, verde e arancio, giallo e blu, erano stati distribuiti in quella tela.

Domenico chiese al fotografo professionista che aveva chiamato per l'occasione di scattare un'altra foto in quella posizione. Era il padrone di casa, e pretendeva una foto che avesse parvenza di ufficialità. Si sentiva stranamente a suo agio, nonostante fosse l'unico dei presenti a essere vestito di tutto punto. Quel settembre picchiava come un agosto pieno. Maddalena si avviava verso una maturità splendente. Era di quelle donne che migliorano col tempo, che si affinano e prendono possesso del proprio sguardo e dei propri gesti. Luigi Ippolito andava per i nove anni. Era rimasto taciturno e, come preconizzato dalla nonna Nevina, ci era voluta la pazienza dei secoli perché si abituasse a vivere l'esperienza scolastica. Ora si aggirava tra gli invitati selezionati, una ventina, senza un reale interesse. Luigi Ippolito si era fatto lungo e sottile, con quel preciso sguardo tra il saggio e l'omicida seriale che hanno certi figli unici. Che hanno cioè quei bambini ostaggi di una vita interiore piú vicina alla solitudine che alla riflessione. C'era voluta tutta l'influenza di Nevina per ammetterlo al catechismo in una sorta di sezione privata, dove non dovesse avere a che fare piú di tanto con gli altri frequentanti. E questo non perché fosse volontà della famiglia di isolarlo, quanto per la sua evidente incapacità nel rapportarsi con gli estranei. Anche adesso, in quel contesto di festeggiamenti e inaugurazione, si aggirava in un'area appena fuori dal centro dei contatti, come una volpe che stesse controllando un gregge da attaccare.

– Vieni a fare la fotografia, – lo incitò Domenico.

Il bambino d'acchito fece segno di no, ma quando all'invito si uní anche la madre, con la testa bassa si avviò verso i genitori per mettersi in posa.

Il fotografo professionista si dava delle arie e diceva cose del tipo: «Bravi cosí, ancora un'altra, sí questa è perfetta, da copertina...»

Finalmente gli scatti terminarono, Luigi Ippolito poté staccarsi dalla sacra famiglia, Domenico poté raggiungere il sindaco Sini – un tempo notaio Sini – e i colleghi costruttori, Maddalena poté andare in cucina a controllare che i rinfreschi fossero sempre pronti, a rotazione.

Si parlava delle amministrative di giugno come di una formalità risolta. E si commentava che chi si aspettava un'altra performance positiva del Partito Comunista aveva dovuto ricredersi, perché l'effetto Berlinguer non poteva durare all'infinito e perché su scala internazionale tutto quel modello stava cadendo a pezzi. Avevano sentito dei fatti ungheresi? La «balena bianca» navigava a gonfie vele, commentarono, e cosí i furbissimi socialisti che avevano trovato il modo di tenere il culo su due sedie.

Poi erano intervenute le fidanzate e le mogli a dire che bastava parlare di politica, e il complessino chiamato appositamente da Sassari aveva attaccato con qualche ballabile che aveva fatto fuggire verso la spiaggia i pochi ragazzi presenti. Qualcuno degli invitati era lí per vedere il posto e la casa in vista di un possibile acquisto all'interno del villaggio che oramai, se si escludevano alcune infrastrutture pubbliche – lampioni, prati verdi all'inglese –, poteva definirsi completato. Tre o quattro ville in posizione piú elevata, leggermente piú distanti dal mare, erano rimaste invendute.

Tuttavia quel qualcosa che Domenico aveva ritrovato, l'oggetto che credeva di aver perso per sempre, era lí. Il suo primo reale progetto senza il padre era sotto i suoi occhi. Domenico fece questa riflessione senza rendersi conto della sua portata. Dal mare proveniva una cantilena ostinata, ma la si sentiva solo a patto di far tacere il reale. Seguendo quella nenia compí alcuni passi verso il costone di roccia che sovrastava l'area in cui la sua villa padronale era stata costruita. Il mare gli si spalancò davanti.

Era talmente assorto che non vide Maddalena sbracciarsi nella sua direzione. Sembrava davvero che il mare gli avesse tolto qualunque facoltà di comunicare. Sicché, nonostante vedesse sua moglie che tentava di attirare la sua attenzione, tuttavia non si sentiva capace di risponderle in alcun modo. Lei dovette raggiungerlo.

– Il bambino! – disse. E nient'altro.

Per Domenico fu come quando l'ipnotizzatore arriva al «tre», e il soggetto a cui fino a un istante prima ha fatto fare di tutto improvvisamente si sveglia nell'ilarità generale.

– Che succede? – chiese con quel tono interlocutorio che si ha nell'immediato risveglio.

– Il bambino! – ribadí Maddalena. – Non si trova! – Specificò. E già a dirla a voce alta questa cosa le apparve di una gravità nuova, assoluta.

– Come, non si trova? – chiese Domenico, ma senza muoversi.

– Eh, – fece lei impaziente. – L'ho cercato dappertutto.

– Sarà andato alla spiaggia con i ragazzi –. Questa volta Domenico si mosse per affiancarsi alla moglie.

Maddalena scosse la testa per dire che no, che era il primo posto dove era andata a vedere.

Cosí si avviarono verso la villa.

Luigi Ippolito in casa non c'era, e i ragazzi alla spiaggia non l'avevano visto.

Si organizzarono ricerche immediate. Il maresciallo del posto si sforzò di essere gentile e incoraggiante, ma sussurrava che nessuna ipotesi poteva essere scartata: né che il bambino si fosse allontanato volontariamente, né che in qualche modo fosse stato costretto ad allontanarsi.

– Un sequestro? – chiese Domenico.

A quella parola Maddalena sbarrò gli occhi come capita a chi capisce quanto è semplice una risposta che sembrava complicatissima.

Non era da escludere purtroppo, concordò il maresciallo. Il bambino mancava ormai da quattro ore.

Come fosse arrivato dove si trovava non poteva saperlo. Poteva intuire che quel suo preciso stato derivava dal fatto che in qualche modo avesse sempre ignorato la pietà. Fin da quando poteva ricordare. Tutto quello che era, tutto quello che sarebbe diventato, credeva dipendesse da quella verità assoluta: Luigi Ippolito Giuseppe aveva sempre, sempre, ignorato la pietà. Quella nei confronti dei suoi genitori, ma anche quella nei confronti di se stesso. Per il resto c'era poco da dire: coltivava il dubbio, si dimenava – senza darlo a vedere – dentro al fango delle sue ossessioni. Per esempio l'ossessione della bontà, e l'idea che alla fin fine fosse piú utile per chi la esercitava che per chi la riceveva. Non era superba la bontà? Supponente? Se fosse stata un sentimento normale perché avrebbero inventato i Santi? Che poi non erano nient'altro che i professionisti, i campioni, quelli talmente superbi nell'esercizio dell'altruismo da annullare se stessi, e quindi innalzarsi attraverso gli altari fino all'alto dei cieli. Si disse che sarebbe diventato Santo.

Voltò lo sguardo attorno, era un posto che non conosceva. Un groviglio di macchia e ginestre. Si era rannicchiato sotto un arbusto cresciuto su una base di granito che emanava calore, perché col buio l'aria si era fatta piú fredda. Capiva che lo stavano cercando, ma non gli importava: se fosse diventato Santo avrebbe dovuto imparare a non avere pietà. Capiva lo strazio di sua madre e il fastidio di suo padre. Capiva perfettamente ogni cosa.

Aveva camminato un paio d'ore prima di fermarsi e trovare quel rifugio. Non avrebbe saputo spiegare da che cosa fosse scaturita quella scelta, sapeva solo che aveva iniziato a camminare e si era accorto che le voci alla villa andavano spegnendosi. Lui aveva cominciato a sentirsi bene, euforico, e piú si sentiva in quel modo piú camminava...

Ora era stanco. Udí in lontananza qualcuno che lo chiamava, ma era troppo stanco per rispondere...

Il calare del sole e la febbre che cresceva intorno a lei misero Maddalena in uno strano stato di trance. Si era seduta in un angolo della cucina maiolicata, attrezzatissima, della sua casa al mare; da lí vedeva persone affannarsi intorno a lei, ma non ne coglieva che la sagoma, potevano avere la divisa, potevano non averla.

Un uomo con la divisa comunque le si avvicinò e le chiese qualcosa. Lei si limitò a guardarlo. L'uomo comprese la situazione e chiamò qualcun altro.

– È sotto shock, – disse. – Signora, mi sente?

E Maddalena che pure lo sentiva, capiva in qualche modo di non sentirlo. L'uomo la scosse un poco, come se volesse mettere a posto qualcosa che le si era smontato nella testa. Poi si avvicinò una signora elegante e molto profumata.

– Maddalena, cara... – sussurrò col tono di una madre che capisce il dolore di un'altra madre. – Vedrà che tutto si risolve, – disse. – Noi andremo, – disse. E la sfiorò sulla testa con la mano abbronzata e inanellata, col polso tintinnante di braccialí.

Domenico era fuori con gli altri a «battere palmo a palmo» il territorio. Piú che preoccupato era ansioso: questo epilogo tremendo, al culmine di una giornata perfetta, lo infastidiva in modo incredibile. E gli ricordava la sua maledizione, che era sempre stata quella di doversi sudare tutto quanto agli altri riusciva facilissimo. Ora per esempio: che male c'era a inaugurare la sua casa al mare? Perché quel giorno non poteva concludersi trionfalmente come era iniziato? Tutte domande di cui conosceva benissimo la risposta, ma che, tuttavia, non cessavano di martellargli in testa. Lui con suo figlio era piú arrabbiato che altro, perché, ora era chiaro, quella creatura era stata messa al mondo esclusivamente per togliergli la pace.

«Maledetto, perché proprio a me? – sussurrava tra sé. – Non hai nessuna pietà».

Nevina impazziva d'attesa, si era abituata a non esternare i suoi sentimenti, ma ora faceva fatica: si aggirava a pulire istericamente per casa. Nonno Peppino si era unito subito al gruppo di ricercatori, lei non l'avevano voluta.

Intanto calò il buio.

Il segreto era concepire le cose nel momento stesso in cui avvenivano. Il buio si fece totale in un attimo, e cadde addosso alle minuscole spalle di Luigi Ippolito. Sentiva le voci e vedeva le luci intorno a sé. Nonostante avesse la sensazione di essere uscito allo scoperto e di andare incontro ai bagliori, nessuno sembrava vederlo. Quasi si convinse di essere diventato invisibile.

Cosí quando si diresse verso casa attraversò una fila di uomini che lo ignorarono, e in quella fila c'era anche suo padre che aveva uno sguardo arrabbiato. Solo per quello non osò farsi notare, ma si fece largo tra i cespugli. E, mentre si avvicinava a casa, poté notare in lontananza sua madre che guardava il nulla oltre il terrazzo e, ancora, tentò di attirare la sua attenzione, ma, ancora, inutilmente.

Non aveva pietà. E sarebbe diventato Santo per questo. Aveva pagato un prezzo altissimo nell'agonia dell'inserimento scolastico, che era stato come un inferno di sguardi e parole. Lui non amava essere guardato o parlare. Aveva capito la precisa armonia dell'assenza. E l'aveva coltivata fino a quando la vita non se l'era preso, e l'aveva catapultato nel mondo, in mezzo a coetanei con cui non aveva niente a che spartire e con cui tutti pretendevano avesse rapporti. Ecco l'inferno, si era detto. Quello di cui avevano parlato al catechismo non era nulla. Era teatro. Perché a lui l'inferno vero parve da subito quell'impossibilità d'isolamento.

A casa, ogni giorno si era fatto piú lungo. Con la mamma

che chiedeva perché non dicesse mai nulla e il padre che lo guardava con astio perché, chiaramente, lui non era il figlio che avrebbe voluto.

Certo aveva delle illuminazioni di tanto in tanto, come quella volta che Maddalena, esasperata gli aveva chiesto: «Perché fai cosí?»

E lui aveva risposto: «Perché sono un bambino».

E la frase, con tutta evidenza, doveva aver colto nel segno, infatti la madre si era sciolta istantaneamente in una specie di reazione amorosa, persino esagerata, confermando tutto e ripetendo che sí, era un bambino, era il suo bambino.

A lei poteva dirlo che aveva deciso di diventare Santo. È possibile che nell'intero universo lei, sua madre, potesse essere l'unica a capire perfettamente che quella era un'aspirazione come un'altra, e che, come tutte le aspirazioni, richiedeva un atto di fiducia da parte sua. Con in piú la consapevolezza di una precisa sofferenza. Ora Luigi Ippolito intuiva che quella consapevolezza era l'ostacolo piú grande da superare. E sapeva che sarebbe stato necessario un atto di forza, come uno strappo che apparentemente produce un dolore indicibile, ma poi, nel tempo, proprio quello strappo risparmierà molti altri, e piú atroci, dolori. Sí, questo era il punto: non bisognava avere pietà. Nemmeno nei confronti di Dio.

Del resto Lui che pietà aveva avuto quando l'aveva abbandonato nel delirio di se stesso? Quando l'aveva trapassato da parte a parte, vedendolo prima che nascesse, con la lama affilatissima dell'inquietudine costante? Perché era esattamente quello che aveva proclamato Dio mentre lo colpiva: «Tu non avrai pace». E aveva assicurato che sarebbe stato insonne e solo. Che pietà aveva avuto anche adesso, mentre gli apparecchiava un cielo da impazzire e dappertutto, stordente, il profumo delle ginestre spinose? Non lo risparmiò mai, mai sciolse quella stretta che gli agganciava lo stomaco. Che pietà quando, d'improvviso – ma ora poteva dire che era accaduto lentamente –, si era ritrovato al centro del vortice, di quelli di cui si racconta nelle agiografie tutte le volte che il divino si manifesta?

Provate a pensare a un'anima informe che si aggiri in un pomeriggio assolato di settembre. Non ha nessuna arma per affrontare quella bellezza di luce se non nominare la propria debolezza. C'era un cielo da perdersi, perché se il mondo si fosse ribaltato sarebbe stato un infinito universo di nullità. C'era un albero fronzuto, come un vecchio con le braccia spalancate, proprio dentro alla solita retorica della natura e della sua potenza. E, manco a dirlo, cicale invisibili e assordanti. E poi c'era il mare, che era proprio uno specchio riflettente. Una superficie sensibilissima, sollecitata sino all'incendio dalla protervia con cui i raggi del sole trafiggevano le nubi e s'insinuavano negli spazi vuoti tra loro. Dio si presentò a Luigi Ippolito come nelle peggiori e piú trite iconografie. E lui, come nelle piú trite e peggiori agiografie, si sentí mancare. Aveva quasi nove anni, e già sapeva di non avere scampo.

Non fu felicità. Nel tempo avrebbe invitato chiunque a non credere che questo genere di rivelazioni portassero pace: portavano guerra. Fu violenza. Nel centro dell'estasi, quando pensò che era entrato nella categoria di coloro che capiscono precocemente la loro vocazione, ecco il dubbio farsi largo. Perché, diceva il canonico in parrocchia, nonostante Dio l'abbia ripudiato, Lucifero non riesce a stare lontano da Lui.

Sentiva un dolore al petto, un piccolo dolore, sottile e angosciante. Nella misura di quei dolori che non trovano la strada per esprimersi appieno, ma continuano a vagare nell'anticamera di noi stessi, come importuni tenuti fuori ad attendere.

Quel piccolo dolore poteva chiamarlo benedizione o maledizione, perché era inconsistente ma preciso, come l'ombra compatta o allungata di un corpo a seconda dell'ora del giorno.

Era settembre dunque, e c'era la campagna, e il cielo, e l'albero maestoso… Che vergogna. E quello stranissimo star male…

I cercatori, carabinieri e gente del posto, furono richiamati tutti verso le tre di notte: il bambino, misteriosamente, era tornato a casa da solo. Che cosa fosse successo di preciso non fu dato di saperlo in quanto il soggetto, minorenne, si rifiutò di parlare.

Passò qualche settimana prima che la faccenda precipitasse.

Mancavano quattro giorni al suo nono compleanno, la scuola era ricominciata sotto buoni auspici. Luigi Ippolito pareva sereno e a suo agio come non mai. Si trovava nel cortile sotto casa, e tutto sembrava perfetto. Stava bene, quel dolore l'aveva abbandonato per sempre, si era illuso.

Aveva dribblato due avversari: si avviava vincente verso la porta, mal custodita dal piú ciccione e inabile della compagnia. Era pronto a calciare all'incrocio tra i pali, là dove sapeva che il portiere non si sarebbe mai sforzato di arrivare. Intorno a lui c'era il vuoto pneumatico che avvolge l'eroe prima dell'impresa.

Attese neanche avesse ancora tutto il tempo del mondo per sistemare la palla prima di calciarla con precisione, spedendola esattamente dove aveva previsto che andasse. Come succede ai campioni, che tirano dove decidono di tirare. Ecco, questo l'aveva capito: per essere campione si deve limitare il caso, si deve saperlo controllare, si deve annullarlo per quanto è possibile.

Oh, passarono frazioni di secondi, fece un saltello, avanzando come un ballerino esperto verso il pallone. Il ragazzo in porta lo guardò come a chiedergli pietà, ma l'eroe che pietà può avere se è vittima egli stesso della totale assenza di pietà da parte del suo destino? Nessuna pietà dunque. Il collo del piede avrebbe sfiorato appena la palla per donarle quella parabola imbattibile.

Dunque fece un saltello e cadde a terra, all'indietro, quasi una mano gigantesca avesse deciso di spazzarlo via, di impedirgli di tirare. Cosí fu: una manata violentissima all'altezza del diaframma, un'ascia che tagliava in due un muro di cemento, che gli schiantava il petto.

Quando riaprí gli occhi erano tutti intorno a lui, compreso il bambino grasso. Sopra di loro un cielo da non dirsi, e sopra quel cielo una specie di certezza.

Si mise a sedere, disse che non era stato nulla, che per un poco gli era mancato il respiro e gli si era annebbiata la vista, ma ora stava bene, che non gli stessero addosso.

Si avviò da solo verso casa che non era piú distante di duecento metri. Abbandonato il campetto fece qualche passo, poi si fermò e attese.

Tutto si risolse in quell'attendere, in quel fermare lo sguardo su di sé. Il dolore era davvero sparito, era sparita l'inquietudine. C'era solo certezza. Riprese a camminare sentendosi stranamente euforico.

Tornò a casa come al solito, come al solito si mise a tavola. Doveva essere un giorno veramente speciale, perché anche suo padre Domenico era a tavola con loro. Sicché parve il momento giusto.

– Farò il prete, – disse, preciso e lineare.

Domenico si bloccò. – A paragulas maccas uricras surdas, – disse. Poi impostò un mezzo sorriso, incredulo: – Che ne sai? – gli chiese. – Il prete? – ripeté. – Nessuno fa il prete in questa casa! – tagliò squadrandolo tra lo scetticismo e la compassione.

Luigi Ippolito si limitò a sorridere: fra le cose che aveva imparato a mettere in conto c'erano anche sguardi del genere.

Cosí, quando Domenico spalancò il petto prima di parlare, lo guardò con lo stesso sguardo cupo di un Pantocratore. Luigi Ippolito, proprio nell'istante in cui avrebbe potuto fare un passo indietro, tuttavia aspettò che il padre parlasse. Era l'unico figlio, era un futuro possibile, gli disse, che diventava un presente sterile.

– Tu non hai nessuna pietà, – scandí.

Eppure il bambino non abbassò la testa, né cercò un abbozzo di complicità nello sguardo della madre. Non cedette nemmeno di fronte alla crepa sottile che si apriva sulla fronte del padre. Scoprí che mai avrebbe potuto rettificare quella specie di rivelazione a cui non sapeva dare un nome, ma che pure aveva una consistenza precisa, fisica, tra lo stomaco e il petto: languorosa, dolorosa, piacevole e tremenda.

Quando quel giorno cadde a terra, avrebbe dovuto capire che non ci sono dolori lievi. Perché, questo era chiaro, Lui ti costringe a combattere il pidocchio come fosse un pachiderma, forgiando queste due creature con diversa dimensione ma uguale resistenza.

Quando cadde a terra, dunque, e assaporò il profumo acre della torba e dell'urea sparse sul campo da calcio, fu costretto ad apprendere che non esistono danni lievi, ma solo danni.

Negli anni successivi Luigi Ippolito qualche volta avrebbe voluto pentirsi di quanto detto quel giorno a tavola. Ma si rese conto di non aver mai previsto concessioni. In seminario non c'era tempo per i ripensamenti, non per chi si era impegnato come lui. Uno senza pietà, uno che non sarebbe tornato indietro, uno che si sarebbe armato contro il Male del mondo.

Corazzato e mezzo uomo, con carne e pelo, giunse a una pubertà superba, del tutto attrezzato per subire il contrappasso di chi rinuncia a qualcosa con strazio. Come se fosse costretto a digiunare e insieme aggredito dai morsi della fame. Cosí si presentò quel corpo compatto e denso di appetiti che non doveva soddisfare. Insidiato dallo sguardo e dai sogni. Irretito dalla fisiologia. Capiva di non potere intervenire, di non avere alcuna voce in capitolo durante l'opera di costruzione della macchina; non poteva aspettarsi piú discrezione o pietire un allentamento della furia genetica. Avere un corpo che si trasformava e non partecipare in alcun modo a quella trasformazione, non poterlo quasi toccare, fu già, di per sé, una prova di santità, perché non era concesso disprezzare il mezzo con cui Lui l'aveva messo al mondo senza disprezzare Lui stesso. Ma era impossibile amare la carne a tal punto da anteporla a chi l'aveva creata: Lui non aveva previsto concessioni in questo senso e, dunque, Luigi Ippolito Giuseppe Guiso nemmeno.

Crescendo aveva dovuto fieramente esercitare l'antagonismo. Contro il suo corpo, certo. E poi contro l'evidenza di un universo definitivamente secolarizzato anche quando si proclamava confessionale. Si sentiva rabbioso quanto un cucciolo di mastino alla catena. Un cane troppo guardingo per essere veramente fedele. Questo lo sapeva dal quel pomeriggio in cui si era accorto di stare sbattendo a terra proprio nel momento in cui s'illudeva di possedere la sua esistenza.

Aveva coltivato una passione insana per le storie di santità cieca, quelle di martiri che abbracciano il boia, che sorridono allo strumento di tortura, che implorano la sofferenza. E si era convinto che quello fosse l'unico modo per esercitare la vita. Darle un senso, affermare che, per quanto il corpo fosse cedevole, consumabile, mortale, restava tutto il resto, impalpabile, compatto, irriducibile, inabile alla pietà, impossibilitato a concedere, pronto a combattere. Finalmente inquieto.

Non aveva mai pregato per sé. Si era genuflesso davanti all'immagine di un cuore gonfio all'inverosimile, rosso e pulsante come rossi e pulsanti sono certi frutti al massimo grado di maturazione, un attimo prima che si stacchino dal ramo e precipitino contro il piano ottuso della realtà. Certi fichi cresciuti sui rami di alberi cittadini, scuri e crepati con la polpa esposta agli uccelli, agli insetti, alle larve che, richiamati dalla gravità, si spappolano sul cemento o sull'asfalto. Cosí s'immaginava il martirio, come quel terreno incongruo, senza morbidezza, che si opponeva alla polpa matura.

Aveva imparato ad adorare certe corone di spine piú simili all'infanzia di quanto lui stesso sapesse intendere. Quei rovi dove si vanno a ficcare le more piú buone, quelle piú grandi, per conquistare le quali bisogna ferirsi mani e braccia. Cosí, cosí, immaginava la dedizione: come una fiducia cieca nella ricompensa dopo il dolore. Aveva pregato certo per il dolore altrui, quello del padre, quello della nonna Nevina, inerme, incerta. E quello di sua madre, che non capiva fino a che punto partorire un Santo fosse un privilegio o una maledizione. Aveva pregato per tutti. Tranne che per se stesso.

Nonostante attraversasse la via dolorosa per diventare prete, aveva una predilezione per la trama del saio e la fibra del cilicio, come accade ai semplici, quelli che non sanno concepire un universo complesso ma che, ugualmente, concepiscono complessità. Pur sapendo non sapeva. Ecco cos'era. Da subito, fin da quando si rendeva conto di saper dare delle risposte che pure non aveva elaborato coscientemente.

Luigi Ippolito era mosso da una vocazione febbrile, una malattia feroce, una brama di morte, una concupiscenza precoce, una coscienza immatura, una rabbia silenziosa.

Le immagini della folla che abbatteva il Muro di Berlino parlavano da sole. Ora era chiaro che il mondo aveva imboccato una strada imprevista. E quelle barriere di cemento che franavano miseramente davano l'idea d'interi pezzi di quella che poteva essere definita la Storia mentre cedeva sotto il peso di un imprevedibile ripensamento.

Da tempo Maddalena con la Storia non voleva avere niente a che fare. La sua vita si era come incagliata in una secca: era precisa, prevedibile, inerte. Tutto quello che avveniva dentro alla televisione le interessava come se si trattasse di un documentario su un pianeta sconosciuto. Aveva giocato le sue carte e, a ben guardare, aveva perso: aveva puntato sul marito sbagliato e anche, purtroppo, sul figlio sbagliato.

Da quando aveva preso a frequentare il seminario, Luigi Ippolito Giuseppe era diventato sempre piú distante. E questo la faceva sentire sola piú di qualunque altra cosa al mondo. Piú del marito assente, che pascolava in affari inconcludenti sempre a un passo dal baratro, ma con la sicumera di chi s'illude che basti fare i ricchi per essere ricchi.

In verità gli affari di Domenico andavano male, anche se non malissimo. Manteneva un certo credito, ma si stava anche facendo la nomea di millantatore. Tuttavia doveva avere qualche Santo in paradiso perché ogni volta che pareva sull'orlo della bancarotta ecco che il socio continentale di cui lui spesso parlava, ma che nessuno sapeva davvero se esistesse, lo tirava fuori dai guai.

Se avessero chiesto a Maddalena Pes che uomo aveva sposato, lei avrebbe risposto che si trattava di un uomo buono, a patto che non si avesse la presunzione di conoscerlo. E di fatto, nonostante avessero toccato i dieci anni di matrimonio, l'intimità tra lei e Domenico non c'era veramente mai stata.

Comunque davanti alla televisione che faceva la cronaca dei tempi nuovi e mostrava quella folla che abbatteva il muro tra Berlino Est e Berlino Ovest, per la prima volta, si sentí emotivamente coinvolta.

Luigi Ippolito Giuseppe bruciava le tappe a tal punto che, dopo essere stato avvicinato da un osservatore della Pastorale Giovanile Vocazionale, aveva deciso di accettare l'invito a trasferirsi in un seminario minore a Roma.

Erano giorni duri. Un prete giovane, padre Filippo Tomei, si era presentato a casa Guiso per parlare con Domenico e Maddalena.

– Luigi Ippolito ha una vocazione chiara, – disse.

Domenico lo guardò senza aprire bocca.

Maddalena pareva volesse riflettere nonostante la semplicità dell'affermazione. – È solo un bambino, – riuscí a dire.

Padre Filippo fece una smorfia scettica con le labbra. – Certo, – cominciò. – Ma ciò non significa che la sua vocazione non sia autentica... Tanti bambini non vengono presi sul serio quando dimostrano un interesse di questo tipo, ma io ho una lunga esperienza nella Pastorale Giovanile e posso assicurare che ho molti confratelli chiamati da bambini le cui vocazioni sono stabili e belle.

– Che cosa c'è che non va nel seminario di Núoro? – chiese Domenico, che non aveva nessuna voglia di imbarcarsi in un discorso devozionale.

– Nulla, proprio nulla, – si sbrigò a rispondere il prete. – Solo che la casa romana potrebbe offrire piú... – cercò la parola. – Opportunità, – scelse finalmente. – E per una vocazione come quella di Luigi Ippolito non c'è niente di meglio che la possibilità di esercitarsi in tutte le forme.

– Starebbe lontano, – singhiozzò Maddalena.

– Studierebbe con i migliori, farebbe sport, si rapporterebbe con ragazzi che hanno il suo stesso talento.

– Talento, – ripeté Domenico. – Quale talento?

– Quello di saper ascoltare la chiamata di Cristo. Vedete, ho parlato con lui spesso in quest'ultimo mese. Il ragazzo mi è stato segnalato da don Pirodda...

– Sí, sí, – intervenne Maddalena con un certo nervosismo. – Ce l'ha detto...

– E ci ha anche detto che l'educazione e l'accoglienza sarebbe a vostro carico, – puntualizzò Domenico.

– Esatto, – confermò il prete.

– Lei, padre, è davvero riuscito a parlarci? Perché a noi non vuole dire niente.

Padre Filippo si prese un po' di tempo per trovare le parole giuste: – Sí certo, abbiamo pregato molti rosari insieme, e questo ci ha unito. Il ragazzo è assolutamente stabile nella sua vocazione, questo si capisce.

L'incontro con padre Tomei era avvenuto circa un mese prima nella cappella del seminario. Don Pirodda gli aveva indicato Luigi Ippolito che pregava da solo in un banchetto appartato. Padre Tomei gli si era affiancato. – Eccoci qua, – aveva detto, come se fosse arrivato puntuale a un appuntamento e gli piacesse farlo notare.

Luigi Ippolito l'aveva guardato con un velo di diffidenza, ma siccome si trattava di un prete aveva fatto un gesto con la testa e aveva ripreso le sue preghiere.

– Sai, – aveva continuato padre Tomei , – io sono convinto che noi non ci siamo incontrati per caso. Ora io sono seduto a fianco a te e non credo proprio che sia un caso, non trovi? – Luigi Ippolito né si era voltato a guardarlo, né gli aveva risposto. L'altro aveva accennato un sorriso. – Magari la provvidenza, Nostro Signore, la Vergine Maria, ti hanno collocato proprio qui dove ti trovi adesso e hanno collocato me al tuo fianco. Che ne dici?

– Dico che è possibile che noi chiamiamo provvidenza quello che tutti gli altri chiamano caso.

A padre Tomei era scappato da ridere. – Noi chi? – l'aveva provocato.

– Quelli come lei o me, – aveva risposto tranquillo il ragazzo.

– Già. Credo che si possa mettere in questo modo, – aveva concesso il prete. – Ma quelli come me o te sanno che non è la stessa cosa, no?

– Dovrebbero, – era stata la riflessione di Luigi Ippolito.

– Quindi siamo d'accordo che il nostro incontro non è casuale, – aveva ripreso padre Tomei. – E che non è casuale ogni riflessione che il Signore ti porta a fare –. Vedendo che il giovane taceva padre Tomei aveva continuato. – Io sono qui per proporti un progetto reale, una soluzione concreta alle tue domande...

– ... Non risposte? – lo aveva interrotto.

Padre Tomei mostrava di non aver capito la domanda.

– «Soluzione concreta», non risposte? – aveva ribadito Luigi Ippolito, come a dire che ancora una volta erano a un bivio di significati.

– No, non risposte, non le ho le risposte, – era stato costretto ad ammettere il prete. – Preghiamo insieme il rosario intanto, che ne dici?

Il ragazzo aveva accennato che andava bene.

Da quella volta i rapporti tra i due si erano infittiti, fino al raggiungimento di una specie di intimità assolutamente casta e rispettosa. Di giorno in giorno Luigi Ippolito sentiva di poter parlare con quell'uomo come non aveva mai potuto parlare con nessun altro. Ed era una strana sensazione cercare parole confacenti per i suoi pensieri. E trovare qualcuno che fosse disposto ad ascoltarle.

Un pomeriggio, fuori pioveva – ed è importante ricordare che fuori piovesse perché era un momento straordinario di cui Luigi Ippolito avrebbe ricordato tutto –, era l'11 novembre, San Martino di Tours, e l'antifona d'ingresso recitava il salmo 1.2.35: *Farò sorgere al mio servizio un sacerdote fedele, che agirà secondo i desideri del mio cuore.*

Padre Tomei l'aveva mandato a chiamare mentre lui si stava spogliando dopo aver servito messa. Certo sapeva cosa aveva da dirgli, tuttavia si sentiva in tumulto. Non voleva dubitare, ma dubitava. Cosí si era presentato all'ora stabilita col volto segnato da una specie di ansia.

– Come prima cosa voglio dirti grazie, – aveva esordito il padre spirituale, – perché in tutti gli anni in cui lavoro in questo campo il Signore mi ha dato la possibilità di incontrare anime come la tua...

Luigi Ippolito era arrossito violentemente. Aveva l'impressione che quell'uomo sapesse di lui cose che egli stesso ignorava. L'esperienza certo, la capacità di riconoscere i segni incontrovertibili della chiamata, anche quando chi è chiamato non lo capisce con chiarezza.

– Ora io ti chiedo: vuoi dire sí o no al Signore? – aveva proseguito padre Tomei.

Luigi Ippolito si sentiva un atleta prima del salto. A quella domanda bisognava rispondere con la ragione o con l'istinto?

– Se mi vuole mi prenda, – aveva sussurrato, ma con fermezza.

Padre Tomei l'aveva abbracciato: – Non so se sia lecito essere contemporaneamente cosí felici e cosí vicini a Dio.

La mattina del 4 gennaio 1994, poco prima della fine delle vacanze scolastiche, Luigi Ippolito Giuseppe Guiso della parrocchia di Nostra Signora delle Grazie da Núoro, partiva da casa per raggiungere il seminario minore Sangue di Cristo di Roma.

Era una mattina freddissima. Maddalena guardava le spalle dritte di questo figlio che l'abbandonava definitivamente. Si era fatto alto senza che lei se ne fosse accorta. D'improvviso, come quando ci si rende conto che ci sono cresciuti i capelli, vide che il suo bambino era diventato ragazzo, che aveva le guance ombreggiate da una leggera peluria castana, che le assomigliava.

La sera prima si era voluto preparare i bagagli da solo, e aveva rifiutato sistematicamente tutte le proposte della madre o della nonna Nevina che non smetteva di piangere. Lui capiva che da piangere ce n'era in quella casa. Si diceva che era giusto piangere per un affetto che si allontana, per quanto assicurasse di stare andando dove aveva scelto di andare e dove sarebbe stato felice. Avrebbe ripreso a giocare a calcio. Avrebbe pregato e incontrato il Signore nel modo giusto. E studiato...

I bagagli: una valigia e un borsone attendevano nell'ingresso. Maddalena, Nevina e Luigi Ippolito cenarono in silenzio. Domenico era uscito nel pomeriggio e, alle otto di sera, ancora non era tornato. Per tutta la giornata era stato un viavai di amici, parenti, alcuni colleghi di seminario che si erano *avvicinati* per un saluto.

Invece i giorni indietro erano stati un vero calvario. Le discussioni tra Domenico e Maddalena erano arrivate a livelli mai raggiunti prima. La casa era in preda ad un livore crescente. Cosa avesse da lamentare Domenico era chiaro: chiunque fossero questi inviati della Pastorale Giovanile, non erano certo interessati al loro figlio perché fosse tanto speciale, ma perché era ricco. Questa ipotesi aveva fatto infuriare Maddalena che, come la maggior parte delle madri, ha un'idea speciale del proprio bambino. Domenico sbagliava: Luigi Ippolito era stato scelto perché spiccava su tutti, nella serietà e nella convinzione. E il marito scuoteva la testa con quel gesto scettico che sapeva fare cosí bene, tanto che non pareva nemmeno discutibile. Nel suo sguardo si accumulavano cinismo e astio. Rabbia e rivendicazione. A Maddalena veniva da chiedersi se anche lei avesse contribuito a rendere Domenico quello che era diventato. Ma non andava oltre, sapeva che discutere con lui era tempo perso, tanto se era convinto di qualcosa non c'era modo di fargli cambiare idea.

Tuttavia la sua preoccupazione aveva un fondamento. Ora che tutto era franato, ora che i vecchi sistemi avevano ceduto il passo a un mondo nuovo fatto di proclami senza costrutto, Domenico capiva che la parabola dei garantiti, ammesso che fosse mai esistita per lui, era definitivamente passata: si stava giungendo all'epoca d'oro dei furbi.

Due anni prima il sindaco Sini era stato arrestato per peculato nel corso di un'indagine che espandeva anche in quell'angolo remoto l'influenza dell'inchiesta Mani Pulite. Ma ora si ricandidava, piú tranquillo che mai, per un partito nuovo di cui non si era mai avuta notizia fino ad allora. Un partito di incravattati in doppiopetto. E Luigi Ippolito partiva per Roma, che voleva dire perderne il controllo.

Ecco cosa rimproverava Domenico a Maddalena: lei non lo capiva perché per tutti questi anni aveva usufruito dei risultati senza chiedersi mai attraverso quali strade erano stati raggiunti. E lei rispondeva che sí, aveva ragione su tutto, ma anche lui aveva potuto esibire una moglie senza sentire il minimo dovere di essere un marito. Le discussioni finivano lí. Perché nessuno dei due aveva intenzione di arrivare fino al punto di non ritorno.

Dunque quel 4 gennaio, sant'Ermete, si battevano i denti solo ad avvicinarsi alle finestre. Maddalena aveva lasciato il riscaldamento acceso tutta la notte perché sapeva che Luigi Ippolito, appena sveglio, aveva sempre freddo.

Si alzò di scatto quando lo sentí muoversi nella sua stanza. Anche se era prestissimo lo trovò già vestito di tutto punto, seduto sul suo letto. Rimase in piedi sulla soglia a guardarlo, come si osserva qualcuno di cui si vuol ricordare tutto. Poté concludere con se stessa che suo figlio non si era mai potuto definire un bambino felice. Perché era un lottatore, uno che non dava nulla per assodato. Un polemico si sarebbe detto, ma non era esattamente quello. Luigi Ippolito aveva uno sguardo particolare sulle cose del mondo, che non lo aiutava a incontrare gli altri. Suo figlio era sempre stato solo, si disse Maddalena.

Anche adesso – pur sentendola arrivare, pur percependola ferma sulla soglia – non aveva dato segno di avvertire in alcun modo la sua presenza. E questo la feriva. Le ricordava per quali vie aveva dovuto costringerlo ad accettare la prima poppata quando lui rifiutava il suo seno, e fino a che punto si era sentita invadente ogni volta che esercitava le sue prerogative di madre.

Domenico quella notte era tornato tardissimo e alticcio. Quella mattina nemmeno si alzò dal letto. Luigi Ippolito lo raggiunse cinque minuti prima di uscire, lo salutò come avrebbe fatto con un estraneo che aveva il dovere di tenere in considerazione.

Il padre tolse fuori la testa dalle coperte, aprí gli occhi impastati e sospirò: – Vai con Dio.

Luigi Ippolito fece segno che sí, era proprio lí che andava. Poi piú nulla.

Fuori dalla stanza c'era Maddalena che l'aspettava, aveva preparato la sciarpa, i guanti, la cuffia di lana e la giacca pesante. Si era accertata per l'ennesima volta che il suo ragazzo avesse messo in valigia tutta la biancheria nuova che lei gli aveva comprato per l'occasione. Si era fatta un caffè con la moka: ora l'aroma aveva invaso anche l'ingresso dove quel congedo tra madre e figlio, febbrile, lento e sbrigativo, stava avvenendo.

– Ti scriverò, – promise lui.

Ma lei temendo che in quella promessa fosse contenuta una distanza incolmabile disse: – Telefonami anche, però.

E lui accennò che si poteva fare. Poi si abbottonò la giacca pesante, mentre le concedeva di aggiustargli la sciarpa intorno al collo.

Il rombo di un motore ruppe il silenzio afasico di quell'alba gelidissima.

– Sono arrivati, – disse Luigi Ippolito, – non uscire che prendi freddo.

Lei lo abbracciò strettissimo sapendo di cogliere l'ultima occasione che le era rimasta per tentare un contatto vero.

Lui si lasciò abbracciare, ma con un certo imbarazzo per la foga che lei pareva metterci. – Mi aspettano, – tagliò a un certo punto, staccandosi. Quindi afferrò la valigia, il borsone e uscí.

Maddalena mimò un passo verso di lui, ma quelle spalle che improvvisamente erano diventate da uomo l'avevano colta alla sprovvista. Cosí stette esattamente dove il figlio le aveva intimato di restare e sentí che la porta, chiudendosi, gliel'aveva portato via. Per sempre.

Aspettò di sentire che la macchina ripartiva e poi tornò verso la cucina. Si versò un altro caffè zuccherandolo parecchio. Lo bevve guardando la cristalleria fuori dalla finestra. Con quanta meraviglia si potesse esprimere persino il dolore era un mistero con cui non riusciva a fare i conti. Luigi Ippolito l'aveva abbandonata, questo pensava. E là fuori era tutto un trionfo di merletti e cristalli di rocca, col giardino che si era trasformato in un'esposizione di vetri soffiati e diamanti. Prezioso e distante. Terribile e fragilissimo. Com'era possibile?

Trattenne le lacrime neanche qualcuno fosse lí a guardarla. Ma non c'era nessuno. E Domenico avrebbe continuato a non esserci. Perché era cosí che andava, era cosí che sarebbe andata. Ora poteva fare un bilancio impietoso della sua vita: aveva deciso di puntare tutto sulla sicurezza, e aveva sbagliato. Ma si disse, e non per consolarsi, che avrebbe sbagliato comunque. Cosí decise che era arrivato il momento di piangere.

Diede ancora uno sguardo alla luce livida oltre la finestra: il trasparente vetroso virava al viola e in alcune precise angolazioni persino all'intera sequenza dell'iride. C'era una staticità da posa fotografica nel mondo cosí come le appariva, ma forse era la sua mente che lottava per dare un senso alla sua vita. Sentí le lacrime che le colavano sul volto e se ne sorprese, quasi fosse una statua miracolosa a cui quella funzione fosse stata concessa in via del tutto straordinaria.

Si asciugò col dorso delle mani. Poi si avviò nella camera di Luigi Ippolito. Il letto del figlio era ancora impregnato del suo odore. Qualche indumento scartato era stato lasciato sulla sedia poco distante: un paio di jeans, un maglione stampato, una maglietta sdrucita. E anche due paia di scarpe sformate.

Afferrò i jeans per metterli via e sentí qualcosa nella tasca. Un foglietto piegato in quattro, una lettera.

Mamma,

ho visto con chiarezza come si è sviluppato in me questo dono, e ho capito che se niente mi soddisfaceva era solo perché non avevo individuato il mio traguardo.

Andrò a star bene perché è quello che voglio. Mi sono trovato a un bivio e ho deciso senza pensare. Improvvisamente mi sono sentito in pace, totalmente, come non mi era mai successo. Non so sino a che punto tu abbia compreso questa mia scelta, ma ti assicuro che è stata fatta per me e non certo contro di te o babbo. So che lui l'ha presa particolarmente male, ma confido, con l'aiuto di Nostro Signore, che capirà.

Io lo sapevo da sempre che Lui mi avrebbe chiamato...

L. I. G.

Parte III
Dopo

Gennaio 1999.

Il muso dell'aereo strappò la trapunta compatta di nuvole con un breve scossone. Un campanello metallico, suono riprodotto elettronicamente, avvertí che stava per essere diffuso un altro messaggio. La responsabile degli assistenti di volo, con voce impostata, informava i passeggeri che le manovre di atterraggio erano cominciate, e avrebbero toccato il suolo di lí a un quarto d'ora al massimo. Come di consueto non era la voce a pensare ciò che diceva: era stata autorizzata dal comandante di volo, il capitano Nostromo. Nome che lasciava presagire, per gli scaramantici, un qualche destino di ammaraggio, piú che di atterraggio. Come l'arcangelo Gabriele, l'hostess annunciante per bocca di Dio spiegò che occorreva riallacciare le cinture di sicurezza, raddrizzare gli schienali, chiudere i tavolini...

Intanto, simile a un immenso orso polare che infila la testa oltre la superficie ghiacciata, l'aereo poté dare uno sguardo alla terra ferma lambita dal mare. Era solo una faccenda cromatica: rosso cupo, marrone, verde bottiglia, accostati a un verde azzurro annacquato e gelatinoso che si condensava nel blu di Prussia.

La terra aveva di suo una varietà assoluta, come una specie d'incapacità genetica all'uniformità, mentre il mare dimostrava l'ostinazione con cui ogni suo elemento tendeva alla coesione. Poteva essere calmo, o increspato, tuttavia appariva uniforme e solenne nella sua coerenza febbrile. La terra al contrario si muoveva nella sua immobilità, variava nella fermezza. E questo la diceva lunga sul fatto che, troppo spesso, si enfatizzassero qualità che sembrano tali solo perché non osservate dal punto giusto.

Quella visione chiariva, una volta per tutte, che uccelli o rettili possono afferrare il reale ognuno con la propria specifica relatività. Che si veda il ciuffo d'erba tanto da vicino finendo per sembrare enorme, o tanto da lontano risultando solo una particella infinitesimale nella mescola cromatica, rende quegli sguardi ugualmente parziali. L'aquila non vede meglio della biscia: vede diversamente.

Quel suono metallico che aveva introdotto la voce annunciante svegliò d'improvviso il passeggero del posto E, lato finestrino, fila 6, del McDonnell Douglas MD-82 in livrea Meridiana, che stava scendendo verso l'aeroporto Costa Smeralda di Olbia. Era stata l'ultima tratta di un viaggio che da Riga l'aveva portato a Roma Fiumicino e di lí, se aveva ragione l'assistente di volo, entro un quarto d'ora l'avrebbe condotto in Sardegna.

Un'hostess gli si avvicinò e gli fece segno di raddrizzare lo schienale. L'uomo eseguí con un sorriso. Era sui quarant'anni, castano molto chiaro, vicino al biondo. Indossava abiti italiani nuovi di zecca, ma teneva una sottile barba incolta, dorata, che gli sporcava le mascelle. Questa specie di trascuratezza, piuttosto che togliergli eleganza, gliene aggiungeva. Era di quegli uomini che si avvertono come d'un altro mondo. Eppure aveva lo sguardo di chi può appartenere a qualunque posto abbia deciso di appartenere.

Veniva in Sardegna per vacanze?, buttò lí l'hostess in un inglese decisamente arrotato. Fece la domanda per eccesso di zelo, nonostante fosse gennaio, nonostante la donna sapesse che nell'isola-ciambella le vacanze durano al massimo da giugno a settembre.

– Affari, – sussurrò l'uomo, con le consonanti tutte sbagliate.

L'hostess inarcò le sopracciglia curatissime. – Parla bene la nostra lingua, – mentí lei, ma non fino in fondo.

– No, – si schermí lui.

Intanto l'aereo fronteggiava qualche lieve raffica di vento: tutti a bordo dicevano che si stava preparando il maestrale, che li sballottava, ma senz'astio. L'isola era una vecchia brontolona, in apparenza non amava gli estranei, ma poi comunque li accoglieva.

L'apparecchio toccò terra con un botto. L'arcangelo Gabriele informò che l'aereo era atterrato in orario, che la temperatura là fuori era di 7 gradi centigradi, che il comandante e l'equipaggio ringraziavano tutti per aver deciso di volare con loro. E quando diceva «loro», si riferiva alla compagnia aerea.

L'hostess guardò l'uomo mentre imboccava l'uscita attraverso la fragile scaletta retraibile.

Fuori l'aria sibilava. E infilava nei polmoni un aroma indicibile. L'uomo ebbe una vertigine: quel profumo gli avvolse i polmoni e lo mise in ansia, perché non pareva certo l'abbraccio di uno sconosciuto, ma il frutto di un affetto consolidato. Si trattava di qualcosa che scavava con la furia di un gatto quando seppellisce le sue feci nella lettiera. Era come un impeto naturale di vento, piante, salsedine... Un avversario che lo stringesse in vita, per rompergli il respiro. In un libro d'arte aveva visto una statua di lottatori scolpita da Michelangelo. Il corpo contorto di un uomo in piedi cercava di liberarsi dal suo avversario che lo reggeva per le gambe. Per quanto l'uno si contorcesse l'altro non sembrava disponibile a darsi per vinto in alcun modo. Era questo l'effetto corporeo, l'impatto, che quel posto gli fece. Era sogno d'arbusti, di foglie sempreverdi dure come cotenne e altrettanto aromatiche, ma anche sospiro di terra in letargo, solida come un vaso cotto e come lui fragile al passo, straziata di crepe da cui emanava il respiro fumoso del gelo di gennaio che incontrava la notte dei tempi, quando il granito era massa incandescente. Era la lingua del suo cane, il candido Tatra, che gli lambiva le labbra e il collo, come per farsi riconoscere. E tutto quello che poteva immaginare sotto la coltre spumosa della collina innevata, a un'ora di cammino dalla sua fattoria. Ricordò perfettamente quel sentimento che gli parve casa.

– Scusi, entra? – gli chiese un uomo fermo dietro di lui all'ingresso passeggeri dell'aerostazione.

– Mi scusi lei, – rispose scostandosi per farlo passare. L'uomo lo superò.

Lo ritrovò poco dopo alla consegna dei bagagli. Gli fece un cenno leggero. All'uscita, in quanto extracomunitario, dovette passare la dogana. Presentò il suo passaporto.

– Krievs Oskar, – lesse l'agente addetto.

L'uomo confermò muovendo appena la testa.

– Riga, 4 settembre 1960, – continuò.

– Sí, – disse lui questa volta.

Fuori, oltre la porta scorrevole degli arrivi, raggiunse un uomo che esponeva un foglio col suo nome scritto sopra. Oskar Krievs gli si parò davanti: lo superava di venti centimetri buoni. L'altro capí che quello era il suo passeggero. Gli fece un cenno goffo con la mano che voleva sembrare un saluto, poi lo precedette fuori, verso la macchina che doveva portarlo a destinazione.

Non erano in marcia da piú di dieci minuti che già l'omino al volante cominciò a fare domande. O meglio cominciò a sincerarsi, col suo danaroso passeggero, che tutto andasse bene. C'era troppo freddo in macchina? Voleva fermarsi a mangiare? Oskar rispose due no. L'autista tacque.

Nella stagione bianca si era innamorato del vuoto. Ma ora un pieno invadente premeva oltre i finestrini oscurati della macchina che, abbandonata la costa, penetrava nella carne viva dell'isola: un cetaceo colossale che si faceva attraversare da un feroce, minuscolo parassita.

Oskar chiuse gli occhi, provò a ritornare al silenzio algido del suo *ciems* dal tetto rosso; alla visuale apertissima sul campo innevato, che permetteva di arrivare con un solo colpo d'occhio fino all'ansa del rio; all'aria puntata delle mattine d'autunno, che stringeva il petto come un rimpianto; al crepitare dei polpastrelli del suo cane sulla neve fresca.

Il pomeriggio di gennaio era fosco, proprio come ricordava bene accadesse nella sua stagione nera. Quando ancora non sapeva che c'erano mondi in cui niente di niente poteva schermare il cielo. Posti dolci e pianeggianti, dove lo sguardo poteva aprirsi su immense distese di grano e non essere interrotto da rocce minacciose e sterili. Nella sua stagione nera Oskar aveva imparato a diffidare della terra e degli uomini che la abitavano, nello sguardo corto aveva fondato ogni ipotesi di sopravvivenza guardinga. Era vissuto nell'attesa di imboscate, come sempre avviene dove i territori pullulano di anfratti e gole. Poi, quando era rinato, nella stagione bianca, aveva imparato ad accettare l'onere dell'ampiezza, fino a dover ammettere la necessità di adeguare lo sguardo lungo a quel nuovo sé, con l'attitudine all'attesa che questo comporta.

Oskar non si poteva dire un attendista, uno che amasse le lunghe poste aspettando che la lepre bianca decidesse di uscire dalla sua tana sotterranea. Ma dopo la terza o quarta battuta in cui tornava col carniere vuoto, mentre tutti gli altri avevano saputo fare una buona caccia, aveva dovuto imparare. Aveva dovuto imparare tutto. Per esempio che se voleva tornare col carniere pieno si sarebbe dovuto armare di pazienza infinita e aspettare il momento giusto. E quello era finalmente arrivato.

– Si fermi qui, – ordinò all'autista d'improvviso, senza un accento, senza la minima cadenza, tanto che l'uomo al volante temette per un secondo che il passeggero dietro di lui fosse cambiato a sua insaputa. Comunque inserí la freccia anche se la carreggiata era deserta, e frenò. Quindi accostò.

Si trovavano in una specie di terra di nessuno subito dopo il bivio di Lula. Lí ancora l'assetto disordinato di falsi piani e pareti di roccia permetteva d'illudersi. Permetteva cioè di concepire nuove opportunità. Dando le spalle all'ovest dove campeggiavano le pendici dei monti, l'est si apriva in una sorta di discesa a mare brulicante di appezzamenti strappati al granito.

Oskar scese dalla macchina e attraversò la strada fino a raggiungere il cordolo di mezzeria. In quel pomeriggio, tramortito e limpido, non c'era nulla che desse reali segni di vita: non un'automobile, non un vibrare di fronde, non un uccello nell'aria. Solo l'aroma imponente del miscuglio primordiale che, un'immensità di ere prima, aveva composto quel territorio, come se si trovassero sul fondo di un mortaio.

Ecco che la stagione nera penetrava attraverso le narici e, dalle narici, arrivava allo stomaco e dallo stomaco all'inguine.

Oskar chiuse gli occhi ed ebbe un preciso déjà-vu, qualcosa che aveva rimosso e che ora tornava, prepotente e inarrestabile. Smarrí qualche lacrima ingoiando odori e rimpianti.

Intanto l'autista aveva approfittato della sosta per fumarsi una sigaretta, appoggiato al cofano tiepido dell'auto. Quando vide Oskar ritornare verso di lui cacciò via la cicca e si affrettò ad aprirgli la portiera.

– Non manca molto, – disse, perché aveva sentito improvvisamente il bisogno di rassicurare quello strano passeggero che pareva, ora, incredibilmente commosso.

– Lo so, lo so, – rispose Oskar salendo in macchina.

A Núoro ci entrarono dal versante dell'ospedale nuovo che non erano nemmeno le sedici, ma già imbruniva. Gli ultimi chilometri erano stati in salita, quasi occorresse davvero conquistarselo quel grumo di case fra i monti. Era un nido di rapaci quel posto, come nei regni antichi i territori dei figli cadetti, quelli impervi e sterili, per gente impietosa. Attraversarono l'incrocio detto «della stazione», nonostante una stazione vera e propria Núoro non l'avesse mai avuta, se non quel terminale per due binari a scartamento ridotto. Quindi salirono verso via Trieste che era un'arteria alta e sinuosa non distante, anzi decisamente vicina, al versante di via Deffenu, ma proseguirono senza che Oskar nemmeno guardasse da quella parte. Lambirono piazza Italia per salire fino in cima a via Ballero, accanto all'entrata del cimitero: quello sí che era un monumento con tutti i crismi, quasi che l'unico modo per appartenere al mondo in quella città fosse di farcisi seppellire. Lí, nel cimitero, quella provincia diventava metropoli. Ma anche quel versante fu ignorato dallo sguardo fisso di Oskar. Intrapresero via della Solitudine, si lasciarono la chiesa omonima, che era stata campestre, sulla destra, e affrontarono la curva a gomito che introduceva al Monte Orthobène. Per sei chilometri sculettarono come una danzatrice del ventre: Solotti, Fonte Milianu, fino ad arrivare, in cima, all'Hotel Ristorante Fratelli Sacchi.

La temperatura si era abbassata, ma non abbastanza da convincere Oskar a indossare il soprabito sul suo completo impeccabile. Quando uscí dalla macchina poté guardarsi attorno: il basso edificio bianco era stato costruito, in stile tra il locale e il mediterraneo, al bordo del costone della montagna che dava direttamente sull'altopiano e sulla città. Vi si accedeva attraverso un piccolo spiazzo, come un terrazzamento ottenuto dal riempimento di una profonda conca. L'hotel era collegato alla zona ristorante attraverso una veranda coperta che, nel tempo, sarebbe stata chiusa con ampie vetrate.

Un uomo compatto, tanto timido da sembrare diffidente, gli andò incontro. Si presentò come colui che aveva in gestione il locale. Aggiunse che tutto era stato approntato esattamente come Oskar aveva richiesto.

– Per la camera scuserà, – chiarí a un certo punto. – Ma è da qualche anno ormai che non facciamo piú servizio di albergo... In ogni caso ne abbiamo ripristinata una bella grande, apposta per lei –. Poi lo guardò senza riuscire a togliersi dalla faccia lo sguardo dubbioso di chi continua a chiedersi che cosa ci vada a fare in quel posto un uomo tanto potente.

Intanto l'autista si era fatto aiutare dal ragazzo del bar per trasferire l'unico bagaglio di Oskar dal vano della macchina alla sua stanza riscaldata.

Oskar ringraziò allungando cinquantamila lire all'uomo che le prese, ma con titubanza.

A giudicare dal decoro generale, non si erano limitati a rimettere in sesto una stanza, ma anche tutta la vecchia e inutilizzata hall, e il corridoio dove la stanza, appunto, si trovava. Era la 23. Oskar guardò quel numero come se gli dicesse qualcosa.

Nella stagione nera, quella cifra gli avrebbe ricordato sua madre. Era possibile ciò? Che un numero potesse ricordare una persona? Per la forma forse, o per il suono. Ventitre era sua madre. Ne aveva un'esperienza precisa perché aveva dovuto assisterla nell'agonia, e aveva guardato le cifre luminose dell'orologio elettronico sopra il comodino della sua stanza d'ospedale, che segnavano con esattezza l'ora della sua morte. Le ventitre.

Entrò nella sua camera. Era ampia, arredata con gusto semplice e un po' rustico. La parete a est era occupata da tre grandi finestre che si aprivano alla valle, giú fino a Baddemanna. Pesanti tende tessute al telaio erano state lasciate aperte proprio perché già entrando l'ospite potesse godersi quella vista bellissima di querce e lecci imbalsamati dal gelo. Cosí dovette emendare una specie di convenzione a cui si era assoggettato da quasi vent'anni, e cioè chiamare «nera» la prima stagione della sua vita. Adesso, ne era assolutamente certo, quella stagione era stata esattamente dello stesso verde smaltato che avevano quegli alberi umili, poco piú che sterpi, senza la meraviglia argentea delle betulle dove portava a correre Tatra. Constatò che, come aveva detto il gestore del ristorante, nella camera tutto era stato sistemato al meglio, e che grazie a un'accensione previdente dei termosifoni la temperatura era tiepida e rilassante.

Quell'albergo e, dunque, quella stanza erano suoi da quattro anni. Fece scorrere l'acqua nella vasca mentre si spogliava, ma prima di entrarvi si mise in contatto con l'interno che corrispondeva al ristorante. Chiese se era tutto pronto per la cena che aveva fissato di lí a un'ora. L'uomo rispose che sí, era tutto a posto, che non si preoccupasse.

– Chi è questo con cui vai a cena? – chiese Maddalena, raggiungendo Domenico in bagno.

Lui sputò il dentifricio e rispose: – Come chi è? Il capo –. E fece una risata forzata. – Il padrone dell'Edilombarda, la finanziaria che aveva comprato il nostro debito, – spiegò. – Un russo, – aggiunse. – È quello che tiene il guinzaglio, – disse a bassa voce.

– Cosa? – domandò Maddalena.

– Niente, niente... – smorzò Domenico controllando di essere sbarbato a dovere.

Maddalena strinse le labbra e scosse il capo. – Un russo, – raddoppiò.

– Eh... – fece Domenico. – La nuova frontiera: russi e cinesi. Metto la cravatta? – chiese.

– È una cena formale? – chiese lei a sua volta. E vedendo che Domenico non sapeva cosa rispondere. – Tienila in tasca, poi magari te la metti all'ultimo momento, – consigliò. – Ma che vuole questo?

– Krievs, – completò Domenico, – Oskar Krievs. Che deve volere? Magari farsi un giretto per vedere che cosa ha comprato, no? Ora che gli hanno aperto le frontiere... So che sta incontrando i soci italiani –. Ci teneva a sembrare disinvolto con la moglie nonostante sentisse crescergli dentro un'inquietudine sorda.

Maddalena lo precedette nell'ingresso per allungargli il cap-

potto buono e la sciarpa di cachemire che gli davano un'aria
da giovane uomo nel pieno possesso di sé. Domenico prese un
attimo ancora di tempo per cercare i guanti.

– Non credo che sarà una cosa lunga, – le sussurrò dandole
un bacio tra la guancia e la tempia. – A dopo.

Maddalena lo guardò andare via con la precisa sensazione di
doverlo proteggere. – Aspetta, – gli disse.

Domenico si bloccò sull'uscio.

– Il cappello non lo prendi? – chiese lei.

– No, – fece lui. – Mi spettina tutto –. Poi le sorrise e si
chiuse la porta alle spalle.

Entrò nella sala del ristorante che conosceva molto bene. La
differenza di temperatura con l'esterno lo costrinse a sbottonarsi
il cappotto. Due tavoli erano occupati da altrettante coppie, un
tavolo da sei ospitava quella che sembrava una famiglia riunita
per un anniversario o per una promozione. Poi all'angolo estremo, in una zona incuneata tra il camino e l'ultima anta della finestra panoramica, vide l'uomo seduto di spalle.

Il gestore del ristorante raggiunse Domenico un attimo prima che arrivasse al tavolino dove Oskar Krievs lo stava aspettando. Voleva dirgli quello che aveva capito da solo, cosí si
limitò a confermare che proprio lí doveva andare.

– Sieda, – invitò Oskar senza voltarsi.

Quell'invito bloccò Domenico anziché farlo avanzare. – Sí,
– disse come se continuasse un discorso che stava facendo a se
stesso. E avanzò per raggiungere il posto vuoto davanti a lui.
Ma non prima di essersi alleggerito della sciarpa, dei guanti, del
cappotto, che appoggiò sulla terza sedia vuota tra loro. Quindi
si sporse per tendergli la mano.

Oskar, finalmente, si voltò per ricambiare. Era un uomo
biondo e asciutto che, nonostante fosse vestito impeccabilmen-
te, esibiva una barba incolta. Bionda e riccia.

– Sieda, sieda, – ripeté Oskar guardandolo bene in faccia.

Ma, a quel punto, era chiaro che Domenico non si sarebbe
seduto. – Tu, – disse, sentendo che una specie di risata gli stava

salendo dai lombi fino alle mascelle. – Non sei morto, – constatò come se avesse detto «che fine avevi fatto» oppure «quanto tempo che non ci si vedeva».

– No, no, – confermò quell'altro. – Altroché se sono morto.

Restarono cosí, uno in piedi e l'altro seduto. Senza aggiungere assolutamente nulla a quanto si erano appena detti.

– Hai una sigaretta? – chiese a un certo punto Domenico. – Come devo chiamarti?

– Fumi adesso? Non so, come vuoi chiamarmi? – rispose il biondo facendo un cenno al gestore del locale.

L'uomo arrivò di corsa e si sporse verso il padrone per capire cosa volesse. Quindi si frugò la tasca della giacca e ne estrasse un pacchetto di sigarette, che aprí e rivolse a Domenico. Lui ne sfilò una e se la mise tra le labbra. Poi si sporse verso l'uomo, che aveva fatto scattare un accendino di plastica con immagini calcistiche stampate sopra.

Domenico aspirò la prima boccata. Era da tempo che non fumava. – Cristian, – decretò. E ancora non si sedette.

– E vada per Cristian, – concesse quell'altro senza scomporsi, ma senza quell'emozione che si aspettava di avere nel sentire il suo nome vero dopo quasi vent'anni. – Ordiniamo qualcosa? – chiese.

Domenico fece segno di no. – Prendiamo un po' d'aria, che ne dici?

Uscirono, camminando fino al parcheggio in cui Domenico aveva sistemato la macchina. Stettero lí in piedi, contemplando sotto di loro la città illuminata che pareva un groviglio finalmente prezioso. Solo qualche ora prima, alla luce del giorno, l'effetto era stato ben diverso.

– Tante volte mi sono chiesto che cosa penserebbe di noi, di questo posto, un marziano che finisse qui con un'astronave, – rifletté Cristian guardando il tramestio di luci sotto di sé.

– Che siamo tutti matti, penserebbe, – commentò Domenico. – Tutti. Questo è un posto di pazzi, dovresti saperlo, – completò facendo precipitare a terra la cicca per spegnerla bene col piede.

Cristian condivise: – Sí, non c'è dubbio.

Stettero in silenzio.

– Che vogliamo fare, allora? – chiese Domenico, come se quella domanda fosse una conseguenza diretta del fatto che avevano appena concordato sulla generale pazzia del luogo.

– No, che vuoi fare tu, – rilanciò Cristian senza scomporsi.

– Non vedo molte prospettive, – disse quell'altro.

Era come se, nei vent'anni trascorsi, si fossero già detti tutto e ora non restasse davvero piú nulla da dirsi. Facevano fatica a riempire i silenzi. L'oscurità aveva irrigidito il clima.

Domenico ebbe un brivido. – Non ho preso il cappotto, – constatò. – Ma non credo mi servirà.

– Credo proprio di no, – approvò Cristian frugandosi le tasche della giacca. Anche lui cominciava a sentire freddo. Alla fine trovò quello che stava cercando. Era un foglio un po' sgualcito, picchiettato di qualche macchia marrone scuro. Se lo sfilò di tasca e lo consegnò a Domenico.

Quell'altro lo prese, aveva capito all'istante di cosa si trattava. Tuttavia lo aprí, come per bere l'amaro calice fino in fondo. Era il documento olografo col quale si era impegnato a cedere il terreno di Cala Girgolu a Raimondo Bardi. Rivedere la sua grafia di un tempo lo rese nervoso per la prima volta.

– È andata cosí, – concluse Domenico constatando che le macchie sul foglio non potevano che essere di sangue. Rifletté che quel documento era costato la vita di Raimondo Bardi e Federica Schintu. – Considera che ho allevato tuo figlio, – provò, ma si pentí immediatamente: espressa in quel modo sembrava una perorazione. E invece voleva essere una rivelazione.

Cristian continuò a guardare il vuoto davanti a sé, quel vibrare epilettico di luci che rappresentavano la città esattamente come un'angiografia tramite mezzo di contrasto. Non sembrava troppo colpito da quanto Domenico gli aveva appena detto.

– Quando mi hanno ripescato in mare ho fatto fatica a credere che tu avessi potuto volermi morto, – disse, ma era come se riflettesse.

Domenico si mise in tasca quel foglio che Cristian gli aveva dato poi allargò le braccia. – Come si dice: «È suonata l'ora che di noi due uno debba vedere la sua fine».

In tanti che abitavano in zona viale Ciusa, piazzetta Aspro-monte o Sant'Onofrio, raccontarono di aver sentito un boato e aver visto un lampo proprio nel nero totale della parete montuosa.

Domenico Guiso, giovane imprenditore nuorese, aveva de-ciso di farla finita. Come suo padre, del resto. E questo santifi-cava una sensazione che nella piccola città parve una storia già scritta. I resti inceneriti del suicida furono esaminati con cura. Vennero ascoltate le persone che avevano avuto a che fare con lui la sera fatale.

Oskar Krievs rispose a tutte le domande, spiegò che era in Sardegna per sistemare le pendenze che l'impresa Guiso & Figlio – nonostante le continue proroghe che la società finan-ziaria, di cui lui era azionista di maggioranza, aveva concesso negli anni – non era riuscita a sanare. Dichiarò, in un italiano stentato, che durante il loro breve colloquio non aveva avuto motivo di presumere che il Guiso avrebbe preso una decisio-ne tanto definitiva. Disse di aver sentito il boato esattamente qualche istante dopo essere rientrato in sala. E su questo pun-to, piú di altri, mentí. Si trovava infatti ancora nel parcheggio del ristorante quando Domenico, dopo essersi messo il foglio in tasca e aver pronunciato le ultime parole, era salito sulla sua auto. Aveva messo in moto, e accelerando si era lanciato verso la scarpata. L'auto aveva fatto una parabola fantastica, poi si era schiantata venti metri piú in basso. Ci erano voluti pochi secondi perché prendesse fuoco.

I funerali, in forma strettamente privata, furono organiz-zati due giorni dopo. In tempo, dicevano, per far rientrare dal Continente l'unico figlio dell'uomo, Luigi Ippolito Giuseppe, che si stava facendo prete.

Ma alle esequie di Domenico del figlio non ci fu traccia. E nemmeno l'ex sindaco Sini, ora deputato in Parlamento, si presentò.

Maddalena seguí il feretro insieme a pochissime persone. I suoi parenti, qualche operaio. Avevano concesso a quella povera anima tormentata il beneficio del dubbio. Avevano stabilito cioè che la terribile decisione di lanciarsi nel nulla non dipendesse da una reale volontà, ma dalla perdita della volontà. Cosí gli riservarono una messa svelta, seguita da qualche curioso, e persino un posto nella tomba di famiglia dove i Chironi e i Guiso riposavano tutti insieme.

Cristian seguí da lontano il piccolo corteo. Maddalena, vestita di nero, pareva una donna d'altri tempi, di quelle che si cantavano nei sonetti. E Nevina era invecchiata. Si tenne a una distanza che gli permettesse di osservare senza essere visto.
Eppure Maddalena lo vide.
Da principio pensò che si trattasse di una strana visione che quei giorni difficili avevano generato nella sua testa. Ma poi si convinse che tutto ciò aveva un senso. Perché si era abituata a considerare i fatti in quanto tali, senza stare a chiedersi piú niente.
Luigi Ippolito, del resto, non era voluto tornare per il funerale. Andava bene. A chi le aveva chiesto notizie in proposito, lei si era limitata a rispondere che il ragazzo era addolorato, ma che essendo lontano gli era stato impossibile mettersi in viaggio cosí d'improvviso. Non era uno che avesse scelto un datore di lavoro qualunque, disse, lasciando intendere che le faccende di cui si stava occupando quel gioiello di figlio erano assai piú importanti della morte di un padre. Nonostante il tipo di morte. Per questo, dissero le voci, al parroco era risultato cosí facile concedere le esequie religiose al suicida. Tra loro, e intendevano tra preti, non si fanno certo lo sgambetto a vicenda.
Comunque proprio mentre uscivano dalla chiesa per trasportare la salma in cimitero Maddalena vide Cristian. Un secondo appena, ma lo vide. Ed ebbe una specie di sussulto, che gli altri interpretarono come un ritorno di fiamma del malessere terribile che quella perdita le aveva generato.
– Vieni a dormire da noi, – la pregò Nevina dopo che gli in-

servienti avevano fissato ai perni di bronzo l'immensa lastra di marmo che richiudeva la tomba. – Almeno per stanotte.

– No, – disse lei. – Voglio tornare a casa mia –. E lo disse con un filo d'ansia e d'attesa, che la vecchia lí per lí non riuscí a decifrare.

Cosí lasciarono la vedova davanti al cancello della casa di via Deffenu. Lei aspettò in piedi che la macchina fosse ripartita prima di avviarsi. Cristian sbucò a quel punto dall'angolo della casa di fianco.

Maddalena lo guardò come se avesse da rimproverargli chissà quale disattenzione. Niente comunque che potesse intaccare l'amore che nutriva per lui. Cristian strinse le labbra, come tutte le volte che cercava qualcosa da dire.

– Allora eri tu, – constatò Maddalena senza fare un passo.

– Sí, – confermò. – Ero io.

– Lo sapevo che non eri morto, – rivelò lei.

Cristian fece un passo verso di lei. – Sei piú bella di quanto ricordassi, – sussurrò.

Maddalena indietreggiò, come per ripristinare la stessa distanza. – Sei diverso, ma sei sempre tu. Che fine avevi fatto? – chiese.

– Mi fai entrare? – chiese lui a sua volta.

– È casa tua, – disse Maddalena avviandosi ad aprire il cancello.

Cristian la seguí tenendosi due passi piú indietro. Quel vialetto che conosceva benissimo ora gli faceva l'idea di un posto pieno di misteri. – Non è cambiato nulla, – commentò.

– Vedrai dentro, – lo ammoní, come per prepararlo a chissà quali mutazioni.

Entrarono. Cristian si guardò attorno. Nella stagione bianca aveva sognato molte volte di trovarsi esattamente in quel posto. Ma non per nostalgia.

– Che cosa ti hanno fatto? – chiese Maddalena con una pena infinita.

Cristian per un attimo temette di non riuscire a rispondere. – Sono tornato dalla morte, – rispose.

Maddalena non lo lasciò continuare, il loro amore si era

espresso nel dolore da sempre. Lo afferrò per il viso e cominciò a baciarlo sulle guance, sugli occhi, sul naso, sulle labbra, sulle orecchie, sul collo. Con una furia ostinata, quasi volesse assaporare ogni millimetro del suo viso. Domenico stava pagando la sua moneta al battelliere e loro si toccavano a occhi chiusi, come se volessero riconoscersi per altri versi. A lei non parve possibile alcuna remissione per quanto stava facendo, e non la voleva. Lui cercò la pelle sotto i vestiti per ritornare al punto esatto da cui era stato rapito. Ma restava la certezza che niente mai sarebbe ritornato quello che era. Nonostante si trovassero entrambi proprio lí, dov'erano la prima volta che avevano fatto l'amore.

Era cambiato, pensò Maddalena, mentre giocava a respingere ciò che voleva. Ora la pelle di lui era diventata spessa e asciutta, tutto il suo corpo si era mutato in una macchina specializzata per la sopravvivenza. Aveva mantenuto l'ampiezza del petto ma non il colore, che ora era latteo, pallido come sono pallide le pelli intatte, sempre coperte, degli abitanti dei climi freddi. Qui era chiaro che la sua seconda vita aveva preso il sopravvento.

In che modo fosse sopravvissuto, come si fosse salvato, lei non lo chiese, e lui, al momento, non parve troppo interessato a raccontare alcunché.

Si amarono con una precisa passione, quella con cui avevano sempre immaginato quel momento.

Era diventata piú bella, pensò Cristian, mentre finiva di spogliarla. A lui era sempre piaciuta la nudità assoluta. Il sesso senza orpelli, se non la passione divorante. Era cosí, primitivo: la donna doveva bastargli. E Maddalena non solo gli bastava ma, temeva, di lei non si sarebbe saziato mai. Si era pienata senza ingrassare, perché il corpo si era fatto maturo e zuccheroso come un frutto all'apice dell'albero, piú esposto al sole, baciato dalla vita. E lui era lí che da sempre voleva arrivare, anche a costo di farsi molto male.

Poi, fu impossibile pensare.

Dopo si erano detti tutto. Di come lui fosse stato tratto in salvo dal marinaio di un cargo sovietico. Quel marinaio si chiamava Juris, e l'aveva tirato su dall'acqua con un arpione da baleniera: vedeva la cicatrice sulla spalla sinistra? Bagnato, piú morto che vivo, era stato issato a bordo. E trasportato via. Cosí, disse, era iniziata la sua stagione bianca, perché lí dove era andato a finire nevicava sempre. Nella fattoria dove era stato accolto lo chiamavano *Zivs*, che in lettone vuol dire pesce. Risero. Ci volle qualche mese perché si rimettesse in sesto. Lavorava alla fattoria come garzone qualunque, e aveva la sua dose di carne salata e cetrioli sottaceto. C'era da spalare letame, e pulire le stalle. Non fu facile, ma imparò la lingua del posto, con una cadenza che faceva ridere tutti. La Lettonia al tempo non era indipendente, faceva parte dell'Unione Sovietica. Lei gli chiese di dire qualcosa in quella lingua. E lui: «*Es esmu šeit*», sussurrò. Che vuol dire: «Io sono qui». Lei sorrise come se conoscesse perfettamente quel significato. E poi era accaduto che gli fu possibile portare avanti qualche affare con le autorità locali. Russi di campagna, persone non troppo sveglie da cui uno intraprendente come Cristian era riuscito a ottenere di tutto. Un'identità ufficiale, per esempio, un passaporto con un nome e un cognome: Oskar Krievs. Poi qualche piccolo incarico, fino alla responsabilità del controllo doganale. Un settore dove il funzionario precedente si era fatto ricco per i suoi standard limitati, ma che Oskar fu capace di trasformare in una miniera d'oro... Il resto era semplicemente il frutto di una disponibilità pressoché illimitata che con l'indipendenza della Lettonia era persino cresciuta. Cosí si era ripreso quello che era suo.

Maddalena abbassò la testa. Non erano stati anni facili. E lui, Cristian o Oskar che si sentisse, era diventato padre, lo sapeva? Lui l'abbracciò per dire che sí, Domenico gliel'aveva detto prima che facesse quello che aveva fatto. Ma Cristian non pareva troppo interessato all'argomento, come se l'assenza del corpo stesso del figlio l'allontanasse da qualunque affettività. Cosí lei si alzò, nuda, corse nell'altra stanza, ritornò dopo qualche minuto con un album di fotografie: voleva che vedesse suo figlio.

Vedeva quanto gli assomigliava? Cristian fece segno che sí, che lo vedeva. Poi disse che gli si chiudevano gli occhi tanto aveva sonno.

Quella stessa notte, quando il cane bianco le andò incontro caracollando, nemmeno si svegliò. Lo vide dall'angolo estremo del foglio bianco a cui era ridotto lo spazio circostante. Ora tutto era scomparso, la fattoria, il fienile: niente di niente. Ovunque regnava un bianco abbacinante. E, nel fondo di quel nulla, solo il marrone delle pupille e il carminio della lingua penzolante. Temette per un istante che il cane potesse buttarla giú nella foga. Ma non si spostò. Cosí la bestia la raggiunse. Sollevandosi sulle zampe posteriori si mise alla sua altezza, come se volesse guardarla negli occhi. Poi con un movimento del muso parve che la invitasse ad accarezzarlo. Maddalena non si svegliò.

«*Paklausīgs suns*», sussurrò l'uomo comparendo dietro di lei.

Maddalena fece cenno che lo sapeva, che si capiva quanto fosse affettuosa quella bestia, senza neanche voltarsi a guardare chi aveva parlato. Sentí che l'uomo sorrideva. Poi sentí che le sfiorava il collo con una mano. E non si svegliò.

Ora, intorno a lei, la luce si era rassegnata a scialbare un cielo pulsante, quasi un fondale fibrillante di lampade al neon. A osservare per bene, oltre al bianco, si poteva percepire un boschetto di betulle, e, oltre quello, si stava palesando la sagoma di un villaggio, lontanissimo. Tanto che Maddalena si chiese per quale potere straordinario riuscisse a vedere cosí bene le cupole a bulbo dei campanili gemelli e persino i pinnacoli di un castello.

L'uomo era identico a come l'aveva sempre sognato: con la sua giacchetta di misura e le maniche del maglione a collo alto che sovrabbondavano quelle della giacca. E aveva quel tono di miele addosso, nella pelle e negli occhi, nella barba sottile e incolta, nei capelli scomposti.

«*Esmu šeit*», la rassicurò lui.

Maddalena sorrise appena per dire che non aveva bisogno di alcuna rassicurazione al mondo. Il cane la guardò ancora una volta prima di riprendere la sua corsa e sparire nel candore.

«Come ti chiami?», chiese Maddalena all'uomo. La sua voce sembrò quella di una bambina.

«*Mani sauc zivs*», rispose lui.

«Pesce?», domandò lei per essere sicura di aver capito bene.

«*Jā, zivs*», confermò l'uomo.

Maddalena fece in sogno quello sguardo che suo padre aveva sempre definito «da vecchietta», ma era solo il suo modo di esprimere perplessità. «Pesce, – ripeté. – Ma non c'è mare qui», constatò.

«*Nemāku peldēt*», rilevò l'uomo trattenendo una risata. Ora stava davanti a lei, esattamente come, poco prima, il cane.

Risero entrambi quasi si conoscessero da sempre e fossero autorizzati a condividere quell'intimità reciproca. «Proprio un bel nome per chi non sa nuotare», commentò lei.

L'uomo non disse nulla, la guardò. Pareva che, da un momento all'altro, volesse baciarla.

Aspettò che ciò avvenisse, perché era chiaro che lo voleva anche lei.

Quando Maddalena Pes si svegliò era sola. – Cristian? – chiamò.

– Sono qui, – rispose lui, dal salotto, dopo qualche secondo.

Lei sgusciò dal letto e, portandosi dietro la coperta, lo raggiunse. Era completamente vestito e sbarbato. Il che la fece sentire nuda e distante. All'improvviso pensò di doversi vergognare per la facilità con cui si era concessa.

– Aspettavo che ti svegliassi, – disse lui, con un tono di voce straordinariamente neutro. – Non volevo partire senza averti salutato e non volevo svegliarti, – spiegò. E quella spiegazione doveva sancire una qualche forma di gentilezza che pure sembrava anni luce distante dalle sue intenzioni.

Maddalena guardava quell'uomo quasi si fosse resa conto di colpo che, nonostante la sua presenza, non era ritornato mai. E seppe che non c'era alcuna prospettiva di una vita in comune.

– Non vi mancherà nulla, – assicurò lui.

Lei si strinse nella coperta. – Parti? – chiese, neanche l'avesse capito solo in quel momento.

– Sí, – rispose lui, come chi è avvezzo a dare un nome alle cose e a ciascuna cosa il suo nome.

– E noi? – chiese Maddalena. Era chiaro che sapeva in quale abisso l'avrebbe condotta una domanda del genere, fatta senza alcun controllo, lasciata scaturire cosí...

– Non c'è «noi», – decretò lui. Con la stessa precisa freddezza con cui aveva comunicato fino ad allora. E si alzò in piedi vedendo che Maddalena, incomprensibilmente, era corsa via, verso la cucina, con la sua coperta sulle spalle, come una moglie indiana.

Cristian Chironi si avviò all'ingresso dove l'aspettava il suo bagaglio leggero. Una volta fuori di lí avrebbe chiamato l'autista e si sarebbe diretto a Olbia.

– Io vado, allora. Addio, – proclamò al vuoto dietro di sé.

E fu in quel momento che sentí la fitta, qualcosa che gli penetrava il costato e gli tagliava il respiro. Fu talmente stupefatto che all'inizio non provò dolore. Si piegò all'indietro come quando si è sorpresi da una tremenda stretta lombare, e tentò di liberarsi del coltello. Poi desistette, capendo che l'estrazione avrebbe solo accelerato la fine. Ruotò su se stesso.

L'ultima cosa che vide fu Maddalena, completamente nuda, i capelli scomposti, lo sguardo fisso, la postura fiera, come la Nemesi di cui da millenni si scrive e si racconta.

Parte V
Infine

Adorare le ceneri

Gozzano, febbraio 2000.

Luigi Ippolito, spalancata l'anta dell'armadio nel cui retro era fissato uno specchio a figura intera, squadrò l'altro sé che gli si parava davanti. Capí che non faceva alcuna fatica a riconoscersi. Era certo di quello che era. E quella certezza gli trafiggeva lo stomaco come se fosse l'oplita che si slancia contro la falange... Con calma allentò i primi tre bottoni della talare. Provò a sussurrare il suo nuovo nome: Luigi Ippolito Chironi.

Frugò tra i ricordi d'infanzia per trovare un segnale di quanto cosí facilmente era riuscito a capire di sé dopo la lettura del manoscritto che la madre gli aveva lasciato. Aveva scoperto da subito che si trattava di piú di un semplice manoscritto. Dentro quella cartella infatti le generazioni avevano lasciato un segno, un appunto, un commento. Messaggi in bottiglia nel mare delle circostanze.

Cristian, suo padre, aveva stilato piccole glosse a mano in una grafia sbrigativa, come capita a chi scrive sull'onda dell'impulso, sotto la pressione del timore di dimenticare quanto ha in testa. Ma quello che colpiva era la lunga citazione di Epicuro, come un annuncio vero e proprio: *La morte, il piú atroce dunque di tutti i mali, non esiste per noi. Quando noi viviamo la morte non c'è, quando c'è lei non ci siamo noi.* Da un calcolo veloce poteva capire che quella era la scrittura di Cristian diciottenne, all'epoca cioè della morte di sua madre Cecilia. E poi un foglio strappato da un libro di storia dell'arte dove c'era la riproduzione di *San Matteo e l'Angelo* di Caravaggio, conservato nella Cappella

Contarelli. Luigi Ippolito a San Luigi dei Francesi c'era stato
di persona, e poteva dichiarare con certezza che quella fotografia non aveva nulla a che fare con l'originale. E si chiese come
sarebbero andate le cose se solo suo padre, Cristian, avesse potuto vedere quel capolavoro con i propri occhi. Forse avrebbe
potuto capire che ci sono casi in cui la realtà è di gran lunga piú
fulgida, incredibile, dell'immaginazione. Anzi, avrebbe potuto
capire qualcosa che lui, ora, davanti a se stesso, aveva perfettamente chiaro: la realtà è sempre, sempre, piú imponderabile
di qualunque immaginazione. È per questo che ci fa cosí paura.

Alla fine del primo gruppo di fogli manoscritti, quelli redatti
dal bisnonno omonimo di Luigi Ippolito, Cristian aveva accluso
al plico una lettera fissata alla cartella con una lingua di nastro
adesivo. Si trattava di un testamento, o un congedo tremulo,
stilato da un vecchio. Era la scrittura forgiata dal capostipite,
Michele Angelo:

> *Io sottoscritto Chironi Michele Angelo,*
>
> *dichiaro e non permeto che i miei parenti quando io muoio
> che si vestano di nero niente lutto. Il lutto Cari non mi fa niente il
> lutto è nel cuore. Unaltra avvertenza non voglio messe solo quelle
> corpus presente. Non mi voglio messo in tombino in terra come
> mio Nipote mio Figlio e tutti gli altri...*

Ognuno aveva cercato a suo modo di dare un senso a qualcosa che non era detto dovesse necessariamente averlo. C'erano due foto: nella prima appariva un uomo, suo bisnonno Luigi Ippolito, con la divisa della Prima guerra mondiale, in posa
davanti a una chiesetta romanica; nella seconda un giovanotto,
il nonno Vincenzo Chironi, con un doppiopetto scuro e una camicia bianca, senza cravatta, che sorrideva all'obiettivo, appoggiato alla sua moto.

C'erano poi, in un gruppo di fogli a parte, elenchi compila-
ti in bella scrittura da Marianna Chironi, intere genealogie ag-
giornate di volta in volta:

> *Michele Angelo e Mercede generarono Pietro e Paolo, Gio-
> vanni Maria e Franceschina, Luigi Ippolito, Gavino, Marian-*

na; Marianna e Biagio generarono Mercede, detta Dina; Luigi Ippolito e Erminia generarono Vincenzo; Vincenzo e Cecilia generarono Cristian.

    Cristian e Maddalena genereranno Luigi Ippolito...

Già scritto, da sempre, da subito, senza mistero. Ecco lí, nero su bianco, quello che, senza capirlo, lui stesso aveva percepito fin dall'inizio. Ora era chiara la natura stessa di quel suo sentirsi inadeguato che aveva determinato ogni scelta. Che l'aveva consegnato all'arbitrio, all'inquietudine. Eppure orfano non si era sentito mai.

Inaspettatamente avvertí salirgli nel petto un sentimento affettuoso per Domenico Guiso che si era fatto padre nonostante tutto. Putativo come Giuseppe. E Giuseppe era il nome del suo nonno materno – morto anni prima – che completava l'altro nome, quello del destino. Domenico aveva voluto essere padre ma non aveva avuto la forza di smettere di essere figlio. Quell'anima lacerata, ora poteva capirlo bene, aveva tentato in ogni modo di ignorare quanto sapeva con certezza: stava allevando il figlio di Cristian. Esattamente come lui che, allo stesso modo, aveva cercato di ignorare quanto percepiva con certezza: quell'uomo non era suo padre.

Aveva ricordi di grande affetto, questo sí.

Ora che si guardava allo specchio, slanciato nella talare, orgoglioso e strafottente di fronte a quel Chironi che aveva scoperto di essere, poteva concedere alla povera anima purgatoriale di Domenico una preghiera in suffragio, perché la sua pena finisse.

Poco tempo prima si era messo disteso sul letto rifatto. Vestito di tutto punto, i bottoni della tonaca brillanti, le scarpe lucidate a specchio. Aveva provato a sussurrare nel silenzio il suo cognome e nome: Chironi Luigi Ippolito. Non piú Guiso. Infatti, senza che il Chironi si muovesse dal letto, quel Guiso che era stato, si mise in piedi per guardare l'altro sé composto, morto, pronto da piangere. L'Uno stette lí, preciso a se stesso, l'Altro lo fissò, inquieto, pietrificato, ma turbolento, dritto e secco come un insulto detto in faccia, tra il letto e la finestra.

Che la fissità dell'Uno era parvenza e la fissità dell'Altro era controllo. Al primo sguardo si sarebbero detti del tutto identici Luigi Ippolito e Luigi Ippolito, solo che il primo, quello disteso sul letto, aveva l'apparenza imperturbabile del morto sereno, mentre il secondo, quello che osservava se stesso, in piedi, era rigido e accigliato come sono rigidi e accigliati gli sguardi perplessi.

Cosí mentre il primo era immerso nella pace inenarrabile di una resa totale, il secondo battagliava contro quella invincibile mollezza. Per questo a un certo punto, rompendo ogni stasi, si avvicinò fino quasi a rapirgli il soffio, quasi padre amorevole che volesse assicurarsi che il neonato ancora respiri. Ma non fu certo per amore che Luigi Ippolito si piegò su Luigi Ippolito, no: l'Altro si piegò sull'Uno per leggergli la vita. E insultarlo anche, che non era quello il momento di morire e tantomeno di giocare alla morte; e non era quello il momento di arrendersi.

L'Uno ascoltò e non si mosse, ostinato nella sua farsa di defunto. Non si mosse anche se avrebbe voluto riprendere se stesso.

Arreso all'evidente ostinazione di sé, l'Altro si sedette sul bordo della sedia impagliata davanti al comodino come una giovane vedova che ancora non ha capito l'onta che ha subito. Restò a guardare l'Uno che appena appena respirava.

– Com'è esplorare questa terra di silenzio? – gli domandò. – Com'è questo viaggio maledetto?

Poi la luce parve lasciare a precipizio la stanza, cosí le sopracciglia folte, ombreggiando le palpebre serrate dell'Uno, diedero contezza di tutto il suo pallore. L'Altro dunque, come aveva fatto la luce, abbassò il tono della voce e dei pensieri per dichiararsi definitivamente disposto a giocare quel gioco di compianto. Ricordava la solitudine del campo sfinito dalla canicola? E ricordava l'attesa davanti alla trappola? E la vita che si sputava dai polmoni dopo la corsa? Ricordava? Le battaglie all'oliveto, il frinire tremendo delle cicale, il sibilo marrano del maestrale...

– Tu volevi il controluce. Volevi ombre. Io volevo luce, – rispose d'improvviso l'uomo disteso.

C'era il piano scabro della loro vita insieme, quand'erano tutt'uno, come un tavolaccio rustico dove le malie del passato potessero trovare un ordine. Luigi Ippolito Chironi, dunque, di quei Chironi che, pare, avevano allevato i cavalli sui quali si era posato il deretano santo di due Papi e quello molto laico di un Viceré...

Nella stanzetta si formò una luce di camera ardente, perché una macchia nera si era aperta al centro del bulbo solare. L'Uno e l'Altro si guardarono. Il primo disteso ritornò assente, ma osservò il secondo attraverso le palpebre serrate. Il secondo, la fronte corrugata, ricambiò con tenace attendismo quello sguardo assente. Come sempre è stato e sempre sarà.

Era tempo di dirsi addio.

Perciò Luigi Ippolito si alzò, spalancò l'anta dell'armadio per guardarsi, in piedi, nel pieno della sua magnificenza. Poteva pretendere ogni cosa gli spettasse, ma si rese conto che era inutile: non era rimasto piú nessuno a rivendicare quanto era suo. Non Cristian ucciso due volte, prima da Domenico, poi da Maddalena. Non Domenico, ucciso dalla sua inquietudine dolorosa. Non Maddalena, che dopo avergli fatto visita in seminario aveva fatto perdere le sue tracce. Ormai era scomparsa da piú di un anno, nel nulla – come solo le donne Chironi sanno fare.

Poteva ritornare a Núoro, abbandonare la vita ecclesiastica. Oppure no.

Si fece silenzio, contro il fragore costante del riflettere. Improvvisamente non ci fu piú nulla, nulla da pensare, nulla da ricordare. Era stato un sogno, oppure no: era stato trovarsi esattamente al punto in cui diventava impossibile qualunque rettifica.

Ma come si poteva raccontare quella storia di silenzi? Tutti sanno che le storie si raccontano solo perché da qualche parte sono accadute. Basta afferrare il tono giusto, dare alla voce quel calore interno di impasto che lievita, sereno in superficie, turbolento nella sostanza. Basta capire dove sia il chicco e dove sia la pula, pensando senza quasi pensare. Perché sapere di pensare è come svelare il meccanismo e svelare il meccanismo è come rendere mortale quella storia.

Perciò occorreva che si prendesse la sua prima responsabilità di Chironi, che, come qualcuno aveva detto, consisteva nella certezza che mantenere viva la fiamma fosse meglio che essere costretti ad adorare le ceneri.

La scrivania era sola nell'angolo in ombra della stanza. Il destino gli stava concedendo carta e penna. E, là fuori, il cielo era di latte. Luigi Ippolito osservò se stesso che si avviava allo scrittoio dove giaceva quel plico che era l'unica eredità avuta da sua madre. Lo aprí alla prima pagina. Dall'ombra che immergeva la scrivania scaturí l'ostinata luminosità di un foglio bianco. Una luce perfetta. Che, forse, era un invito...
Cosí prese una penna, e iniziò:

Prima vengono i bisnonni: Michele Angelo Chironi e Mercede Lai.

Rilesse al volo, ma già rettificò. Tracciò una linea sulla parola «bisnonni» e scrisse «capostipiti».

Prima vengono i capostipiti: Michele Angelo Chironi e Mercede Lai. Prima di loro...

... Nulla.

Le citazioni letterarie sono tratte da:

Sebastiano Satta, *Canti barbaricini*, La vita letteraria 1910.

Epicuro, *Lettera sulla felicità* (a cura di Angelo Pellegrino), Einaudi 2014.

William Shakespeare, *Enrico IV* (traduzione di Cesare Vico Ludovici), in *Teatro I*, Einaudi 1964.

Le citazioni musicali sono tratte da:

Pink Floyd, *Us and Them* (di Richard Wright e Robert Waters), in *The Dark Side of the Moon* 1973.

U2, *Sleep Like a Baby Tonight*, in *Songs of Innocence* 2014.

Umberto Bindi, *Il nostro concerto* (di Giorgio Calabrese e Umberto Bindi), in *Umberto Bindi* 1960.

Renato Zero, *I migliori anni della nostra vita* (di Maurizio Fabrizio e Guido Morra), in *Sulle tracce dell'imperfetto* 1995.

Claudio Rocchi, *La realtà non esiste*, in *Volo magico n. 1* 1971.

Franco Battiato e Alice, *I treni di Tozeur* (di Franco Battiato, Giusto Pio e Rosario Cosentino), in *I treni di Tozeur* 1984.

Gazebo, *I Like Chopin* (di Pierluigi Giombini e Paul Mazzolini), in *Gazebo* 1983.

L'episodio dell'incontro tra Luigi Ippolito ed Erminia è apparso, in una precedente versione, col titolo *Di quando sei tornato* (scritto per il festival Gita al faro, 2014).

L'episodio di Gessica e Priamo è apparso, in una precedente versione, col titolo *Certe favole si capiscono troppo tardi* (scritto per il Goethe-Institut, 2012).

Indice

*Stampato per conto della Casa editrice Einaudi
presso ELCOGRAF S.p.A. - Stabilimento di Cles (Tn)
nel mese di aprile 2017*

C.L. 23483

Edizione

1   2   3   4   5   6   7

Anno

2017   2018   2019   2020